Colección
BIOGRAFIA Y MEMORIAS
nº. 4

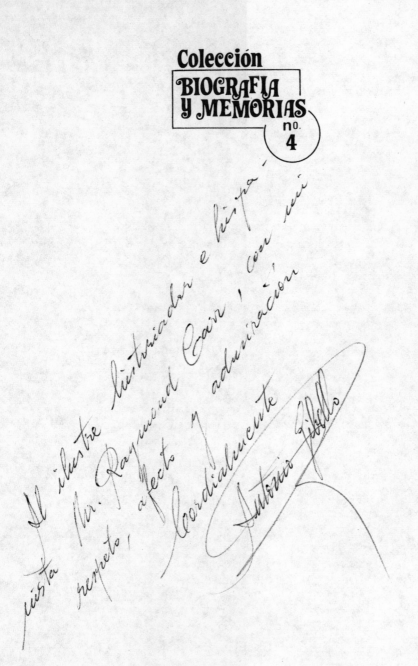

Al ilustre historiador e hispanista Mr. Raymond Carr, con mi respeto, afecto y admiración

Cordialmente

Antonio [illegible]

ANTONIO GIBELLO GARCIA

JOSE ANTONIO, ESE DESCONOCIDO

1985

Ediciones DYRSA
C/ San Romualdo, 26, 3.°
Teléfono 204 70 93
28037 Madrid

Depósito legal: M. 14544-1985
ISBN: 84-86169-26-7

Cubierta: «JOSE ANTONIO», óleo de Luisson,
propiedad de José María Alonso Collar.
Fotografía de Jorge Gombau

Impreso en DYRSA
Printed in Spain

Dedicatoria:

A mis padres, que me enseñaron a amar a Dios y a España.
A mi mujer y a mis hijos, y a cuantos españoles, falangistas o no, creen en la dignidad del hombre, en la Justicia y en la Patria.

INDICE GENERAL

II PARTE

De la República al Frente Popular

III PARTE

PERSECUCION Y MUERTE

Desde el Frente Popular a la tumba de Alicante

APENDICE DOCUMENTAL

Prólogo

Hace poco tiempo me preguntaba en voz alta por la imagen que de José Antonio puede llegar hoy a los jóvenes y mostraba mi temor de que esa imagen no sea todo lo correcta que debiera, porque ni los años ni las circunstancias han colaborado a que esa estampa, de perfil clásico y señero, se proyecte con la fidelidad que merecen aquel hombre y su trágica y esplendorosa circunstancia.

Con José Antonio se ha producido en el campo literario una curiosa paradoja: de él se escribieron millares de páginas apasionadas o fervorosas; unas, en la pura expresión de la sinceridad humana; interesadas, las otras, por la contingencia de lo menor; pero nadie acertó a llevar a la imprenta el escueto mensaje que fueron su vida, su muerte y su obra. En esa ocasión recordaba que los meritorios esfuerzos de Ximénez de Sandoval y de Antonio Gibello «miraban al hombre, no a la clave». Y añadía: «Esa idea despersonalizada puede fecundar el futuro, sin embargo. Mucha labor le queda a Gibello por delante. De él puede esperarse una proyección futurista del pensamiento joseantoniano.» Extraigo a propósito estas referencias de mi obra «Una luz tras el ocaso» (Ediciones DYRSA, mayo, 1984) cuando acabo de terminar la reposada lectura de un nuevo libro de Antonio Gibello sobre el Fundador de Falange Española, en cuyo título viene a coincidir con mis iniciales temores: **«José Antonio, ese desconocido».**

En rigor, Antonio Gibello nos ofrece algo más que una versión corregida y aumentada, al viejo estilo editor, de su obra **«José Antonio»,** porque el libro que ahora comparece ante el público es, en la práctica, una obra nueva o, cuando menos, rehecha desde sus cimientos y ampliada hasta convertirla en un airoso retablo donde la disciplina de la «mentefactura» se ha impuesto legítimamente sobre el fervor de la emoción. **«José Antonio, ese desconocido»** resulta de esta suerte una obra magistral que completa su versión primera y que quedará como sereno observatorio de un tiempo terrible y hermoso, de una esperanza frustrada por el envilecimiento de los menos, impuesto sobre el sentimiento sencillo y descuidado de los más.

«José Antonio, ese desconocido» tiende, y lo consigue de forma elocuente —elocuentísima, en determinados momentos— a hacer del mito un hombre y de las olvidadas páginas cubiertas por el amarillo beligerante de tantos intereses, nada menos que una incitación de futuro.

Sería por mi parte una presunción imperdonable erguir sobre este prólogo un juicio escrutador de la obra que se inicia apenas concluido este breve y amigable discurso; pero si es cierto, como algunos aseguran, que todo prólogo es al libro un mero adjetivo, quiero que esa adjetivación sea calificadora de un honroso esfuerzo y de una fecunda realidad que han dado por fruto el libro que tiene el lector entre sus manos. Tal vez resulte innecesario añadir a este dictamen, a este «sí» clamoroso que yo expreso desde la pura observación intelectual y política, alguna anotación sobre el autor de la obra. Y, sin embargo, por múltiples razones que explicaré de inmediato, también he de hacerlo dejándome llevar exclusivamente de un sentido del deber: el reconocimiento que en lo puramente humano merece Antonio Gibello.

Es conocido el vicio de mostrarnos generosos con la obra y egoístas con el autor. Recuerdo a este respecto el magnífico ensayo de Antonio Castro Villacañas en juvenil y arrogante réplica a la teoría de Unamuno sobre el Quijote. Escribió Antonio Castro Villacañas un ensayo breve, primoroso («Cruz y raya a don Quijote») en el que sostiene, con toda razón, que resulta imposible juzgar el Quijote sin conocer previamente la biografía de Cervantes, porque nadie puede dar de sí lo que no lleve dentro. Hago la referencia a aquel ensayo sin más amparo que el de la memoria, porque no lo tengo a mano, pero en la certeza de que el juicio de Castro Villacañas resultaba justo y certero. Tengo en esta circunstancia la ventaja sobre cualquier lector del libro de Antonio Gibello, **«José Antonio, ese desconocido»**: que conozco al autor.

Gibello y yo hemos compartido ideas e ilusiones, profesión y trabajo, adolescencia, juventud y madurez de una forma rigurosamente paralela. Creo recordar que nuestros padres nacieron en el mismo año —diez antes de que se produjese el desastre del *Noventa y Ocho*—, vivíamos de niños en la misma modesta barriada, pertenecíamos a la misma Organización y en ella, a la misma unidad de encuadramiento, los dos fuimos periodistas y vimos impresa nuestra firma, orgullosamente, en aquel ejemplar «Arriba», antes de que dejase de ser lo que fue para morir de forma ignominiosa, cuando el uno y el otro andábamos ya a pecho descubierto conformando la vanguardia de la única resuelta oposición que se advierte en el confuso panorama político de nuestro tiempo.

En lo humano, es Antonio Gibello un hombre ejemplar, trabajador, tenaz y honrado. En lo intelectual, es un imparable acumulador de saberes que, jerárquicamente disciplinados, proyecta después sobre cualquier género del periodismo escrito o sobre la literatura y el ensayo. De la generación que abrió sus ojos a la vida bajo las incitaciones heroicas de un tiempo resueltamente mejor, es Antonio Gibello una figura preeminente; del conjunto de los periodistas de nuestro tiempo, es, asimismo, una figura destacada que puede alinearse con abundancia de legitimidades prácticas en la vanguardia de esta profesión. Lo más admirable en Gibello es esta faceta en que se conjugan, simultáneamente, la sencillez, el saber y la pura organización mental para proyectarse en cada jornada de trabajo.

Al hilo de esta obra que acabo de leer, serena y audaz, inteligente y verídica, recuerdo una lejana escena en la que interveníamos los dos. Se había producido el primer gesto de rebeldía en aquellos que, nacidos en las inmediaciones del conflicto civil que enfrentó a los españoles durante tres años, habíamos crecido en la ilusión de culminar con nuestro propio esfuerzo la gigantesca obra emprendida por nuestros mayores: fue el 20 de noviembre de 1955. Caminábamos bajo un frío sol otoñal, hacia la estación de ferrocarril de San Lorenzo de El Escorial, tras haber asistido a los funerales que, por José Antonio, organizaba la Jefatura Nacional de F.E.T. y de las J.O.N.S. Se produjo un considerable revuelo en el Patio de Reyes y la crispación alcanzó a todos. Yo me sentía pesimista; Gibello, en cambio, no renunciaba a su natural optimismo, pero los dos coincidíamos en un hecho que el tiempo y las circunstancias hicieron evidente: el relevo generacional para la culminación de aquella colosal empresa no iba a producirse. No se produjo. Pensando los dos en voz alta, me dijo, cuando ya dejábamos la lonja de la basílica a nuestras espaldas: «Desde donde estemos yo te aseguro que nuestra presencia se notará. Que no podrán borrarnos ni la fe ni el entusiasmo, aunque, naturalmente, seguiremos siendo los aguafiestas iluminados.»

Han transcurrido muchos años, y al pasar la última página de esta espléndida obra, le he contestado en silencio y con treinta años de distancia: «Tienes razón, Antonio. La lealtad no puede venderse ni alquilarse, como la conciencia. Tú y yo al menos estamos libres de ese terrible pecado, aunque seamos poco más de lo que éramos cuando tomábamos café en nuestro viejo barrio o ya, de incipientes periodistas, en la barra de "El Comercial", o ayer mismo, en esta fortaleza de papel, desde donde seguimos defendiendo todo aquello que ha de ser perdurable tras haber recogido, abandonadas en el polvo de la huida, las viejas banderas que tantas veces izamos como testimonio de fe y promesa de esperanza. Así seguirá siendo.»

Antonio Izquierdo
Madrid, marzo 1985

A manera de presentación

Terminé de escribir la primera versión de este libro a lo largo del inquietante verano y otoño de 1974, cuando, acosado ya por la tromboflebitis que un año después le llevaría a la muerte, el Generalísimo Franco se vio forzado a ceder temporalmente la Jefatura del Estado a quien, por aquel entonces, era Príncipe de España y su sucesor a título de Rey, según las previsiones de las Leyes Fundamentales del Régimen y del Movimiento Nacional nacido del 18 de julio de 1936, a las que había prestado solemne y público juramento de lealtad.

Hago precisión de la fecha y las circunstancias en que escribí estos apuntes biográficos, porque ellas explican mejor que cualquier otro razonamiento la necesidad de una revisión sosegada del texto, la corrección de algunos comentarios y juicios condicionados por el entorno temporal y sociopolítico, y, sobre todo, su ampliación con gran número de datos, opiniones y documentos, propios unos, y llegados a mí los otros por generosa revelación o donación de multitud de lectores de mi obra, estimulados por el deseo de aportar luz, en la medida de sus posibilidades, sobre la cautivadora y polémica personalidad y figura política e histórica de José Antonio Primo de Rivera. Acepten todos ellos mi gratitud.

Por otro lado, la larga década transcurrida ha sido rica en acontecimientos que, sin que se lo propongan los mentores de la transición y del cambio, sitúan la realidad española actual en un ámbito histórico en el que encajan, con singular precisión y asombrosa idoneidad, la mayor parte de las reflexiones y juicios críticos expresados por José Antonio sobre el sistema democrático de partidos, las pugnas nacionalistas y la lucha de clases.

No es que la Historia se repita con idénticos planteamientos, pues es claro que la sociedad española es otra, otro su nivel de vida y su formación cultural, y otras, muy diferentes también, las circunstancias internacionales de todo orden, el progreso técnico y científico y la distribución de fuerzas operantes hoy a escala universal. Pero nadie podrá negar, siempre en orden relativo, que, en el «corso e ricorso» de la Historia, España vive actualmente una situación de crisis y unas opciones políticas y socioeconómicas muy semejantes a las que justificaron en los años treinta la irrupción esperanzadora de aquel movimiento juvenil llamado Falange Española de las J.O.N.S.

De modo que, si en 1974 resultaba oportuna la aparición de este libro como aproximación a la personalidad y la obra de José Antonio, a quien no dudé en calificar como «el gran desconocido», mucho más acertada puede ser hoy la edición de esta versión revisada, corregida y aumentada, que Ediciones DYRSA lanza al mercado español e internacional.

Bien es verdad que durante los dos lustros pasados han aparecido diversos trabajos, que aquí se tienen en cuenta, de carácter biográfico, desde la obra de Ian Gibson hasta la más reciente de Sheelagh Ellwood, por citar dos enfoques tendenciosos y equívocos; o las de Arnaud Imatz o Vicente Gonzalo Massot, valiosos y meritorios esfuerzos más cercanos al entendimiento de la realidad humana y el valor doctrinal del pensamiento político de José Antonio. Cito, como se puede apreciar, solamente autores extranjeros, aunque el último de ellos no lo sea propiamente, pues por sus ancestros familiares y por su nacionalidad argentina pertenece radicalmente a la gran familia hispánica de ultramar.

Pero, ¿qué pasa en España? ¿Por qué los historiadores no se deciden a enfrentarse, con serenidad de ánimo y rigor intelectual, a la rica y sugerente personalidad de José Antonio?

Aún no hace muchos meses desde que hube de sostener una polémica periodística con mi viejo amigo y antiguo colaborador en «El Alcázar» Ricardo de la Cierva, a propósito de su equivocada pretensión, incomprensiblemente manipuladora, de que José Antonio estaría hoy en el P.S.O.E. Y, casi simultáneamente, hube de replicar también las insidiosas afirmaciones de un periodista ilustre, Augusto Assía, que, sobre presentar como novedad datos que son conocidos y públicos desde los años cuarenta, manipulaba también la realidad histórica hasta presentar falsamente a Indalecio Prieto como albacea testamentario de José Antonio, ignorando, pese a su trato con el viejo dirigente socialista, lo que éste ha contado hasta la saciedad en diversos artículos y en su libro «Convulsiones de España».

¿A qué vienen estas actitudes que fuerzan a pensar en una intención consciente o inconscientemente deformadora y, en algún caso, como ocurre con Ricardo de la Cierva, frontalmente contradictoria con juicios y criterios expuestos por él en otro tiempo?

¿Por qué ese empeño, desde la derecha, tanto o más que desde la izquierda, en presentar alterada e irreconocible la verdadera identidad del Fundador de la Falange?

A la propaganda oficial del Régimen de Franco, que convirtió la figura humanísima de José Antonio en un mito utilizable en cada momento conforme a las conveniencias de la política estatal, ha sucedido, tras el cambio de sistema, una insidiosa propaganda a veces oficial, otras «privada», pero de signo contrario. Si el régimen de Franco exaltó a José Antonio, usando en favor propio su memoria, el sistema democrático-parlamentario en que ha devenido la Monarquía instaurada por el viejo régimen se ha empeñado, con obcecada reiteración, en tratar de denostar a toda costa la personalidad del Fundador de la Falange. Así, venga o no a cuento, desde los medios de comunicación social controlados por el Estado se viene desarrollando una campaña sistemática de deformación y falseamiento histórico, de la que han sido escandalosas muestras las series televisadas «Memoria inmediata» —conocida popularmente con el título de «Injuria inmediata»— y «La noche del cine español». En el empeño descalificador no se regatean medios. Ocurre, sin embargo, que lejos de alcanzar ese objetivo y pese a todas las manipulaciones, la figura humana y política de José Antonio resulta indemne y, además, se fortalece en la medida que puede ser enjuiciada directamente por las actuales generaciones de españoles.

En la tarea deformadora colaboran con servil esfuerzo algunos medios privados aparentemente independientes, pero que son en realidad vergonzantes feudatarios del poder gubernamental. Tal ocurre con el desacreditado Grupo de «Historia 16», «Cambio 16» y «Diario 16», refugio de todos los resentimientos y frustraciones personales e ideológicas. El amarillismo periodístico practicado por el «trust» les descalifica de raíz, por más que la demagogia y el sensacionalismo informativo cuenten en todo tiempo con secuaces incondicionales.

Aunque pudiera parecer a alguien que me lastra alguna suerte de pereza —lo que no es el caso—, no me queda más remedio que plantear, después de diez años, interrogantes parecidas a las que entonces me formulé, y llegar también, como entonces, a idéntica conclusión: que, pese al largo proceso de insonoración a que se ha sometido y somete su doctrina —en parte, no pequeña, por culpa de sus propios seguidores—; contra el propósito de quienes pretendieron y aspiran aún a la descalificación de sus postulados, felices de haber vuelto impunemente a la ciénaga de las pugnas fratricidas de clase, grupo o territorio; en oposición a quienes desearían cancelar, dándole por concluido, un capítulo de nuestra historia, todavía preñado de posibilidades y esperanzas, hay promociones jóvenes que se acercan curiosos y expectantes a la figura del gran Ausente y desconocido: José Antonio Primo de Rivera.

A satisfacer esa curiosidad, a enriquecer la inteligencia de esas promociones jóvenes, perplejas y marginadas, se dirige esta edición, que trata de presentar ante ellas, con amor, pero con objetiva veracidad, estos nuevos apuntes sobre una biografía polémica que mereció, tras su muerte ejemplar, elogios y reconocimientos de tanto peso y autoridad como aquel que le dedicara don Miguel de Unamuno en su carta a Lisardo de la Torre, en la que calificaba a José Antonio como «un cerebro privilegiado. Tal vez el más prometedor de Europa».

> *«Apenas si se sabe nada de su muerte. Imagínese mi zozobra. Ahora, que nos da por arrasar la inteligencia, no es lícito que aguardemos con demasiado optimismo lo que la contienda pueda depararle. Lo he seguido con atención y puedo asegurar que se trata de un cerebro privilegiado. Tal vez el más prometedor de la Europa contemporánea.»*
>
> (Miguel de Unamuno. Carta a Lisardo de la Torre. Agosto de 1936.)

PRIMERA PARTE

1903-1931

AQVI
EN ESTA CASA
NACIO
JOSE ANTONIO
XXIV-IV-MCMIII

1. Pronóstico y premonición

En las crónicas periodísticas otra vez se ha puesto de moda hablar de la vuelta de los brujos.

Políticos y hombres de empresa buscan el concurso de los nuevos adivinos, cuya capacidad de profecía posee, aún, cierto halo misterioso, pero cuyo ejercicio se asienta, con altas dosis de objetividad, sobre las bases de datos y encuestas sociológicas. Ha nacido así una nueva ciencia, la Futurología, que se ejerce en las sociedades occidentales más desarrolladas con la máxima seriedad.

Pero en 1935 no existían futurólogos.

Y aunque los acontecimientos ofrecían las mismas posibilidades de objetivación y de análisis, solamente las mentes lúcidas de unos cuantos iluminados y poetas eran capaces de intuir, con precisión, el signo de los tiempos futuros.

José Antonio fue uno de esos escasos espíritus elegidos.

Cuando se repasan sus escritos y sus discursos, impresiona la concisión rigurosa con que se anticipaba su juicio a los futuros acontecimientos.

> *«Es cierto que José Antonio meditó largamente en su prisión de Alicante antes de aprobar el proyecto de sublevación, y cuando poco antes de su muerte se mostró bien pesimista sobre la suerte de la Falange en caso de victoria franquista, él fue un buen profeta.»*
>
> (Ernst Nolte. «Les Mouvements fascistes», página 336.)

Sólo él, entre los políticos de su generación, fue capaz de traspasar, como un rayo de luz, las tinieblas políticas que envolvían, deformándola, la realidad española.

He aquí, narrado por otro poeta, uno de sus más fieles amigos –de quien habría de decirse, por su ingenio y su talante, que era un lujo español–, este testimonio estremecedor:

«Descendía yo hace tres años con José Antonio por la calle de Diego de León. El me dijo:

–La revolución ganará las próximas elecciones.

Le objeté:

–¿Y la Falange?

–Ya es tarde. Se han perdido dos años estérilmente.

–¿Qué podemos hacer aún?

Inició una sonrisa amarga, y luego, con aquella ironía un poco triste que era su defensa contra la incomprensión de todos, me aseguró:

–Llegaremos hasta el final. Pero quienes os salvéis de la catástrofe celebrad misas gregorianas por mi alma.»

La anécdota –verídica– fue contada por Agustín de Foxá, amigo íntimo y camarada de José Antonio, en una de aquellas conferencias organizadas por Radio Nacional de España en noviembre de 1938, aún en plena guerra civil, cuando la certeza de la muerte del Fundador de la Falange había borrado toda esperanza en el Ausente. Pero la data de la conversación reproducida por Foxá se refería a tres años antes, es decir, a 1935. ¿Presentía ya José Antonio la proximidad de su muerte inesquivable?

Aquel hombre, inteligente y penetrante, en el que parecen dados los dones de la profecía política, acertaría en la diana de su pronóstico. En las elecciones del 16 de febrero de 1936, pese a la aparatosidad de la propaganda derechista –aquel ensoberbecido «a por los trescientos» de José María Gil Robles–, ganaría, efectivamente, la revolución. Un ciclón incontrolado y destructor que se articuló y tomó cuerpo en el Frente Popular, gestado a lo largo de 1935, por idea de Prieto y a propuesta de Azaña, e integrado por todas las agrupaciones de izquierda, aunque su fuerza real residiera, principalmente, en los votos socialistas.

Con la miopía que era característica en sus dirigentes políticos, las derechas españolas quisieron detener el avance del tren rojo con la débil muralla de las papeletas electorales, y formaron una coalición antirrevolucionaria compuesta por cedistas, monárquicos de Renovación Española y tradicionalistas, agrarios, radicales de Lerroux y conservadores de Miguel Maura. De esta coalición, presentada con el pomposo nombre de Bloque Nacional, fueron excluidos, consciente y premeditadamente, José Antonio Primo de Rivera y sus seguidores.

Las candidaturas del derechista Bloque Nacional fueron presentadas, finalmente, bajo el título de Frente Nacional Contrarrevolucionario. En la correspondiente a Madrid (capital) se incluían los siguientes personajes: José María Gil Robles Quiñones. José Calvo Sotelo. Antonio Royo Villanova. Angel Velarde García. Román Oyarzun Oyarzun. Rafael Marín Lázaro. Luis María de Zunzunegui Moreno. Honorio Riesgo García. Mariano Serrano Mendicute. Gabriel Montero Labrandero. Antonio Bermúdez Cañete. Luis Martínez de Galinsoga y de Laserna. Ernesto Giménez Caballero.

Tal como había previsto en su conversación con Foxá, la revolución rompió la débil barrera electoral y ganó los comicios.

El mismo acierto le acompañaría en la premonición de su propia muerte.

En la madrugada del 20 de noviembre de 1936, un grupo de milicianos anarquistas le conducían desde su celda hasta el patio de la cárcel de Alicante, donde caería muerto por un pelotón de fusilamiento integrado por Guardias de Asalto. Minutos antes de morir, en el breve camino que separa la galería de la prisión provinciana del patio de la Enfermería donde se consumó la ejecución, José Antonio se dirigía a los milicianos con estas estremecedoras palabras:

«¿Verdad que vosotros no queréis que yo muera? ¿Quién ha podido deciros que yo soy vuestro adversario? Quien os lo haya dicho no tiene razón para afirmarlo. Mi sueño es el de la patria, el pan y la justicia para todos los españoles, pero preferentemente para los que no puedan congraciarse con la patria, porque carecen de pan y de justicia. Cuando se va a morir no se miente, y yo os digo, antes de que me rompáis el pecho con las balas de vuestros fusiles, que no he sido nunca vuestro enemigo. ¿Por qué vais a querer que yo muera?»

Un silencio conmovido acompañaría este último y breve exordio de José Antonio. Colocado ya frente al pelotón de fusilamiento, se despoja del abrigo con el que se protegía del aire fresco del amanecer y lo entrega a uno de los milicianos, al que dice:
—A mí no me servirá de nada.

Guillermo Cabanellas, hijo del General don Miguel Cabanellas quien como jefe de la División Orgánica de Zaragoza participó en el Alzamiento Nacional y fue designado Presidente de la Junta de Defensa instalada en Burgos —máximo órgano de poder de los sublevados hasta la elección de Franco como Jefe del Gobierno del Estado Español y Generalísimo de los Ejércitos de Tierra, Mar y Aire—, proporciona en su libro «Cuatro generales. Segunda parte, Lucha por el poder» (página 380), una versión de los últimos días de José Antonio y de su fusilamiento, que concuerda en gran parte con las más autorizadas, aunque presente alguna laguna y atribuya a personajes secundarios un papel que, de ser cierto, fue puramente instrumental.

Así, dice Cabanellas: «Viste el jefe falangista un mono azul, con chaqueta gris, y sobre los hombros un abrigo. Toscano se lo pide y Primo de Rivera se lo entrega, a la par que afirma: ''Tómalo ahora, que es una lástima que lo agujereen las balas''.»

Según Cabanellas, Toscano era un miliciano de la F.A.I. que, a petición de José Antonio, consigue a éste un confesor: monseñor Planelles, quien también estaba detenido en la cárcel de Alicante y sería fusilado nueve días después que José Antonio. Toscano procedía de Huelva y, efectivamente, era de la F.A.I. Pero era más que miliciano, pues mandaba el pelotón de doce anarquistas que, desde el momento mismo de la llegada de José Antonio y Miguel a Alicante, tuvieron a su cargo la custodia de los presos. Pero el servicio sacramental prestado por monseñor Planelles respondió, pese a la manifestación de Cabanellas, a un trámite más oficial, como se verá en el capítulo correspondiente. Si intervino Toscano, sería cumpliendo una orden del Director de la prisión y como «responsable» de los presos.

No obstante, el dato que aporta Cabanellas es sumamente valioso, pues concreta el nombre del anarquista que fue receptor del gabán de José Antonio y ratifica la veracidad del hecho. Guillermo Cabanellas fue dirigente de la F.U.E. y candidato a diputado en las elecciones de febrero de 1936 por el Partido Socialista en las provincias de Guadalajara y Ciudad Real. Estaba con su padre en Zaragoza al iniciarse el Alzamiento y en mayo de 1937 se expatrió voluntariamente desarrollando una densa labor como jurista en diversos países hispanoamericanos, en algunas de cuyas Universidades es profesor emérito.

Y añade:
—Cuando todo concluya, limpiad bien el patio para que mi hermano Miguel no se vea obligado a pisar mi sangre.

Eran las seis y media de la mañana.

José Antonio, junto a sus compañeros de martirio, Ezequiel Mira Iniesta, Luis Segura Baus, Vicente Muñoz Navarro y Luis López López —dos falangistas y dos tradicionalistas en unificación anticipada—, cae muerto a balazos. El médico forense, don José Aznar Esteruelas, confirma el fallecimiento y certifica la muerte.

Con escueta prosa informativa se publica la noticia de la ejecución en la prensa alicantina y en «Mundo Obrero», órgano del Partido Comunista.

Se había cerrado así el último acto en la vida de un hombre singular y prometedor, quien, de haberse salvado, acaso hubiera podido cambiar el signo de acontecimientos posteriores.

«Imaginar lo que habría pasado si no hubiesen matado a José Antonio y hubiera podido incorporarse a la España nacional es pura profecía. Yo, que no sería profeta en tierra ajena, menos puedo serlo en la mía. Pienso que durante la guerra hubiera prevalecido la figura de Franco, porque la guerra mandaba, pero creo también que una vez terminada ésta e iniciada la vida civil, las dos figuras hubieran sido incompatibles. Para Franco la izquierda era el mal, para José Antonio el bien era esa simbiosis de derecha e izquierda. Como Franco tenía tras de sí al Ejército y José Antonio no era un político, porque era más —y menos— que un político, su trayectoria, de no haberse podido imponer a Franco, hubiera sido algo parecido a lo que fue la de Dionisio Ridruejo. Digo éticamente, porque su envergadura política era mucho mayor que la de Dionisio —predominantemente poética— por lo que hubiera seguido otro curso. Su controvertido testamento político muestra sus reservas sobre el sentido del alzamiento militar.»

(Antonio Garrigues y Díaz-Cañabate. «Diálogos conmigo mismo». Página 41. Editorial Planeta, 1978.)

También Serrano Suñer, aunque en distinto sentido que Garrigues, trata de responder a la pregunta ¿qué habría ocurrido de haber sobrevivido José Antonio? El planteamiento de Serrano me parece más lúcido y fundamentado. Hay dos razones para que su juicio tenga mayor verosimilitud. Una, su mejor conocimiento de la personalidad de José Antonio, del que era amigo íntimo. Y dos, la responsabilidad que ejerció en zona nacional junto al Caudillo, de quien era cuñado y fue brazo derecho. Su posterior distanciamiento no le impide establecer una hipótesis —por lo demás inútil, como todas las especulaciones de este tipo— razonable de acuerdo con la circunstancia histórica. Considera seguro que tanto la masa falangista vieja como la nueva, que tanto creció con la levadura de la guerra, le hubiera seguido como jefe indiscutible. La reflexión de Serrano Suñer es lógica: «Si lo mitificó ausente lo hubiera seguido vivo; ahora bien, en tal caso José Antonio no hubiera tenido sólo influencia, sino poder.» Y añade: «Era la persona con capacidad para ejercer el liderazgo nacional. Era el líder de más de la mitad de los efectivos en juego ya que, aparte de los falangistas y civiles, había en el Ejército un partido falangista que también hubiera hecho expansión. Yagüe, como ya he contado, llevaba el retrato de José Antonio en la cartera cuando trabajaba para la conspiración y, como él, muchos de los oficiales africanos. Pues bien, si el falangismo de 1937, con jefes precarios a la cabeza, fue una fuerza con la que hubo que contar para hacer cualquier cosa, es evidente que esa misma fuerza con su jefe natural al frente hubiera sido irresistible. Nada se habría podido hacer en la zona nacional sin contar con José Antonio y nadie, en consecuencia (era una frivolidad la afirmación de algunos de que allí se le habría fusilado), hubiera podido tener un poder pleno, salvo él mismo.

«Lo probable es que nos hubiéramos encontrado con un poder compartido: Ejército-Falange, y así, la dirección propiamente política hubiera correspondido a su inteligencia, a su espíritu generoso, y todo, por lo tanto, habría sucedido de modo distinto a como ha sido. Hasta su doctrina —pues sólo él hubiera podido desde su dinamismo perfeccionarla, rectificarla y ajustarla a las nuevas realidades— habría sido otra.»

(Ramón Serrano Suñer. «Memorias», páginas 482 y 484. Editorial Planeta, 1977.)

Como había pronosticado ante Agustín de Foxá: sólo quedaba celebrar misas gregorianas por su alma.

Tardía e irremediablemente, amigos y enemigos lamentarían, pocos años después, la desaparición de José Antonio.

Aún en plena guerra civil, Indalecio Prieto, que había intervenido en diversas gestiones en un intento impotente por salvar la vida del Fundador de la Falange —como se verá en el correspondiente capítulo—, escribía a finales de 1938, en Chile, refiriéndose a José Antonio:

«Acaso en España no hemos confrontado con serenidad las respectivas ideologías para descubrir las coincidencias, que quizá fuesen fundamentales, y medir las divergencias, probablemente secundarias, a fin de apreciar si éstas valían la pena ventilarlas en el campo de batalla.»

Coincidía así el jefe socialista con el juicio de otro importante dirigente; éste, de la Federación Anarquista Ibérica (F.A.I.), Diego Abad de Santillán:

—«En diversas ocasiones —dice Abad de Santillán, refiriéndose al período de 1935 y 1936 previo a la guerra civil— se acercaron a nosotros gentes de la Falange para que tuviésemos un encuentro con Primo de Rivera, y se nos hizo llegar cartas y manifiestos *en los que había muchos objetivos comunes.* No quise acceder»... «Lo único que puedo decir es que estoy arrepentido de no haber querido aceptar el encuentro que se me propuso en varias oportunidades; pero es historia que pudo ser y no fue.»

Para la tentadora e inútil pregunta que aún se formulan algunos falangistas y no falangistas sobre qué hubiera ocurrido en España de haber sobrevivido José Antonio, no cabe mejor ni más exacta repuesta que esta última afirmación de Diego Abad de Santillán:

«Eso es historia que pudo ser y no fue.»

Porque la muerte de José Antonio, con toda la grandeza moral que le acompaña, fue un hecho irreversible y fatal, como tantas otras desencadenadas por la tragedia española entre 1936 y 1939. Otra cuestión es, bajo el punto de vista de un estricto estudio histórico, considerar todos y cada uno de los datos que se poseen en torno a los sucesivos y diversos esfuerzos y gestiones realizados por librar al Fundador y Jefe de la Falange Española de su condena y ejecución. Como se verá en su momento, a un lado y a otro de la línea ideológica y bélica en que ya estaba dividida España, se movilizaron personalidades influyentes en un intento vano por librar a José Antonio de la muerte. Se ensayaron golpes de mano, negociaciones diplomáticas, recomendaciones personales, proposiciones de canje y hasta sobornos dinerarios. Todo falló.

No parece sino que las circunstancias y los hombres se confabularon para impedir su supervivencia. Fue como si el destino hubiera elegido de antemano a José Antonio a fin de que su holocausto sacudiera violentamente la conciencia del pueblo español, despertándole de su modorra de siglos al dolor de percibir la cruel sangría sufrida por no habérsele abierto «una brecha de serena atención entre la saña de un lado y la antipatía del otro».

Nadie mejor que las generaciones jóvenes, tan alejadas en el tiempo de las pasiones que movieron aquella época de la historia de nuestra Patria, pero espectadoras y víctimas hoy de otra profunda crisis existencial, para comprender, en toda su intensidad, la actitud moral de José Antonio. La Providencia colocó su vida en el centro de una terrible encrucijada nacional, de la que parecía no existir salida. Lo trágico es que, cuarenta y ocho años después, y como consecuencia del cambio político operado tras la muerte de Franco y la asunción al Poder de su sucesor, Juan Carlos I, el pueblo español se deslice de nuevo, en forma también aparentemente irremediable, hacia una encrucijada semejante. ¿Podrá estimarse casual que España se haya constituido, tras el cambio de régimen, en el llamado «Estado de las autonomías», y que se hable abiertamente, con lenguaje constitucional, de las distintas «nacionalidades» del Estado español, como entidad sustitutoria del viejo y tradicional concepto de España como Patria?

Ian Gibson, ese escritor apátrida, nacido irlandés y nacionalizado español, cuya vida parece discurrir al servicio de la Internacional Socialista, y a quien Francisco Umbral —simpatizante comunista— ha elogiado calificándole como «el hispanista más listo y más golfo de Europa», inicia su libro «En busca de José Antonio» con una referencia pormenorizada del acto de homenaje a Franco y José Antonio celebrado en la plaza de Oriente de Madrid, el domingo 18 de noviembre de 1979.

Se asombra Gibson de que la invocación a la unidad de la Patria sea nota constante en todos los oradores: Luis Peralta España, Luis Jáudenes, Santiago Martínez Campos, José Evaristo Casariego, Raimundo Fernández Cuesta, Blas Piñar y José Antonio Girón. De este último cita Gibson:

«Nos reúne algo que no admite demoras ni desviaciones: la unidad. Todos sabéis que España está seriamente amenazada por el enemigo de siempre.»

Inmediatamente, apostilla el irlandés: «Leer estos discursos es convencerse de que, entre 1933 —acto del teatro de la Comedia y Fundación de Falange Española— y 1979 —acto de la Plaza de Oriente— el pensamiento de las ''fuerzas nacionales'', apenas ha avanzado un paso...»

Ian Gibson —es fácil adivinar por qué— toma posición y prejuzga a una inmensa masa de españoles que están ahí, más cargados de razones en 1985 que en 1979, por el contenido de unos discursos obligadamente breves y arengatorios y, por tanto, más emotivos que doctrinales. Lo curioso es que su prejuicio se fija, precisamente, en el único concepto profundo y esencial al ser mismo de España.

Cinco años de aplicación del proceso autonómico, previsto por una Constitución redactada a tal fin, han bastado para que quede demostrada la razón que asistía a todos y cada uno de aquellos oradores de 1979. «La sagrada e indisoluble unidad de la Patria» aludida por Peralta España, se ha roto en mil pedazos. El régimen de autonomías establecido ha desembocado, como denunciaba Casariego, «en un bárbaro salto regresivo, disfrazado de falsos progresismos» y ha hecho que España «retorne a las tribus celtibéricas y los reinos de Taifas». Esta atomización, que amenaza desintegrar la realidad física de España y que ha dañado ya gravísimamente su entidad histórica, es, en manos del Gobierno socialista, un paso más hacia la sovietización, como lo demuestran los proyectos de Estado Federal —ensayo fallido en el siglo XIX, con la I República— prefigurados conforme al modelo de «Estado de las nacionalidades» vigente en la U.R.S.S.

¿Qué otro sentido tienen los continuos viajes de dirigentes socialistas españoles a la gran Patria comunista? Con la expresa finalidad de «estudiar» el modelo de Constitución soviética y el sistema de «nacionalidades» viajó a Moscú, en los primeros meses de 1984, una comisión del Senado español, encabezada por su Presidente, Federico de Carvajal, destacado socialista. Y, más reciente aún, está la visita del señor Ledesma, Ministro de Justicia socialista, que en julio del mismo año ha viajado a la capital rusa invitado por su colega ministerial, a fin de conocer la «justicia» soviética.

Esto puede que no lo interprete así Ian Gibson. Pero ello no impide que la verdad se imponga y que, como decía en aquella ocasión memorable José Antonio Girón, todos sepamos ya que hoy «España está seriamente amenazada por el enemigo de siempre».

¿Y quién es ese enemigo de siempre?

Es el mismo que en 1936 y, si se apura, el mismo que nos acosó a lo largo del siglo XIX, especialmente desde 1808.

Un enemigo exterior que se manifiesta con violencia, ya militar, ya económica o política, y presiona para reducir a España a un papel secundario de subordinación a las potencias europeas, como demuestra actualmente todo el proceso de sometimiento socialista para la integración española en el Mercado Común Europeo y en la O.T.A.N.

> *Y un* enemigo interior *que asume las ideologías instrumentales que utilizan las potencias exteriores y las sirve con espíritu cipayo, alternativamente, desde la derecha y desde la izquierda. Tienen distinto señor que les financia, pero idéntica servidumbre. Y unos y otros, derechas e izquierdas, por distinto camino, propician o toleran la* desunión de España: *el separatismo de sus comunidades regionales, el enfrentamiento de sus clases sociales y la lucha partidista de sus hombres.*

La revolución soviética, modelo revolucionario inspirador de todos los socialismos, incluido el español, siguió la misma táctica: estableció el Comisariado del Pueblo para las Nacionalidades, cargo que ejerció Stalin, y a su través articuló la Unión de Repúblicas Socialistas Soviéticas, el más cruel Estado totalitario, la más sangrienta dictadura, la más inhumana tiranía y el más pavoroso imperialismo que ha conocido y conoce el siglo XX.

José Antonio supo romper, con el ejemplo de su vida y el sacrificio de su muerte, el maleficio que parecía pesar sobre la nación española. Su penetrante inteligencia crítica supo apercibirse de que no era posible salir del precipicio si no era sumando y enlazando en una misma cordada histórica los dos componentes sociopolíticos imprescindibles en una moderna sociedad: el sentido nacional, que alentaba y alienta en amplios estratos del pueblo español, y la necesidad de transformar perfectivamente las estructuras sociales y económicas de la nación, que reclamaban, con exigencia y perseverancia de siglos, los estamentos más numerosos y sufridos.

En definitiva, unir en un mismo frente de aspiraciones la Patria, el Pan y la Justicia.

2. Una tarde de abril

La glorieta de Colón, en pleno paseo de la Castellana, constituye hoy uno de los centros neurálgicos de la capital madrileña. La densidad del tránsito y la construcción, relativamente reciente, de modernos edificios bancarios y comerciales han forzado a una realización de importantes obras urbanísticas que han transformado la perspectiva aristocrática de aquella zona, a la que prestaban peculiar perfil la estatua del Descubridor de América, el viejo palacio de los Medinaceli –convertido en el Centro Colón, sede de los negocios financieros y empresariales confiscados por el Estado a José María Ruiz Mateos, como muestra de prepotencia socialista– y la antigua Casa de la Moneda, derribada para convertir su solar en inmenso parque público y Centro Cultural de la Villa, dedicado a ensalzar la historia común de los pueblos hispánicos.

En la vecindad de ese eje urbano, enriquecido por la neoclásica factura arquitectónica de la Biblioteca Nacional y el Museo Arqueológico, nació al mundo, a las ocho menos cuarto de la tarde del día 24 de abril de 1903, José Antonio Primo de Rivera y Sáenz de Heredia, primogénito del entonces Teniente Coronel de Infantería don Miguel Primo de Rivera y Orbaneja, y de doña Casilda Sáenz de Heredia y Suárez de Argudín.

Vivía el matrimonio en el piso bajo del número 22, hoy 24, de la calle de Génova, en un edificio sólido, cuyas ventanas se abren, en la fachada sur, a la silente quietud de los jardines de las Salesas Reales, convento transformado en sede de los Tribunales de Justicia, por cuyos pasillos pasearía años después su toga de abogado aquel niño que nacía. Un ángel tallado en piedra, de austera y estilizada traza, y una escueta inscripción en el chaflán que forma la casa entre las calles de Génova y García Gutiérrez, rememoran hoy la efeméride: «Aquí, en esta casa, nació José Antonio XXIV-IV-MCMIII». Es autor del altorrelieve Fernando Chausa.

Felipe Ximénez de Sandoval, compañero de estudios de José Antonio y más tarde camarada en las tareas políticas, autor de la más apasionada biografía de José Antonio, describe con todo detalle su árbol genealógico, su estirpe militar y la nobleza de origen de las ramas paterna y materna, enraizadas ambas en tierras americanas, argentina la paterna y cubana la de la madre. Pero el trabajo de Ximénez de Sandoval queda corto si se compara con el realizado por el Instituto «Juan Manuel de Rosas», de Investigaciones Históricas, radicado en Buenos Aires, en el que un equipo de investigadores, impulsados por el fervor hispánico de su Secretario General, Adolfo Muschietti Molina, han articulado los orígenes familiares de José Antonio, glosando su trabajo con aportaciones documentales valiosísimas y que, para curiosidad del lector, se incluyen íntegras en el apéndice final.

No es menester, sin embargo, poner énfasis particular en ello. Pero se reseña para que se puedan comprender mejor no sólo los ricos matices de la personalidad de José Antonio, sino también muchas de las circunstancias y tensiones políticas producidas en su entorno, tanto durante su vida como a su muerte, así como el atractivo que ejerce entre la juventud hispanoamericana el valor y la sinceridad de su decisión revolucionaria, tanto más auténtica e irreversible cuanto más penosa y sacrificada resultaba la carga para un hombre de su extracción social aristocrática.

> *«En la personalidad de José Antonio había una suerte de disociación sumamente curiosa y que le daba precisamente su sello y su originalidad. El, por nacimiento, por educación y por ambiente, era un aristócrata, y dentro de ello pertenecía a la casta —dicho sea sin ningún sentido peyorativo— militar. Pero, en cambio, por formación, por talante y por inclinación natural pertenecía más bien al mundo de los idealistas, de los reformadores y del pensamiento más que de la acción. En este último sentido los hombres de izquierdas tuvieron en él gran influencia: un Ortega y Gasset, un Sánchez Román, los hermanos Machado, el doctor Marañón, Valle-Inclán, etcétera, aunque contrapesados más débilmente por un Maeztu o un Eugenio D'Ors. No hay que olvidar que la Falange nace rodeada de intelectuales y de poetas como Sánchez Mazas, como Eugenio Montes, como Ridruejo, como José María Alfaro y otros que no me vienen a la memoria. Para él la poesía era un integrante esencial de la acción política.»*
>
> (Antonio Garrigues y Díaz-Cañabate. «Diálogos conmigo mismo», páginas 40 y 41. Editorial Planeta, 1978.)

Diecinueve días después, es decir, el 13 de mayo, José Antonio recibe las aguas bautismales en la barroca iglesia de Santa Bárbara, perteneciente al monasterio de las Salesas. Apadrinan al nuevo cristiano sus abuelos don Gregorio Sáenz de Heredia y doña Angela Suárez de Argudín, ésta, en representación de doña Inés Orbaneja, la abuela paterna, ausente en Jerez, la tierra solar de la familia. Administra el sacramento bautismal el sacerdote don Vicente Casanova, quien impone al neófito los nombres de José, Antonio, María, Miguel y Gregorio, registrándose la partida bautismal en el Vicariato castrense, por ser el bautizado hijo de militar.

Amamantará a José Antonio, a causa de la frágil salud de su madre, un ama de cría, natural de un pueblecito de Guadalajara, llamada Celedonia, por quien guardaría siempre gran ternura el futuro Fundador de la Falange. Amarillentas fotografías familiares muestran a «Celes», de fuerte naturaleza y tímida mirada, sosteniendo en sus brazos a un José Antonio que apenas tiene seis o siete meses, peinado con pelo largo, tocado con amplio y pomposo sombrero, y mirando de reojo, muy serio, como si protestase por el ridículo vestido –muy del gusto de la época– con el que aparece como disfrazado.

Un año antes, el 17 de mayo de 1902, Alfonso XIII había sido proclamado Rey de España ante las Cortes Españolas, cuando sólo tenía dieciséis años de edad.

Ricardo de la Cierva, cuya labor historiográfica es tan conocida, diagnostica:

«Al trazar una rápida revista a los problemas que se abrían, casi siempre en forma de heridas, ante la mano inexperta y moralmente deformada de Alfonso XIII, surge, ante todo, una horrible palabra que los engloba a todos: esa palabra es **división**».

Ciertamente, sobre el reinado de Alfonso XIII, iniciado sin su culpa bajo la cargada tormenta política e histórica del desastre de 1898, se abatía el más desolador turbión que cabe sufrir en la vida de un pueblo: la pérdida de la fe en su propio destino histórico. La desesperanza en el futuro posible.

Perdida su conciencia universal, carente de misión fuera del reducido ámbito metropolitano –Marruecos es una pesada carga, y Guinea ni siquiera se tiene en cuenta–, España inicia una etapa de ensimismamiento nihilista y suicida. Cuando Inglaterra luce en todo su esplendor la gloria de su Imperio victoriano; cuando Francia, considerada la primera potencia militar de Europa, extiende los límites de su dominio e influencia en tierras africanas; mientras Alemania y Bélgica perfilan las fronteras de sus colonias en el continente negro; cuando Portugal cultiva y explota los ricos territorios de Angola y Mozambique, España, la triste España derrotada y maltrecha tras el desastre ultramarino y la firma del Tratado vergonzoso de París, pasa a ocupar el más postergado lugar en la comunidad de naciones europeas.

En este contexto desesperado y sin horizontes, la conciencia del desastre, manipulada a veces con gozo masoquista, haría surgir con fuerza el fermento de la disensión interna alentada desde las logias masónicas europeas, que empieza a manifestarse con el debilitamiento y ruptura del juego canovista de los partidos turnantes, y que adquiriría virulencia progresiva en las luchas sociales surgidas por la toma de conciencia reivindicativa de las clases obreras, marginadas injustamente e incomprendidas por el gran comadrón de la Restauración monárquica alfonsina.

Haría falta, como límite del proceso, que España viviera la experiencia de una dictadura –la de Primo de Rivera–, un cambio de régimen –la caída de la Monarquía y la proclamación de la II República– y, finalmente, una dramática guerra civil ideológica –la de 1936-1939–, para que la nación se mentalizara colectivamente, durante tres décadas, acerca de la necesidad vital de un bien político imprescindible para la existencia de cualquier pueblo: la unidad.

En esa toma de conciencia comunitaria jugará un papel fundamental ese hombre nacido once meses y siete días después de la solemne ceremonia celebrada en el caserón de la Carrera de San Jerónimo, que dio al joven Alfonso XIII el trono y la difícil responsabilidad de regir a España.

En 1906, don Miguel Primo de Rivera asume el mando del Batallón de Cazadores de Talavera, de guarnición en el Campo de Gibraltar.

La sombra del Peñón causó en don Miguel un hondo impacto, que se reflejaría unos años después, en plena guerra europea, en uno de aquellos discursos intempestivos, llenos de patriotismo y buena intención, que fueron causa de tan frecuentes ceses fulminantes y cambios de destino.

En ese intervalo de tiempo han nacido Miguel y Carmen. El matrimonio Primo de Rivera, con sus tres hijos, tiene su residencia en Algeciras.

Sin embargo, no habrían de estar mucho tiempo alejados de Madrid. La muerte de doña Angela, abuela materna de José Antonio, fuerza a su madre a pasar una temporada en la capital de España, donde permanece acompañada de sus hijos.

En ese mismo año de 1906 la sorda fermentación revolucionaria va a tener un estruendoso estallido en una jornada prometedoramente feliz.

En torno a la persona del Rey se han producido ya actos de violencia. En abril de 1904, en el curso de un viaje que Alfonso XIII hizo a Cataluña, un militante anarquista, Joaquín Miguel Artal, atenta contra el Presidente del Gobierno, don Antonio Maura, a quien hiere de una puñalada en el pecho, venturosamente leve.

Aquel incidente sería el primero de una larga serie. En mayo de 1905, el Rey realizó un viaje oficial a París. El día 30, festividad de San Fernando, cuando el monarca español salía de la Opera acompañado por el presidente francés M. Emilio Loubet, sufrió un atentado, del que resultó indemne. En el otoño de aquel mismo año, Alfonso XIII visita Inglaterra y conoce a la princesa Victoria Eugenia de Battemberg, sobrina del Rey Eduardo VII. Convertida al catolicismo, fue fijada la boda real para el 31 de mayo de 1906.

Se celebró la ceremonia en la iglesia de los Jerónimos, y cuando la comitiva regresaba hacia el palacio, por la calle Mayor, a la altura del número 84, cayó, envuelta en un ramo de flores, una bomba de gran potencia que no causó ningún daño a los recién casados, pero sí numerosas víctimas entre el pueblo que aclamaba a la real pareja. El autor del atentado se llamaba Mateo Morral. Era también anarquista, y había sido discípulo de Francisco Ferrer Guardia, fundador de la Escuela Moderna, personaje barcelonés que no tardaría en saltar a las primeras páginas de los diarios españoles y europeos.

En 1907, doña Casilda volvería de nuevo a Madrid para dar a luz dos mellizas, Pilar y Angelita –muerta esta última a los seis años de edad–, y aún retornaría, por última vez, en 1908, para el nacimiento de Fernando, el hijo menor, que tan brillantemente habría de colaborar con José Antonio en los más difíciles momentos de la Falange.

Nació Fernando el 1 de junio de 1908, y el día 9 doña Casilda fallece, sumiendo en la orfandad a los pequeños. Tiene entonces José Antonio poco más de cinco años. Una fotografía tomada poco después de la muerte de su madre nos le muestra, junto a su hermano Miguel, ambos vestidos de luto, con un traje de hechura marinera y una mirada profunda y ensoñadora que habría de caracterizarle durante toda su vida. Es entonces cuando entra en la escena familiar doña María Jesús, hermana de don Miguel, la famosa «tía Ma», que tan fielmente había de seguir los pasos de su sobrino hasta la misma cárcel de Alicante. Ascendido a Coronel en el mes de noviembre, don Miguel regresa a la capital de España, aunque, un año después, se ausenta de nuevo, designado por el Estado Mayor Central del Ejército para formar parte de una comisión de estudios que recorre Francia, Suiza e Italia.

3. Entre el Barranco del Lobo y la crisis de 1917

En julio de 1909 brota de nuevo la violencia en Marruecos. Y como consecuencia de ella se produce la Semana Trágica de Barcelona, cuyas repercusiones pondrían en evidencia la persistente fobia antiespañola enraizada y estimulada por las logias masónicas en amplios sectores europeos, especialmente en Bélgica y Francia.

Efectivamente, el 9 de julio de 1909, algunos cabileños, de los que frecuentemente hostigaban a los trabajadores empleados en el ferrocarril de las minas del Rif, matan a un grupo de éstos y a uno de los soldados que les daban escolta. El General Marina, Gobernador Militar de Melilla, decide una operación de castigo y se apodera de unas cuantas posiciones situadas en las inmediaciones del Gurugú. Para reforzar estas posiciones y garantizar el correspondiente aprovisionamiento, el gobernador de Melilla pide refuerzos a la Península, y el Gobierno moviliza las dos brigadas mejor organizadas del país: las de Cazadores, de guarnición en Madrid y Barcelona. Integrada esta última por un determinado número de reservistas, casados y con familia, se produce en la Ciudad Condal una corriente de oposición al embarque de tropas, protesta que se inicia el día 18 de julio y que, alentada por un comité de huelga, alcanza su máxima virulencia con la quema de iglesias y conventos, dando lugar a macabras escenas de desenterramientos y violación de sepulcros, así como a luchas callejeras singularmente crueles, ante la debilidad y la indecisión del gobernador civil, el abogado «católico y monárquico» Angel Ossorio y Gallardo, que alcanzaría triste fama y recuerdo como servil defensor de la República sovietizada, en el final de los años treinta.

Vencida la rebelión, que tuvo repercusiones y brotes diversos en Bilbao, Valencia y Murcia, se establece el balance de víctimas, que alcanza la importante cifra de cien muertos y más de doscientos heridos.

Es el primero y más violento brote revolucionario registrado durante el reinado de Alfonso XIII, y la alianza de fuerzas que en él intervinieron —socialistas, anarquistas e izquierdistas de toda suerte— habría de servir de antecedente para el todavía lejano estallido de octubre de 1934, cuando catalanistas y socialistas se alzaron en armas contra la legalidad democrática republicana, porque las elecciones les habían sido adversas y no toleraban que gobernasen quienes habían adquirido su mayoría parlamentaria a través de las urnas.

El proceso de disolución y enfrentamiento nacional —de partidos y de clases— ha dejado de germinar soterrado y ha salido ya a la superficie como un forúnculo incurable.

La represalia del Gobierno es dura.

Se dictan diversas penas de muerte, de las que cinco se ejecutan en los fosos del fuerte de Montjuich. Entre ellas, la del fundador de la Escuela Moderna, Francisco Ferrer Guardia, extraño tipo de anarquista visionario, cuyo fusilamiento levantó oleadas de protestas en Europa y una campaña sistemática y feroz contra España, alentada por las asociaciones masónicas y socialistas.

En su libro «Convulsiones de España», escrito durante su exilio en Méjico, Indalecio Prieto evoca sus recuerdos personales sobre Marruecos, y al referirse al Barranco del Lobo y la Semana Trágica, sostiene la inocencia de Francisco Ferrer, cuyo fusilamiento atribuye a una acción de venganza de la Monarquía, en los siguientes términos: «La injusticia con que fue reprimida (la acción revolucionaria) plasmó en el fusilamiento de Francisco Ferrer, en cuyo proceso, que yo he exami-

nado, no hay ni atisbos de culpabilidad contra el fundador de la Escuela Nueva por un espontáneo movimiento revolucionario que, evidentemente, careció de dirección. Pero la Monarquía, apelando entonces a condenable ardid, hizo pagar con la vida a Ferrer su supuesta complicidad en los atentados contra Alfonso XIII en la calle Rívoli, de París, y en la calle Mayor, de Madrid, complicidad que no pudo quedar probada.»

(Indalecio Prieto. «Convulsiones de España» I. Ediciones Oasis, S. A. Méjico. Primera edición, 1967.)

En tanto que la huella de la Semana Trágica barcelonesa aterroriza al país, otra triste noticia viene a entenebrecer aún más el panorama nacional.

El 27 de julio, cuando aún humean las brasas de las hogueras que destruyeron los templos en la Ciudad Condal, en el Barranco del Lobo, próximo a la plaza de Melilla, las tropas españolas sufren un sangriento revés militar en el que perecen el General Pintos, el Coronel Alvarez Cabrera y el Teniente Coronel Ibáñez Marín.

El desastre perduraría en la memoria del pueblo español hecho canto en los juegos infantiles:

«En el Barranco del Lobo
hay una fuente que mana
sangre de los españoles
que murieron por la Patria».

La repercusión internacional de los sucesos de Barcelona y la tragedia africana llega a don Miguel Primo de Rivera cuando está en pleno viaje de estudios. Inmediatamente regresa a Madrid y pide un puesto voluntario junto al General Marina.

El 29 de septiembre un grupo de soldados alcanza la cumbre del Gurugú y clava en ella la bandera española, iniciando así una relación de episodios gloriosos: Taxdirt, Nador, Celuán y el Atlaten. Al mando de ellos figura el Coronel Primo de Rivera. Un humilde soldado de rayadillo, joven y espigado, que luce un bigote mostacho de finas y puntiagudas guías, participa valerosamente en aquellos combates: se llamaba Leocadio Gibello, y, con el tiempo, había de ser mi padre.

Mientras don Miguel lucha en Africa, en el hogar, al cuidado de la numerosa prole, quedan las mujeres de la familia, y, en especial, la entrañable «tía Ma», cuya dulzura y firmeza habrían de imprimir carácter en José Antonio. Nieves Sáenz de Heredia, prima del Fundador y su compañera de juegos infantiles, junto al resto de sus respectivos hermanos, ha contado multitud de pequeñas anécdotas sobre aquellos años infantiles. También lo han hecho Sancho Dávila, compañero inseparable en todas las circunstancias, y Lula de Lara, fiel camarada en la Sección Femenina.

La más reciente aportación de vivencias y anécdotas infantiles sobre José Antonio la aporta su hermana Pilar Primo de Rivera en su libro «Recuerdos de una vida», editado por Dyrsa (1983).

Entre el cúmulo de referencias que hace Pilar, hay una especialmente significativa, porque ya muestra el carácter estricto y exigente, respecto del buen gusto y el rigor de conducta, que habría de distinguir la personalidad de José Antonio.

Evoca Pilar el sentido creador y poético de su hermano y su rigurosa norma estética que repelía las situaciones fáciles o chabacanas, y cuenta: «Una de las cosas que más afeaba en nosotros era la repetición de frases hechas o de vulgaridades sin atisbos de personalidad; eso lo habría podido contestar igual un analfa-

beto, nos decía, para hacernos recapacitar sobre nosotros mismos y que fuésemos cada uno lo que debíamos ser» ... Y añade más adelante: «A mí, porque conocía mis aficiones, me empujaba a estudiar el Bachillerato, raro en las chicas de aquella época.»

(Pilar Primo de Rivera. «Recuerdos de una vida», página 30. Ediciones Dyrsa, 1983.)

De tales recuerdos queda patente el espíritu decidido y audaz de José Antonio. Su imaginación y su capacidad de iniciativa. Su afición y aptitud por la literatura y el dibujo. Aquellas sus personales facultades y la costumbre de dirigir a la numerosa tropilla infantil, como mayor entre los del grupo, marcan en él un carácter responsable y serio, un puntilloso rigor por el orden. Le apasionan el teatro y la poesía, y sus familiares cuentan cómo a los diez años escribió, dirigió e interpretó, junto a sus hermanos, un drama histórico en verso, titulado «La campana de Huesca», que fue reseñado en el diario «ABC».

Comienza José Antonio el Bachillerato en 1912. Es el año en que cae asesinado en la Puerta del Sol, cuando contemplaba el escaparate de la librería San Martín, don José Canalejas, siguiendo así la trágica relación de magnicidios que jalonan los años de la Monarquía. El día 27 de noviembre, quince días después de la muerte de Canalejas, se celebra en Algeciras una conferencia internacional en la que se va a dividir a Marruecos en tres zonas de influencia y protectorado. Una, la francesa, que alcanzaría la mayor parte del territorio, y la más fértil y rica en recursos. La española, mínima en extensión, población y recursos, sería una permanente fuente de conflictos hasta su definitiva pacificación por el General Primo de Rivera. La tercera, que comprendía la ciudad de Tánger, quedaría internacionalizada y administrada por las potencias signatarias del Acta de Algeciras. Aquella conferencia representa la triste confirmación de que España era, para los orgullosos países de Europa, una simple potencia de tercera categoría.

Se examina José Antonio en el Instituto «Cardenal Cisneros», de Madrid, y los de Cádiz y Jerez de la Frontera, donde, una vez más, traslada su residencia la familia por razón del destino militar de don Miguel. Y, al tiempo que cubre sus estudios de Bachiller bajo la dirección de profesores particulares, aprende francés e inglés –idiomas que dominaría a la perfección–, y durante los veranos pasa largas temporadas en Robledo de Chavela, en donde tiene una finca su anciano tío abuelo don Fernando Primo de Rivera y Sobremonte, primer Marqués de Estella.

Allí se fortalece la amistad surgida entre José Antonio y Raimundo Fernández Cuesta, hijo del médico de la familia y siete años mayor que José Antonio. Y allí, en los montes poblados de pinos y jarales, empieza a manifestarse en José Antonio la afición por la caza y la equitación. El viejo Marqués de Estella, quien ha comenzado a redactar sus memorias, utiliza a José Antonio como amanuense, lo que acerca al futuro fundador de la Falange al conocimiento y comprensión directa de los entresijos de la Historia, sin presentir todavía el importante y trágico papel que en ella tenía reservado.

El 28 de junio de 1914 una noticia revoluciona las redacciones de los periódicos de toda Europa. El telégrafo repiquetea nervioso su cinta sin fin. En Sarajevo, capital de Bosnia Herzegovina, ha caído acribillado a balazos, víctima de un atentado, el Archiduque Fernando, heredero del Imperio Austro-Húngaro. Austria, que culpa a Servia del atentado, presenta un ultimátum e invade el territorio vecino. Frente a Austria se alinean Rusia y Francia. Junto al Imperio centro-europeo forma la Alemania de Guillermo II. En su ofensiva sobre Francia, Alemania invade Bélgica, y, como consecuencia, Inglaterra interviene. La guerra europea ha comenzado.

La Guerra Europea o Gran Guerra de 1914 a 1918 fue, inicialmente, una peculiar guerra entre parientes, dado los lazos familiares que unían —y a lo que se vio enfrentaban— a las casas reinantes de los principales países contendientes. Efectivamente, Jorge V, Rey de Inglaterra; Guillermo II, Kaiser de Alemania; y Nicolás II, Zar de Rusia, eran primos hermanos, descendientes todos ellos de la Emperatriz Victoria de Inglaterra.

En este terrible conflicto, España se declararía neutral. Pero, al igual que ocurriría un cuarto de siglo después, con ocasión de la II Guerra Mundial, los españoles se dividirían en germanófilos y aliadófilos.

En aquellos años era don Miguel Comandante Militar de Cádiz, y recordando, acaso, los años vividos a la sombra del Peñón gibraltareño, formula, en un discurso oficial, la idea de cambiar a Inglaterra las plazas de Ceuta y Melilla por el estratégico enclave británico en tierra española. El resultado no se hace esperar. Don Miguel es destituido fulminantemente y trasladado de destino.

Mientras tanto, los conflictos sociales y políticos se han multiplicado en el país.

A propósito de la propuesta hecha por don Miguel para la permuta de Ceuta y Melilla por Gibraltar, resulta curioso el testimonio que aporta David Jato en un artículo titulado «La Monarquía borbónica y Gibraltar», del que no tengo data ni referencia del diario en que fue publicado, pero que, por su tipografía, bien pudiera haber sido «S.P.» en fecha inmediatamente anterior a 1970 ó 1971. En él, denuncia Jato las maniobras dilatorias de Inglaterra en la descolonización de Gibraltar ordenada por la O.N.U. y sale al paso de quienes, en aquellas fechas, atribuían la actitud británica a su oposición al régimen de Franco sugiriendo que sería devuelto el Peñón a España cuando se instaurara en nuestra Patria una Monarquía. Dice David Jato en ese sentido:

«Después de la boda con doña Victoria de Battemberg, Inglaterra extendió su dominio sobre la zona neutral gibraltareña, acto ilegal sin el que hoy sería imposible sostener aquella fortaleza colonial.»

Quienes han picado en cebos como el comentado, podrían leer en la biografía (sobre Alfonso XIII) de Sir Charles (Petrie): «Existe la seguridad de que Lloyd George —se refiere a la guerra del 14— redactó un memorándum, en el que aconsejaba intercambiar Ceuta por Gibraltar. Es costumbre de los gobiernos británicos, en caso de emergencia, jugar con la idea de volver a poner Gibraltar en manos españolas, pero sin comprometerse demasiado.»

¿Conocía don Miguel la propuesta del entonces «Premier» británico?

Si la conocía, ¿quiso secundar la iniciativa, apoyándola con su discurso? ¿No ocurriría, más verosímilmente, que conociendo la tradicional perfidia británica, quiso reventar y reventó la operación con su discurso? La fulminante sanción recibida parece fundamentar esta última hipótesis.

Por otra parte, España desde 1975 ha vuelto a acceder a un régimen monárquico que dura ya nueve años, sin que Inglaterra haya dado un solo paso a favor de la devolución del Peñón. Es más, las negociaciones en curso amplían la zona de influencia británica en el Campo de Gibraltar más que la integración de la Roca en España, sin que la incorporación de nuestra nación a la O.T.A.N. haya contribuido a mejorar el contencioso. Como muestra de la vergonzante política socialista de sumisión, valgan estas dos «perlas»: el inefable ministro Morán ha incluido en el debate con Gran Bretaña la discusión de la soberanía española sobre la Roca, que jamás fue cedida ni cuestionada por el Tratado de Utrecht; nada asombra, consecuentemente, que el citado ministro socialista se sienta optimista y diga que «dentro de cincuenta años, Gibraltar no será británico». Hay que preguntarle al señor Morán si eso significa que será español, que es lo que importa, o más probablemente, de cumplirse los designios británicos, derivará en un enclave independiente doblemente afrentoso para España.

4. Ensayo general revolucionario

El 16 de marzo de 1917, cuando ya la guerra parece haber entrado en la recta final, los revolucionarios rusos destronan al Zar Nicolás II y constituyen el Comité Ejecutivo de la Duma, convertida en Soviet cuando triunfa, en noviembre del mismo año, la revolución roja.

Paralelamente, aunque en un contexto social y político distinto, el año 1917 va a registrar en España un ensayo general, también revolucionario, que probaría la fuerza de las grandes centrales obreras, en medio de un clima general de crisis que se hace patente en los conflictos de las juntas militares y en una indisciplina social latente en todos los sectores. Estimuladas por los éxitos parciales registrados en las huelgas del año anterior, la U.G.T. y la C.N.T. firman un pacto que suscribe también el Partido Socialista Obrero. Como consecuencia, el 10 de agosto inician una huelga los ferroviarios del Norte, huelga que se convierte en general tres días después. Un comité coordinador, formado por Julián Besteiro, Largo Caballero, Anguiano y Saborit, da contenido político a la intentona que tiene momentos de violencia extremada, especialmente en Barcelona, León y Bilbao, en tanto que se prolonga durante quince días en Asturias, haciendo precisa la intervención del Ejército, que destaca varias columnas destinadas a la pacificación de la zona minera. Una de estas columnas militares marcha a las órdenes de un joven comandante, a quien el destino reserva máximas responsabilidades en la vida española, y cuyo nombre se cruza y entrecruza, en ocasiones varias, con la familia Primo de Rivera. Se llamaba Francisco Franco Bahamonde.

Diecisiete años más tarde aquella experiencia sería singularmente valiosa. La revolución de octubre de 1934, más grave, violenta y destructiva que la intentona del 17, sería abortada por Franco desde el despacho del Estado Mayor, en el Ministerio de la Guerra. José Antonio, ya brillante abogado y jefe nacional de la Falange, había hecho llegar al general Franco una expresiva y clarividente carta anunciando la inminencia y peligrosidad de los sucesos.

El 10 de octubre de 1917, José Antonio obtiene el título de Bachiller, Felipe Ximénez de Sandoval, quien ha buceado por el expediente académico de José Antonio, transcribe algunas de las notas obtenidas y emite un juicio: el expediente académico «no es excesivamente brillante». Cuenta entonces José Antonio catorce años de edad y ya se perfilan en su carácter las fuertes notas de su personalidad.

La amistad con Raimundo Fernández Cuesta va a inclinar a José Antonio hacia el estudio del Derecho. Tal elección, respetada por su padre, rompe una querida tradición familiar, que se reanudaría poco después en el benjamín de la familia, al elegir Fernando la carrera de las Armas.

5. José Antonio, universitario

Se matricula José Antonio en la Facultad de Derecho de la Universidad de Madrid. Comienza el curso preparatorio por libre, en el año escolar de 1917-18. Es cuando, para atender a sus gastos personales, manifiesta a su padre el deseo de efectuar algún tipo de trabajo. La circunstancia de que su tío Antón Sáenz de Heredia ostentara en Madrid la representación de la casa de automóviles norteamericanos McFarland permite a José Antonio su deseo. Varias horas al día las emplea el hijo del futuro Dictador en un trabajo humilde: despachar la abundante correspondencia en inglés que se cursa entre la representación española y la central norteamericana. La fluidez con que domina la lengua inglesa —también la francesa— contribuye a su eficacia en este trabajo, en el que permanece durante dos años, y que le permite entrar en contacto personal con José María Arellano Igea, letrado asesor de la empresa y abogado notable. Es una experiencia especialmente valiosa para quien, como él, ha decidido seguir la senda luminosa de la justicia. Arellano orientaría la atenta percepción de José Antonio hacia un perfecto dominio del «oficio» de abogado. Y hasta el último momento Arellano actuaría como defensor en los procesos seguidos contra el Fundador de la Falange, incluido aquel de marzo de 1936, en el que el Tribunal Supremo dictó su veredicto declarando la legalidad de la Falange, y dejó patente con ello la actitud facciosa del Gobierno de Frente Popular, que, pese a tal sentencia del máximo Tribunal —y situándose, por tanto, fuera de la ley—, mantuvo la prohibición y la persecución de la Falange, sin dejar en libertad a su Jefe Nacional, encerrado, contra todo Derecho, en la cárcel Modelo de Madrid. De don José María Arellano hablaría siempre José Antonio con auténtica admiración, dándole el calificativo de «maestro».

Aquella alternancia inicial entre trabajo y estudio se traduce en una cierta irregularidad en los resultados académicos de los primeros cursos. Pero en el de 1920-21 José Antonio ya es alumno oficial en la Facultad y tiene netamente definida su vocación, que se traduce en brillantes calificaciones a final de curso. El año último de licenciatura y el curso de doctorado que realiza, respectivamente, en 1921-22 y 1922-23 culminan con Matrículas de Honor, a excepción del Derecho Mercantil, en el que sólo alcanza sobresaliente.

Refiriéndose a la incorporación de José Antonio a la Facultad de Derecho, cuenta Ramón Serrano Suñer: «José Antonio llegaba allí con retraso porque había dedicado unos meses a estudiar en una academia preparatoria para el ingreso en el Cuerpo de Ingenieros de Caminos, Canales y Puertos.»

Y continúa su evocación: «Por una serie de circunstancias que no hacen al caso, y por su vocación al Derecho y la Justicia, abandonó aquellos estudios, aunque nunca su afición y su interés por las matemáticas; y para no quedar rezagado —pese a ser un año más joven que nosotros— hizo dos cursos en uno.»

(Ramón Serrano Suñer. «Memorias», página 457. Editorial Planeta, 1977.)

José Antonio era alumno que no se conformaba con asistir a las clases de la Facultad, y que frecuentaba con asiduidad las bibliotecas del Ateneo de Madrid y de la Academia de Jurisprudencia, en cuyos textos jurídicos bucea incansablemente.

Hay un testimonio curioso y expresivo que refleja la brillantez con que José Antonio sigue sus estudios de Derecho.

Don Felipe Sánchez Román, que era la máxima autoridad académica en la especialidad de Derecho Civil, y que se distinguió por su animadversión hacia la política primorriverista, manifestó en una ocasión:

«José Antonio fue discípulo mío. Por la antipatía que me inspiraba su padre y el régimen de opresión y de mordaza que le tuvo como cabeza responsable, hice siempre lo posible por apretarle y deslucirle en mi clase; pero era alumno brillantísimo y tuve que darle las mejores calificaciones. Siendo ya abogado, se me presentó cierto día a decirme que deseaba repetir conmigo dos cursos de Derecho Civil, a condición de que le preguntase como a los demás discípulos. Y, por ser de justicia, reconozco que José Antonio es un magnífico letrado de consulta, de dictamen y de gran elocuencia y dialéctica en el foro.»

La permanencia de José Antonio en la Universidad enriquece al futuro fundador de la Falange con perspectivas hasta entonces inéditas para él. En primer término, le pone en contacto con una realidad conflictiva, en la que comienzan a manifestarse las tensiones políticas que son pasto cotidiano en la vida nacional. José Antonio no permanece indiferente ante el fenómeno político –¿puede permanecer neutro un joven de dieciocho a veinte años?– España vive en ebullición, y el mejor termómetro para tomar la temperatura nacional es, entonces y ahora, la Universidad.

Desde la crisis de 1917 se suceden los cambios de Gobierno y las huelgas. El proceso de disolución se agudiza. Como una maldición bíblica, España camina hacia su división total. A los taifas políticos que se manifiestan en el seno de los partidos se suman los irreductibles taifas sociales y, en escalada creciente de desmembración, los taifas territoriales.

El regionalismo cobra fuerza, especialmente en Cataluña y las Provincias Vascongadas. Abiertamente, los representantes de las minorías burguesas catalanas ante las Cortes han planteado el problema de su autonomía y han exigido que, en la parte que se les conceda, alcance plena soberanía.

El Gobierno, una vez más, pretende suplir su debilidad y su falta de visión histórica con el pasteleo. El Rey mismo, presionado por la camarilla habitual que le cerca en palacio, duda en su decisión y se siente inclinado por quienes apoyan el fermento separatista. Maura, que es, sin duda, una de las pocas figuras que mantiene despierta la conciencia nacional, pronuncia un apasionado discurso patriótico en defensa de la unidad, que entusiasma a la mayoría del Parlamento. Las ambiciones inconfesables de la burguesía catalanista, que enarbola los argumentos autonomistas como un auténtico chantaje para la defensa de ventajas fiscales y un descarado proteccionismo arancelario, sufren un revés temporal.

En el campo de lo social, las huelgas son constantes. El fin de la guerra europea ha provocado un colapso en la economía española. Los prósperos negocios y las fortunas amasadas durante la conflagración internacional no han servido para desarrollar una corriente inversionista, ni se han aprovechado en la modernización de la maquinaria, ni en mejorar técnicamente los sistemas de producción. Torpemente, los grandes capitales surgidos de la privilegiada coyuntura neutralista, que ha permitido a España negociar con los dos bandos en lucha, se han proyectado en inmensos gastos suntuarios y en oscuras maniobras especulativas. La terminación de la guerra representa para ellos un golpe mortal. Suben los precios y vuelve a incrementarse el paro. Crecen nuevamente las protestas callejeras y los disturbios y atentados. Hay obstrucciones parlamentarias en la aprobación del Presupuesto, y el país marcha sin rumbo hacia un caos ya previsible.

6. El desastre de Annual

El 8 de marzo de 1921, la plaza de la Indepedencia es escenario de un nuevo magnicidio. Cuando don Eduardo Dato regresa del Senado, camino de su domicilio, el automóvil que le lleva es ametrallado desde una motocicleta en marcha. Una vez más, los ejecutores son militantes anarquistas: Mateu, Casanellas y Nicolau.

Si el panorama interior presenta perfiles dramáticos tan agudos, no es menor la crisis exterior. Marruecos sigue siendo una permanente fuente de disgustos. Era jefe supremo de las fuerzas de Africa el General Dámaso Berenguer, quien había dividido el territorio en dos subzonas, la oriental y la occidental. En la oriental, reducida a Melilla y su campo, ejercía el mando el General Fernández Silvestre. Frente a él, alienta la rebelión rifeña Abd-el-Krim, un inteligente cabecilla, hijo del Caid de Axdir, que había estado al servicio del Ejército español en la Comandancia melillense. Obedeciendo a un plan conjunto que aspira a la unión de las dos subzonas, pero anticipándose, al parecer, a lo previsto en el plan de operaciones, el General Manuel Fernández Silvestre sale de Melilla al mando de una columna hacia la posición de Igueriben. La fuerte resistencia y la agresividad de los rifeños es tal que obliga a la expedición a volver sobre sus pasos, en retirada escalonada sobre Annual, Dar Rius, Battel, Monte Arruit y Nador. Pero el éxito hace crecer la ofensiva de los kabileños que cercan a Fernández Silvestre en Annual, donde el general y los defensores perecen. Los restos de la expedición siguen en retirada en la que no faltan gestos heroicos, aunque llega a convertirse en desbandada desastrosa, dejando desguarnecida, prácticamente, la misma ciudad de Melilla.

Entre las acciones heroicas registradas durante el desastre de Annual, figura con letras de oro en los anales de la Caballería española, la múltiple carga ordenada en Monte Arruit por don Fernando Primo de Rivera y Orbaneja, hermano de don Miguel y, por lo tanto, tío de José Antonio. Agotados los caballos y exhaustos los jinetes, aún persistieron en la lucha con una carga al paso. En ella encontró la muerte don Fernando, Conde de San Fernando de la Unión, que fue recompensado con la Cruz Laureada de San Fernando. De su entierro existen fotografías en las que se ve a José Antonio entre la presidencia familiar del sepelio, vestido con el uniforme militar de la Orden de Santiago, a la que pertenecía.

En tan dramática circunstancia, va a entrar en fuego una unidad militar creada un año antes por un nervioso y visionario teniente coronel: don José Millán Astray. Se trata del Tercio de Extranjeros o Legión Española, en la que figura, al mando de la primera Bandera, el mismo comandante que recorrió en 1917 la cuenca minera asturiana en misión pacificadora: Francisco Franco. Es, precisamente, a él a quien se le encarga, en una marcha forzada sin precedentes, la salvación de la plaza de Melilla. Restablecida la moral, se inicia pronto la reconquista de las posiciones perdidas. Pero el desastre de Annual, con el trasfondo político que comporta, alcanza, en su responsabilidad, incluso al Rey, quien había recibido en audiencia a Fernández Silvestre pocos días antes de iniciarse la operación, y a quien, según algunos tratadistas, estimuló a realizarla con un expresivo telegrama cuyo texto es fama que decía: «¡Olé los militares con c...! ¡Adelante! La irresponsable expedición del General Fernández Silvestre y su imprevisión táctica y estratégica arrojan un balance estremecedor: casi quince mil soldados muertos.

La sangría española en Africa parece no tener fin. Y la impopularidad de la guerra y del Gobierno llega a su cenit.

7. José Antonio, líder estudiantil

Es en medio de esta acumulación de acontecimientos internos y exteriores en la que tiene ambiente la formación intelectual de José Antonio.

¿Cómo sostener seriamente la tesis de una indiferencia joseantoniana por los sucesos? Lógicamente, parece imposible. Su padre es militar, un destacado militar con larga experiencia africana y graves responsabilidades de mando en la Península. ¿Cuántas veces surgiría en las conversaciones familiares la cuestión de Marruecos? Pilar, hermana de José Antonio, ha manifestado en repetidas ocasiones que su padre jamás hablaba de los asuntos oficiales con la familia. Es razonable, si tenemos en cuenta las costumbres de la época, que no lo hiciera con las mujeres de la casa y, menos aún, que lo recuerde Pilar, que entonces tenía en torno a los catorce años. Pero, ¿cuántas veces confiaría don Miguel a su hijo mayor sus íntimas inquietudes, sus criterios sobre el problema rifeño y sus opiniones personales acerca de una posible solución? ¿Acaso no sentiría ya el general la angustia de ver la asfixiante situación política que llevaba al país a una irremediable hecatombe? ¿Es que el espíritu juvenil y la inquietud intelectual de José Antonio, abiertos al horizonte de las realidades políticas, no mantendría con su padre un intercambio de puntos de vista y de criterios sobre la situación española?

Se ha afirmado —creo que impropiamente— que la primera incursión de José Antonio en la vida política nacional se cumple con la pública campaña de defensa de la memoria de su padre, injustamente atacado desde la orilla del resentimiento y la impotencia republicanos. No es riguroso. Porque José Antonio, en su época estudiantil, tiene una activa intervención en los problemas universitarios, y, a su través, en las tensiones políticas que se producen a su escala.

José Antonio, como la mayoría de los jóvenes universitarios de la época, asimila el espíritu crítico, filosófico y político de los regeneracionistas. Es, decididamente, un claro discípulo de Ortega. Y, ¿acaso no se manifiestan en él, también, muchas de las ideas y actitudes morales de las que es arquetipo don Miguel de Unamuno?

No hay que olvidar que José Antonio estudia en una Universidad en la que, por entonces, ejercían cátedra los mejores pensadores españoles del siglo XX.

Cierto es que el propio José Antonio manifestaría expresamente, años después, su vocación apasionada por su profesión de abogado y el desdén por la política, sin duda motivado por tantas ingratitudes y desengaños como observó en torno a su padre. Pero no es menos cierto que cuando, en 1919, el ministro Silió decretó la autonomía universitaria y con ella la creación de la Asociación Oficial de Estudiantes para la participación representativa de los alumnos en el gobierno de la Universidad, José Antonio se afana en la organización de la correspondiente a su Facultad, junto a Ramón Serrano Suñer. Pone énfasis éste en afirmar que «en la Universidad no hicimos más que ser estudiantes». Pero los hechos que él mismo describe en sus «Memorias» se encargan de demostrar que esa actitud rigurosa y responsable representa ya, implícitamente, una toma de posición política.

Por otra parte, no hace falta ser especialmente agudo para deducir que las palabras que José Antonio, ya Jefe Nacional de la Falange, dirige a los estudiantes del Sindicato Español Universitario (S.E.U.) no constituyen una contradicción personal con sus convicciones juveniles, sino, muy al contrario, la maduración de un entendimiento de la cualidad universitaria y de la misión y deberes que corresponden a la juventud estudiantil, basadas, sin duda, en su propia experiencia.

Así, en el acto de constitución del S.E.U., celebrado en Valladolid el 21 de enero de 1935, José Antonio afirma: «Han pasado los días en que se podía ser sólo universitario, o poeta o artista. Nuestra época nos arrastra y no nos deja encerrarnos en torres de marfil.» Y, después de una descripción amplia de la situación de España, insiste: «¿Cómo podríamos desentendernos de su tragedia? Seamos buenos universitarios, pero seamos también partícipes de la tragedia de nuestro pueblo.»

Es un pensamiento que no se aparta de la rectilínea ejecutoria de José Antonio, y que vuelve a manifestarse, en forma inequívoca, en otras dos solemnes ocasiones. La primera, el 11 de abril de 1935, con ocasión de la apertura del primer consejo nacional del S.E.U., en el que afirma:

«Los camaradas estudiantes tienen que meditar acerca de tres órdenes de deberes:

»Primero, en sus deberes para con la Universidad, que no ha de ser considerada como una oficina de expedición de títulos, sino como un organismo vivo de formación total. Así, el Sindicato, dentro de la Universidad, tiene que cumplir dos fines: el propiamente profesional, escolar –en donde nuestros camaradas han de aspirar a ser los primeros–, y el de aprendizaje para los futuros sindicatos, en que el día de mañana se insertará cada uno.

»Segundo, en sus deberes para con España. La ciencia no puede encerrarse en un aislamiento engreído: ha de considerarse en función de servicio a la totalidad patria, y más en España, donde se nos exige una tarea ingente de reformación.

»Y tercero, en sus deberes para con la Falange, donde el Sindicato de Estudiantes ha de ser gracia y levadura. Por eso han querido introducir en él sus más activos venenos de desunión todos los enemigos declarados o encubiertos de lo que representa la Falange.»

Y, por si cabe alguna duda, todavía insiste José Antonio, el 11 de noviembre de 1935:

«España necesita con urgencia una elevación en la media intelectual; estudiar es ya servir a España. Pero, entonces, nos dirá alguno, ¿por qué introducís la política en la Universidad? Por dos razones: la primera, porque nadie, por mucho que se especialice en una tarea, puede sustraerse al afán común de la política; segunda, porque el hablar sinceramente de política es evitar el pecado de los que, encubriéndose en un apoliticismo hipócrita, introducen la política de contrabando en el método científico.»

Resulta difícil resistirse a la tentación de ofrecer hoy también, como tema de reflexión en el contexto real de la España de mediados de los ochenta, este clarividente juicio de José Antonio, quien, como colofón de la conferencia expuesta sobre «Derecho y política», decía:

«Seamos, pues, políticos, francamente, cuando nos movamos por inquietudes políticas; y luego, en nuestros trabajos profesionales, tengamos la pulcritud de no traer ingredientes de fuera.»

¿Quién, con ánimo recto, no suscribiría hoy esta actitud ética en cuanto se refiere a la vida laboral que canalizan los Colegios Profesionales y los Sindicatos, en donde, lamentablemente, la política de partido invade todos los ámbitos y pervierte y prostituye, a veces, la finalidad esencial de las corporaciones y asociaciones?

Visión tan diáfana y firme como la expresada por José Antonio sobre un problema que también es agudo en nuestros días, es evidente que no se improvisa al calor de unas declaraciones ocasionales o de un discurso de circunstancias.

Por eso, entiendo que la confrontación política de José Antonio surge en plena etapa universitaria, cuando desde el sector más reaccionario de la política española de aquel tiempo se lanza la idea de crear una Asociación de Estudiantes Católicos, marginada de la Asociación General de Estudiantes.

Aquella iniciativa produce indignación en los dirigentes de la Asociación oficial, en la que José Antonio era Secretario General y Vocal de la Junta Directiva de la Facultad de Derecho, por elección de sus compañeros, al tiempo que Serrano Suñer era Presidente.

José Antonio intuye que va a introducirse un foco de división, una causa más de enervamiento, una excusa para la enemistad política y el enfrentamiento universitario. Téngase en cuenta el carácter elitista que tenía entonces la Universidad, lo que favorecía un clima sosegado, radicalmente distinto del de nuestro tiempo, en el que la Universidad se ha masificado, sin que el magisterio esencial del «Alma Mater» pueda ser ejercido desde la Cátedra, aunque sólo sea por la inevitable dispersión de grupos en que han de dividirse los cursos, a cargo, generalmente, de auxiliares y «penenes».

Como bien recuerda Serrano Suñer en sus «Memorias»: «En aquella nuestra vieja, inolvidable Universidad, el compañerismo entre los estudiantes era estrecho y ejemplar, sin que hubiera entre nosotros ni pelotilleros, ni espías, ni energúmenos. Las tensiones en el interior de la Universidad eran insignificantes. Había, sin duda, estudiantes de izquierda y de derecha, pero la solidaridad profesional —y generacional— confundía fácilmente, sin sectarismos ni rencores, ideas y sentimientos diferentes.»

¿Por qué crear, entonces, una duplicidad representativa excluyente?

Cuenta Serrano Suñer a este respecto: «José Antonio y yo acudimos a disuadir a las personas más calificadas de entre ellos, para agotar nuestros argumentos.»

Aquel peregrinaje llegó incluso hasta el propio Nuncio, monseñor Ragonessi. Pero todo fue inútil. Los «estudiantes católicos», movidos por hilos extrauniversitarios, insistían en su posición, y la escisión universitaria se produjo con una radicalización lógica en la asociación oficial, que, tan sólo un año después de abandonar José Antonio la Universidad, se convertiría en la Federación Universitaria Escolar (F.U.E.), con una carga abiertamente izquierdista y anticlerical.

Quizá convenga reseñar, a título de curiosidad, que durante la breve historia del S.E.U. de la preguerra gran número de sus militantes fueron reclutados entre jóvenes universitarios de la F.U.E., y que el origen de la enemistad y hasta de la persecución que José Antonio y la Falange sufrieron por parte de los grupos políticos «católicos», instalados fuera y dentro del Poder en la etapa cedista, hay que buscarlos en aquella noble actitud de oposición que José Antonio mantuvo en sus años de estudiante universitario contra quienes, fatalmente, parecen abocados a constituirse en apóstoles permanentes de la división partidista por el uso indebido de calificaciones y marchamos confesionales, con los que siembran la cizaña desde posiciones políticas enmascaradas que basculan extremosamente desde el «nacionalcatolicismo» hasta la «democracia cristiana».

8. José Antonio y la Dictadura

El 16 de marzo de 1922, don Miguel Primo de Rivera es nombrado Capitán General de Cataluña, y aquel verano José Antonio lo pasa con su padre en la Ciudad Condal. La luminosa y moderna Barcelona, con su ambiente cultural cosmopolita, produce en el joven universitario un choque emocional que trascendería en amor por aquella región, de la que pocos españoles, sólo los más sensibles y selectos, han sabido extraer su esencia espiritual con la profundidad y conocimiento certero de su alma popular, que José Antonio consiguió.

Ramón Serrano Suñer da testimonio de aquel cambio: «De aquella ciudad viva, llena de cosas importantes, él empezaba a deducir sus gustos y sus exigencias ante el público; empezaba a saber cómo quería las cosas. Barcelona fue para José Antonio el político el punto de partida, y para el hombre, el punto de crisis.»

En Barcelona, José Antonio sienta plaza, junto a su hermano Miguel, para servir voluntario en el Regimiento de Caballería número 9, forma de recluta habitual para la oficialidad de complemento. Allí José Antonio va a asistir al golpe de Estado encabezado por su padre.

El expediente de responsabilidades por el desastre de Annual, instruido por el General Picasso, provoca un revuelo de hondas repercusiones políticas, que llevan, una vez más, a la crisis de Gobierno y a un enfrentamiento personal en el Senado que tuvo gran resonancia pública, en donde el General Aguilera y el señor Sánchez Guerra, «democráticamente», ventilan sus diferencias de criterio a bofetadas. Las ingentes cifras de paro, la crisis económica, las luchas políticas, los atracos y atentados personales, como el asesinato del Cardenal Soldevilla en Zaragoza, dan imagen de una España que se atomiza y escinde sin aparente remedio. Y con ella se desprestigia la Corona, a la que se considera gravemente implicada en la responsabilidad del desastre de Annual.

Es el momento en que el Capitán General de Cataluña, con conocimiento del Rey, y seguramente estimulado por éste, se decide.

> «*La exigencia de responsabilidades hízose irresistible. El Gobierno, cediendo a ella, dispuso que el General Picasso las averiguara. El expediente instruido, modelo de imparcialidad, pasó al Congreso. Una comisión especial, de la que yo formaba parte, debía dar, a base de dichas indagaciones, ampliadas por ella, su dictamen. Para frustrarlo, se sublevó, en septiembre de 1923, el Capitán General de Cataluña, Miguel Primo de Rivera, una ''sublevación de real orden'', según yo la denominé.*»
>
> (Indalecio Prieto. «Convulsiones de España» I. Páginas 47 y 48. Ediciones Oasis, S. A. Méjico, 1967.)

Previamente, ha consultado con los más caracterizados representantes de las diversas guarniciones peninsulares e insulares. Alentado por las respuestas, el 13 de septiembre de 1923 publica un manifiesto declarando el estado de guerra, y haciendo saber que para salvar a España el Ejército pedía al Rey la separación de los ministros y aun de todos los hombres políticos de la gobernación del Estado.

Ricardo de la Cierva describe certeramente el clima de opinión en que se produce el golpe de Estado: «La danza de gobiernos y la mezquindad política de la etapa 1917-1923 pesaban angustiosamente sobre el país. La propaganda regeneracionista, que tras el fracaso de los «intentos» conservador y liberal había pasado enteramente a las manos de los intelectuales progresistas, clamaba por el «cirujano de hierro» preconizado por Joaquín Costa. Reflejo de este ambiente sería la salutación que el intelectual más representativo de la época, don José Ortega y Gasset, dirigió al nuevo régimen, del que más tarde discreparía:

«Si el movimiento militar ha querido identificarse con la opinión pública y ser plenamente popular, justo es decir que lo ha conseguido por entero...»

Cuando don Miguel jura como Jefe de Gobierno, el 15 de septiembre de 1923, la gran masa del país, desde los intelectuales hasta los obreros, abren un portillo a la esperanza.

Con don Miguel vuelve toda la familia a Madrid. Y José Antonio pasa del regimiento barcelonés al de Húsares de la Princesa, en donde alcanza el grado de Alférez.

Finalizado el servicio militar –se conservan fotografías en las que aparece con uniforme de gala y a caballo durante una guardia en la plaza de la Armería del palacio real–, José Antonio se inscribe en el Colegio de Abogados de Madrid, el 3 de abril de 1925, y abre bufete en la calle de Los Madrazo, 26.

Con paciencia investigadora, Agustín del Río Cisneros y Enrique Pavón Pereyra han glosado y recopilado en un grueso volumen toda la actuación profesional de José Antonio hasta el juicio último en la cárcel de Alicante. En el prólogo, Raimundo Fernández Cuesta describe la actitud adoptada por José Antonio durante la jefatura de Gobierno de su padre, con estas palabras:

«José Antonio no se deja deslumbrar por el momento estelar de su padre, ni por la aureola y prestigio de la autoridad militar, también en su cenit. Al contrario, José Antonio se consagra entonces a su profesión con el mayor entusiasmo, perfeccionando sus conocimientos mediante el estudio y la práctica diaria, desoyendo tanto las sirenas del halago y del bien remunerado empleo, como al cliente que buscaba en él no al letrado competente, sino al hombre de influencia. Pero al adoptar esta actitud no lo hace por inmunizarse de la paterna, o por incompatibilidad íntima con la misma, sino justamente por lealtad a ella, para prestigiarla, para que no se la pueda acusar de nepotismo o de favor, y por su convencimiento de que los males de España tenían su origen en la quiebra de la Justicia y del Derecho, que había que restaurar en todos los aspectos de la vida nacional, restauración a la que quería contribuir como jurista y dentro de sus posibilidades.

En el mismo sentido, Serrano Suñer reitera:

«Había empezado a trabajar un poco a contrapelo, pues era, como antes digo, de una moralidad implacable, y más de una vez había echado de su despacho destempladamente a quienes no iban allí en busca del abogado sino del hijo del Dictador, esto es, del mediador influyente, papel al que luego hemos visto con cuánta facilidad se han prestado tantas personas de uno y otro sexo. Por ahí no pasaba y sus escrúpulos —repito— llegaron a la suspicacia y le frenaron fuertemente en la admisión de asuntos, imponiéndose una selección severísima.»

(Serrano Suñer. «Memorias», página 470. Editorial Planeta, 1977.)

Stanley G. Payne, historiador norteamericano, profesor asociado de Historia en la Universidad de California, especializado en temas españoles, escribe en su libro «Falange»:

«Durante los siete años que duró la Dictadura tuvo buen cuidado de no mezclarse en ninguna actividad política. Sin embargo, se sintió vinculado sentimentalmente a la carrera de su padre, glorificando los éxitos del Dictador y contemplando con desaliento cómo su régimen naufragaba.»

¿Cabe el más mínimo reproche en esta actitud? ¿Cómo no había de sentir el hijo admiración y vinculación *sentimental* por la carrera de su padre?

Pero es que, además, aunque se empeñen los detractores, el paso del tiempo ha permitido contemplar seriamente, con perspectiva histórica suficiente y con documentación ponderada, el fenómeno de la Dictadura. Y esa perspectiva es la que hace reconocer a historiadores tan poco predispuestos a la simpatía, y en multitud de pasajes tendenciosos, como Raymond Carr:

«A pesar de los defectos de su política, los tecnócratas del Dictador llevaron a cabo un notabilísimo intento de modernización que suele estimarse en menos de lo que vale; el incremento en la construcción de carreteras y en la electrificación rural fue algo espectacular, si se tienen en cuenta los índices españoles; el hierro y el acero se desarrollaron a un ritmo parecido al de la época de guerra; el comercio exterior aumentó en un 300 por ciento, y los ferrocarriles fueron modernizados.»

A este juicio histórico cabe unir el de otro autor, ya citado: Ricardo de la Cierva.

«La realización más positiva de la Dictadura por la que España debe al General Primo de Rivera una gratitud perenne es su victoriosa y clarividente liquidación del canceroso problema africano. Decenios enteros de desidia, coronados por un espantoso desastre, quedaron saldados entre las espumas de Alhucemas. Se pueden discutir otros aspectos de la Dictadura, pero no puede el auténtico historiador caer en la cicatería de regatear un elogio definitivo a don Miguel Primo de Rivera por este capítulo de su Gobierno.»

Si esto piensan los historiadores, ¿por qué ha de criticarse la legítima admiración filial de José Antonio por su padre?

Pero sus sentimientos filiales los mantiene en el discreto templo de su intimidad. Claro es que la posición especialísima de don Miguel le hace mantener una intensa vida de relación social. Pero José Antonio, que, como muy bien juzga Payne, «tuvo buen cuidado en no mezclarse en ninguna actividad política», sólo participa en aquellos actos de relación a que le obliga su condición de hijo del Dictador.

9. Un homenaje a los Machado

Uno de ellos es el homenaje público que se rindió en el hotel Ritz, de Madrid, en noviembre de 1929, a los hermanos Machado. Con pausada y matizada voz, José Antonio ofrece el homenaje. Hay en su discurso cadencias que suenan familiares y que tienen su eco en posteriores y aún lejanas intervenciones públicas. Así, José Antonio puntualiza:

«Se trata de un homenaje a dos intelectuales henchidos de emoción humana, receptores y emisores de la gracia, la alegría y la tristeza populares. Sentido de intelectuales que contrastó con el intelectual inhospitalario y frío, encerrado en su torre de marfil, insensible a las vibraciones del verdadero pueblo. No estaría de más subrayar que el homenaje es a los poetas, sí; pero también a los dramaturgos. Hay que acabar de una vez con esa crítica miope —y tanto más convencional cuanto más libre de prejuicios quiere parecer—, que cada vez que estrenan los Machado sólo deduce el triunfo de los poetas. No. El público que ovaciona a los Machado es público de teatro, y les rinde el tributo de su admiración porque son los dramaturgos, los constructores dramáticos, quienes le emocionan y le encantan. Que son dos grandes poetas, ya lo sabemos todos hace muchos años. Hay escritores a quienes sólo se puede admirar. A otros, como a Manuel y Antonio Machado, se les admira y se les ama.»

En el discurso de José Antonio hay acentos de sinceridad tales que hacen pensar en el sufrimiento que le hubiera producido –de haber sobrevivido a la tragedia de la guerra– conocer el fin dramático y triste de Antonio Machado, en la aldea francesa de Collioure.

> *Va siendo hora de poner las cosas en su sitio. Antonio Machado, que tuvo la mala suerte de que el Alzamiento le pillara en Madrid, no fue jamás perseguido de los «nacionales» ni su muerte es achacable, en modo alguno, al bando vencedor en la guerra civil. Antes al contrario. En Madrid, el insigne poeta fue utilizado, al igual que otros intelectuales —entre ellos Marañón y Menéndez Pidal— por la activa propaganda del Partido Comunista y, muy especialmente, por el 5.°* Regimiento, *célula germinal del Ejército rojo. Y cuando el signo de la guerra fue decididamente adverso para el bando republicano, Antonio Machado, impulsado sin duda por el miedo, siguió el destino de tantos españoles participando en aquel dramático éxodo hacia Francia, desencadenado tras el derrumbamiento del frente del Ebro y de Cataluña. Su muerte en Collioure, solo y abandonado por quienes hasta unas fechas antes le habían explotado políticamente, es un baldón más que, por justicia histórica, hay que cargar en el P.C.E.*
>
> *Sólo el cinismo e inescrupulosidad comunistas es capaz de manipular la realidad como se ha hecho en torno a Antonio Machado, para explotar todavía hoy, políticamente, una figura que no es capitalizable por ninguna facción y sí por España entera, como egregio poeta que es, además de escritor y dramaturgo. La poesía de Antonio Machado, como la de Manuel, no menos buen poeta y escritor, pertenece al entero pueblo español y no es expresión de la inspiración ni la cultura marxistas.*
>
> *Como contraste, su hermano Manuel, quien tuvo la fortuna de vivir en zona nacional, ni fue perseguido ni fue manipulado y vivió libre y honrado públicamente hasta su fallecimiento. Aunque el sectarismo político de la izquierda también se cebe en él, arrojando sobre su obra un denso telón de silencio.*

Manuel Machado, recordando aquel homenaje, escribió un elocuente artículo en el que decía:

«Fue una de las primeras, acaso la primera vez que –aparte de sus alegatos forenses– hablaba en público José Antonio. Se celebraba un suceso artístico, y la magnífica sala de fiestas del hotel Ritz, de Madrid, estaba llena a rebosar de todas las aristocracias españolas: desde la de sangre hasta la del cante hondo. La cálida palabra del joven orador, impregnada ya de un dulce misticismo y como de un aura de profecía, penetraba candente en los espíritus y captaba, irresistible, no ya el difícil entusiasmo, la emoción cordial y sincera de aquel selecto auditorio. Cuando José Antonio descendió del estrado, entre ovaciones delirantes, don Miguel Primo de Rivera se acercó a su hijo. Y, al abrazarse aquellos dos hombres –muy hombres–, había también lágrimas en sus ojos.»

Quizá convenga hacer una llamada de atención sobre las matizaciones que José Antonio hace en su discurso, reflexionando en voz alta en torno a los intelectuales. Unos, como los Machado, «henchidos de emoción humana, receptores y emisores de la gracia, la alegría y la tristeza populares», y otros –¿será necesario relacionarlos?–, «inhospitalarios y fríos, encerrados en su torre de marfil, insensibles a las vibraciones del verdadero pueblo».

Y quisiera poner acento en ello, porque algunos autores pretenden ocultar la dimensión intelectual y la vibración humana de José Antonio, creyendo que así, descalificando al Fundador, descalifican su obra. De modo que, todavía en nuestro tiempo, aupados en el favor del sectarismo político gobernante, y desde los poderosos medios de comunicación social, estatales y privados, aún hay quienes se empeñan en imputar a José Antonio, siguiendo la pauta de las acusaciones que le hicieron a su padre, y sin aportar ni un solo dato en que apoyarse, una supuesta animadversión por lo intelectual y los intelectuales. Es una falsedad insostenible. Lo que ocurre en realidad es que la crítica que José Antonio hace —como muchos de los hombres clave de su tiempo— está en línea con el pensamiento de Ortega, que es, sin duda, el más duro juez de los «pseudointelectuales» proliferantes en la España alicorta y caduca del primer tercio de siglo y, a lo que se ve, renacidos en el último cuarto de centuria, al abrigo del mismo clima moral, traído por la Monarquía tras la muerte de Franco.

El homenaje a los Machado es, ciertamente, una de las primeras veces que José Antonio habla en público fuera del foro, pero no será la única en que alza su voz para el elogio y la convocatoria de los verdaderos intelectuales. Años más tarde, su voz vibraría rigurosa en el homenaje a Eugenio Montes, de la misma manera que trascendería toda su admiración por la función intelectual en el «Homenaje y reproche a don José Ortega y Gasset». Homenaje y reproche que no fue ciertamente único.

La condición de hijo del Dictador no fue siempre ocasión de lucimiento, y menos aún, pues en ello tuvo verdadero prurito personal, trampolín para sus éxitos profesionales. Antes bien, el resentimiento y la aversión personal que manifestaron ciertos políticos frustrados hacia el Dictador pretendió morder en el justo prestigio que iba alcanzando, con su solo esfuerzo y su honradez profesional, el abogado José Antonio Primo de Rivera.

10. José Antonio no fue un «enchufado»

Así cabe calificar el episodio calumniante de Ossorio y Gallardo, fracasado y débil gobernador civil de Barcelona durante la Semana Trágica, y que también estuvo, entre bambalinas, con los inspiradores del grupo de los «Estudiantes Católicos», para desembocar, finalmente, tránsfuga del monarquismo, en el histriónico confort de la legalidad republicana sovietizada por el Frente Popular, haciendo ostentación de «católico».

Aquel ataque injusto, que pretendía presentar a José Antonio como «enchufado» en la Compañía Telefónica Nacional de España por influencias del Dictador, prestó ocasión a don Miguel para publicar una de sus espontáneas notas de prensa, en la que desenmascaraba la miserable calumnia con estas palabras:

«Es un joven licenciado y doctor en Derecho, que habla inglés como el español, cursando su carrera con sobresalientes y matrículas de honor en enseñanza oficial, y con catedráticos tan sabios y respetuosos como los señores Posada, Clemente de Diego, Gascón y Marín, y otros que jamás han recibido una recomendación en favor de este discípulo. Por lo demás, de cómo ha practicado el servicio militar este joven hijo del

Presidente del Directorio, testificarán sus jefes, que ni un solo día, ni un solo minuto ha faltado a su obligación en los trece meses que lleva de servicio, sin que ni un solo superior suyo haya recibido una sola recomendación ni petición de permiso en su favor...»

La acción difamatoria de Ossorio y Gallardo, habría de reverdecer públicamente, en marzo-abril de 1931, durante la polémica que José Antonio sostuvo con el General Burguete. En contrarréplica a la desabrida y aparentemente intimidatoria carta del general, responde José Antonio con un artículo en «La Nación», publicado el 1 de abril. Entre las muchas puntualizaciones que José Antonio hace, hay una concreta dedicada al asunto de la Telefónica, enunciada en los siguientes términos:

«Una palabra acerca de cierta injuria. Se dice en la carta del General Burguete que yo obtuve un destino como abogado de la Telefónica. Mentira. Fue precisamente lo contrario: la creación de la Telefónica me hizo perder el ofrecimiento de un destino ventajoso en América. Me lo iban a dar los elementos americanos unidos luego a la Compañía Telefónica Nacional.

Y precisamente la primera condición que mi padre puso para que pudiera la Telefónica aspirar a la concesión de nuestras redes fue que ni directa ni indirectamente tuviese la menor relación conmigo. Así concluyó mi deseado destino de América, con su venturosa lejanía de este avispero de Madrid. Aquí me quedé trabajando sin sueldo alguno de la Telefónica ni de nadie. Mi padre era así, y es muy natural que ciertas mentalidades no puedan entender sus actos.

Puede comprobar el General Burguete que la historia de mi destino como abogado de la Telefónica nació en Madrid en el verano de 1924. Y que hasta abril de 1925 yo no pude actuar de abogado en parte alguna, por la sencilla razón de que aún no estaba incorporado a ningún Colegio.

De todas estas cosas sabrá informarle su amigo don Angel Ossorio, defensor privilegiado ante el Consejo de Guerra que presidió el General Burguete, y defensor particular, además, del mismo señor en un pleito que está tramitándose en cierto Juzgado de Madrid.»

Obsérvese la ironía con que José Antonio apunta al autor de la infamia. Efectivamente, el origen de la difamación está en la carta que a finales de 1924 dirigió Ossorio a Miguel Maura, en la que, entre otras cosas, decía: «Al primogénito del Dictador, el pollo José Antonio, recién salido de la Universidad, le han dado un destino dotado con el lindo haber de veinticinco mil pesetas como jurisconsulto asesor de la Telefónica, usufructuaria de una de las concesiones más escandalosas...»

Por mi parte, he tratado de investigar en torno a este asunto. Acudí para ello a mi buen amigo y excelente periodista Manuel Aznar, jefe de Prensa de la Telefónica durante muchos años, e hijo de don Manuel Aznar, aquel gran maestro del periodismo español, que fue director de «El Sol» y de «La Vanguardia Española», de Barcelona, además de espléndido embajador de España.

De su gestión —difícil, por no existir documentación— conseguí solamente datos contradictorios, resultado de opiniones de algunos veteranos de la Compañía. La más fiable, en mi criterio, es la que, al parecer, le aportó a Manuel Aznar don Eugenio Redonet Maura, que fue letrado asesor de la Compañía desde 1930 y que afirmaba que nunca tuvo noticia de que José Antonio perteneciera a la Compañía ni jamás coincidió con él.

En consulta telefónica hecha a don Ramón Serrano Suñer, en julio de 1984 —acudí a él dada su condición de abogado y su amistad con José Antonio, íntima en aquellos tiempos—, me transmite que, quizá pudo tener una consulta jurídica, un puro asunto de trámite, pero que, en modo alguno estuvo ligado a Telefónica ni a nada que pudiera suponer favor de la posición política de su padre. Y que, en eso, como en otras cosas, José Antonio fue insobornable.

Por otra parte, cabe decir que, salvo en esta tardía polémica con el General Burguete, nadie, entre los adversarios de José Antonio, esgrimió posteriormente el infundio calumnioso de Ossorio para atacar al Fundador de la Falange, lo que es prueba, para mí decisiva, de que se trató de un intento de difamación, cortado de raíz, como se ve, tanto por don Miguel, como por el propio José Antonio.

Hay otro acontecimiento notable que refleja ese prejuicio inicial, pero que, felizmente, concluyó en un noble e inteligente reconocimiento de las cualidades profesionales de José Antonio.

Intervenía José Antonio por vez primera, en la primavera de 1925, ante el Pleno del Tribunal Supremo, frente al Decano del Colegio de Abogados, don Francisco Bergamín.

Comienza éste su discurso con palabras que parecen de saludo, pero que encierran, desde el inicio de su formulación, una clara intención política:

«Antes de comenzar mi informe –dice Bergamín– quiero, con la venia de la Sala, dirigir un afectuoso saludo al letrado de la parte contraria –que por vez primera tiene el honor de hablar ante el Supremo–, de quien se asegura, y yo lo creo, es una verdadera esperanza del Foro español. Con mi saludo, quiero dirigirle un ruego, que no creo necesario hacer extensivo a la Sala. Estamos en el Templo de la Justicia, donde, sobre todas otras consideraciones, deben imperar la serenidad, la razón, el Derecho y el olvido del mundo exterior. Ruego, pues, nos olvidemos del apellido que lleva el letrado de la parte contraria y se falle el pleito con arreglo a la más estricta justicia.»

Las palabras del Decano del Colegio de Abogados resuenan en la sala como martillazos, y crean un ambiente electrizado.

¿Espera el Decano una reacción desabrida del joven abogado? ¿Trata de predisponer en contra de él a los componentes del Alto Tribunal?

Todas las miradas se vuelven hacia José Antonio cuando, en uso de su turno, se levanta a informar. Las palabras de Bergamín han tenido el valor de un desafío. Desafío, en primer término, al propio José Antonio. Y desafío, también, a los Magistrados que forman la Sala.

La réplica del aludido es mesurada pero firme:

«Con mucho gusto recojo y devuelvo el saludo que el ilustre letrado de la parte contraria y Decano de nuestro Colegio ha tenido la atención de dirigirme. A la Sala dirijo también –con la emoción que supone acercarme a su altura a pedir justicia– mi saludo rendido y cordialísimo, en el que se funden admiración, respeto y confianza. Yo sé de antemano –y si creyera otra cosa no vestiría esta toga– que la Sala olvida siempre, para administrar rectamente la justicia, cuanto es ajeno a ella, y me parecería ofenderla que lo hiciera en este caso. En cuanto a mí, señor Bergamín, que nunca olvido ni olvidaré mi apellido y cuanto debo de cariño y respeto a quien me lo ha dado, lo sé perder en cuanto visto esta toga. Si alguna antipatía, recelo o rencor tiene con él Su Señoría, debió también haberlo olvidado, pues aquí no somos más que dos letrados que vienen a cumplir su misión sagrada de pedir justicia para el que la ha de menester, y hemos dejado con el sombrero y el gabán, en la sala de Togas, cuanto sea ajeno a nuestra misión –la más divina entre las humanas–, para revestirnos, con este ropaje simbólico, de la máxima serenidad, la máxima cordura, la máxima pureza.»

En los bancales del público surge un rumoroso bisbiseo. Si la intervención de Bergamín había creado un tenso ambiente de expectación, la contundencia y elegancia de las palabras de José Antonio produjeron una reacción de clara simpatía y distensión de la que el primer exponente fue el propio Decano, quien, al tomar de nuevo la palabra, afirmó:

«Dije al saludar al joven letrado, a quien con tanto gusto hemos escuchado, que era una verdadera esperanza. Me rectifico. Señores Magistrados: afirmo que en la mañana de hoy hemos escuchado a una auténtica gloria del Foro español. Nada más.»

Aquel incidente, inteligentemente resuelto, contribuiría a la aureola de prestigio profesional que pronto acompañaría, con toda justicia, a José Antonio.

Agustín del Río Cisneros y Enrique Pavón Pereyra recogen, en su libro «José Antonio, abogado», un expresivo juicio periodístico de César González Ruano, publicado en el «Heraldo» unos pocos años más tarde:

«No es el señorito pendenciero que se chismorrea. Es un hombre inteligentísimo, de una acusada y recia personalidad, que piensa por su cuenta y se expresa con elegante soltura dialéctica. Da la impresión de llana cordialidad; pero no es hombre manejable, ni siquiera fácil. Es una lástima que por ser hijo de su padre pesen sobre él las injurias de las propagandas políticas.»

Una serie de acontecimientos notables jalonan, entretanto, la acción de gobierno de la Dictadura, contribuyendo a su prestigio interior y exterior en aquel momento.

Con rigor y concreción ejemplares, Pilar Primo de Rivera en su libro «Recuerdos de una Vida», sintetiza así la obra de su padre, a quien —como con toda razón señala— «no siempre se ha hecho justicia».

«En menos de siete años que duró su gobierno:

— Terminó con la guerra de Marruecos.

— Puso orden en España; se acabaron las huelgas y el terrorismo.

— Se pararon los desmadres autonómicos.

— Se saneó la Hacienda lo suficiente para poder desempeñar del Monte de Piedad, con el sobrante, los patrimonios de los más necesitados.

— En obras públicas se hizo la primera red importante de carreteras y los primeros paradores de turismo, así como los primeros e importantísimos embalses.

— Las exposiciones universales de Sevilla y Barcelona. Esta última, en la montaña del Montjuich, que no era sino una fortaleza militar, y se convirtió en un parque lleno de jardines, entre los que aparecía ''El Pueblo Español'' y una piscina olímpica.

— La Sociedad de Naciones, en un reconocimiento universal a la obra de la Dictadura, se reunió en Madrid, sin que nadie echara de menos a la democracia, lo que fue como si ahora se reuniese aquí la Asamblea General de la O.N.U. o el Mercado Común, que, a pesar de estar nosotros, por fin, en democracia, no nos hacen más que desprecios.

— Promocionó, también, las primeras mujeres en la Administración, tales como la Vizcondesa de Llanteno, María Echarri y Nieves Sáenz de Heredia, en el Ayuntamiento de Madrid, como otras en las demás provincias.»

(Pilar Primo de Rivera. «Recuerdos de una vida», págs. 30 y 31. Ediciones Dyrsa, 1983.)

11. El vuelo del «Plus Ultra»

Al eco popular que rodeo el éxito del desembarco de Alhucemas y la definitiva pacificación del territorio marroquí –que tanta trascendencia tendría en la futura historia española que va desde 1936 a 1939–, suma prontamente España una serie de hazañas que van a suponer, en el ámbito mundial, un fuerte impacto y representan una recuperación del rango internacional que corresponde a nuestra Patria.

El 22 de enero de 1926 salía del puerto de Palos el hidroavión «Plus Ultra». Lo pilotan Ramón Franco, Julio Ruiz de Alda, Durán y Rada. España entera, y con ella los pueblos de nuestra estirpe americana, van a seguir apasionados durante nueve días las incidencias del vuelo, que cubre felizmente sus etapas: Gran Canaria, Cabo Verde, Fernando Noroña, Recife, Río de Janeiro, Montevideo y, al fin, Buenos Aires, última etapa y meta final del arriesgado viaje.

Por primera vez en la historia del hombre un avión ha cruzado el Atlántico, abriendo ruta a futuros vuelos intercontinentales. Hubo de pasar un año para que Charles Lindbergh cruzase el Atlántico Norte, emulando la hazaña de los pilotos españoles.

Los héroes son recibidos el 1 de febrero en la capital argentina, en medio de un delirante entusiasmo, verdadera apoteosis hispánica que llena de orgullo a los pueblos de una y otra orilla del océano, y que va a tener rápidamente expresión en lo más profundo del alma y del folklore popular. Vibrantes jotas navarras –Ruiz de Alda era natural de Estella, y habría de ser, con José Antonio y García Valdecasas, cofundador de la Falange–, y cadenciosas milongas porteñas, cantan con acento orgulloso el impacto espiritual que causó el vuelo, primero de una serie que abriría el camino de la gloria y de la admiración por las alas españolas.

El «Plus Ultra» en el que realizaron la proeza los aviadores españoles, figura hoy en una de las salas del Museo del Transporte existente en la ciudad argentina de Luján, cercana a Buenos Aires. Quienes peregrinan a Luján, llenos de fervor mariano, para rendir homenaje de filial devoción a la Virgen Patrona de Argentina, no dejan de visitar el emocionante museo que resume, en parte, la epopeya histórica de la Patria argentina. Llama la atención y asombra hoy a los visitantes, comprobar la tosquedad de aquel aparato híbrido, cuyo fuselaje es una enorme barca —como corresponde a su condición de hidroavión— prolongado por una estructura de madera forrada de tela impermeabilizada con pintura gris. Las enormes alas salvan con su gigantesca envergadura la falta casi absoluta de aerodinámica, al tiempo que el poderoso motor doble, con toscas hélices de madera, en proa y popa, resulta igualmente sorprendente. Quienes cruzan hoy el Atlántico a bordo de modernos reactores y cumplen la travesía entre Madrid y Buenos Aires en aproximadamente trece horas, no pueden darse exacta cuenta de lo que supuso aquella proeza, salvo si contemplan, como yo mismo he contemplado, el avión en que fue hecha. Añádase a las dificultades del vuelo la carencia de rutas previamente trazadas y, además, la circunstancia de que los únicos instrumentos de orientación eran típicamente navales: el sextante y una carta marina. Nada extraña, pues, que se desbordase en todas partes, igual en Brasil que en Uruguay, Argentina y España, el entusiasmo popular y el orgullo hispano.

Pero los éxitos internacionales, entre los que cabe contar las grandes exposiciones de Sevilla y Barcelona, no son suficientes para contrarrestar los quebrantos y desaciertos interiores en que se sume también la Dictadura.

El vidrioso tema de las escalas de ascenso entre los artilleros provoca un clima de abierta insubordinación. No acompaña el tacto al Presidente del Directorio al adoptar su criterio, y se producen las sublevaciones de Segovia, Pamplona, Ciudad Real y Valencia, que suponen una manifestación de descontento y un motivo de alarma nacionales, además de una ruptura en la unidad de las Fuerzas Armadas. Aquellas fisuras en el Ejército habrían de tener decisivas consecuencias en 1936, lejano aún e impronosticable.

Impulsado por este clima que constituye un permanente desgaste psicológico del régimen, don Miguel presenta al Rey, el 19 de febrero de 1929, un decreto de disolución del Cuerpo de Artillería, que el Monarca firma. Con él, el Dictador –y también el Monarca– acaban de volver la boca de los cañones contra su propia posición.

12. El fin de la Dictadura

Al clima de oposición militar y sindicalista –el General Primo de Rivera tuvo el acierto de comprometer a la U.G.T. y al Partido Socialista en una labor de colaboración que se tradujo en el nombramiento de Francisco Largo Caballero como Consejero de Estado, pero fue incapaz de comprender la fuerza potencial y la autenticidad ibérica que encerraba en sus formulaciones el anarcosindicalismo, al que persiguió con verdadera saña– se unen los estudiantes, descontentos por el privilegio concedido, aunque después fue anulado, a las Universidades eclesiásticas de Deusto y El Escorial.

Con el comienzo de 1930 la tensión se acrecienta y la cuerda se rompe, con una serie de disturbios que desembocan en la clausura de la Universidad Central. El prestigio político y personal del General Primo de Rivera, que tenía fuertes oponentes entre los intelectuales –algunos venerables, como don Miguel de Unamuno, quien había sido desterrado a las Canarias–, sufrió nuevos quebrantos, de los que el propio Dictador, cansado y enfermo, era consciente.

El 26 de enero de 1930, siguiendo la misma pauta que le había conducido al Poder, eleva consulta a las Capitanías Generales, actitud que le reprochó el propio Rey. Y el día 28, después de conocer opiniones adversas de sus compañeros de armas, don Miguel acompañado por el General Martínez Anido, irrumpe en Palacio, donde el Monarca despachaba con el Conde de los Andes, y presenta su dimisión ante Alfonso XIII.

La bomba política estalla en mil pedazos.

El día 30, por encargo del Rey, el General don Dámaso Berenguer constituye Gobierno, en tanto que el Dictador recala en París sometido a un voluntario exilio.

Ha sonado «la hora de los enanos».

Stanley Payne enjuiciaba así el momento transicional:

«Lo que le sucedió no fue mucho mejor. Dos breves Gobiernos dictatoriales, presididos sucesivamente por un general y un almirante, no lograron restablecer la paz política, y tropezaron, además, con la gran depresión económica mundial. Alfonso XIII consideró entonces la posibilidad de un retorno a la Monarquía constitucional, pero con siete años de retraso. Se le hizo responsable no sólo de los fallos de la Dictadura, sino también de las decepciones de 1930.»

(Stanley G. Payne. «Falange. Historia del fascismo español», página 7. Ediciones Ruedo Ibérico, 1965.)

Efectivamente, amparados por la «dictablanda», vuelven a la escena política viejas figuras desplazadas por el golpe «primorriverista» de 1923. Resultaba congruente que la figura de don Miguel fuera blanco de sus resentimientos y frustraciones.

Contra la actitud vejatoria y las injustas acusaciones de quienes atacan a su padre, reacciona el genio vivo de José Antonio. Es el revulsivo que conmociona el alma joven del abogado y le empuja –ahora, «en defensa de una sagrada memoria»– al campo inhóspito de la política. Sus intervenciones públicas se suceden. A veces, como en el caso del incidente con el General don Gonzalo Queipo de Llano, la satisfacción de la ofensa se resuelve a bofetadas, y vale a José Antonio, por su condición de Alférez, un Consejo de Guerra en el que pierde su grado militar. En otras, la defensa de su padre discurre por la vía del artículo periodístico. Vocero de ellas es el diario «La Nación», en el que aparecen sucesivos trabajos en los que se desgrana ya la fértil vena irónica que caracterizaría hasta el final a José Antonio.

Así, el 10 de febrero, aparece un artículo crítico: «Homenaje al cacique desconocido», en el que se refleja el ambiente político que sucedió a la Dictadura. Es una radiografía del sistema en proceso de disolución.

Dos días después, en el mismo periódico, José Antonio escribe «El heroico silencio», en donde rinde homenaje a su padre, aunque no le cita. Rebosa este trabajo devoción filial, y en él se perfila, además, el pensamiento que habrá de definir, años después, el concepto joseantoniano de la jefatura política como «suprema carga».

En repetidas ocasiones se ha insistido en el proceso evolutivo –fuertemente acelerado en los tres últimos años de su existencia– que experimentó el pensamiento político de José Antonio. Es rigurosamente cierto. Pero esta evolución no representa, en ningún momento, una ruptura o una quiebra de su pensamiento, de su profundo entendimiento moral de los principios políticos fundamentales. Antes al contrario, es esa poderosa estructura moral de su entendimiento de la vida la que le permite modificar sus criterios ocasionales, condicionados por cada circunstancia, sin transmutar por ello la médula de su esquema teórico.

En su concepción del mando político, como expresión suprema del servicio, acontece ese fenómeno. Evolucionará hasta radicalizarse, en forma que ofrendará su propia vida como testimonio de su fe. Pero en este artículo de «La Nación» están vivos los gérmenes de su tesis sobre la jerarquía:

«Tendrá motivos de dudar de contarse entre los elegidos quien no se sintiera capaz de soportar en silencio, heroicamente, sobre todo durante la adversidad, el clamoreo de los mediocres, el veneno de los envidiosos, la ridícula ironía de los pedantes y el desparpajo insolente de todos aquellos que nunca sabrán qué es llevar con dignidad sobre los hombros el grave honor de las magistraturas.

»¡No importa! En ese silencio heroico del gobernante caído se depura el alma y adquieren los ojos claridad para mirar más alto.»

Un incidente tragicómico va a poner en evidencia, en ese mismo mes de febrero, la resentida pasión de los enemigos del Dictador.

El Ateneo de Albacete, que presidía don José Lozano Serna, organizó un ciclo de conferencias sobre Derecho en el que estaba programada la presencia de importantes figuras jurídicas. Intervino José Antonio el día 17. Su prestigio como abogado era notorio en toda España, y la caída de la Dictadura no hizo padecer esa apreciación profesional. En el programa figuraban, entre otros, Jiménez Asúa, Martí Jara, Serrano Batanero, Vallellano, Ossorio y Gallardo y Alejandro Lerroux.

Viendo la diversa naturaleza política de los participantes, no es necesario insistir en que se trataba de un ciclo abierto a todos los criterios y pareceres, convocado únicamente con la voluntad de realizar una divulgación científica sobre el Derecho.

Pero el partidismo convertiría tan inocua pretensión en motivo de polémica política. José Antonio, fiel al espíritu que animaba a los organizadores, desarrolla un tema de filosofía jurídica: «Qué es lo justo», y su intervención es glosada por los periódicos «La Nación», «El Defensor» y «El Diario de Albacete», que publican resúmenes informativos de la conferencia.

13. El sectarismo de Jiménez Asúa

La presencia de José Antonio en la tribuna jurídica albaceteña provoca la airada reacción del socialista Luis Jiménez Asúa, quien envía un telegrama conminativo a la junta directiva del Ateneo, en el que clama: «Enterado conferencia ese Centro hijo Primo de Rivera, niégome terminantemente ir yo. Asúa.»

El sectarismo del profesor socialista regocija a José Antonio, quien, con fino sarcasmo, le replica en un artículo publicado en «La Nación» el día 26 de febrero. Su título, «El señor Asúa no quiere contaminarse», es anticipo de la ironía que rezuma.

Recuerda José Antonio el hecho de su conferencia y la subsiguiente negativa del profesor expresada en su drástico telegrama, y glosa a continuación:

... «¿Y por qué se niega a hablar el señor Asúa? ¿Por incompatibilidades políticas conmigo? Sería extraño, porque en los ateneos suelen hablar personas de todas las tendencias, sin que la comunidad de tribuna establezca entre los oradores vínculo alguno de solidaridad. Pero, además, el señor Asúa desconoce mis ideas políticas. Ya tuve buen cuidado de no mezclarlas con la conferencia, que fue tan sólo –dentro de lo que mis estudios lo permiten– una tranquila excursión por los campos del pensamiento en pos de los filósofos y de los juristas.

»No son, pues, mis ideas políticas lo que repugna al conocido catedrático: es mi apellido. Ya lo descubre el telegrama cuando me designa por la condición (para mí incomparablemente honrosa) de "hijo de Primo de Rivera". El señor Asúa no puede poner los pies donde los haya puesto un Primo de Rivera, ni hacer oír su voz donde se haya escuchado la voz abominable de un Primo de Rivera. Se contaminaría.

»Así pues, lo que pretende el señor Asúa es que los individuos de la monstruosa familia a la que pertenezco renunciemos a toda esperanza de vida civil. Ya no podremos consagrarnos al Derecho, ni a las matemática, ni a la música. Nuestro deber es morir en silencio, arrinconados, como los leprosos en los tiempos antiguos.

»Claro que esto no es muy fácil de entender. El señor Jiménez Asúa, como jurista que es (y muy notable en su especialidad, la verdad ante todo), debiera celebrar que quienes procedemos de sanguinarias estirpes dictatoriales nos apartáramos de la tradición familiar para entregarnos al cultivo del Derecho. ¿Qué sacerdote de una fe no desea la conversión de los infieles?

»Pero, además, el señor Asúa, que, como enemigo de la aristocracia, detesta los privilegios hereditarios, no parece que pueda ser tampoco defensor de las persecuciones hereditarias. Si es injusto que el ostentar un apellido conceda prerrogativas, ¿cómo va a ser justo que el llevar otro apellido atraiga proscripciones? Maravillosa manera de crear, por fuero de la sangre, una aristocracia al revés.

»En fin: la cosa no es para preocuparse mucho. Estas contradicciones entre el liberalismo de ideas y la intransigencia inquisitorial de conducta son frecuentes en las personas nerviosillas. Sólo una pregunta me espanta: ¿cuánto tiempo pesará sobre mí la maldición del señor Asúa? ¿Diez años? ¿Veinte años? ¿Se transmitirá a mis hijos? ¿Tal vez a mis nietos? ¡Pobres de nosotros!»

Este artículo de José Antonio tuvo una gran resonancia y la contundencia y sarcasmo de la réplica ante el ridículo telegrama de Jiménez Asúa fue causa de hilaridad en los círculos políticos e intelectuales.

El día 24 de febrero, dos días antes de conocerse este jocoso incidente, publica José Antonio, igualmente, en «La Nación», un artículo titulado «La notoriedad». Es un trabajo enigmático, de los que hoy llamaríamos «con clave». Un juego figurativo, de contrastes, entre «la lámpara que irradia luz» y «el reluciente boliche», «que si brilla es porque refleja, pasiva y estúpidamente, la luz exterior».

¿A quién o quiénes señala José Antonio? ¿Se trata de una alusión al agitador Antonio María Sbert, que por aquellos días era festejado como «personaje»? ¿Es una velada referencia a Berenguer? No resulta fácil encontrar la clave –después de tantos años transcurridos–, aunque acaso podrían desentrañarla alguno de sus íntimos, aún supervivientes.

La vieja querella entre José Antonio y el grupo de los «estudiantes católicos» reverdeció el 22 de febrero de 1930, a través de otro artículo publicado en «La Nación», bajo el título de «Las aulas y la política».

En él reitera José Antonio una vieja postura suya, expuesta años atrás en las aulas universitarias, en las que mostraba su repulsa por la introducción de la política en la Universidad. Sin embargo, este artículo apunta ya la línea de un pensamiento que, fatalmente, ha de acercarse y quemarse en el fuego de la política. Afirma José Antonio: «La política en las aulas no fue nunca útil. Ni la oportunidad *ni la necesidad* reclaman la política en medios tan puros. Y si los altos intereses de la cultura, que se elevan y prestigian por su propia significación, llegan a contaminaciones peligrosas, perderán en autoridad lo que ganen, acaso, en popularidad.»

Y añade también: «No ha de exigirse la uniformidad en el pensamiento escolar, ni sería discreto establecer entre los escolares divisiones políticas, porque la política supone, fatalmente, la pasión, y la pasión mataría o amortiguaría lo preferente que es el estudio.»

Estos pensamientos, coherentes con su ejecutoria de siempre, no rompen la armonía de su conducta futura. José Antonio hace explícita una salvedad, que habría de adquirir especial dimensión y vigencia cinco años más tarde: «Al talento y a la sensibilidad de la misma juventud no se ocultarán esta sugerencia. Y *en días de transición y de exaltación, que son días contados en la historia de un pueblo, ello puede pasar.* Que no se forje, sin embargo, en la contumacia dañosa una costumbre o un sistema. Sobre tan remota posibilidad –los acontecimientos demostraron, contradiciendo a José Antonio, que no era tan remota–, sin acritudes, respetuosamente, llamamos la atención.»

14. Muere el General Primo de Rivera

El 13 de marzo de ese año, un periodista que habría de alcanzar notoriedad y maestría singulares, César González Ruano, entrevista a José Antonio. Está en la calle, desatada por la pasión, la campaña contra el General Primo de Rivera y sus íntimos colaboradores. Y José Antonio esboza una actitud de defensa de su padre que le caracterizaría en esta etapa transicional. Trasciende en el diálogo con el periodista el amor filial condolido por la situación del padre, solo y enfermo en París. Y un duro enjuiciamiento de dos personajes entonces de moda: Sbert, eterno «estudiante» y agitador profesional, y Miguel Maura, quien en agosto de aquel mismo 1930 sería uno de los firmantes del Pacto de San Sebastián. Del primero dice José Antonio: «Pero, ¿quién es Sbert? Un símbolo, una bandera. Se exalta de él todo aquello que, personal y políticamente, puede molestar y humillar al Dictador»...

De Miguel Maura el juicio será más acre, pese a la amistad que les unía. «Miguel Maura ha servido a su causa de egolatría espectacular. No es nada; nada ha hecho pasando la frontera llena de responsabilidades de los cuarenta años. ¿Qué importancia tiene que se pronuncie por la República? ¿Qué gran voto tiene con él la República? Ninguno. Unicamente que dice eso un hijo de don Antonio Maura.»

El diagnóstico de José Antonio, una vez más, sería certero. En el enfrentamiento definitivo de fuerzas políticas planteado en las elecciones de febrero de 1936, Miguel Maura aparecía encuadrado, un tanto vergonzantemente, en el llamado Bloque Nacional de Derechas, y proponía una «dictadura republicana», después de haber sido el primer Ministro de Gobernación de la II República y haber demostrado su lenidad durante los sucesos de mayo de 1931.

Tres días después de publicada esta entrevista en el «Heraldo» –reproducida por «La Nación» con algunas notas puntualizadoras hechas por José Antonio– moría don Miguel en el hotel Pont Royal, de París. Rodeaban al general en el momento del óbito sus hijos Carmen, Pilar y Miguel. José Antonio recibió la noticia en Madrid, donde permanecía retenido por sus compromisos profesionales. Y Fernando, el hijo menor, se enteró del triste suceso en Marruecos, zona en la que estaba destinado con su escuadrilla.

Después de preparar los trámites del entierro, José Antonio se traslada a Irún para unirse a sus hermanos y hacerse cargo del cadáver de su padre, a quien vela durante toda la noche a bordo del furgón ferroviario convertido en capilla ardiente.

A la llegada del convoy a la estación del Norte, el Rey don Alfonso XIII manifiesta su pésame a José Antonio. Detalle caballeroso que José Antonio no olvidaría jamás, y al que correspondería, en la mañana del 15 de abril de 1931, formando parte del mínimo séquito de fieles que acompañaron a la Reina doña Victoria Eugenia hasta Galapagar, camino del destierro.

Desde la estación del Norte el cortejo se trasladó hasta el cementerio de San Isidro sin mayor protocolo, ya que –según Ximénez de Sandoval, quien toma el dato de un libro de César González Ruano– el Gobierno Berenguer negó a don Miguel los honores oficiales que le correspondían como ex Presidente del Consejo de Ministros de la Corona.

En «Informaciones» del día 18, José Antonio hace unas declaraciones sobre su padre. Es la manifestación dolorida del sentimiento filial, pero es también, en gran medida, un objetivo juicio histórico:

«Le han matado... Mientras estaba en el Poder, su entusiasmo por España, su conciencia de que procedía honradamente, de buena fe, le daban energías para soportar todos los trabajos; pero han sido seis años y unos meses de esfuerzos continuos; todo lo que ha ocurrido después de la crisis, y especialmente la campaña de responsabilidades, ha constituido la verdadera causa de su muerte. Ha muerto artera, no naturalmente; no ha podido resistir que su conciencia limpia se vea envuelta injustificadamente en una campaña de responsabilidades. De haber tenido fuerzas físicas, lo hubiera afrontado; pero su organismo no ha podido resistir la protesta contra la injusticia.»

La afirmación inicial de estas manifestaciones de José Antonio y la expresión «*Ha muerto artera, no naturalmente*» dieron pie a una leyenda, desmentida por el propio José Antonio, pero recogida por «Mauricio Karl» (Mauricio Carlavilla) en su libro «El enemigo», de que la muerte del general fue obra de la masonería, que se habría valido para ello de un supuesto médico de la Embajada española en París. Es inverosímil. El general padecía una diabetes muy avanzada, y la estancia de su hijo Miguel en París respondía al intento de trasladar al Dictador a una clínica especializada de Francfort, donde iba a ser sometido a tratamiento.

Posiblemente, Mauricio Karl (Mauricio Carlavilla) se basa en la referencia que hacen en su obra «España de 1870 a 1935», Caravaca y Orts-Ramos, publicada en Barcelona en 1931, citada también por Guillermo Cabanellas en «Cuatro generales, primera parte. ''Preludio a la guerra civil''». Según éste, el supuesto doctor se llamaba Bandelac de Pariente, se le tenía por confidente de Martínez Anido y habría estado complicado en el proceso de Mata-Hari. Al parecer carecía de titulación médica, pese a que se hacía llamar doctor y había logrado el nombramiento de médico del Consulado español en París.

Con la muerte de su padre, entra José Antonio en un período febril de actividad. Es una etapa de transición en su vida, guiada, inicialmente, por un solo objetivo: obtener a toda costa el justo respeto político e histórico por la memoria de su padre. Su oficio de abogado, tan entrañablemente cultivado, sería puesto al servicio de ese noble fin. Sus intervenciones públicas, en aquellos años, fueron sonadas. Tanto como las bofetadas que en más de una ocasión se vio forzado a repartir, para mantener cerradas las bocas infamantes y calumniadoras. Es una batalla en la que participan, al alimón, José Antonio y Miguel, y, a veces, su primo Sancho Dávila. De aquel empeño, duramente mantenido, saldría fortalecida y definida la creciente personalidad de José Antonio, lanzado al torbellino de la política por la noble causa, en uno de los momentos de crisis más profundos de toda nuestra historia contemporánea.

15. Hacia el fin de la Restauración

No se comprenderá la trayectoria vital de José Antonio, ni su transformación pública, si no se conoce, paralelamente, el fenómeno revulsivo que vivió la nación. La crisis de la Restauración, a la que había puesto paréntesis la Dictadura de Primo de Rivera, se aceleró a la caída del general. La virulencia de los ataques a la Dictadura no sólo iban dirigidos contra ésta, sino que se orientaban, mayormente, al desarbolamiento del régimen monárquico.

A esta finalidad revolucionaria tendían los esfuerzos principales de las personalidades y agrupaciones históricamente republicanas. Pero también, en suicida connivencia, numerosas y destacadas personalidades monárquicas liberales. No es comprensible la caída de la Monarquía sin el análisis de la actitud adoptada por los políticos considerados «históricamente fieles» a la institución.

«Durante años los monárquicos han torpedeado al Rey. A los republicanos nos hubiera bastado con derrocar la Monarquía. Los monárquicos la deshonran cuando no les sirve.»

Este testimonio de don Alejandro Lerroux resulta especialmente expresivo. En la misma línea, el historiador Raymond Carr señala: «A lo largo de su historia, el republicanismo constituyó una amenaza para la Monarquía, pero no por su fuerza como partido organizado, ni por el peligro a él inherente como amenaza revolucionaria, sino por sus constantes acometidas cada vez que el régimen tenía un fracaso o sufría una derrota, desde los desastres militares de Marruecos hasta las inmoralidades administrativas de un alcalde de pueblo andaluz.»

Se puede establecer una cronología, elocuente como ningún otro dato, de las sucesivas deserciones monárquicas, a las que no pudo contrarrestar el postrer esfuerzo de quienes acudían a apuntalar la institución con la fundación de la Unión Monárquica Española.

La serie había comenzado por el hijo de don Antonio Maura. El mismo cuenta su peripecia en «Así cayó Alfonso XIII». Después de una entrevista celebrada en palacio con el propio Rey, a quien anuncia su decisión de pasarse al campo republicano, sin que el Monarca manifieste alarma o inquietud alguna, Miguel Maura pronunció, el 20 de febrero, en el Ateneo de San Sebastián, una conferencia justificando su trasvase institucional. Pudiera haberse evitado tal trabajo. El clima moral y político de España admitía ya, como cosa natural, este proceso de defecciones y deslealtades. El propio Miguel Maura lo reconoce así en su obra ya citada: «Lo curioso del caso fue que esa actitud mía, que, como es lógico, tuvo la suficiente publicidad para que todos la conociesen, no produjo entre los monárquicos, amigos y familiares míos, ningún sobresalto, ni menos indignación en aquellos momentos. El hecho fue tema de innúmeras conversaciones, sin la menor acritud ni censura.

»Cuando no era la hostilidad franca y declarada, era la más completa indiferencia el sentimiento que el Rey y la Monarquía inspiraban a sus adeptos.»

Oculta Miguel Maura, sin embargo, un juicio de valor, seguramente único en aquellos momentos: el expresado por José Antonio en su entrevista con César González Ruano, publicado en el «Heraldo de Madrid», el día 13 de marzo, como ya hemos señalado anteriormente.

A Miguel Maura le sigue en la lista de los tránsfugas don José Sánchez Guerra, jefe del Partido Conservador. El 27 de febrero, el viejo político monárquico pronuncia un discurso en el teatro de la Zarzuela, de Madrid, en el que, con histrionismo que hoy resulta risible, lanza durísimas acusaciones contra el Rey, haciéndole responsable del advenimiento y permanencia de la Dictadura.

Su afirmación: «No soy republicano, pero reconozco que España tiene derecho a ser una República» marca la cumbre de la cadena de traiciones operadas en el campo monárquico. En esta serie no podía faltar un eslabón áureo. Pocos días después del mitin de Sánchez Guerra, Ossorio y Gallardo, recién elegido Decano del Colegio de Abogados de Madrid, deserta del campo monárquico con una estruendosa intervención en el Ateneo de Zaragoza, en la que pidió «elecciones rabiosamente sinceras», y se declaró «monárquico sin rey». Es decir, una especie de pastel de liebre, sin liebre.

Poco podían hacer, en esta charca política, los limpios esfuerzos de un grupo de fieles que fundan la Unión Monárquica Nacional. En su comité directivo figuraban ilustres nombres relacionados con la Dictadura, lo que daba a la U.M. un carácter de heredera de la Unión Patriótica primorriverista. El 25 de marzo de 1930 se celebró la reunión fundacional del nuevo partido, que hizo pública su declaración de principios con un manifiesto, el día 4 de abril. Pero el intento, que sirvió eficazmente para agrupar sentimientos leales, estaba destinado al fracaso, y contaría desde sus primeros pasos con la reticencia de los monárquicos liberales «históricos» y de los nuevos republicanos, cuya creciente marea seguía absorbiendo espectaculares conversos.

El día 13 de abril –premonitoriamente, un año y un día antes de la proclamación de la República– el ex ministro de la Corona don Niceto Alcalá Zamora pronunciaba, en el teatro Apolo, de Valencia, un arcangélico discurso en el que anunciaba su definitivo alejamiento de la causa monárquica, al tiempo que propugnaba una República a la medida de sus personales ambiciones, con estas palabras:

«Una República viable, gubernamental, conservadora, con el desplazamiento consiguiente hacia ella de las fuerzas gubernamentales de la mesocracia y de la intelectualidad española, la sirvo, la gobierno, la propongo y la defiendo. Una República convulsiva, epiléptica, llena de entusiasmo, de idealidad, mas falta de razón, no asumo la responsabilidad de un Kerenski para implantarla en mi Patria.»

Resulta razonable, a la vista de estas continuas transferencias políticas desde el campo monárquico al republicano, que los republicanos históricos velasen por la autenticidad de sus pretensiones. Y así, la anunciada balsa de aceite se rompe en mil expresiones de estupor, cuando en el Ateneo de Madrid, Indalecio Prieto plantea duramente el perfil revolucionario que trae entre sus pliegues la anunciada República. Su discurso es un ataque directo contra Berenguer y contra el Rey, a los que hace responsables, en una retrospección histórica, del desastre de Annual y la sangría africana.

«No sólo hay que acabar con ellos –clama la voz de Prieto en el Ateneo–, sino que, además, hay que exigir y ejecutar a los responsables de esa serie de catástrofes, y para ello no existe otro camino que la revolución y la República.»

El discurso del dirigente socialista debería haber alertado a los incautos. Pero las defecciones eran un juego calculado de los políticos, ávidos por hallar en el futuro régimen ventajas y privilegios.

¿Nos hallaremos hoy en un «ricorso» de la Historia?

La aparente ingenuidad de esta pregunta, hecha en 1974, cuando hizo su aparición la primera edición de este libro, no oculta, sin embargo, la alarma que me producían los síntomas de descomposición que se percibían ya por entonces en la estructura misma del régimen de Franco. Pese a las apariencias oficiales, lo cierto es que muchos políticos insertos en el aparato administrativo del Estado e, incluso, en las altas responsabilidades directas del Gobierno y del Movimiento, estaban dedicados de lleno a la conspiración y apuraban las ventajas del sistema para auparse, a toda prisa, en lo que en círculos políticos se conocía ya como el «postfranquismo».

Han tenido que transcurrir diez años, para que se vea con nitidez la profundidad de la traición y la mísera calidad humana de muchos que ocupaban puestos clave en la estructura política franquista. No es menester citarlos, porque a la deslealtad han sumado, además, la incompetencia, cuando las intrigas palaciegas, más que el mérito o la capacidad propios, hizo descansar en ellos la responsabilidad de gobernar, una vez muerto Franco. Los que se han autocalificado de «jóvenes reformistas del franquismo» resultaron, a la postre, simples oportunistas, tránsfugas y perjuros, que aún pretenden, con su habitual cinismo, acreditarse el triste mérito de la transición a la decadencia.

El 27 del mismo mes de abril, Melquiades Alvarez, que había sido Presidente de las últimas Cortes de la Monarquía, pronuncia, en el teatro de la Comedia, de Madrid, un discurso, en el que postula, al aire de lo antedicho por Sánchez Guerra, Ossorio y

Alcalá Zamora, la convocatoria de unas Cortes constituyentes y elecciones, *con ausencia del Rey,* para decidir la suerte de la Monarquía.

A esta postura se sumaron pronto –según atestigua Miguel Maura– monárquicos y liberales como Miguel Villanueva, Francisco Bergamín, Burgos Mazo y Santiago Alba.

El proceso de disolución era ya irreversible. Y la conspiración revolucionaria se articulaba ostensiblemente, con dos bases de acción: núcleos militares integrados por oficiales jóvenes –Ramón Franco, Fermín Galán, Sandino, Hidalgo de Cisneros– y algunos generales conocidos –López Ochoa, Queipo de Llano, Cabanellas, Riquelme y también Goded– y las organizaciones obreras socialista y anarquista.

En mayo, después del sonado desfile del día 1, en Madrid, encabezado por Unamuno, la C.N.T., representada por Juan Peiró, director de «Solidaridad Obrera», firma con los catalanistas republicanos una especie de pacto denominado «Inteligencia Republicana», si bien es cierto que la Confederación Nacional del Trabajo, especialmente potente en Barcelona, es mirada con terror y desconfianza por los republicanos catalanes, representantes de la burguesía regional.

16. El Pacto de San Sebastián

La oportunidad de fundir una alianza definitiva de las fuerzas republicanas surgiría durante el verano.

El 17 de agosto, a las tres de la tarde, se celebra, en el local del Círculo Republicano de San Sebastián, una reunión en la que se fijaba como objetivo inmediato la preparación de un movimiento revolucionario en el que quedaban comprometidos todos los grupos allí representados. Asistían a la sesión y establecieron el pacto don Alejandro Lerroux, en representación de la Alianza Republicana; Marcelino Domingo, Alvaro de Albornoz y Angel Galarza, por el Partido Radical Socialista; Manuel Azaña, por Izquierda Republicana; Santiago Casares Quiroga, en representación de la Federación Republicana Gallega; Carrasco Formiguera, por Acció Catalana; Matías Mallol, por Acció Republicana de Cataluña; Jaime Ayguadé, por Estat Catalá; Alcalá Zamora y Miguel Maura, en nombre de la Derecha Liberal Republicana, y Fernando de los Ríos e Indalecio Prieto, a título personal, ya que el Partido Socialista se reservaba su adscripción hasta conocer el resultado del pacto. Junto a estos firmantes aparecían también en la reunión como invitados Eduardo Ortega y Gasset y Felipe Sánchez Román. Había mandado un telegrama de adhesión, justificando su ausencia, el doctor don Gregorio Marañón.

Cuando con perspectiva histórica se contempla hoy la heterogeneidad de las fuerzas congregadas por el pacto se comprende fácilmente el caos político que caracterizó, desde su nacimiento, la vida de la II República y la permanente enemistad con que el nuevo régimen distinguió a la actitud revolucionaria del anarquismo español, única fuerza de la izquierda –el comunismo carecía entonces de entidad aparente, y sus cuadros eran aún sumamente reducidos–, que nada tuvo que ver con el pacto ni con el régimen por él alumbrado. Para aquel conglomerado de fuerzas republicanas, predominantemente burgués, la C.N.T. constituía una opción radicalizada, la amenaza tangible de una revolución proletaria que nada podía apetecerles.

Lo declara, paladinamente, Miguel Maura, cuyo testimonio tiene en este campo especial interés. En su ya citada obra «Así cayó Alfonso XIII» asegura:

«Se ha dicho y repetido que en el Pacto de San Sebastián pedimos y aceptamos la ayuda de los anarquistas y de la C.N.T. Es falso de arriba abajo este aserto. Ni asistieron a la reunión ni tratamos con ellos, entre otras razones, porque no hubiéramos sabido con quién entendernos. Lo que en San Sebastián quedó ligado, ligado llegó hasta las Cortes Constituyentes, y en ello no tuvo parte alguna la C.N.T., sino, al contrario, dicha sindical fue el único obstáculo serio que la República encontró en su camino una vez proclamada.

»Las huelgas revolucionarias a las que tuve que hacer frente desde el Ministerio de la Gobernación, desde el 10 de mayo al 14 de octubre, en que salí del Gobierno, fueron provocadas exclusivamente por la C.N.T., que, cumpliendo el plan trazado previamente, pretendió desbordar a la República para derribarla, apenas instaurada.»

Hay otro punto que Maura matiza, acaso sin percatarse del valor de su testimonio. Antes de abordar el motivo fundamental que les congrega en San Sebastián, los representantes catalanistas plantearon el tema de la autonomía regional en términos de singular virulencia. Escisión a la que nadie hizo frente más que con una táctica dilatoria: la promesa de llevar al parlamento constituyente de la futura República el proyecto de un Estatuto Catalán. La amputación traumática de la unidad nacional estaba en marcha, y el engendro, en gestación, tratado con la droga del separatismo, nacería, forzosamente, monstruoso y talidomídico.

No parece sino que la política española presente entre 1976 y 1985, se escribiera sobre la misma pauta de pactos y compromisos que contribuyeron al advenimiento de la II República. Declaraciones públicas, crónicas periodísticas y libros autobiográficos —casi siempre autojustificativos— han empezado a mostrar a los españoles la densa trama de intriga, conspiración y «consenso» que propiciaron el cambio político e institucional operado tras la muerte de Franco, así como la metamorfosis legal y de contenido experimentada por la Monarquía, merced a la Constitución de 1978, «consensuada» de espaldas al pueblo español. Esta Constitución, inspirada en la republicana de 1931, en la Constitución de Weimar, en la mejicana y en la soviética —según confesión de algunos de sus más destacados parteros— es considerada ilegítima de origen y ejercicio por insignes tratadistas como Eustaquio Galán, por haber sido dictaminada y promulgada por unas Cortes sin poder constituyente, lo que no obsta para su vigencia.

El papel que jugó en 1930 el Pacto de San Sebastián, tuvo su paralelo, para el desmontaje del régimen de Franco, en la «Plataforma democrática» de París, en la que tuvieron asiento toda suerte de personajes: desde los situados en el entorno del Príncipe y de su padre, el Conde de Barcelona, hasta Santiago Carrillo, sangriento responsable de la matanza de Paracuellos. Dado que este es un libro biográfico sobre José Antonio, renuncio a profundizar en el tema. No obstante, creo importante reseñarlo, por lo que tenga de valor testimonial.

El resultado ha sido el mismo, aunque agravado por la experiencia histórica y la existencia de un fenómeno nuevo: el terrorismo, utilizado por las fuerzas separatistas como elemento de presión revolucionaria. Todo el proceso autonómico, desgarrador de la unidad nacional, no es sino fruto de los pactos ultimados en París, por más que sus raíces profundicen en el tiempo y se remonten a instancias internacionales que pactaron la entrega de Europa a los soviéticos, en Yalta y Postdam.

Del flamante pacto surgió un comité ejecutivo, en el que figuraba, como presidente, Alcalá Zamora, y que integraban Prieto, Azaña, Fernando de los Ríos, Marcelino Domingo, Alvaro de Albornoz y Miguel Maura, quienes durante los meses siguientes se dedicarían a conspirar, con apacibilidad burguesa, en medio de una incomprensible pasividad oficial. Con pequeñas adiciones, este comité ejecutivo pasaría a constituir el Gobierno provisional de la II República, estructurado en octubre de 1930, con la siguiente composición: Niceto Alcalá Zamora, Alejandro Lerroux, Fernando de los Ríos, Manuel Azaña, Santiago Casares Quiroga, Indalecio Prieto, Miguel Maura, Marcelino Domingo, Alvaro de Albornoz, Francisco Largo Caballero, Luis Nicolau d'Olwer y Diego Martínez Barrio.

A partir de ese mes, con la máxima impunidad, y en medio de la indiferencia del Gobierno Berenguer, se acentúan los preparativos republicanos. El «Gobierno provisional» se reúne asiduamente en casa de Miguel Maura y, más tarde, con cierta solemnidad, en el Ateneo de Madrid, del que Azaña era presidente. Allí reciben emisarios de provincias y, sobre un borrador escrito por Lerroux, suscriben un manifiesto preparado para el momento del golpe.

Entretanto, en Barcelona, los republicanos *catalanistas* acuerdan colaborar activamente con los republicanos *españoles,* forzados por la desconfianza en el apoyo de elementos militares y por el temor a una acción anarquista, cuya potente central obrera, la C.N.T., infundía terror en el ánimo de los burgueses catalanistas. Un tanteo previo les había dado la medida de las condiciones que exigían los cenetistas: «armas para los trabajadores y la revolución en la calle». Seis años después, sobre la misma base de exigencia, la C.N.T. conseguiría en Barcelona su objetivo revolucionario, decidiendo en favor de la República burguesa el signo del alzamiento del 18 de julio en la Ciudad Condal.

17. La sublevación de Jaca

Preparado el golpe republicano para el 15 de diciembre, la impaciencia revolucionaria del capitán Fermín Galán y de su compañero García Hernández, en conexión con grupos anarquistas, anticipa la sublevación. El día 12, los dos oficiales se alzan en Jaca con un breve manifiesto en el que se dice:

«Como Delegado del Comité Revolucionario Nacional, a todos los habitantes de esta ciudad y demarcación, hago saber: Artículo único.—Todo aquel que se oponga, de palabra o por escrito, que conspire o haga armas contra la República naciente, será fusilado sin formación de causa. Dado en Jaca, a 12 de diciembre de 1930. Fermín Galán.»

Quienes desde sectores ideológicos afines a la II República, se lamentan de la dureza de los bandos de guerra dictados por las autoridades militares alzadas contra el Frente Popular en julio de 1936, ocultan, conscientemente, el carácter inequívocamente revolucionario y conminatorio del manifiesto de Jaca. Aquí no hay ningún género de llamamiento al patriotismo ni invocación alguna a la libertad, la justicia, el honor o la Patria. Aquí sólo existe un argumento: la amenaza de muerte. ¡Bonita perspectiva para estimular las adhesiones populares!

La sublevación de Jaca causó una honda conmoción en todo el país, pese a que fue sofocada sin esfuerzo, y sus responsables, inmediatamente, pasados por las armas, después de un juicio sumarísimo. Los nombres de Fermín Galán y Angel García Hernández pasarían así al martirologio de la II República, aún nonata.

En torno a la figura y papel de estos dos militares se han levantado innúmeras polémicas. Mientras que Lerroux sostiene que «sin esos fusilamientos no hubiese habido República», Miguel Maura asegura que «hacer de Galán el protomártir de la II República es, quizá, muy emotivo y muy poético, pero es una falsedad histórica. Galán no fue otra cosa que un anarquista suelto y desbocado, que hizo con su conducta grave daño a la República, daño, sin duda, irreparable y definitivo, de no haber estado ya desahuciada la Monarquía.»

«La República era inevitable porque la Monarquía ya no era más que un cadáver en pie.»

Se comprende, a la vista de estas afirmaciones, que José Antonio Primo de Rivera, al enjuiciar el hecho histórico del 14 de abril, desde el horizonte de mayo de 1935, afirmara en el discurso del teatro Madrid: «Nosotros entendemos que la Monarquía española cumplió su ciclo, se quedó sin sustancia y se desprendió, como cáscara muerta, el 14 de abril de 1931.»

Desconcertados por el alzamiento de Jaca, los miembros del Gobierno provisional mantienen la fecha conspiratoria. Contaban con la huelga general programada por las agrupaciones obreras socialistas y, en Madrid, con la sublevación de las fuerzas militares comprometidas. Pero el aviso de Jaca movilizó a la Policía. Algunos de los miembros del Gobierno provisional fueron detenidos en sus domicilios y trasladados a la cárcel Modelo. Otros, como Prieto, experto en fugas, pasan la frontera y se exilian en París.

No obstante, el día previsto, Queipo de Llano se traslada en un taxi hasta Cuatro Vientos, y, en unión de los oficiales participantes en el complot –y algún otro, como Ignacio Hidalgo de Cisneros, que se entera de qué va la cosa, en plena resaca de una juerga nocturna– se apodera del campo de aviación durante unas horas, en tanto que Ramón Franco, Sandino y otros aviadores inundan Madrid de octavillas con el manifiesto republicano.

Previamente, Ramón Franco, acompañado de Pablo Rada, sobrevuelan el palacio real con la intención de bombardearle. En la primera pasada comprueban que en la explanada de la plaza de Oriente juegan los niños sin que el vuelo rasante del aparato les cause alarma alguna. Finalmente, en vista de que el bombardeo podía causar víctimas inocentes, Ramón Franco decide regresar a Cuatro Vientos sin arrojar los proyectiles. El inquieto conspirador se justificaría después con estas palabras: «Si llevara un buen observador precisaría uno de los patios interiores; pero Rada no es más que un aficionado y no puede responder del lugar donde caerán los proyectiles.»

El texto de las octavillas lanzadas sobre Madrid decía así: «¡¡ESPAÑOLES!! Se ha proclamado la República. Hemos padecido muchos años de tiranía y hoy ha sonado la hora de la LIBERTAD. Los defensores del régimen caduco que salgan a la calle, que en ella los bombardearemos. ¡¡VIVA LA REPUBLICA ESPAÑOLA!!»

Apenas las fuerzas de artillería con base en Campamento avanzan sobre el aeródromo militar y disparan una salva de advertencia, los sublevados abandonan la aventura y huyen por el aire hacia Portugal, para unirse más tarde con Prieto en París.

En un intento de justificar la pasividad del Gobierno monárquico, que había dado lugar a tan seguidos y espectaculares incidentes, el General Mola escribiría en sus memorias:

«Quien vivió el ambiente nacional de aquella época no puede ignorar que el espíritu revolucionario lo invadía todo, absolutamente todo, desde las más bajas a las más elevadas clases sociales. Obreros, estudiantes, funcionarios del Estado, industriales, comerciantes, rentistas, hombres de carrera, militares y hasta sacerdotes tuvieron su representación en el alzamiento de diciembre, que constituyó el principio del fin de la Monarquía.»

La inserción de tan larga referencia histórica en estos apuntes biográficos responde al convencimiento de que nada puede explicar mejor la toma de conciencia política de José Antonio y su progresiva evolución hacia actitudes de radicalización personal y doctrinal, que el entorno histórico que le correspondió vivir y de forma tan directa le afectaba. La violenta polémica nacional levantada en torno a la cuestión de las «responsabilidades» de la Dictadura va a mantener a José Antonio en plena actividad pública: con el ejercicio de su profesión defendiendo a los colaboradores de su padre; en sus intervenciones durante las sesiones del Colegio de Abogados y de la Academia de Jurisprudencia, principales centros de agitación revolucionaria, junto al Ateneo de Madrid, según testimonio de Miguel Maura, y en el campo de la opinión pública, en donde la campaña resulta más virulenta como consecuencia del partidismo alimentado desde las tribunas políticas y periodísticas.

Desde el 25 de marzo de 1930, en que se produce la fundación de la Unión Monárquica Nacional, hasta el 14 de abril de 1931, en que el comité revolucionario designado en San Sebastián y encarcelado en la Modelo madrileña se traslada a la sede de Gobernación, en la Puerta del Sol, y se constituye en el primer Gobierno de la II República, en medio de un delirante ambiente de alegría popular, José Antonio reparte su tiempo sin tregua ni descanso. Y en las agitadas sesiones de su colegio profesional lo mismo abruma con la fuerza dialéctica de sus razonamientos y doctrina jurídica, como salta los bancos para replicar, a bofetadas, a quienes usan de la injuria o la calumnia contra la memoria de su padre.

Efectivamente, cuando en el Colegio de Abogados de Madrid, el ex ministro Rodríguez de Viguri, que poco después volvería a serlo en la cartera de Economía, con el Gobierno Berenguer, ataca a don Miguel en forma injuriosa, José Antonio lo agredió de palabra y obra, abofeteándolo.

El diario «La Nación», tan ligado a la obra del General Primo de Rivera, contiene en sus colecciones una puntual referencia de la febril actividad múltiple desplegada por José Antonio en esta etapa transicional de su vida.

18. José Antonio, vicesecretario de la U.M.N.

El 2 de mayo, José Antonio asume la Vicesecretaría de la U.M.N., y a partir de ese momento viaja con intensidad y frecuencia por diversas provincias. Es un contacto que proporciona a quien había de ser fundador de la Falange un conocimiento directo, de primerísima mano, sobre los problemas y sufrimientos que abrumaban al pueblo español, especialmente en las áreas rurales y en los barrios proletarios de las grandes aglomeraciones urbanas.

Años más tarde (6 de junio de 1934), en una larga sesión parlamentaria en la que se debatían cuestiones presupuestarias, y durante la cual salieron a relucir ciertas alusiones a la política económica de la Dictadura, José Antonio recordaría cómo con ocasión de un viaje electoral por la provincia de Cádiz acudió a un pueblo denominado Prado del Rey, y cuenta la profunda impresión que le causó con palabras que reflejan su exquisita sensibilidad y que ayudan a comprender su íntimo proceso de transformación espiritual que le llevaría a asumir el dramático papel en que se consumirían los últimos años de su vida.

Describía José Antonio en aquella ocasión:

«Diluviaba. Las calles eran una especie de torrenteras sobre las cuales se abrían unos cubiles inferiores a los cubiles donde se aloja a las bestias en las granjas. Había gentes allí que no tenían la menor noticia de la cultura, la convivencia humana, la comodidad ni la sanidad. Como era un día crudo, nosotros íbamos en automóviles, y, como es natural, llevábamos nuestros abrigos. Cuando intentamos hacer propaganda electoral, las gentes de Prado del Rey salieron de sus casas y nos empezaron a tirar piedras. Yo os aseguro que en lo profundo de mi corazón deseaba que no me diera en la nuca ninguna; pero os aseguro que en lo profundo de mi corazón reconocía que nosotros, que íbamos en automóviles, que llevábamos abrigos relativamente agradables, suscitábamos todas las disculpas para que aquella gente de Prado del Rey nos tirase en la nuca todas sus piedras.»

¿Cabe una más discreta manera de denunciar la injusticia de una estructura socioeconómica? ¿Hay forma más elegante de justificar la necesidad inaplazable que tenía España de afrontar una rigurosa transformación económica y social?

Durante aquella primavera recorre la comarca de Jerez y la capital gaditana, tan ligadas a la vida familiar de los Primo de Rivera; hace declaraciones a la prensa y escribe artículos polémicos.

En Barcelona interviene en el mitin de la U.M.N. celebrado en el local de la Rambla de los Estudios.

En Galicia hace un amplio despliegue por El Ferrol, Santa Marta de Ortigueira, La Coruña y Carballino. En esta ciudad confiesa:

«Este telegrama –el que le anunció la muerte de su padre– fue la orden que me obligó a abandonar los quehaceres de mi carrera y salir de mi casa para impedir que vuelva a España aquel régimen del que nos libraron los hombres de la Dictadura.»

Continúa su periplo por Ribadavia, la capital orensana y Lugo.

Aquí, su presencia provoca algunos disturbios alentados por los enemigos de su padre, durante los cuales se producen varios heridos. En su discurso, pronunciado en el hotel Méndez Núñez, José Antonio dice, entre otras cosas:

«Hay una nota que es menester declarar: entre los "músicos" de estos días –alude a quienes han tratado de interrumpir sus intervenciones con silbidos y gritos– no ha habido ningún obrero, a pesar de haber sido invitados al "murmulleo". Los obreros, que constituyen una organización seria y respetable, no han querido secundar la perturbación de un derecho que nosotros ejercitábamos y ejercitamos. España no podría vivir sin obreros y sin vosotros; pero sin esos contratistas de la tranquilidad de la calle no sólo podría vivir, sino que viviría mejor.

»Yo envío desde aquí un saludo afectuoso a los obreros, en nombre de la tradición que represento y en nombre del secretariado de Unión Monárquica, del que formo parte.»

Y concluye: «La sangre que se ha vertido hoy en Lugo caiga sobre los que, escondidos y sin dar la cara, han lanzado a la calle a esos pobres muchachos que no saben lo que hacen.»

De este período destacan sus intervenciones en el Colegio de Abogados en torno a la derogación del Código Penal de 1928, tras la que se encierra una maniobra claramente política, y la resurrección del «venerable Código de 1870». José Antonio emplea argumentos jurídicamente irreprochables, apoyados, incluso, en juicios doctrinales expuestos años antes por los propios ponentes del texto derogatorio. Y aunque su voz no hace variar el resultado del proyecto, su pensamiento y su rigor se abren paso en el ánimo de no pocos compañeros de profesión.

El día 1 de julio, el «Diario de Jerez» recoge unas declaraciones en las que José Antonio justifica su postura: «Nunca pensé dedicarme a la política. Ni aun en aquellos años en que mi padre gobernaba pasó por mi imaginación la idea de actuar como político; pero, muerto mi padre..., lo hice así porque lo creía un deber, pero quedando como soldado de fila del naciente partido político.» Y anuncia: «Mi primer pensamiento, y en ello persisto, fue presentar mi candidatura por Jerez, pero sin pacto previo con otras fuerzas organizadas, sino sólo con la ayuda de aquellos buenos amigos que estaban compenetrados con los idearios de mi padre, recogidos para desarrollarlos, con miras a la prosperidad de España, por el Partido de Unión Monárquica Nacional.»

19. Una doctrina en germen

Durante su viaje por la comarca jerezana, José Antonio expone el esquema ideológico de la U.M.N.

«1.–Unidad nacional indestructible.

2.–Supremacía del interés de España frente a todos los intereses políticos partidistas.

3.–Exaltación del sentimiento nacional como principio informador de nuestra política.

4.–Reconquista de la independencia económica de España.

5.–Establecimiento de una disciplina civil, consciente, severa y de alto espíritu patriótico.

6.–Existencia de un Ejército y una Marina capaces de mantener en todo momento el prestigio de España.»

Resulta sumamente interesante el análisis de este ideario, porque en él se aprecian, todavía en germen, ideas que han de aportarse al acervo falangista. Pero resulta patente que, en esta etapa política transicional, aún no ha aparecido en José Antonio el caudal revolucionario y sindicalista que recibiría como consecuencia de su contacto y entendimiento con las J.O.N.S.

El día 24 de julio, «El Pueblo Manchego», de Ciudad Real, recoge las respuestas a una encuesta sometida a diversas figuras de la política y el periodismo. En la entradilla de presentación, el diario recuerda a sus lectores que José Antonio «es figura muy simpática en esta provincia por haber defendido, en horas amargas, a los pueblos de Malagón, Fuente del Fresno y Porzuna contra la expoliación que les amenazaba en el pleito sobre los terrenos del llamado "Estado de Medinaceli"».

Las preguntas de la encuesta son tres. José Antonio contesta la primera y la tercera, y para la segunda sólo tiene una respuesta evasiva.

—«¿España es preponderantemente monárquica?»
—«¿Hará las elecciones el General Berenguer?»
—«¿Qué opina usted del actual momento político?»

Como puede apreciarse, se refleja en las interrogantes la preocupación popular cotidiana. Está latente en la vida española la duda de que España sea ya monárquica, y ayudan no poco a causar tal impresión las continuas transmigraciones protagonizadas por los políticos monárquicos hacia el campo republicano. La convocatoria de elecciones, anunciada por Berenguer, pero torpemente aplazada hasta la primavera del siguiente año, constituye el otro motivo de interés.

«Lo importante —responde José Antonio a la primera pregunta— no es lo que España sea, sino lo que a España convenga. Las naciones no pueden lanzarse a experimentos temerarios porque lo quieran más o menos electores. La romántica superstición de la soberanía popular va estando cada vez más cerca de ser nuevamente sustituida por el clásico principio del bien público. Y con arreglo a ese principio, me parece que a España no le conviene una República.»

¿Sostendría hoy el mismo criterio? La pregunta no tiene respuesta verdadera, porque sólo podría contestarla él, si a él queremos atribuírsela, y eso es imposible. Pero el interrogante sí merece una respuesta del lector, tras la breve reflexión que le propongo. Durante una larga época de nuestra reciente Historia, la vida política española se rigió, esencialmente, por el principio clásico del bien común, o bien público, anteponiéndolo a los intereses personales, de grupo, partido o clase según constaba en la legislación fundamental. En consecuencia, guiada por este principio de bien común, España salió de la indigencia económica y se situó, bajo el mandato de Franco, en los primeros puestos de los países industrializados, al tiempo que, en los aspectos meramente políticos y sociales, la vigencia del mismo principio permitió un sistema legislativo democrático directo, de carácter orgánico, en el que estaban representados y servidos los intereses reales del pueblo español, sin que mediara el artificio perturbador de los partidos políticos.

Ha tenido que volver un régimen de Monarquía parlamentaria, de corte decimonónico y reaccionario, para que de nuevo prive la superstición romántica de la «soberanía popular» que, en realidad, se reduce al ejercicio periódico del derecho al voto, limitado, incluso, en la libertad de elección, en la medida que son los partidos políticos quienes imponen las candidaturas en forma cerrada e inapelable. Como sugiere el profesor Maurice Duverger: la «soberanía popular» ha sido secuestrada por la dictadura de los partidos.

¿Pesan en él, al emitir este juicio concorde con su pertenencia a la Unión Monárquica, aquellos «motivos sentimentales de afecto» a que aludió en el cine Madrid, el día 19 de mayo de 1935, cuando afirmó el engarce del Movimiento de F.E. y de las J.O.N.S. con la revolución del 14 de abril?

Pero la intervención que habría de tener más repercusión en esta época corresponde al mitin celebrado en el frontón Euskalduna, en Bilbao, el día 6 de octubre de 1930.

Actúan en el mitin, de gran resonancia nacional, Ramiro de Maeztu, Esteban Bilbao, Guadalhorce y José Antonio.

El primero en hablar es José Antonio. Su discurso, al margen de las obligadas referencias a la obra de la Dictadura, y pese a la terminología todavía conservadora y derechista que utiliza, apunta un certero diagnóstico de futuro, que se cumpliría, casi milimétricamente, a lo largo de la II República, y que acredita, una vez más, a José Antonio como analista riguroso y buen vaticinador.

«No hay más que dos caminos en estos momentos trascendentales: o la revolución o la contrarrevolución. O nuestro orden tradicional o el triunfo de Moscú...»

«Y Moscú será lo que triunfe si triunfa la revolución. No será una revolución contra la Monarquía, sino la subversión completa del orden social. La República conservadora no es más que un paso; los republicanos románticos, y por lo mismo respetables, de finales del siglo XIX no tienen masa, necesitan de la que se les preste, y esa fuerza prestada, ¿creéis que se conformará con la sustitución del General Berenguer por el señor Alcalá Zamora? Después de triunfar echarán a un lado a los románticos del republicanismo y no se conformarán sino con el logro completo, con Rusia.»

¿Qué otra cosa fue la trayectoria seguida por la II República? Una vez que triunfó el Frente Popular, el modelo que éste se fijó fue la revolución soviética. Las masas socialistas, radicalizadas por la fiebre marxista-leninista, no se conformaron con Alcalá Zamora ni con los republicanos románticos. Cumplido su papel como peldaño hacia la revolución, fueron echados a un lado sin el menor miramiento, y algunos, como Melquiades Alvarez, asesinados, después de sufrir la vejación de su encarcelamiento.

Hay también en el discurso de José Antonio un punto de claridad al referirse a la política social: «Lo que se dé merecidamente a la clase obrera no es transigir, no es ceder en un regateo: es hacer justicia.»

Hay luego una aguda alusión a la acción subversiva que ya entonces tenía campo propicio en la Universidad, y dice:

«El enemigo está en las Universidades. En nuestras Universidades no intervenidas, sino monopolizadas por el Estado, y en las cuales, no obstante, tienen su nido los adversarios más activos y peligrosos de cuanto es fundamental para el Estado...

»Vuestros hijos encontrarán, sí, maestros sabios y venerables –yo soy discípulo de una Universidad y me honro en tributarles desde aquí mi respeto–, pero pasarán también por las manos de una serie de extravagantes que les enseñarán a perderos el respeto a vosotros, a la religión, a la Patria, al Ejército, al honor nacional... Y cuando el Estado os devuelva a vuestro hijo, si Dios no le ha protegido mucho, os lo devolverá descreído, irreverente, descastado, cobarde, enemigo de todo lo que vosotros más respetáis, y quién sabe si incluso –porque hasta de eso habrá oído hablar con benévola simpatía– entregado a los vicios más abominables y vergonzosos.»

Medite el lector en qué medida es aplicable hoy esta descripción de la realidad universitaria española, y hasta qué punto la indiferencia de la sociedad hacia lo que acontece en el ámbito universitario no es gravemente responsable del proceso de descomposición moral y de «pasotismo» que padece una parte importante de la juventud.

Finalmente, José Antonio concluye su discurso previniendo: «Si triunfa la revolución los arrastrará a todos: a los que lucharon y a los que no lucharon. Pero mientras los primeros caerán cara a cara con el goce del que cumple con su deber, los tibios, los tímidos, caerán heridos por la espalda, llevando el estigma de los cobardes.»

El discurso de José Antonio, pronunciado cuando la conspiración republicana había fijado ya incluso «su» Gobierno provisional, no sólo significa la denuncia del entorno político que rodeaba la caída acelerada de la Monarquía, sino que viene a ser una descripción clarividente de la técnica subversiva y de la insensibilidad social en que se hace posible.

¿Habrá alguien que se sienta capaz de afirmar que tal juicio resulta extemporáneo o anacrónico aplicado a nuestros días?

El discurso de José Antonio en el frontón Euskalduna causó inquietud y disgusto entre los monárquicos conservadores. El diario «ABC» acusaba el golpe con un comentario miope y reticente que motivó una carta de Guadalhorce y una rectificación del diario monárquico. Pero la oposición del órgano de la calle de Serrano provocó disensiones que desengañaron a José Antonio y le hicieron apartarse de la U.M.N.

¿Nacería, por aquel entonces, su incompatibilidad política con José Calvo Sotelo? ¿Fue el conocimiento personal de los prohombres de la derecha española lo que le aconsejó preservar a la Falange del contagio derechista, cuando Calvo Sotelo, a su regreso del exilio, en 1935, intentó su ingreso –y el pretendido desplazamiento de José Antonio– en la organización falangista?

Curiosamente, el día 15 de diciembre, la fecha en que se produce el fallido «golpe» republicano que acaba con el encarcelamiento del «Gobierno provisional», confortablemente instalado en la Modelo de Madrid, José Antonio publica, aún en «Unión Monárquica» (número 102), un artículo que refleja su estado de ánimo y su profunda desilusión por la política al uso. Se titula: «España: la lanzadera duerme en el telar», y lo transcriben íntegramente Agustín del Río Cisneros y Enrique Pavón Pereyra en «Epistolario y textos biográficos de José Antonio».

De él son los siguientes párrafos:

«Que si la Monarquía, que si la República, que si revolución, que si España es así, que si España es de otro modo. Y eso por todas partes. Reunidos tres españoles, no se habla de otra cosa que de política, de política, de política.

»Quien lo ve, se pregunta: ¿Pero es que aquí, en España, nadie tiene otra cosa que hacer? Parece como si nos hubiera acometido una fiebre colectiva. Todos nos sentimos médicos para diagnosticar el mal de España, y ninguno repara en que él mismo es una parte de ese mal...

»Pudiera resucitar para gobernarnos el más maravilloso de los gobernantes, y España no sonaría. No puede sonar mientras los carpinteros no sean mejores carpinteros, los matemáticos mejores matemáticos y los filósofos mejores filósofos...

»Mientras nos peleamos entre nosotros –como dijo Ramón y Cajal, el glorioso maestro de la perseverancia–, la lanzadera duerme en el telar...

»Así, mientras nuestras Universidades no producen sino eminencias aisladas y muchedumbres de productos raquíticos, los universitarios (profesores y alumnos) se desgastan en el más díscolo pugilato de derechas e izquierdas. Y mientras en la bibliografía jurídica del mundo apenas se abre un hueco de segunda fila para tal cual nombre español, los juristas españoles cierran los libros de ciencia y redactan proclamas políticas.

»Pero lo peor es ver así, envenenada, frenética y desquiciada, a la juventud. En tanto que los muchachos de la izquierda (ya hasta los niños se dividen en derechas e izquierdas) escriben periódicos revolucionarios, y los de la derecha organizan mítines monárquicos y suman firmas para documentos de protesta, ninguno se recoge, a pesar de que están por hacer innumerables cosas, y que las horas, los minutos que se desperdicien, al no hacerlas nunca, nunca se podrán recuperar.»

Y concluye, entre la amargura y la esperanza:

«Por este camino, lo mismo da la Monarquía que la República, que la revolución. Con el régimen presente o con otro seguirá España inficionada de su malestar. No hay otro remedio que aplicarse, cada cual a lo suyo, a la dulce esclavitud del trabajo. Sea nuestra oración de todas las mañanas: "Te ofrezco, España, la labor que voy a hacer durante el día, para que la pongas en camino de ser perfecta; yo no regatearé fatiga a mi tarea hasta acabarla con perfección." Si no hacemos eso, no lograremos nada. Todo lo que llegue nacerá traspasado de muerte con ese frío del telar en que duermen las lanzaderas.»

El día 20 de diciembre, «La Nación» publica un artículo de elogio a la Guardia Civil, que compendia la admiración que José Antonio siente por el Benemérito Instituto.

Y el 1 de enero el mismo diario incluye, en el pronóstico para 1931, un breve pensamiento de José Antonio:

«Empezaré por el final. Quisiera que el año 1931 trajese a cada español un firme propósito de cumplir bien con su deber (con el "suyo", nada de lanzarse a hacer de "espontáneo" en los deberes ajenos). Si no trae eso el año 1931, lo que ocurra en él y en los sucesivos me parece que valdrá poco para España.»

No andaba errado en su pronóstico.

Reflejan estas últimas intervenciones de José Antonio el acrisolado temperamento crítico de su personalidad. Un solo año de actividad política ha enriquecido valiosamente su experiencia. Y el rigor intelectual que mueve su pensamiento va decantándose, responsablemente, en el descubrimiento parejo de un ideario político y de una norma permanente de conducta. La gracia y el estilo, que habrían de templarse, tres años más tarde, en la forja revolucionaria de la Falange.

20. Aspiración a una vida democrática libre y apacible

A mediados de enero de 1931 pronuncia José Antonio en Madrid una conferencia sobre «La forma y el contenido de la democracia». Al reproducir su extracto, «La Nación» califica el discurso de José Antonio de «interesante conferencia, modelo de claridad y exposición, perfecta dicción y acertado desarrollo». Causó impresión en sus oyentes, y en ella se perfilan conceptos que, con mayor claridad aún, expondría en el discurso fundacional de Falange Española.

En ella, José Antonio describe el sentido ético que en el espíritu de nuestra época se ha sobrepuesto al sentido etimológico de la palabra democracia, y lo describe así: «El que nos representa un estilo de vida pacífico, armonioso y tolerante... La aspiración a una vida así debió ser la primera que movió al pensamiento y la actividad política de los hombres cuando aún padecían a los tiranos.»

Contrapone, después, José Antonio la doctrina de Santo Tomás a las dos desviaciones que se producen en torno al origen del Poder: la idea del derecho divino de los reyes, «que se suponen investidos de poder directamente por Dios, sin mediación del pueblo», y la idea de la «soberanía popular», cuya expresión más acabada se halla en el «Contrato social» de Rousseau.

Y, después de hacer la crítica del pensamiento roussoniano, concluye:

«Pero si la democracia como forma ha fracaso, es, más que nada, porque no nos ha sabido proporcionar una vida verdaderamente democrática en su contenido. No caigamos en las exageraciones extremas, que traducen su odio por la superstición sufragista, en desprecio hacia todo lo democrático. *La aspiración a una vida democrática libre y apacible será siempre el punto de mira de la ciencia política, por encima de toda moda.*

No prevalecerán los intentos de negar derechos individuales, ganados con siglos de sacrificio. Lo que ocurre es que la ciencia tendrá que buscar, mediante construcciones de "contenido", el resultado democrático que una "forma" no ha sabido depararle. *Ya sabemos que no hay que ir por el camino equivocado; busquemos, pues, otro camino;* pero no mediante improvisaciones, sino mediante el estudio perseverante, con diligencia y humildad, porque la verdad, como el pan, hemos de ganarla con el sudor de nuestra frente.»

Subrayo los párrafos que para mí son más sugerentes, como los subrayé en la primera edición de 1974, porque entiendo que son especialmente válidas las ideas que José Antonio manifiesta. Y dejo hechas dos observaciones:

Una, que no deja de ser curioso –inquietante también– que esta magnífica conferencia, que tan claramente define el pensamiento del Fundador de la Falange respecto a la democracia, no se incluyera en el volumen de sus «Obras completas», cuando éstas eran publicadas por Ediciones del Movimiento, y no pudiera ver la luz de las imprentas hasta el año 1956. ¿Quién se cuidó de su secuestro? Con tal omisión y la machacona insistencia en exaltar del discurso fundacional el párrafo justificativo de la violencia, extrayéndolo de su contexto y tergiversando así su auténtica significación como «ultima ratio», se contribuyó indirectamente –aunque no inconscientemente– a distorsionar el perfil humanísimo de José Antonio, proporcionando una imagen falsa de «dirigente totalitario», que en nada se corresponde con la rica vena liberal de su personalidad política. Y con él, a su obra: la Falange, a la que, igual entonces que ahora, y casi por los mismos personajes, se insiste en presentar como un apéndice del fascismo, quizá porque algunos se empeñan en cultivar modos y parafernalia que nada tienen que ver con el genuino estilo joseantoniano.

Ramón Serrano Suñer, en su libro «Memorias», tantas veces citado, recuerda que alguna vez se dijo que José Antonio en el fondo era un liberal y dice: «Y lo fue, en efecto, por la vía del temperamento y de la sensibilidad, que es por donde el liberalismo significa un noble valor humano. Lo fue, al menos, en el sentido de un temperamento verdaderamente liberal (no un mero ''beato'' del liberalismo) que más que por otra cosa se distinguirá por su inclinación a enfrentarse a cuerpo limpio con la vida, sus luchas y problemas, sin tutelas, protecciones ni seguros.»

Por otro lado, aunque en el mismo sentido, Stanley G. Payne, autor de «Falange, historia del fascismo español», declaraba en 1971 a la revista española «Gaceta ilustrada»:

«Tiene usted razón. Creo que traté demasiado bien a José Antonio. Pero la realidad es que últimamente he revisado el libro (quiero reescribirlo dándole una dimensión más real y corrigiendo algunos errores que tiene) y sigo encontrando a José Antonio irresistible. Un falangista franciscano, equilibrado; un intelectual serio y romántico. José Antonio es por formación un aristócrata inglés que no apreciaba profundamente a los españoles y que a pesar de ello quiso salvarlos.»

Y la segunda observación que corresponde establecer es que José Antonio, consecuente con su propio pensamiento, trató de hallar –y ahí está en gran parte inédito– el «otro camino», mediante un estudio perseverante, con diligencia y humildad, con imaginación y espíritu crítico también, para conseguir el «contenido democrático» que la «forma» establecida por el liberalismo no pudo ni supo alcanzar.

«En el verano-otoño de 1984, cuando repaso y complemento estos «apuntes», hago mías las palabras contenidas en un artículo de Diego Boscán —seudónimo de un conocido y prestigioso intelectual falangista— publicado en el diario «El Alcázar» el 13 de julio:

«No me mueve más interés que el de contribuir con modestia al crecimiento de una corriente de opinión nacional y sindicalista, en la que estoy seguro que pueden y deben darse intercambio de opiniones, debates y búsquedas de puntos coincidentes, sin que para ello puedan considerarse obstáculos serios ni la posible diferencia de edades ni la adscripción efectiva o afectiva a una u otra organización concreta. No sé si estaré equivocado: yo aspiro a caminar por una vía abierta para construir entre todos un movimiento político del que sólo deben quedar al margen aquellos que se autoexcluyan por su conducta.»

Pese a que no todos lo han entendido así, incluso entre sus seguidores, el nacionalsindicalismo, como sistema económico y social, como proyecto moral y político de convivencia democrática de contenido, no representa sino la «praxis» de un pensamiento que aspira a hacer del hombre español –y de todos los hombres– dueño de su destino individual, libre como el alma que alienta su vida, hecha a imagen y semejanza del Creador. No es sólo un sistema de organización de las fuerzas sociales y económicas, sino, fundamentalmente, un nuevo orden de creación y distribución de los bienes económicos y sociales, inspirado en una jerarquía de valores morales y cristianos en los que la libertad y la justicia constituyen la generatriz de todo, y en donde el Estado, la producción y la economía están al servicio del hombre, y no el hombre al servicio del Estado, de la producción y de la economía.

Entretanto, y desde su cómodo internamiento en la cárcel Modelo de Madrid, el comité revolucionario continuaba su conspiración republicana en medio de la indiferencia y la insensibilidad de los sectores monárquicos.

La falta de convicción en la virtualidad de la institución llegaba hasta sus figuras más responsables. Así, el General Berenguer, a propósito de la apertura del período electoral, anunciada para el día en que se cumplía el aniversario de la I República, hace unas declaraciones a los periodistas que le señalan la coincidencia, y dice:

«No veo en ello el menor inconveniente. Para mí, ser republicano es una equivocación, pero no creo que sea pecado.»

Glosando estas manifestaciones, Miguel Maura, componente del comité revolucionario y «Gobierno provisional de la República», comenta en su libro «Así cayó Alfonso XIII»:

«Tras esta categórica absolución previa, que apareció en los diarios el día 20 de enero, los funcionarios al servicio del Gobierno se lo tuvieron por dicho y vinieron, los unos por convicción, los más por elemental prudencia previsora, a engrosar nuestras filas.»

Es evidente que, con tal estado de ánimo, explicable acaso por la contrastación del ambiente indiferente, cuando no hostil, que le rodeaba, Berenguer no se sintiera con deseos de seguir gobernando.

En torno a los anunciados comicios se había desencadenado una activa campaña aconsejando la abstención. Carlos Seco Serrano, en su documentado libro «Alfonso XIII y la crisis de la Restauración», testimonia:

«Los primeros en declarar su abstención ante la convocatoria de elecciones intentada por Berenguer fueron los "constitucionalistas": Sánchez Guerra, Alvarez, Villanueva, Bergamín y Burgos Mazo (29 de enero). El día 30 adoptaron acuerdo idéntico los republicanos, seguidos, el 3 de febrero, por los socialistas. Con todo, el día 7 de febrero firmaba el Rey la convocatoria de elecciones y se restablecían las garantías constitucionales. El mismo día 8, Alba dio a conocer, desde París, la amplia nota en que se sumaba a los abstencionistas. Su nota se publicó al mismo tiempo que la de convocatoria de elecciones (día 10), y suscitó al día siguiente una nota del Consejo de Ministros: "No ha de ocultar el Gobierno la contrariedad que le han producido las nuevas y calificadas abstenciones... El Gobierno cumplirá su decisión de llevar a término el compromiso contraído..." Tres días después se producía la crisis que daría paso al Gobierno Aznar, último del reinado de Alfonso XIII.»

La descripción de Carlos Seco no puede ser más expresiva. La forma en que se desarrollaron los acontecimientos a partir de ese momento discurre como una película disparatada ante los ojos del perplejo observador.

Componedor de la crisis y elemento desencadenante de ella fue el Conde de Romanones, cuyos contactos con Santiago Alba eran notorios. Romanones, que compartía con el Marqués de Alhucemas la jefatura del vetusto Partido Liberal, hizo una visita al Rey, y publicó, seguidamente, al alimón con Alhucemas, una nota en la que ambos manifestaban también su decisión de abstenerse en las elecciones constituyentes anunciadas. Fue el puntillazo que obligó a Berenguer a plantear ante el Rey la cuestión de confianza.

Don Alfonso, tras aceptar la dimisión de Berenguer, comienza el turno de consultas para formar Gobierno. Pasan así, formulariamente, por palacio, el Duque de Maura, el Conde de Romanones y el Marqués de Alhucemas. Y, después, lo hace Sánchez Guerra. Tras éste, Melquiades Alvarez.

Al glosar estos episodios, Miguel Maura afirma: «De las consultas salió la "realeza" hecha girones. Salvo los incondicionales de siempre, los demás la desahuciaron verbalmente del trono.»

¿Cabía esperar otra cosa, dada la ejecutoria de los consultados?

Cuando el Rey se echa en brazos de Sánchez Guerra, va a comenzar a decidirse el destino del trono, en uno de los actos más histriónicos e incomprensibles que se conocen en la historia contemporánea. Claro que, como queda reseñado anteriormente, el 27 de febrero de 1930, don José Sánchez Guerra, que, aparatosamente, había declamado los expresivos versos del Duque de Rivas:

«No más abrasar el alma
el sol que apagarse puede,
ni más servir a señores
que en gusanos se convierten»,

dejó, igualmente, afirmado en aquella ocasión: «No soy republicano, pero reconozco que España tiene derecho a ser una República.»

¿Cómo puede explicarse, entonces, como no sea admitiendo la situación extrema que reflejan todos los historiadores objetivos, que Alfonso XIII acudiera en consulta a tal personaje?

Advertida la defección de Sánchez Guerra, es perfectamente congruente el episodio que vamos a conocer seguidamente. Alfonso XIII no tenía en su torno personalidad política alguna a la que acudir, y la Monarquía estaba, irremediablemente, sentenciada. Como, una vez más, testimonia Miguel Maura: «Lo que en aquellos días aconteció evidencia hasta el máximo que la Monarquía era un cadáver en pie que el menor soplo popular tenía que derribar con estrépito. Sus adeptos, sus "leales", sus servidores, de toda laya, la había prácticamente abandonado, considerándola perdida. No era de extrañar que –quien más, quien menos– buscase acomodo con antelación al día próximo del desastre.»

21. Una causa fallada

No obstante, Sánchez Guerra, quien, pese a tan inmediato antecedente de desafección al Rey, había exigido de éste una «confianza absoluta», se traslada, el día 15 de febrero, hasta la cárcel Modelo, y hacia las siete de la tarde se entrevista con Alcalá Zamora, Largo Caballero, Fernando de los Ríos y Miguel Maura, miembros destacados del comité revolucionario. El contenido de la conversación y su desarrollo están descritos en el libro de uno de los protagonistas, Miguel Maura, cuyo razonamiento frente a sus correligionarios y compañeros de encierro constituye un testimonio de valor histórico excepcional. Dice Maura: «Había que considerar que estábamos sometidos a proceso por rebelión armada contra el régimen; que la causa iba a verse ante el Tribunal Supremo de Guerra y Marina, unos días más tarde; que tras la visita de don José esta causa estaba fallada, puesto que era evidente que, pese a estar en el banquillo de los acusados, no se podía condenar a quienes no estaban en el Poder porque lo habían despreciado; quienes, en vez de enjuiciados, podían haber pasado a ser árbitros de la vida nacional, con sólo haber aceptado el ruego del encargado por el Rey de formar Gobierno; que, en fin, el refuerzo que con este ofrecimiento recibía la causa republicana era tal, que, fatalmente, inclinaría la balanza hasta el límite máximo, puesto que representaba la confesión paladina de la impotencia del régimen para valerse por sí solo y el respeto que le merecía la popularidad y la fuerza del comité encarcelado.»

La forma en que se desarrolló el proceso, convertido en formidable caja de resonancia para la propaganda republicana, y la sentencia final (seis meses y un día con aplicación de libertad condicional) dictada por el Tribunal que presidía el General Burguete –quien, junto con dos vocales, decidió el juicio al formular voto particular proponiendo la absolución pura y simple de los encartados– da plena razón a las previsiones razonadas de Miguel Maura.

Como una aparición fantasmal, figura don José Sánchez Guerra en una fotografía de la época, digna de las mejores escenas del cine cómico mudo, a la salida de la cárcel, tras visitar al comité revolucionario. Aquella noticia conmocionaría las redacciones de los periódicos. «El Debate», órgano católico dirigido por Angel Herrera, comentaría editorialmente:

«¡Intentar un Gobierno monárquico apoyado y sostenido en los enemigos declarados del Rey! Más que una paradoja, es un desatino que no cabe en cabeza de hombre que conserve sereno su juicio.»

Fracasado en su empeño Sánchez Guerra, se negocia una solución extrema en la que aparecen comprometidas –tras una reunión de cinco horas en el Ministerio de la Guerra, que tuvo perfiles de encerrona– once personalidades políticas heterogéneas y contradictorias, que forman Gobierno. Va a ser el último de la Monarquía, y lo preside, al menos nominalmente, el Almirante Aznar.

Le acompañan en la singladura final del reinado de Alfonso XIII el intrigante Conde de Romanones, titular de la cartera de Estado; en Gracia y Justicia aparece el Marqués de Alhucemas; el General Berenguer –presidente dimisionario del Gobierno anterior– ocupa la cartera de Ejército; el Almirante Rivera, la de Marina; Juan Ventosa, Hacienda; el profesor Gascón y Marín se hizo cargo de Instrucción Pública; Juan de la Cierva se ocuparía de Fomento; el Duque de Maura, hermano del encarcelado

Miguel, aparecería como titular de Trabajo; el Conde de Bugallal, en Economía, y el titular de Gobernación sería el Marqués de Hoyos.

La Monarquía de la Restauración canovista había entrado en su vía muerta. Historiadores prestigiosos, simpatizantes con la institución, como Jesús Pabón, son rigurosos en su juicio, en el que introducen alguna amarga ironía que en su pluma alcanza valor objetivo irrefutable:

«Carecía el Gobierno –dice Pabón– de una pieza clave: un jefe»... «Don Juan B. Aznar, oficialmente presidente, era ese almirante de cuya presencia en las jefaturas del Estado o del Gobierno ha dicho Julio Guillén que es anuncio de naufragio»... «No eran un Gobierno»... «En cierto modo, la concentración monárquica lograda inclinaba la contienda política hacia un dilema o una disyuntiva: Monarquía o República.»

Frente a esta dispersión y desentendimiento monárquicos, el comité revolucionario lanza una nota aclaratoria desde la cárcel, en la que afirma:

«La fuerza constituida por republicanos y socialistas sigue inquebrantablemente unida y en marcha, sin que pueda entrar en ningún Gobierno trazado por la Monarquía, ni siquiera como fiscal presente. Seguros estamos que unas elecciones verdaderas proclamarían legalmente la República, y seguimos resueltos a que ninguna intriga o influjo de los poderes tradicionales arrebate nuestra victoria.»

El Gobierno, pese al estado de excepción, y en plenitud de su desconcierto, dejó que la prensa publicase esta proclama, con lo que acrecentó el prestigio del comité y de sus componentes, estimulando a la acción conspiratoria a cuantos ya eran partidarios de la liquidación del régimen.

Así, cuando el Gobierno autoriza la reapertura del Ateneo y de las Universidades, se inicia en la Facultad de Medicina de San Carlos, en Madrid, una serie de incidentes sangrientos que mantendrían en jaque a las Fuerzas de Seguridad, dividiendo más aún a la opinión pública, hasta la víspera misma del 14 de abril.

Anulada por el Gobierno la convocatoria electoral para la provisión de diputados en Cortes, hecha por el Gabinete Berenguer, se establece un ciclo electoral distinto, y se fija el 12 de febrero como fecha para unos comicios municipales, cuyo carácter local se subraya especialmente. Se hace evidente, así, en el propio planteamiento, la poca confianza que tenía el Gobierno Aznar en controlar el proceso y resultado electorales, y venía a darse, indirecta e implícitamente, la razón a la declaración del comité republicano cuando afirmaba: «Seguros estamos que unas elecciones verdaderas proclamarían legalmente la República.»

22. El Rey, solo

El vaticinio republicano y el temor monárquico serían desmentidos, aparentemente, no obstante, por el resultado electoral, que proporciona una mayoría de candidaturas monárquicas, aunque en las grandes ciudades el triunfo republicano resultaba espectacular.

De todas formas, la torpeza, la inseguridad y el miedo monárquicos, y la falta de decisión del Gabinete real, vencidos, de antemano, por la audiencia republicana, deciden el desenlace de los acontecimientos. Estos van a desencadenarse vertiginosamente. Lejos de hacer valer el carácter municipal de los comicios, el propio Gobierno

—tal como afirma el historiador Jesús Pabón— se empeña en plantear la disyuntiva electoral: «o Monarquía o República» convicción en la que también participa el Rey.

Por eso, aunque las elecciones ofrecen un resultado formalmente favorable a los candidatos monárquicos, Alfonso XIII abandona el Trono, impulsado, quizá, por la evocación íntima de los sangrientos sucesos de Ekaterinburgo, y después de comprobar, amargamente, por sí mismo, la soledad en que, personal y políticamente, le han dejado los que tenía por «fieles».

Fuente singularísima de información sobre las jornadas de tránsito de la Monarquía a la República es el número del diario «ABC» de Madrid, del miércoles 15 de abril de 1931. En grandes titulares destaca: «Antes que la República Española fue proclamada en Barcelona la República Catalana presidida por el Sr. Maciá.» Y como entradilla a la información sobre «La jornada política de ayer» incluye un comentario, probablemente escrito por Juan Ignacio Luca de Tena, aunque va sin firma; de él transcribo los siguientes cuatro párrafos, porque, en mi criterio, expresan con bastante nitidez estas dos cuestiones:

Primera, que el Rey Alfonso XIII tenía resuelto desde largo tiempo atrás declinar el Poder tan pronto como se produjesen signos adversos a la Monarquía;

Y segunda, la carencia total de apoyos políticos capaces de sustentar aquel régimen.

He aquí, los párrafos de referencia:

1.° «Desde la mañana del pasado lunes conocía el Gobierno, y no era un secreto para nadie, la decisión adoptada por el Rey de resignar el Poder y alejarse del territorio español»...

2.° «Cuando empezó a debatirse el tema constituyente, cómo habían de ser y llamarse las Cortes, hicimos y reiteramos esta afirmación: que si el sufragio, en cualquier convocatoria, se manifestase contra el régimen monárquico, el Rey le allanaría el camino inmediatamente. No es que lo suponíamos: nos constaba y por eso lo afirmamos»...

3.° «El Rey salió de Madrid anoche. Desde ayer, España no tiene al Soberano inteligente, culto, activo, cordial y animoso que ha sabido regirla con ardiente patriotismo en treinta años de reinado, a través de crisis difíciles y en un ambiente de simpatía popular, que sólo en estos últimos tiempos, muy últimos, han logrado eclipsarle las violentas pasiones de la política, y no precisamente las de sus naturales enemigos, sino la doblez, la deslealtad, la ingratitud y la ambición de los que bullían y medraban en torno a la Corona»...

4.° «Sin instrumentos útiles y sanos, con la única disponibilidad de las ficciones sustitutivas y en vana espera de mejores concursos, don Alfonso XIII ha tenido que actuar largo tiempo para escoger el mal menor de soluciones forzadas, discutidas siempre con malevolencia por los despechados de cada crisis. La difamación del Rey, de su constitucionalismo, se ha hecho así: obra de personajes y grupos que, sin contacto con la opinión, sólo podían subir o caer por el penoso arbitraje de la Corona en las crisis turbias que urdían, y sobre la Corona echaban alternativamente, según les iba, el elogio o la reticencia»...

(«ABC», n.° 8.831. Madrid, día 15 de abril de 1931. Miércoles.)

Muchos años más tarde, cuando en 1971 publica Juan Ignacio Luca de Tena su libro «Mis amigos muertos», glosa en primer lugar la figura del Rey don Alfonso XIII y, en ese capítulo, el episodio de su renuncia al Trono y el advenimiento de la República como consecuencia de las elecciones municipales.

Es curioso y resulta testimonio de alto valor, por tratarse de un fervoroso defensor de la Institución monárquica, que Juan Ignacio Luca de Tena, llevando la contraria a cuantas interpretaciones se han dado hasta ahora de la salida del Rey, y, evidentemente, defendiendo la decisión del Monarca, afirme que la victoria electoral fue netamente republicana. Fue cierto. He aquí su testimonio:

«Está por hacer la defensa razonada de la actitud del Rey el histórico 14 de abril y yo voy a permitirme intentarla. Es cierto, sí, que la mayoría de los concejales, elegidos el domingo anterior en toda España, eran monárquicos; pero nadie ha dicho que el mayor número de votos fue republicano. El resultado adverso en más de cuarenta capitales de provincia y en casi todas las ciudades importantes dio a la República el triunfo numérico en las urnas, porque los votos que necesitaba un concejal para ser elegido en Villanueva de la Serena o en Pozuelo, no eran numéricamente los mismos que precisaban y obtuvieron los candidatos de Madrid, Barcelona, Valencia o Sevilla.»

(Juan Ignacio Luca de Tena. «Mis amigos muertos», página 18. Editorial Planeta, 1971.)

Los acontecimientos del día 14 son decisivos. Desde las nueve de la mañana, la actividad política va a ser febril, tanto en lo que se refiere a las consultas del Rey con el Gobierno y diversos políticos llamados a palacio, como por parte de los miembros del comité revolucionario, constituido ya en Gobierno provisional de la República.

Para entrevistarse con Alfonso XIII, acude a palacio –además de los miembros del Gobierno, que despachan a lo largo de la mañana– don José Sánchez Guerra, que llega a las tres menos veinte de la tarde, cuando ya se había proclamado la República en Eibar, San Sebastián y Zaragoza; le siguen, poco después, los señores Villanueva y Melquiades Alvarez, quien, a la salida, hace unas declaraciones concluyentes respecto a la situación planteada por las elecciones: «Se luchaba entre Monarquía y República y el pueblo optó por la República. He dicho al Rey, y se lo he dicho con toda franqueza, al mismo tiempo que con toda cortesía, que no le queda otro recurso que obedecer ciegamente la voluntad del país y ausentarse de España, dando libre acceso a los ideales republicanos de la nación»...

La entrevista de Melquiades Alvarez con Alfonso XIII se produjo a las cuatro de la tarde. Pero ya antes, exactamente a las tres menos diez minutos, el Conde de Romanones había conferenciado con el Rey para darle cuenta de la reunión mantenida con don Niceto Alcalá Zamora y del emplazamiento de éste para que el Gobierno entregue el Poder y el Rey abandone España. El encuentro del Conde de Romanones con don Niceto se celebró en el domicilio de don Gregorio Marañón, en la calle de Serrano, número 43, al filo de las dos de la tarde. El motivo de la reunión, según declaración del doctor Marañón a los periodistas, fue «determinar los detalles de cómo habría de operarse la transición de un régimen a otro, en el caso de que no fuera viable la constitución de un Gobierno constitucionalista», solución ésta que el doctor Marañón creía ya, a dicha hora, completamente fracasada.

A partir de este momento, los hechos se precipitan.

A las cinco de la tarde –hora taurina por excelencia– se constituye en palacio el último Consejo de Ministros presidido por el Rey. Y a la misma hora, a escasos cien metros a la residencia real, se presentan en la Casa de la Villa los concejales republicanos electos, se constituyen en Ayuntamiento, izan en el balcón la bandera republicana y descuelgan el retrato del Rey del testero principal del salón de sesiones, sustituyéndolo por un viejo grabado de la República española.

Cuando, a las siete y cuarto de la tarde, sale de palacio el Conde de Romanones, un periodista le pregunta ingenuamente:

–¿Habrá mañana solución definitiva?

A lo que contesta el Conde:

–Sí, muy definitiva. ¡Y tan definitiva!

Minutos después, exactamente a las siete y media, llegan en automóvil al Ministerio de Gobernación, en la Puerta del Sol, don Niceto Alcalá Zamora, don Alejandro Lerroux, don Manuel Azaña, don Fernando de los Ríos, don Miguel Maura y don Alvaro de Albornoz, y, en un acto de audacia, comienzan a tomar medidas de gobierno. La plaza está llena de manifestantes, y requeridos por la multitud los miembros del Gobierno republicano salen a uno de los balcones, donde ondea la bandera tricolor desde las seis de la tarde, y Miguel Maura pronuncia un discurso breve, que es acogido con entusiasmo y gritos de ¡Viva la República!

Entretanto, se ha instalado en uno de los despachos un micrófono de Unión Radio, desde el que don Niceto Alcalá Zamora dirige un mensaje a la nación, «en nombre de todo el Gobierno de la República española».

La proclamación de ésta ha llegado, sin embargo, con retraso. En Barcelona, Francisco Maciá, antiguo coronel del Ejército y máximo dirigente nacionalista, había proclamado la República Catalana desde el balcón principal del Ayuntamiento, en la plaza de San Jaime, poco después de las dos de la tarde.

Es un percance que lastrará, condicionándola, la vida de la II República.

Mientras, en el palacio real, el Rey ultima los preparativos para marchar de España. Se despide de la Reina, del Príncipe de Asturias, que está enfermo, y de los Infantes. Y, acompañado por don Alfonso de Orleans, el Almirante Rivera –último Ministro de Marina de la Monarquía– y el Duque de Miranda, abandona el alcázar real por la «puerta incógnita» que da al Campo del Moro.

Allí esperan dos automóviles. En uno sube el Rey junto al Infante don Alfonso de Orleans. En otro viajan el Ministro de Marina, el Duque de Miranda y Francisco Moreno, ayuda de cámara del Monarca. Y, finalmente, les da escolta un vehículo de la Guardia Civil con siete números y un sargento. Minutos después de las cuatro de la madrugada, la comitiva llega al arsenal de Cartagena, donde esperan al Rey el Capitán General de Marina, Almirante Magaz, y un grupo de autoridades militares. Tras una breve conversación con Magaz, el Monarca y sus acompañantes suben a una lancha motora que les conduce al crucero «Príncipe Alfonso», que, a las cuatro y media, se hace a la mar rumbo a Marsella.

Se escribe así el último capítulo de la Monarquía alfonsina.

La clave del cambio de régimen ha estado, además de los planteamientos políticos, en la actitud pasiva del Ejército. Como afirma certeramente Raymond Carr:

«Ni Berenguer ni Sanjurjo, Director de la Guardia Civil –que en 1932 encabezaría el pronunciamiento del 10 de agosto–, creyeron que se podía emplear el Ejército contra un tumulto republicano en las calles... Su abstención dejó a la Monarquía sin defensas.»

Lo confirma Romanones en su libro «Historia de cuatro días»:

«Me dirigí al General (Sanjurjo) y le dije:

–Hasta hoy ha respondido usted de la Guardia Civil; ¿podrá hacer lo mismo cuando mañana se conozca la voluntad del país?

Sanjurjo bajó la cabeza. Con esto, la última esperanza quedaba desvanecida.»

Pero Sanjurjo hizo algo más aún, que resulta exponente decisivo para entender la actitud generalizada de los mandos del Ejército.

Hacia las once de la mañana del día 14 de abril, el General Sanjurjo se personó en casa de Miguel Maura, vestido de paisano, y se le presentó diciendo:

«A las órdenes de usted, señor ministro.»

Como señala Maura, «a partir de ese momento, consideramos, como es lógico, plenamente ganada la batalla».

No es extraño, por ello, que cuando, requerido por el Gobierno republicano, acude a Gobernación y es preguntado por los periodistas sobre cuál es su actitud y la de la Guardia Civil, Sanjurjo conteste:

«Vamos a actuar con el Gobierno constituido.»

La abundante y densa documentación sobre el tránsito de uno a otro régimen me releva aquí de extenderme más ampliamente en el episodio. Si lo he hecho con algún detalle, es para subrayar la razón que asistía a José Antonio cuando afirmó, en su discurso del 19 de mayo de 1935, en el cine Madrid:

«Cuando llega Carlos IV la Monarquía ya no es más que un simulacro sin sustancia... el pueblo español no entendía este simulacro de la Monarquía sin Poder; por eso, el 14 de abril de 1931, aquel simulacro cayó de su sitio sin que entrase en lucha siquiera un piquete de alabarderos.»

Evidentemente, el juicio es duro. Pero no hay en él más que razones objetivas para establecerlo. Porque, efectivamente, así fue como ocurrió. Cuando Alfonso XIII abandona el palacio, la custodia de éste es asumida por los miembros de la nueva Guardia Nacional Republicana, que, con brazalete rojo como distintivo, comienzan a prestar servicio, sin que proteste ni un solo alabardero.

Pese a cuanto afirma Juan Ignacio Luca de Tena en su libro «Mis amigos muertos», a José Antonio no le movió ningún género de «resentimiento» con el Rey. Contrariamente, José Antonio afirma «sus mil motivos sentimentales de afecto», que demostraría, además, con su propia conducta, en la jornada abandonista del 15 de abril de 1931.

Cuando la Reina va camino de El Escorial, para alcanzar el tren que la conduciría a Francia exiliada con toda su familia, se detiene unos momentos en Galapagar para despedirse de sus escasísimos acompañantes. Entre ellos están José Antonio y su hermana Carmen. Miguel y Pilar, que también acuden a despedir a la Reina, lo hacen en la estación de El Escorial, en donde están el Conde de Romanones y el General Sanjurjo.

Esta es la única aparición pública, aunque fugaz, de José Antonio por aquellas fechas.

Dos semanas antes, su nombre signaba, como queda dicho, un par de artículos polémicos en réplica al General Burguete. Pero la proclamación de la República, lejos de mantenerle en el incógnito, va a lanzar a José Antonio, definitivamente, al campo de la política.

II PARTE

DE LA REPUBLICA AL FRENTE POPULAR

23. Proclamación de la República

La proclamación de la II República, en medio del jolgorio popular, tuvo también acentos histriónicos. Todo el relato que ofrece en su libro Miguel Maura está sazonado, sin que él lo pretenda, de detalles que ilustran al lector objetivo sobre el abandono de la autoridad por parte de los monárquicos, pero, igualmente, sobre idéntica falta de control por parte de los nuevos flamantes titulares del Poder republicano.

Ni siquiera el esfuerzo realizado por el propio Maura desde el caserón de la Puerta del Sol durante la tarde y la noche en que se produjo el cambio de régimen fue suficiente para dirigir la marcha de los acontecimientos. El desbordamiento fue notorio, y puede afirmarse, con rigor, que en las más de las provincias los presuntos dirigentes fueron arrastrados por la fuerza de los hechos.

Evidentemente, el triunfo republicano en las grandes capitales de provincia sorprendió a los monárquicos, pero no menos sorprendente fue para los miembros del Comité Republicano la debilidad y derrotismo con que acogieron los resultados de los comicios los representantes del Gobierno monárquico. La clara diferencia que cabe establecer en aquel momento histórico, entre una y otra fuerza, es que, mientras el resultado de las actas movió a los monárquicos a un entreguismo fatalista que desembocó en el exilio real, en los republicanos alentó su moral de victoria y les llevó, en sucesivos golpes de audacia, a constituirse en Gobierno provisional.

No hubo cambio formal de poderes ni podía haberlo en aquellas circunstancias. La proclamación de la República no fue un acto formal y único celebrado con todos los honores del protocolo en la capital de la nación. Fue una serie espontánea de decisiones populares, de iniciativa municipal en muchos casos. Lo describe el propio Maura cuando señala que «la primera ciudad que proclamó la República fue Eibar, que, a las siete de la mañana del 14, izó la bandera tricolor en el Ayuntamiento, y, en solemne sesión municipal, su alcalde proclamó el nuevo régimen». Otro tanto hicieron, sin mayor control gubernamental, durante aquella mañana, Valencia, Sevilla, Oviedo y Zaragoza.

No hubo la menor reacción monárquica.

Cuando Miguel Maura, desde el Ministerio, se pone al habla con los gobernadores civiles de la Monarquía, sólo uno se resiste a deponer el mando, para ceder, inmediatamente, ante la primera rociada de amenazas.

El desmadre inicial se pone de manifiesto en Barcelona. Maura llama por teléfono al Gobierno Civil de la Ciudad Condal para preguntar por Emiliano Iglesias, amigo de Lerroux y presunto personaje que había de hacerse cargo en los primeros momentos del control gubernamental. Le contestan al otro lado del teléfono con palabras desabridas:

«No hay Emiliano que valga. A Emiliano lo hemos arrastrado. Aquí es la F.A.I. que es la que manda. ¡Viva la anarquía!»

Naturalmente, el cómico episodio fue superado. Pero Maura tuvo que movilizar para ello al General López Ochoa, Capitán General de Cataluña.

El día 15 de abril, miércoles, al tiempo que sale de la capital la familia real –el Rey ya está a punto de desembarcar en Marsella–, la «Gaceta de Madrid» publica las siguientes disposiciones:

«Decreto del comité político, nombrando Presidente del Gobierno provisional de la República a don Niceto Alcalá-Zamora y Torres.

»Decretos de la Presidencia del Gobierno provisional de la República, nombrando:

»Ministro de Estado, a don Alejandro Lerroux y García

»Ministro de Justicia, a don Fernando de los Ríos Urruti

»Ministro de la Guerra, a don Manuel Azaña Díaz

»Ministro de Marina, a don Santiago Casares Quiroga

»Ministro de la Gobernación, a don Miguel Maura Gamazo

»Ministro de Fomento, a don Alvaro de Albornoz y Limiñana

»Ministro de Trabajo, a don Francisco Largo Caballero.»

Igualmente, el diario oficial establecía por decreto el Estatuto Jurídico del Gobierno.

El Estatuto Jurídico de la República decía así:

«El Gobierno provisional de la República, al recibir los poderes de la voluntad nacional, cumple con un imperioso deber político al afirmar ante España que la conjunción representada por este Gobierno no corresponde a la mera coincidencia negativa de libertar a nuestra Patria de la vieja estructura ahogadiza del viejo régimen monárquico, sino a la positiva convergencia de afirmar la necesidad de establecer como base de la organización del Estado un plexo de normas de justicia necesitadas y anheladas por el país.

El Gobierno provisional, por su carácter transitorio de órgano supremo mediante el cual ha de ejercer las funciones soberanas del Estado, acepta la alta y delicada misión de establecerse como Gobierno de plenos poderes. No ha de formular una carta de derechos ciudadanos, cuya fijación de principios y reglamentación concreta corresponde a la función soberana y creadora de la Asamblea constituyente; mas como la situación de ''pleno poder'' no ha de entrañar ejercicio arbitrario en las actividades del Gobierno, afirma solemnemente, con anterioridad a toda resolución particular y seguro de interpretar lo que demanda la dignidad del Estado y el ciudadano, que somete su actuación a normas jurídicas, las cuales, al condicionar su actividad, habrá de servir para que España y los órganos de autoridad puedan conocer, así los principios directivos en que han de inspirarse los decretos, cuanto las limitaciones que el Gobierno provisional se impone.

En virtud de las razones antedichas, el Gobierno declara:

Primero. Dado el origen democrático de su poder y en razón del responsabilismo en que deben moverse los órganos del Estado, someterá su actuación, colegiada e individual, al discernimiento y sanción de las Cortes Constituyentes —órgano supremo y directo de la voluntad nacional—, llegada la hora de declinar ante ella sus poderes.

Segundo. Para responder a los justos e insatisfechos anhelos de España, el Gobierno provisional adopta como norma depuradora de la estructura del Estado someter inmediatamente, en defensa del interés público, a juicio de responsabilidad, los actos de gestión y autoridad pendientes de examen al ser disuelto el Parlamento en 1923, así como los ulteriores, y abrir expediente de revisión en los organismos oficiales, civiles y militares, a fin de que no resulte consagrada la prevaricación ni acatada la arbitrariedad habitual en el régimen que termina.

Tercero. El Gobierno provisional hace pública su decisión de respetar de manera plena la conciencia individual mediante la libertad de creencias y cultos, sin que el Estado, en momento alguno, pueda pedir al ciudadano revelación de sus convicciones religiosas.

Cuarto. El Gobierno provisional orientará su actividad, no sólo en el acatamiento de la libertad personal y cuanto ha constituido en nuestro régimen constitucional el estatuto de los derechos ciudadanos, sino que aspira a ensancharlos, adoptando garantías de amparo para aquellos derechos y reconociendo como uno de los principios de la moderna dogmática jurídica el de la personalidad sindical y corporativa, base del nuevo derecho social.

Quinto. El Gobierno provisional declara que la propiedad privada queda garantizada por la ley; en consecuencia, no podrá ser expropiada sino por causa de utilidad pública y previa la indemnización correspondiente. Mas este Gobierno, sensible al abandono absoluto en que ha vivido la inmensa masa campesina española, al desinterés de que ha sido objeto la economía agraria del país, y a la incongruencia del derecho que la ordena con los principios que inspiran y deben inspirar las legislaciones actuales, adopta como norma de su actuación el reconocimiento de que el derecho agrario debe responder a la función social de la tierra.

Sexto. El Gobierno provisional, a virtud de las razones que justifican la plenitud de su poder, incurriría en verdadero delito si abandonase la República naciente a quienes desde fuertes posiciones seculares y prevalidos de sus medios, pueden dificultar su consolidación. En consecuencia, el Gobierno provisional podrá someter temporalmente los derechos del párrafo cuarto a un régimen de fiscalización gubernativa, de cuyo uso dará, asimismo, cuenta circunstanciada a las Cortes Constituyentes.

Niceto Alcalá Zamora, Presidente del Gobierno provisional; Alejandro Lerroux, Ministro de Estado; Fernando de los Ríos, Ministro de Justicia; Manuel Azaña, Ministro de la Guerra; Santiago Casares Quiroga, Ministro de Marina; Miguel Maura, Ministro de la Gobernación; Alvaro de Albornoz, Ministro de Fomento; Francisco Largo Caballero, Ministro de Trabajo.»

Y, también con igual rango, estas otras disposiciones:

«Concediendo amnistía a todos los delitos políticos, sociales y de imprenta.

»Declarando el día 15 —fecha en que aparecía la «Gaceta»— fiesta nacional, y disponiendo que en los años sucesivos lo fuera el día 14 de abril.

»Creando el Ministerio de Comunicaciones.

»Nombrando Gobernador Civil de Madrid a don Eduardo Ortega y Gasset.

»Nombrando Subsecretario de la Presidencia del Consejo de Ministros a don Rafael Sánchez Guerra Sainz.

»Nombrando Subsecretario del Ministerio de la Gobernación a don Manuel Ossorio Florit, y

»Nombrando Director General de Seguridad a don Carlos Blanco y Pérez.»

Se ha afirmado, con toda razón, por parte de biógrafos y de historiadores, que la entrada de José Antonio en política, en 1931, fue consecuencia de su amor filial. De hecho, la ardiente defensa de la memoria paterna ante los ataques sistemáticos que se desencadenaron a la caída de la Dictadura no había cesado a lo largo de 1930 ni en los tres primeros meses de 1931. Fidelísimos amigos de la familia mantenían vivo el recuerdo del general, frente a las ofensas y defecciones de algunos de sus antiguos colaboradores; en esta línea, y con ocasión del primer aniversario de la muerte de don Miguel, se había celebrado una sesión necrológica en el teatro de la Comedia, en

Madrid, cedido por su propietario, don Tirso Escudero, amigo de la familia Primo de Rivera.

Cuando, con un mes de retraso, exactamente el 21 de abril, contesta agradecido a don Tirso, José Antonio excusa su tardanza en la correspondencia con palabras que hacen alusión indirecta a los acontecimientos que vive España:

«Hemos pasado unos días de tan poca tranquilidad espiritual, que durante ellos se me han atrasado todas mis obligaciones»...

¿Cómo se traducirían, en la intimidad de su espíritu crítico, esos días de intranquilidad?

Es seguro que su inquietud jurídica analizara en detalle los seis puntos contenidos en el Estatuto Jurídico del nuevo régimen. Y presumible es, igualmente, la lógica prevención con que observaría el propósito republicano de proceder, «inmediatamente, a someter a juicio de responsabilidades los actos de gestión y de autoridad pendientes al ser disuelto el Parlamento por el golpe de Estado de 1923, así como los ulteriores», según se manifestaba en el apartado segundo del Estatuto.

Con evidente exageración, Francisco Bravo supone a José Antonio participante en la alegría del 14 de abril, basándose en la crítica objetiva que haría cuatro años más tarde. Cierto es que no tenía demasiadas razones para sentirse afecto a la política alicorta desplegada por los últimos Gobiernos de la Monarquía. Pero ese segundo apartado revisionista y sectario contenido en el Estatuto republicano tampoco dejaba al primogénito del General Primo de Rivera demasiadas oportunidades para que sintiera entusiasmo por el nuevo régimen.

Sin embargo, José Antonio haría su reaparición pública el 12 de junio de 1931, con un artículo publicado en «La Nación» bajo el título «Lo jurídico. El destino de la República», que es, a un mismo tiempo, crítico y esperanzado.

24. Primera quema de conventos

Se habían producido ya los famosos desmanes del mes de mayo. Con la excusa de un mínimo incidente, que tuvo su origen en el Círculo Monárquico de la calle de Alcalá, grupos incontrolados intentaron asaltar las instalaciones de «ABC», donde un piquete de la Guardia Civil les cerró el paso. En el encuentro, y después de la agresión sufrida por los miembros de la Benemérita, se produjo un tiroteo que arrojó el balance de dos muertos y varios heridos.

La noticia corrió como un reguero de pólvora, y las turbas, encabezadas por agitadores que habían montado su cuartel general en el Ateneo, del que seguía siendo presidente el Ministro Manuel Azaña, se manifestaron ante el edificio de Gobernación. A la mañana siguiente, numerosos conventos madrileños eran víctima de incendiarios y saqueadores. El primero fue el de los Jesuitas de la calle de la Flor, al que siguieron otros muchos establecimientos religiosos, entre ellos, el de los Hermanos de la Doctrina Cristiana, en la barriada de Cuatro Caminos, en donde recibían enseñanza miles de niños, hijos de obreros.

Estos sucesos, que coincidieron con la reunión del Consejo de Ministros presidido por Alcalá Zamora, pusieron de manifiesto la demagogia y la falta de autoridad del Gabinete provisional. Miguel Maura ha descrito en detalle los incidentes vividos por el Gobierno durante la jornada. Por más que Maura eche balones fuera, achacando a la actitud de los demás compañeros de Gobierno la falta de decisión, no cabe duda de que la lenidad con que se produjo el Gobierno alcanza en su responsabilidad a todos sus componentes. La frase de Manuel Azaña: «Todos los conventos de Madrid no valen la vida de un republicano» refleja el talante sectario que animaba a los dirigentes supremos de la II República, y solamente puede emparejarse, como muestra de antijuridicidad, con aquella otra pronunciada por el mismo personaje cuando los sucesos de Casas Viejas.

El motín madrileño, aireado por la prensa de la capital y la de provincias, tuvo repercusión en otras grandes poblaciones, «estimuladas» por el ejemplo. Sevilla, Valencia, Málaga y San Sebastián sufrieron los embates de la violencia de las turbas, que demostraban así, en unos casos, su adhesión al laicismo del Gobierno, y en otros —como en Sevilla y San Sebastián, donde los sucesos tuvieron inspiración anarcosindicalista—, su oposición revolucionaria a la política burguesa representada por los flamantes miembros del Gobierno provisional. En cualquier caso, la II República quedaba desbordada, prácticamente desde su nacimiento, por el ala izquierdista, que en sucesivas intentonas trataría de llevarla hacia la instauración de un régimen revolucionario marxista.

En Sevilla, la algarada cosechó un importante balance de muertos, y otro tanto aconteció con San Sebastián. En una y otra provincia el motín tenía un marcado acento social, más que político, y sus protagonistas eran de extracción anarquista, con lo que se confirmaba la enemistad que existió siempre entre los anarcosindicalistas y la coalición burguesa, republicana y socialista, detentadora del Poder.

En Málaga, la jornada del 12 de mayo provocó un balance expresivo: veintidós iglesias y conventos fueron pasto de las llamas, entre el jolgorio de las turbas presididas por los Gobernadores Civil y Militar de la provincia, que quisieron, con su presencia, dar ejemplo de ciudadanía republicana a las masas desmandadas.

Según quedó demostrado entonces y ratificó después Enrique Castro Delgado —que fue activo fundador del V Regimiento, base del Ejército rojo, en el Madrid sitiado de 1936—, los sucesos fueron alentados por elementos del Partido Comunista, prácticamente desconocidos entonces, pero cuyos militantes estaban perfectamente instruidos en la técnica revolucionaria.

Figura destacada en el motín —pese a lo cual fue recibido con abrazos gubernamentales en el caserón de Gobernación— fue el mecánico Rada, quien había acompañado a Ramón Franco, Ruiz de Alda y Durán en el histórico vuelo del «Plus Ultra», y que era militante comunista.

Pese a la sordina que pusieron los dirigentes del Gobierno a todos estos acontecimientos luctuosos, en los que el número de víctimas, entre revoltosos y agentes de orden público, superó los dos centenares, incluidos muertos y heridos, los hechos trascendieron a la opinión pública, marcaron indeleblemente al Gobierno provisional y prestaron acento de falsedad a las hipócritas palabras que pronunciaría, dos meses más tarde, el Presidente de la República ante las Cortes Constituyentes, cuando, con vistas a la galería, afirmó:

«Os entregamos la República con las manos limpias de sangre y de codicia.»

Para don Niceto, al parecer, la sangre del medio centenar de obreros y guardias muertos en Madrid, Sevilla y San Sebastián no manchaba las manos de la República.

Después de un amago de dimisión del ministro Miguel Maura, responsable de Gobernación, la situación se resolvió con la proclamación del «estado de guerra»

—medida desorbitada para algunos—, cuyo bando fue leído en Madrid, personalmente, por don Gonzalo Queipo de Llano, Capitán General de la I Región. Lejos de juzgar a los responsables de los desmanes, allí donde era conocida su personalidad, el Gobierno republicano se limitó a incoar una serie de procesos, que fueron sobreseídos por la autoridad judicial, encarcelando a los directivos del Círculo Monárquico y al director de «ABC», Juan Ignacio Luca de Tena, quien permaneció en prisión durante varios meses sin que mediara sentencia.

También se produjo un retoque en el cuadro de las autoridades republicanas. Fueron removidos diversos gobernadores, entre ellos el de Málaga, y destituido el Director General de Seguridad, don Carlos Blanco, a quien nombran Presidente del Consejo de Estado, y que fue sustituido por Angel Galarza, militante socialista, hasta entonces titular de la Fiscalía de la República, quien acabaría su triste carrera de sayón como chequista en el Madrid rojo.

Su presencia al frente de la Dirección General de Seguridad abriría un período de persecuciones políticas en las que se aplicaría, a troche y moche, el apartado sexto del Estatuto Jurídico de la República, que era, dentro del Estatuto, la más arbitraria y antijurídica de sus disposiciones, pues en su virtud se establecía, como hemos visto, que el Gobierno se reservaba la facultad de someter los derechos ciudadanos a un régimen de fiscalización previa, dando cuenta de ellos a las Cortes en su día.

El confinamiento carcelario de Luca de Tena durante meses, sin que existiera ninguna sentencia judicial condenatoria, constituye un ejemplo de las posibilidades que encerraba el tal apartado estatutario, verdadera disposición dictatorial, cuya antijuridicidad quedaría de manifiesto en ocasiones posteriores, como la que llevó a los sótanos de Gobernación al propio José Antonio el 11 de noviembre de aquel mismo año, por orden personal de Galarza.

Hay que hacer, necesariamente, esta narración retrospectiva para comprender en su integridad los ricos matices jurídicos y políticos contenidos en el artículo publicado por José Antonio en «La Nación». Su título, como hemos visto, encierra, condensada, la intencionalidad que guía a su autor, quien usa, junto al irreprochable razonamiento jurídico-político, una sutil carga, apenas apreciable, de sarcasmo.

En él, inicia su exposición con la crítica del viejo régimen, cuyos perfiles acentúa, para desembocar, después de referirse a la Dictadura, en su verdadero objetivo: la denuncia de las arbitrariedades asumidas por la República, en un tono agridulce que deja abierto al final un portillo a la esperanza.

«Desde el punto de vista del derecho público —expone José Antonio—, la realidad española anterior al presente régimen se caracteriza por esto: España era un país sin verdadero estatuto jurídico, un país gobernado por el arbitrio personal. En el cacique de pueblo empezaba y en el jefe de grupo parlamentario concluía toda una escala de dictadores, para quienes la pericia en esquivar el cumplimiento de las leyes era el mejor timbre de aptitud»...

«La Dictadura no fue, pues, un régimen de excepción; fue un período más de Gobierno personal. Con la diferencia de que los demás gobiernos usaban siempre el arbitrio en algún provecho particular: de familia, de partido o de clase, y, además, se enmascaraban con la vestidura de regímenes jurídicos, mientras que la Dictadura se dejó guiar, únicamente, por la aspiración al bien público, y, además, proclamó con lealtad su propósito de proceder extralegalmente, recurso quirúrgico que estimó indispensable para remediar la descomposición a su advenimiento»...

Finalmente, se extiende José Antonio en consideraciones sobre la República, en términos que encierran ya el germen de lo que sería, cuatro años después, su gran juicio crítico:

«El 14 de abril último ha triunfado en España una revolución "liberal". Esto parecería absurdo en cualquier otro país. Pero es lógico en el nuestro, porque aquí, como viene diciéndose desde el principio de este trabajo, aún no habíamos ganado, efectivamente, nuestro estatuto de derechos públicos. Los españoles veníamos gobernados por el arbitrio personal, unas veces mejor y otras peor, pero arbitrio siempre. Así, pues, la conquista del derecho público no era todavía en España un anacronismo.

»Por eso, nada, probablemente, arrastró mayor número de adhesiones a la República que el manifiesto de los señores Ortega y Gasset, Pérez de Ayala y Marañón. Aquellas promesas de una legalidad ágil y transparente (éstas eran, más o menos, las palabras) en otro país habrían sonado a trasnochada ingenuidad, pero en el nuestro sonaban a esperanza. De seguro que cuantos votaron la República influidos por aquella alocución, lo hicieron con el afán, más o menos preciso en su pensamiento, de alcanzar para España la característica de los pueblos civilizados: aquellos pueblos que se rigen por un estatuto jurídico, protector, para cada ciudadano, contra toda sorpresa y todo abuso de Poder.

»¡Este era el destino de la República! Porque claro está que no faltan energúmenos para quienes la misión de la República consiste en ensangrentarse con venganzas. Pero ese consejo no vendrá del lado de los mejores. El aplicar la ley, por dura que sea, es una operación jurídica. El salirse de la ley, aunque sea a estímulos de la cólera popular (agitada artificialmente por unos cuantos periódicos descalificados), es antijurídico, arbitrario; es decir, característico, con mayor gravedad, de lo que representaba el antiguo régimen, y contradictorio de lo que se nos prometió como auténtico destino de la República.»

Como puede apreciarse, la alusión es directa. España ha visto ya, durante el mes de mayo, luctuosos acontecimientos, en los que ha puesto en evidencia, junto a la debilidad de las autoridades republicanas, su sectarismo burgués, su espíritu antisocial y su desprecio por la norma legal. De ahí que José Antonio arremeta, en la última parte de su artículo, con singular brío:

«Si nos halláramos ante una revolución social, serían lógicos, aunque siguieran siendo detestables, los Tribunales de salvación y las penas arbitrarias. Pero nos hallamos ante una revolución jurídica, cuyas promesas en el orden social están lejos de ser revolucionarias; como jurídica ha comparecido la República, y solamente se explica por su juridicidad. ¡Ay de ella si falta a su auténtico destino y se deja arrastrar por los energúmenos!

»Como se está dejando arrastrar en casi todo. Porque, en verdad, puede afirmarse que nunca ha llegado ningún poder arbitrario español a lo que la República ha hecho en dos meses de vida. Jamás se han respetado menos los derechos individuales, ni han sido menos previsibles las consecuencias jurídicas de nuestros actos: prisiones gubernativas, espionajes, delaciones, violación de secretos, suspensión de periódicos, persecuciones políticas, disolución de Tribunales se han prodigado con abundancia desconocida. Nunca el estatuto jurídico de cada español ha sido muralla más frágil que ahora. Ni el principio de retroactividad de las normas se respeta. Nadie sabe los derechos que tendrá al día siguiente. Vivimos en una dictadura que ni aún se justifica por la necesidad de vencer fuertes movimientos reaccionarios: la masa monárquica de ningún país aceptó la República con más tranquila resignación que la española. ¿Para qué, entonces, esto?»

Y añade, como una premonición:

«El Gobierno de la República, y después las Cortes Constituyentes, pueden seguir atropellando a los adversarios; podrán, incluso, saltar por encima de las leyes y entregar injustamente cabezas a la cólera popular, como han dicho unas palabras recientes e insensatas. Todo eso le granjeará aplausos turbulentos. Lo aplaudirán aquellas gentes, totalmente faltas de sensibilidad jurídica y de elegancia espiritual, para quienes la tiranía no es por sí misma odiosa, sino sólo cuando es ejercitada por los adversarios; esas que propenden a producir rencorosos tiranuelos en cuanto cae en sus manos una brizna de Poder. Para el aplauso de los tales habrá sacrificado la República su verdadero destino. Los españoles capaces de percibirlo (los únicos cuya opinión importa, en suma) se hallarán, como siempre, sin estatuto jurídico, entregados al arbitrio de los dictadores. Ahora son otros, y otros, por consiguiente, los perseguidos. Por eso, ¿qué más da? Renacerá la desconfianza en el Poder de los propios derechos y volverá la adhesión cobarde y socarrona de los caciques de turno. En una palabra: la revolución del 14 de abril habrá malogrado su destino: ¿Podrá, en plena fiebre, improvisarse otro?

»De todos modos, el que se improvise no tendrá la belleza del primero, del que aún puede cumplir, el único que, acaso, pudiera, en parte, consolarnos a todos de la pérdida de tantas cosas.»

El alegato es irreprochable. ¿No convendrá meditar sobre él, no sólo para entender cabalmente lo que significó el fenómeno republicano desde su nacimiento, sino para extraer, de su contexto, lo que contiene de valor permanente y, por tanto, ejemplar para nuestro presente y, acaso, para nuestro futuro?

25. Candidato a las Constituyentes

Unos días antes de la aparición de este artículo, la «Gaceta de Madrid» había publicado la convocatoria para las Cortes Constituyentes. La Cámara, según el texto convocante, sería única y elegida por sufragio popular directo, y habrían de reunirse «para la organización de la República, en el Palacio del Congreso, el día 14 de julio». El segundo de los tres artículos que contenía la disposición oficial convocando las elecciones a diputados señalaba que «las Cortes se declaran investidas con el más amplio poder constituyente y legislativo. Ante ellas, tan pronto queden constituidas, resignará sus poderes el Gobierno provisional de la República, y sea cual fuere el acuerdo de las Cortes, dará cuenta de sus actos. A las mismas corresponderá, ínterin no esté en vigor la nueva Constitución, nombrar y separar libremente la persona que haya de ejercer con la Jefatura provisional del Estado, la Presidencia del Poder Ejecutivo». En el artículo tercero y final se disponía que las elecciones se celebrarían el 28 de junio, en primera vuelta, y el 5 de julio, en segunda.

Celebrados los comicios, con abstención destacada de los sectores conservadores y antirrepublicanos, ocuparon la mayoría, con 116 escaños, los diputados socialistas, a quienes seguían, en número, 90 diputados radicales y 56 radical socialistas. Los anarquistas figuraban con 14 diputados; había un solo monárquico y ningún comunista.

Cuando, en septiembre, se produjo en Madrid una vacante de diputado, José Antonio, estimulado por amigos y seguidores, decidió presentarse como candidato. La experiencia le sería de gran valor. Su bufete de abogado en la calle de Los Madrazo quedó convertido en oficina electoral, y, como proclama, lanzó a la opinión pública un manifiesto en el que, bajo el título: «Por una sagrada memoria. ¡Hay que oír a los acusados!», se razonaban los motivos, más filiales que políticos, que le llevaban a aspirar a un puesto en las Cortes.

Salvo este inicial manifiesto, José Antonio no tuvo mayor apoyatura publicitaria que una entrevista realizada por Luis Muñoz Lorente, el 30 de septiembre, en «La Nación», y dos artículos, ciertamente desafortunados, publicados, a título de comentario, en «ABC». En la entrevista con Muñoz Lorente, José Antonio cuidó muy bien de precisar su independencia y su finalidad concreta: «Me limitaré a defender a los que, al parecer, no encuentran defensores», afirma. «Si mi padre no hubiera sido Jefe de Gobierno, yo nunca me dedicaría a la política. Mi independencia tiene que ser constante y absoluta.» Repetía, así, algo que había manifestado ya en su llamamiento electoral: «No me presento a la elección ni por vanidad ni por gusto de la política, que cada instante me atrae menos. Porque no me atraía, pasé los seis años de la Dictadura sin asomarme ni a un ministerio ni actuar en público de ninguna manera. Bien sabe Dios que mi vocación está entre mis libros, y que el apartarme de ellos, para lanzarme momentáneamente al vértigo punzante de la política, me cuesta verdadero dolor. Pero sería cobarde o insensible si durmiera tranquilo mientras en las Cortes, ante el pueblo, se siguen lanzando acusaciones contra la memoria sagrada de mi padre.»

Frente al candidato Primo de Rivera, la prensa izquierdista se lanzó a una intensa campaña. Como candidato republicano, los sectores gubernamentales movilizaron a una figura venerable, intelectual prestigioso y republicano tradicional: don Bartolomé Manuel de Cossío, que había sido aspirante a la Presidencia de la propia República.

En sus «Memorias políticas y de guerra», don Manuel Azaña cita, de paso, el episodio electoral. Después de aludir a la sesión parlamentaria del 1 de octubre de 1931, dice: «La sesión ha continuado por la noche. No he asistido, porque a la misma hora teníamos una reunión para organizar la elección del domingo y evitar que Cossío tenga una votación poco airosa; del triunfo no duda nadie. Han asistido Besteiro, Cordero, el alcalde, Bello, Sánchez Román, Tapia, Ovejero (que por fortuna no ha dicho nada, limitándose a ponerse la mano en la oreja para oír mejor) y algunos más. Bello ha redactado un breve manifiesto. Se han hecho carteles y pasquines. Se ha averiguado que apenas teníamos intervención en los colegios electorales, y que sólo había disponibles cuatro o cinco mil pesetas para una elección que costará sesenta mil.»

Con sarcasmo, Azaña apostilla: «Y todo esto en la noche de un jueves, cuando la votación es el domingo.»

Como se desprende de la descripción que hace el entonces Ministro de la Guerra, tampoco andaban muy diligentes los mandatarios republicanos en la organización de las elecciones. No obstante, —y eso queda claro en la anotación de Azaña— contaban con el peso del poder gubernamental y de ahí la seguridad con que se expresa el memorialista: «del triunfo no duda nadie.»

El hecho de que frente a la candidatura de José Antonio, hubieran de alinearse hombres de la talla política e intelectual de Besteiro, Sánchez Román, Ovejero y el propio Azaña, como estado mayor de la candidatura de don Bartolomé Cossío, muestra, por otra parte, la preocupación gubernamental por la candidatura presentada por José Antonio.

(Manuel Azaña. «Memorias políticas y de guerra», pág. 314. Editorial Afrodisio Aguado, 1976.)

Y, por primera vez, el Partido Comunista acudía a las urnas con un candidato propio, José Bullejos, decisión que servía al partido como plataforma propagandista y como recuento de fuerzas.

José Bullejos fue expulsado del Partido Comunista un año después, en septiembre de 1932. Lo cuenta Manuel Tagüeña, quien, con carácter retrospectivo dice: «En septiembre de 1932 había sido expulsado del partido el "grupo traidor": Bullejos, Adame, Trilla y Vega...»

(José Tagüeña Lacorte. «Testimonio de dos guerras», página 34. Editorial Planeta, 1978.)

La falta de apoyo de los sectores reaccionarios, que masivamente se abstuvieron; la limitada perspectiva de sus aspiraciones —nobles, pero impolíticas—, y la movilización general, tanto de los resortes del Poder, como de la conjunción republicano-socialista, hicieron lógica la derrota electoral de José Antonio. El recuento de votos ofrece, sin embargo, un muestreo expresivo de posibilidades futuras. Pese a los setenta y dos mil electores que no acudieron a las urnas, José Antonio alcanzó veintiocho mil votos. Cossío, que resultó elegido, alcanzó cincuenta y seis mil, es decir, el doble de votos que el hijo del Dictador. Y sólo seis mil madrileños, en cerrada y disciplinada concurrencia, votaron al candidato comunista.

El Gobierno de la República, que, según su Ministro de la Gobernación, al convocar las Constituyentes mantendría «una neutralidad absoluta en la contienda electoral», prohibió, no obstante, la radiodifusión de un mensaje de José Antonio, que hubiera tenido, posiblemente, una doble incidencia electoral, y que hubiera deshecho algunos equívocos alentados por igual desde los sectores reaccionarios y desde los izquierdistas. En este mensaje José Antonio reiteraba: «No hay en mi manifiesto una sola palabra de provocación contra la República, ni es la misión de combatirla lo que me llama a las Cortes. Claramente lo he dicho: si aspiro al acta es para recoger el papel vacante de defensor en el proceso histórico de responsabilidades.»

Este mensaje, pese a la prohibición gubernamental para difundirlo, salió a la luz en «La Nación» en la víspera electoral, cuando prácticamente no servía ya de nada.

Pese al fracaso electoral, y pese a su resistencia a sentirse atraído por el señuelo de la política, José Antonio quedó irremediablemente enzarzado entre sus tentáculos.

El nobilísimo impulso filial que le movió a la contienda electoral sería sustituido por una conciencia reformadora creciente, a la que contribuirían, en grado importante, tanto su inquietud intelectual como su sentido del deber ante el carácter suicida que tomaba el radical enfrentamiento político y social que dividía a los españoles.

De otra parte, la concurrencia de José Antonio Primo de Rivera a las elecciones por Madrid, y el significativo resultado que había obtenido alarmaron a los grupos socialistas. José Antonio cosechaba, por aquel tiempo, constantes triunfos profesionales, y hasta él se acercaban figuras señeras del Foro que buscan su amistad y no disimulan su admiración por el joven letrado. Todo este movimiento de atención hacia el hijo del General Primo de Rivera, cuya personalidad lucía con creciente brillo propio, era causa de inquietud para las nada tranquilas conciencias de los dirigentes socialistas. Esta fobia, y la arbitrariedad con que éstos administraban el poder, quedarían, una vez más, de manifiesto cuando, el 11 de noviembre, los agentes de Angel Galarza, Director General de Seguridad, socialista, llegan durante la madrugada hasta el domicilio de José Antonio, en el barrio de Chamartín, y le trasladan hasta el recinto de la calle

Víctor Hugo, donde le mantienen incomunicado durante veinte horas, dejándole en libertad a continuación, sin explicación alguna sobre las causas del arresto. ¿Se hallarían éstas en su reciente —aunque relativo— éxito electoral? ¿Respondería al contenido crítico de aquel formidable artículo sobre el destino jurídico de la República, en el que, aunque abierto a la esperanza, vaticinaba ya su futuro arbitrario y dictatorial?

Cualquiera que fuera el impulso que guiara al Director de Seguridad a ordenar la detención de José Antonio —cuyas incidencias describió, con ironía y humor, el propio interesado, en un artículo publicado en «La Nación» el día 12 de noviembre—, lo cierto es que con aquel atropello se iniciaba una persecución antijurídica que se cancelaría en Alicante, ante el pelotón de fusilamiento. La excusa oficiosa, difundida por algunos periódicos, tras la que se trataba de justificar el aparatoso arresto —intervinieron en él numerosos policías— fue rechazada enérgicamente por José Antonio, en nota también publicada en «La Nación»:

«Después de pasar veinte horas incomunicado y sin que nadie me tomase declaración alguna, he llegado a saber lo que varios periódicos consideran motivo de mi detención. Al parecer, entre un sacerdote, un comandante y yo tratábamos, sin más ni más, de restaurar la Monarquía.» La ridícula imputación la rechaza con palabras rotundas:

«Ejerzo una carrera en la que se exigen ciertas condiciones de inteligencia y sensatez, y me corre prisa sacudirme la imputación de semejante bufonada. No sólo por consideración a mí mismo, sino aun para tranquilidad de muchas personas que me tienen confiados sus intereses y por respeto a los miles de electores que recientemente me honraron con su voto, sin duda, porque no me consideraban insensato.

»Tendré la opinión que tenga sobre el actual Gobierno —concluye—. Incluso me reservo el derecho a combatirlo. Lo que no es compatible con mi formación profesional, con mi apellido, con la estimación social que me rodea y con la seriedad en que trato de inspirar mis actos es la participación en conspiraciones de sainete.»

En el diario escrito por don Manuel Azaña aparecen referencias al «complot» en las anotaciones correspondientes a los días 13 y 16 de noviembre. Son singularmente esclarecedoras y dan la razón a José Antonio cuando califica al «complot», en el que se le atribuía participación, como «conspiraciones de sainete».

En ninguna de las referencias de Azaña en su diario figura el nombre de José Antonio. Hay una alusión genérica a los supuestos participantes: «Complicados están unos aristócratas, militares retirados, un fraile, un abogado (Sol) y no sé quien más...», dice Azaña. Por uno u otro motivo, a lo largo de sus apuntaciones cita al diputado Oreja Elósegui, tradicionalista, que había de morir asesinado años más tarde y que sería padre del ex ministro Marcelino Oreja. Igualmente, incluye los nombres de algunos militares, como el Comandante Eli Tella, el también Comandante retirado Rosales, antiguo ayudante de Orgaz, y el Capitán o Comandante —Azaña no sabe el grado exacto que le corresponde— Méndez Vigo. Igualmente, alude a las sospechas, nacidas de las declaraciones de algunos detenidos, de que los conspiradores contaban con Sanjurjo y Goded y que también sonaba Millán Astray. Finalmente cita al Marqués de Albaida como uno de los presos, a quien se supone tesorero del comité conspirador. Pero, insisto, de José Antonio Primo de Rivera no dice ni una palabra.

Que todo era una tramoya política, lo evidencia el propio Azaña al decir: «Galarza, a fuerza de intempestivas declaraciones a la prensa, contribuye, para su lucimiento personal, a dar más bulto a los nonatos sucesos.»

Por otra parte, en su anotación correspondiente al 16 de noviembre, refiriéndose de nuevo al supuesto complot, Azaña escribe: «Ahora, algunas de las decla-

raciones ante la Policía afirman que no se trata de un complot monárquico, sino que iba dirigido a implantar una República de orden.» *(El subrayado es del propio Azaña.)*

¿Y quién o quiénes estaban detrás del proyecto? Don Manuel no formula acusaciones concretas, pero sugiere, a través de sus anotaciones, que era Lerroux quien estaba en la cumbre de la intriga. Así, al menos, cabe interpretar esta nota: «Hace tiempo, Azpiazu, coronel retirado, íntimo de Pepe *(se refiere a Sanjurjo) y diputado radical, reunió a comer en Alcalá a Sanjurjo y su querida con Galarza. Azpiazu, como de pasada, le dijo a Galarza que le convenía encontrarse con Lerroux en París, en uno de sus viajes a Ginebra, para hablar libremente con él y* orientarse *acerca del porvenir político.»*

Azaña subraya con letra bastardilla la palabra orientarse. *¿Sugiere que Azpiazu invitaba a Galarza —Director General de Seguridad a entrar en el supuesto «complot»? ¿O, en forma más sutil y cabalística da otro valor a la palabra* orientarse *como sinónima de recibir instrucciones masónicas? Sea como fuere, lo que resulta cierto es que la nota de Azaña apunta a don Alejandro Lerroux como posible urdidor del complot, con lo que aún queda más evidente la injusticia de la detención arbitraria sufrida por José Antonio.*

(Manuel Azaña. «Memorias políticas y de guerra», páginas 454, 455, 456 y 463. Editorial Afrodisio Aguado, 1976.)

Esta preocupación de la autoridad republicana en considerar a José Antonio partícipe en cuantos «complots», reales o imaginarios, se urdían para derribar el régimen, llegó a hacerse obsesiva.

26. Plenitud profesional

Tras el mínimo paréntesis de su detención injustificada, José Antonio siguió su absorbente actividad profesional. El año 1932 representa, en este sentido, un verdadero récord de actuaciones forenses. Su actividad como letrado, tanto en procesos civiles como penales y políticos, supuso una verdadera escalada hacia la cumbre de su prestigio como abogado. Entre estos juicios destacan, por su interés jurídico, los seguidos contra José María Cabello Lapiedra, antiguo Gobernador Civil de la Dictadura; contra el magistrado Alvarez Rodríguez; el caso de la herencia de la Marquesa de Bárboles; el caso de la impugnación de honorarios hecha por el procurador señor Balbotín, y, destacadamente, la demanda sobre indemnización civil, interpuesta por don Angel Ossorio y Gallardo, en representación del registrador de la Propiedad don Juan Sánchez Vilches, contra los herederos del General Primo de Rivera y los señores Duque de Tetuán, Conde de Guadalhorce, Callejo, Calvo Sotelo, García de los Reyes, Cornejo, Conde de Andes y Martínez Anido, en la que José Antonio actuó como defensor de sí mismo y de sus hermanos, así como del Duque de Tetuán.

En su informe, José Antonio argumenta, con exquisita precisión, en la que mezcla referencias concretas al Derecho positivo y citas eruditas a la Filosofía del Derecho. Fue una intervención amplia y elogiosamente comentada por los especialistas, y obtuvo glosas importantes en los principales diarios de la época. En «Luz» se resumía la argumentación irreprochable de José Antonio en estos términos:

«El señor Primo de Rivera se opone a la teoría de que cuanto emanara de aquel Poder reputado ilegítimo –la Dictadura– tenga esa tacha de ilegitimidad.

»No importa que el Poder actúe en desacuerdo con el orden jurídico precedente que vino a destruir. Ni la Dictadura ni la República se atuvieron a la legalidad anterior;

pero sus disposiciones, emanadas de la legalidad que el Gobierno triunfante representaba, tienen fuerza de obligar, no son ilegítimos.»

La vista, que tuvo una honda repercusión, tanto por la personalidad de los demandados como por el trasfondo político que conllevaba, adquirió aún mayor resonancia, por ser sustanciada ante el Tribunal Supremo en Pleno.

Tan intensa actividad no impidió a José Antonio alguna pequeña incursión oratoria como conferenciante. Así, su disertación en Jerez de la Frontera, el domingo 28 de febrero de 1932, donde habló sobre el dogma de la soberanía nacional, con estudio detallado de la doctrina de Rousseau, en términos que son precedente, ya, del contenido que había de tener el discurso fundacional de Falange Española. Hay, en el desarrollo del tema, no sólo una lógica coincidencia de concepto, sino, incluso, alguna frase prácticamente literal, como esta:

«Lo justo dejaba de ser una categoría de razón para ser en cada instante una decisión de voluntad.» Apreciación crítica que reiteraría el 29 de octubre de 1933, al enjuiciar el fracaso del liberalismo.

Resonancia especial tuvo, en otro orden, el Consejo de Guerra ante el que tuvieron que comparecer José Antonio, su hermano Miguel y su primo Sancho Dávila, como consecuencia de la causa que se les había abierto, en cuanto que eran Alféreces de Complemento, por agresión de obra a un superior, el General Queipo de Llano. Había tenido éste manifestaciones infamantes por escrito contra un tío de José Antonio y contra el propio Dictador. José Antonio, dispuesto a la defensa del honor familiar, vejado por el general republicano, acudió al café donde éste formaba tertulia y, después de preguntarle si él era autor del escrito, y ante la respuesta afirmativa del general, le propinó un espectacular puñetazo que hizo rodar por el suelo al agredido, entablándose entonces una lucha entre los acompañantes de José Antonio y los acompañantes del general. La vista del Consejo levantó curiosidad, y fueron muchos los que la siguieron con interés. En la sentencia, que fue condenatoria para el primogénito del Dictador y absolutoria para Miguel y para Sancho Dávila, quedaba claro que la pelea se había producido con honorabilidad. Se condenó a José Antonio a la pérdida de su empleo de Alférez, pena mínima establecida en el Código, ya que la agravante de premeditación que se señalaba quedaba compensada por las atenuantes de «arrebato y obcecación y vindicación próxima de una ofensa grave». Con lo que se reconocía, implícitamente, la razón que le asistía.

Este incidente, así resuelto, no impidió, en 1936, que Queipo apoyara los fallidos intentos de liberación de José Antonio ni la activa colaboración de la Falange sevillana con el inquieto general, cabeza del Alzamiento en la capital andaluza.

Félix Maíz transcribe un diálogo habido entre los Generales Mola y Queipo de Llano, durante su entrevista del 23 de junio de 1936, celebrada en el hayedo del Puerto de San Miguelcho, preparatoria del Alzamiento nacional del 18 de julio. Al proponer Mola que Queipo se haga cargo de la dirección del alzamiento en Sevilla, éste dice: «Hecho. A Sevilla iré.» Y añadió sonriendo: «... Yo que había pensado en Valladolid... ahora que soy falangista. Pero... Sevilla y la revolución en el campo, me tiran más»...

¿Hablaba en serio el voluble general? ¿Se había sentido verdaderamente atraído por el pensamiento político de la Falange? La que está probada es su aportación al intento de liberación de José Antonio y su buena relación con la Falange sevillana.

(Félix Maíz. «Mola, aquel hombre. Diario de la conspiración, 1936.» Página 200. Editorial Planeta.)

Embebido por su dedicación profesional, José Antonio participa activamente en el Congreso de Abogados que se celebra en Madrid a primeros de junio. En él interviene, con una ponencia presentada conjuntamente con Luis Filgueira, en la que hace una defensa ardorosa y elocuente de la formación profesional del abogado, en términos de rigor intelectual y exigencia universitaria. Se manifiesta, así, una constante que ya había llevado a sus compañeros de corporación a declararle decano perpetuo en 1931, y que ahora decide a los miembros del Colegio a elegirle, por aclamación, titular de la Comisión de Cultura en la Junta de Gobierno colegial, junto a José María del Sol Jaquotot.

Un golpe militar, de gran impacto político, pese a su limitada extensión, iba a conmover a la opinión pública española en aquel verano caliente de 1932.

Un año antes, las Cortes, ante las que había rendido cuentas el Gobierno provisional, habían iniciado la elaboración constitucional de la naciente República. De ello se encargó una comisión parlamentaria presidida por el socialista Jiménez de Asúa, quien tomó como modelo, entre otras, a la Constitución mejicana de 1917. Como dice Raymond Carr: «A sus creadores les parecía una "Constitución audaz". Para sus adversarios, en cambio, aparecía como "una Constitución de charanga, sin ritmo y sin armonía".»

Pese a sus proclamaciones retóricas –el artículo primero establecía: «España es una República de trabajadores de todas clases»– y sus pujos vanguardistas en lo social –ya que sometía a toda clase de propiedad a la posibilidad de ser objeto de expropiación «para la utilidad social», medida que alarmó a las oligarquías capitalistas–, la ruptura ideológica no iba a producirse por razones político-económicas, sino a causa del artículo 26, que establecía la separación entre Iglesia y Estado, convirtiendo a la Iglesia católica en una asociación religiosa más, sometida a las leyes nacionales, en términos que provocaron repulsa de la gran mayoría católica. En virtud de dicho artículo, fue disuelta en España la Compañía de Jesús, y sus bienes pasaron a propiedad del Estado; se canceló el pago de haberes al clero, y se sometió a las órdenes religiosas al arbitrio del Gobierno, en el que, como subraya Carr, varios ministros eran masones. Este sectarismo que llegó a la prohibición de que las órdenes religiosas impartieran enseñanza y a la retirada del crucifijo de las escuelas públicas, escandalizó e irritó al país, tradicional y mayoritariamente católico, creándose la República, gratuitamente, la enemistad de amplios sectores de opinión, que alinearon sus fuerzas frente al Gobierno socialista y laico.

Medio siglo después, el Partido Socialista instalado en el Poder tras las elecciones del 28 de octubre de 1982, ha puesto en marcha, corregida y aumentada, aquella política republicana de ataque a los valores morales tradicionalmente católicos que han sido sustento de la sociedad española durante casi cuarenta años de franquismo. Nada ha escapado al «rodillo socialista». Y toda la acción desplegada parece buscar la continuidad del camino hacia el marxismo que fue interrumpido por el Alzamiento nacional del 18 de Julio de 1936. La reforma de la Enseñanza, de la Administración, de la Judicatura, del Ejército, de la Medicina; el desarrollo autonómico, la política hacendística y económico social, la despenalización del aborto y la droga, todo cuanto en materia legislativa es promocionado desde el partido gubernamental, no es más que el intento de reanudar la acción política impulsada por las logias que condujo a la II República hacia la radicalización marxista.

Lo paradójico es que la retirada del Crucifijo en las escuelas públicas no ha producido hoy ni siquiera una reacción dialéctica de la jerarquía eclesiástica epis-

copal, que parece atenta y alarmada más por los síntomas que se manifiestan de una posible retirada de las asignaciones presupuestarias generosamente restablecidas por Franco y sobre las que hoy se ciernen nubes tormentosas, que por los ataques directos a los valores morales y religiosos perpetrados por el Gobierno y entidades gubernamentales dominadas por los socialistas.

Por otra parte, la primera expulsión del Crucifijo de un organismo oficial no fue obra de socialistas. La perpetró el Presidente de las Cortes, Antonio Hernández Gil, que mandó quitar el que presidía su despacho en el Congreso de Diputados, cuando el Poder lo ostentaba la Unión de Centro Democrático, de fuerte impregnación democristiana. Como contraste, el Alcalde socialista de Madrid, Enrique Tierno Galván, mantiene el Crucifijo sobre su mesa, sin que ello afecte para nada su agnosticismo religioso ni su dogmatismo marxista. Quizá todo ello no sea sino exponente de la confusión y desmedulamiento que existe en los ámbitos de la decadente política española cuando acabamos de entrar en la segunda mitad de la década de los ochenta.

Otra importante fisura se había producido en la misma base proletaria de la II República. Su análisis es imprescindible para comprender acontecimientos posteriores. Elaborada la Constitución, don Niceto Alcalá Zamora fue elegido Presidente de la República, y Manuel Azaña, Jefe de Gobierno. La permanencia de Largo Caballero en el Ministerio de Trabajo permitió al Partido Socialista, que ya dominaba el Parlamento tras las Constituyentes, el práctico control de las relaciones laborales a través de los jurados mixtos, creados por Largo, y las delegaciones de Trabajo, también de su creación, ocupadas por militantes socialistas.

Este monopolio potenciaba al sindicalismo socialista de la Unión General de Trabajadores (U.G.T.) frente al sindicalismo anarquista de la Confederación Nacional del Trabajo (C.N.T.), agudizando una vieja rivalidad en la que los socialistas, tanto como los anarquistas, no disimulaban su respectiva y mutua aversión. Lo prueba esta declaración expresa del socialista Cordero: «Hay una gran confusión en la mente de muchos camaradas. Creen que el sindicalismo anarquista es un ideal paralelo al nuestro, cuando en realidad es su antítesis absoluta, y creen también que anarquistas y sindicalistas son camaradas nuestros, cuando en realidad son nuestros mayores enemigos.»

Se explicaba así la ambición monopolista de la U.G.T., que durante la Dictadura había gozado de la protección del General Primo de Rivera, quien había encumbrado a Largo Caballero haciéndole Consejero de Estado, en tanto la C.N.T. era sañudamente perseguida.

Este enfrentamiento indisimulado de las dos grandes centrales sindicales proseguiría, unas veces latente y otras abiertamente beligerante, a lo largo de toda la República, y provocaría penosos sucesos en los que el Gobierno republicano-socialista actuaría sin piedad contra sus «mayores enemigos». Castilblanco, Arnedo, Sallent y Tarrasa fueron episodios que evidenciarían esta «guerra sindical», que alcanzaría en 1933, con la masacre de Casas Viejas, una dimensión espeluznante.

27. La «sanjurjada»

Quizá fuera este ambiente de crisis general, y ciertos estímulos políticos un tanto difusos, lo que movió al veterano «León del Rif», como se denominaba al General Sanjurjo, al golpe del 10 de agosto de 1932.

El pronunciamiento tuvo dos focos: Madrid y Sevilla. En la capital de España un grupo de oficiales, teledirigidos por varios generales y acompañado de algunos civiles de significación monárquica, intentaron, en un golpe de audacia, apoderarse del Palacio de Comunicaciones y del Ministerio de la Guerra. El Gobierno, que conocía los planes por diversos conductos –entre ellos, la delación de una prostituta–, rechazó el asalto de los insurrectos, a los que causó numerosas bajas, y detuvo a los supervivientes.

En Sevilla, la sublevación fue dirigida personalmente por el General Sanjurjo, junto a García de la Herrán y otros militares, como el Duque de Sevilla, primo de Alfonso XIII; Martín Alonso, Serrador y Tella. Pese a su éxito inicial en la capital bética, la «sanjurjada» fracasó, tanto por la falta de apoyo de otras guarniciones militares, como por la actitud de rechazo adoptada por las masas proletarias sevillanas que proclamaron la huelga general. Sanjurjo, detenido en la frontera de Portugal, fue condenado a muerte. Conmutada luego la pena capital por la de cadena perpetua, fue trasladado al penal del Dueso. Ciento cuarenta y cuatro rebeldes serían confinados en Villa Cisneros.

En la sublevación de Sanjurjo se ha querido ver, por algunos sectores de la derecha española, un antecedente del Alzamiento del 18 de julio de 1936. Tal pretensión no es rigurosa ni correcta. La coincidencia en la actitud insurreccional de algunos personajes, incluido Sanjurjo, no parece argumento suficiente, dada la diversa estructura y composición de las fuerzas políticas y militares que se alinearon contra el Frente Popular en el hecho decisivo del 18 de julio.

La fiebre persecutoria, que llevó al Gobierno republicano a la suspensión de ciento catorce periódicos en toda España, alcanzó, también, absurdamente, a José Antonio Primo de Rivera y a su hermano Miguel.

Como era costumbre en él, José Antonio pasaba el veraneo en San Sebastián, donde se hallaba desde el 5 de agosto. El día 10 –según cuenta Francisco Bravo; el 9, según manifiesta el propio José Antonio– había marchado a Francia de excursión, y al regreso, entre San Juan de Luz y la frontera, unos gendarmes franceses le pusieron una multa por llevar un faro del coche apagado. Volvió a San Juan de Luz y allí abonó la multa. El día 11, desde San Sebastián, se trasladó a Irún junto a su hermano Miguel, que había llegado procedente de Jerez, para recibir el cadáver de la Duquesa de Fernán Núñez, fallecida en Berlín. Al regresar de la estación –según testimonio de Agustín del Río y de Enrique Pavón Pereyra–, o mientras se bañaban en la playa de Ondarreta –conforme cuenta Francisco Bravo–, la Policía detuvo a los dos hermanos, llevándolos al Gobierno Civil, como presuntos implicados en el complot de Sanjurjo. A los tres días fueron trasladados a Madrid e ingresaron en la Dirección General de Seguridad bajo arresto gubernativo, situación que se prolongó durante varias semanas en la cárcel Modelo, a la que fueron trasladados.

Cuenta Francisco Bravo que cuando José Antonio preguntó la causa de su detención, un policía le respondió:

«Porque, dado su apellido, se cree que esté implicado en la sublevación del 10 de agosto.»

«Es decir, que se me detiene por ser hijo de padre honrado y conocido», replicó José Antonio.

Y, dando suelta a aquella su feroz maestría del sarcasmo –concluye Bravo–, agregó irritado:

«A Angelito Galarza, el director general de esta casa, no le podrían detener nunca por eso.»

Desde la cárcel, en donde se hallaban incomunicados los hermanos, José Antonio eleva, el 19 de agosto, un escrito dirigido al juez especial, en el que dice:

«Los autores de estas líneas eran totalmente ajenos al movimiento. Es absurdo que, estando complicados en él, y dadas su juventud y su significado familiar, hubieran dejado que los colegas de conspiración arrostraran todos los peligros del combate que se desarrolló aquella madrugada, mientras ellos gozaban de su veraneo. Por otra parte, si les quisiera alguien suponer a tal extremo precavidos, era mucho más lógico haber esperado noticias al otro lado de la frontera (uno pasó a Francia la víspera del movimiento; el otro estaba a pocos kilómetros de Gibraltar), que no dejarse prender inocentemente después del fracaso. Además, ni el uno iba a pasar en el tren la noche de los acontecimientos, ni uno ni otro iban a exhibirse al otro día de frustrarse la intentona en sitios tan visibles como el hotel Continental, de San Sebastián, y la estación de Irún durante un traslado fúnebre muy notorio y concurrido. Por último, no dejará de pesar en el ánimo del juzgador esta consideración: don Fernando Primo de Rivera, oficial aviador, hermano de los firmantes, estuvo de guardia en el aeródromo de Getafe en la noche de los sucesos, y ha sido públicamente ensalzado por la puntualidad con que cumplió las órdenes superiores, y es inadmisible que una familia, unida hasta el punto de que todos los hermanos, no obstante ser huérfanos de padre y madre y mayores de edad, viven en la misma casa, se hubieran dividido en dos bandos en trance tan serio como la rebelión del día 10.»

Obsérvese cómo José Antonio, en esta ocasión, no califica de «bufonada» ni «conspiración de sainete» a la sublevación de Sanjurjo –como lo hizo con la supuesta conjura de 1931–, sino que la valora como «trance serio». En ello pesaría la consideración de amistad que tuvo siempre con Sanjurjo, colaborador de su padre desde los primeros momentos.

Lo infundamentado de la prisión lleva al Decano del Colegio de Abogados, Angel Ossorio, hasta las galerías de la Modelo, donde visita a José Antonio, en un gesto de solidaridad profesional. Una vez recuperada su libertad, José Antonio devolvería la visita protocolaria para agradecer su gesto al decano. El comentario de Ossorio y Gallardo trascendió a las gacetillas de la prensa, y saldó, caballerosamente, la vieja insidia lanzada por Ossorio en 1924:

«El hijo de Primo de Rivera es un muchacho verdaderamente amable, correcto e inteligente.»

28. Defensa de Galo Ponte

Incorporado de nuevo a sus tareas forenses en octubre de 1932, participó José Antonio como defensor de don Galo Ponte en la causa seguida contra los ministros de la Dictadura por el Tribunal de Responsabilidades establecido por la República. El enjuiciamiento tuvo por escenario el salón de plenos del antiguo Senado, y se conserva una foto de la época en que se ve a José Antonio en un extremo del banco de abogados, con la mano en la barbilla, en actitud pensativa, rodeado de folios y códigos que examina atentamente.

El informe que desgranó ante el Tribunal de Responsabilidades Políticas de la Dictadura constituye, aún hoy, una de las piezas jurídicas y políticas más importantes de la época, pues en él se contiene no sólo un irreprochable alegato basado en las fuentes más rigurosas del Derecho Constitucional, sino que se vierten importantes conceptos relacionados con la doctrina del Derecho Político, una crítica sustanciosa y definitiva sobre la superada teoría roussoniana expuesta en «El Contrato Social» –que ya había desarrollado en conferencias anteriores, y que perfilaría, con belleza insuperable y convincente argumentación dialéctica, en el discurso fundacional de la Falange– y, finalmente, un análisis profundo de las causas, desarrollo y caída de la Dictadura.

Empieza José Antonio por situar en su verdadera dimensión la naturaleza del Tribunal, y dice: «Sois un Tribunal de políticos. Y conste que al decirlo no me guardo la más lejana intención recusatoria. No sólo os acato sin reservas mentales, sino que os tengo que hablar como a jueces y como a políticos.»

¿No fue esto, también, lo que hizo después, en noviembre de 1936, cuando se enfrentó con el Tribunal Popular que le juzgó y condenó a muerte en Alicante?

Esta actitud permanente de José Antonio, en el reconocimiento de la legalidad emanada del hecho revolucionario, según la más estricta interpretación histórica del Derecho, constituye, además, uno de sus más firmes pilares en la defensa. Por eso, cuando rechaza las acusaciones del fiscal contra don Galo Ponte, pregunta al Tribunal: «¿Pudo don Galo Ponte, nombrado ministro en diciembre de 1925, delinquir contra la Constitución del 76?»

Y afirma, a continuación, con intención inequívoca:

–«Nadie pudo en España delinquir contra la Constitución del 76, porque aquella Constitución no existía; había sido rota, subvertida, derrocada, y una Constitución subvertida es una Constitución definitivamente muerta; las Constituciones no pueden resucitar.»

Aquel argumento tenía que pesar en la conciencia del Tribunal republicano. ¿Qué otra cosa, sino subvertir el orden anterior, había sido el fin inmediato de la II República? Por eso, José Antonio insiste:

–«¿No suena esta tesis en vuestros oídos con familiar autoridad? Debéis reconocerla, porque fue la misma que sostuvieron los revolucionarios españoles contra los últimos Gobiernos de la Monarquía.»

Después de aludir a la doctrina de la unidad en el orden jurídico profesada por la escuela vienesa, que era, en su tiempo, la escuela pura del Derecho, y tras citar a Merkel, Kelsen y Stammler, el abogado defensor pregunta al Tribunal:

–«¿Se atreverá nadie a decir que aún está vigente en Rusia el Derecho zarista porque no ha sido derogado según sus propias normas? Pero no hay que buscar ejemplos remotos; aquí tenemos el de la República española. Nadie puede poner en duda su legitimidad, y, sin embargo, como empecéis a escudriñar en sus orígenes no encontraréis manera de empalmarla con el orden que regía a su advenimiento.»

Recuerda José Antonio, seguidamente, el proceso electoral, el resultado cuantitativo de los comicios municipales y los decretos sucesivos aparecidos en la «Gaceta de Madrid» el 15 de abril: el primero, del comité revolucionario, nombrando Presidente del Gobierno provisional a don Niceto Alcalá Zamora; y el segundo, de éstos, nombrando ministros a los miembros del comité revolucionario. Y, al hilo del razonamiento, prosigue:

«Un legista maniático señalaría en todos estos trámites innumerables vicios de nulidad: el comité revolucionario no era órgano constitucional competente para designar primer magistrado; éste no podría nombrar ministros a aquellos mismos de quienes recibía la autoridad; será nula, por consiguiente, la Constitución del Consejo de Ministros, y nula la convocatoria de Cortes, y nulas las Cortes Constituyentes... ¿Quién podrá, en serio, divertirse con tales cavilaciones? Ved a qué pintorescas salidas lleva ese modo de entender la técnica del Derecho: la República española es jurídicamente inexistente, y como también lo fue –¡qué duda cabe!– la Dictadura, resulta que España sigue siendo una Monarquía constitucional regida por el Código del 76, y el Presidente de su Consejo de Ministros, don Manuel García Prieto. ¿Quién nos lo hubiera dicho cuando vino a declarar aquí la otra mañana?»

No es preciso insistir en la pulcritud dialéctica ni en el lúcido sarcasmo del razonamiento. Y es esencial la tesis –cuyo realismo es tan irreprochable que hoy es aplicada en el reconocimiento diplomático de los países bajo el nombre de doctrina Estrada–, porque explica, igualmente, la legitimidad del 18 de julio con total validez, y mucho más convincentemente que otras retorcidas elucubraciones esgrimidas en el pasado por los sectores participantes de la derecha española. Que no nace de la ilegitimidad de la II República, como pretenden algunos, sino de la legitimidad surgente de todo hecho revolucionario, avalado, además, en este caso, por la irreversibilidad de una victoria guerrera, alcanzada después de tres años de lucha.

Esta tesis, escrupulosamente histórica y jurídica, además de política –no se olvide que la práctica totalidad de los países africanos, la absoluta mayoría de los asiáticos y oceánicos, todos los iberoamericanos y gran parte de los europeos del Este y del Oeste deben su actual legitimidad histórica y política a procesos revolucionarios y bélicos–, no fue entendida por el Rey ni por los seguidores monárquicos de antes y después.

Basten, como muestra, estas dos declaraciones efectuadas por Alfonso XIII en 1931:

«La Monarquía acabó en España por el sufragio, y si alguna vez vuelve ha de ser, asimismo, por la voluntad de los ciudadanos.»

«Mis derechos a la Corona de España pertenecen a mis antepasados y a mis descendientes: no son únicamente míos, y *sólo ante la soberanía nacional representada en las Cortes* pueden resignarse.»

No es necesario, sin embargo, prestar demasiada importancia a las manifestaciones reales, pretendidamente solemnes. La experiencia histórica está plagada de ejemplos demostrativos de la facilidad con que los Monarcas olvidan sus palabras, rompen sus compromisos y juramentos y se desdicen y contradicen empujados por su egoísmo o sus intereses.

En 1911, veinte años antes de que Alfonso XIII hiciera las declaraciones que motivan esta nota, el Rey español había enjuiciado el destronamiento de Manuel II de Portugal con estas terminantes palabras reseñadas por Indalecio Prieto en su libro «Convulsiones de España»: «Podéis estar completamente seguros de que yo, pase lo que pase en España, jamás dejaré mi corona.»

Por otra parte, cuando en 1933, dos años después del advenimiento de la II República, el Infante don Jaime casó con doña Emmanuela Dampierre, Alfonso XIII forzó la voluntad de su heredero para que renunciase por sí y por sus descendientes, pasando la titularidad familiar de sus derechos a la Corona al Infante don Juan, Conde de Barcelona. El acuerdo familiar —apoyado también en la sordomudez de don Jaime— quedó signado en el acta de Fontainebleau, que jamás fue sometida al Parlamento ni, por tanto, autorizada ni respaldada por «la soberanía nacional representada en las Cortes». Parece claro que, desde el punto de vista expresado por Alfonso XIII, la decisión paterno-filial resultaba invalidada por la falta de aprobación parlamentaria, lo que, por razón lógica de los acontecimientos posteriores, también representaría una ilegitimidad de origen en la vigente Monarquía.

Llegado este punto, parece necesario abrir un breve paréntesis reflexivo.

En el ocaso del siglo XX, cuando la inmensa mayoría de las naciones del planeta están regidas por sistemas republicanos y las monarquías subsistentes –incluida la española– lo son, básicamente, en función simbólica y representativa, resulta extemporáneo el empeño de quienes persisten en atribuir un carácter legitimista y patrimonial a la institución. El Estado no puede ser patrimonio privado de nadie, a título personal ni dinástico, sino instrumento orgánico al servicio de la sociedad. La legitimidad de los regímenes políticos, ya sean monarquías o repúblicas, no reside tanto en el origen como en el ejercicio. Y ello es así porque lo que importa no es la forma, sino el contenido del Estado y la virtualidad de éste para servir al hombre.

Era obligado este paréntesis al llegar a este pasaje en el bosquejo biográfico de José Antonio, porque la cuestión optativa Monarquía o República ha sido planteada durante mucho tiempo como disyuntiva determinante de la identidad ideológica falangista.

Quienes así han operado –sin duda, de la mejor buena fe– no han contribuido en nada a clarificar el problema que, antes o después, debe ser resuelto.

La necesaria transformación del Estado, entonces y ahora, no se satisface con la simple modificación de su forma: Monarquía o República. Ha de ser, esencialmente, un cambio de contenido. Un cambio de actitud moral.

Quedó demostrado el 14 de abril de 1931. Se cambió de régimen, pero no de política, y las esperanzas del pueblo español en una transformación radical de su destino quedaron defraudadas.

Y ha quedado en evidencia, también después de 1975, y, sobre todo, a partir de la Constitución de 1978. Advino la Monarquía, sí. Pero, ¿quién en su sano juicio sostendría hoy que es la instaurada por Franco a través de la Ley de Sucesión y demás Leyes Fundamentales del Estado, a las que juró fidelidad el entonces Príncipe y hoy Monarca? ¿Quién se atreverá a establecer diferencias sustanciales entre la política ejercida por la actual Monarquía y la que caracterizó, esterilizándola, a la II República Española?

Ello no obsta para que, siguiendo el pensamiento de José Antonio, de Ramiro y de Onésimo, personalmente entienda que es la República el instrumento idóneo para alcanzar la transformación revolucionaria que propugna la Falange.

Cumplida la aclaración, vuelvo al hilo narrativo.

El informe de José Antonio –que es una de sus actuaciones cumbre, acaso comparable con su propia defensa ante el Tribunal de Alicante– se extiende en consideraciones legales que precisan los límites del proceso.

Combate la teoría roussoniana que «no es aceptada por nadie». Y puntualiza: «No sólo la repudian aquellos movimientos que podríais tachar de retardatarios, sino todos los que prevalecen en el mundo, hasta los de tendencia más revolucionaria; así, el comunismo y el sindicalismo desdeñan el dogma de la soberanía nacional. Y si de los movimientos politicosociales se pasa a las tendencias del pensamiento jurídico, nadie hallará un tratadista contemporáneo que comparta la construcción del "Contrato Social".» «Los nuevos kantianos, por boca de Stammler, oponen: "La mayoría dice relación a la categoría de *cantidad;* la justicia, en cambio, implica *cualidad*"»... «Si la mayoría se halla asistida por la justicia en las causas que representa, es cosa que habrá que ver *en cada caso*», añade José Antonio.

Afirma luego en su largo razonamiento que «el deber de contrariar a veces al pueblo es más apremiante para quienes han asumido por vía revolucionaria la tarea de gobernar». Y sigue: «El pueblo es el beneficiario del Derecho, y el bien del pueblo es el punto de referencia constante para calificar de justos o de injustos cualesquiera normas o actos de poder.»

Rechazadas una a una, con ejemplos, las acusaciones del Tribunal en el orden estrictamente jurídico, pasa José Antonio, seguidamente, a exponer su juicio político personal sobre la Dictadura, reclamando para el General Primo de Rivera, sólo para él, «toda la responsabilidad y todo el honor». Hace la crítica de las familias privilegiadas del antiguo régimen, de su indudable papel en la crisis de la Dictadura; de la leal y esperanzada actitud popular, y recuerda, con palabras que después le serían íntegramente aplicables a él mismo, el paso del cadáver de su padre desde la frontera a Madrid, «entre multitudes que lloraban en silencio, como si el dolor de aquel cortejo fúnebre fuera el dolor de todos».

Analiza, igualmente, la actitud desdeñosa de los intelectuales, y se pregunta: «¿Por culpa sólo suya? ¿Por culpa, en parte, del Dictador?» Y concluye: «De este modo, Primo de Rivera padeció el drama que España reserva a todos sus grandes hombres: *el drama de que no los entiendan los que los quieren y no los quieran quienes los podrían entender.*»

Algo muy parecido en la forma, idéntico en la intención, dijo José Antonio, cuatro años después, en su testamento: «Me asombra que, aun después de tres años, la inmensa mayoría de nuestros compatriotas persista en juzgarnos sin haber procurado ni aceptado la más mínima información.» «Si la Falange se consolida en cosa duradera, espero que todos perciban el dolor de que se haya vertido tanta sangre por no habérsenos abierto una brecha de serena atención entre la saña de un lado y la antipatía del otro.»

Y es que nadie como él, que vio y padeció el drama vivido por su padre, podía sentir su propio drama con tal intensidad: el drama que sufrió y sufre la Falange. Acaso, en parte, por culpa de la propia Falange. Pero, sobre todo, por el egoísmo y la frivolidad de los sectores privilegiados, a los que repugna toda idea de justicia, y por el desdén injustificable de sectores intelectuales a los que sería moralmente obligado prestarla atención y respaldo.

Por el contrario, permanecen fieles en su adhesión los hombres sencillos del pueblo, destinatarios de los afanes justicieros de la doctrina de José Antonio; los que lloraron el paso de su cadáver, a hombros de sus camaradas, desde Alicante a El Escorial. Y, más tarde, desde El Escorial al Valle de los Caídos, en una repetición emocionada de aquel primer traslado.

El anuncio del traslado de los restos de José Antonio, desde El Escorial al Valle de los Caídos, provocó entre los falangistas un fuerte movimiento de oposición y descontento. Este venía manifestándose desde varios años atrás con mayor o menor intensidad, especialmente entre los jóvenes más activos de las Falanges Juveniles y los cuadros de militantes de la Guardia de Franco, unidades voluntarias integradas inicialmente con antiguos combatientes de la División Azul, «Balillas» y seuistas, y que habían sido reforzados con los procedentes del Frente de Juventudes llegados a su mayoría de edad. En todos ellos, con parecida intensidad, alentaba una decidida inquietud social, alcanzada a través del intenso análisis de la doctrina de José Antonio en las reuniones de Centuria, Albergues, Campamentos y Seminarios de estudio. El signo crecientemente liberal que iba caracterizando al régimen en la década de los cincuenta irritaba a los falangistas que advertían ya, sobradamente, cómo se iban postergando sus ideales. La primera y más sonada muestra de aquel descontento había tenido expresión el 6 de diciembre de 1949, en el aniversario de la fundación del Frente de Juventudes y de la Organización Sindical, cuando José Antonio Elola y Luis González Vicén, Delegado Nacional del Frente de Juventudes, el primero, y Lugarteniente General de la Guardia de Franco, el segundo, pronunciaron sendos discursos en actos celebrados en Valencia y Madrid, con asistentes de las dos organizaciones. El fermento de aquella inquietud hizo crecer el descontento falangista que, entre otras ocasiones, se manifestó escandalosamente en el patio de los Reyes, del Monasterio de El Escorial, el 19 de noviembre de 1955. Nota característica de este descontento era la oposición falangista a la restauración monárquica prevista por la Ley de Sucesión. Por eso, cuando se anunció el traslado de los restos mortales de José Antonio al Valle de los Caídos, la mayoría de los militantes falangistas interpretó que con ello se trataba de complacer a los sectores monárquicos del Régimen, que siempre habían sido reticentes hacia el hecho de que José Antonio estuviera enterrado en el Monasterio de El Escorial. De que aquella reticencia era cierta, da testimonio el Teniente General Francisco Franco Salgado-Araujo en sus «Memorias». A propósito de la entrevista celebrada entre Franco y don Juan de Borbón en la finca del Marqués de Ruiseñada, cercana a la frontera portuguesa, en 1954, dice Salgado-Araujo: «El Conde de Barcelona expresó a S.E. su extrañeza de que José Antonio Primo de Rivera estuviese enterrado en El Escorial, sitio dedicado a ser panteón de reyes y miembros de la Casa Real. (S.E. hizo grandes elogios de José Antonio, mártir de la nación y ejemplo para las generaciones venideras, y muy especialmente para la actual juventud). Dijo: ''No está enterrado en el panteón real, sino en la iglesia, debajo de una sencilla losa, pero que el sitio valía más que dicho panteón por ser el destinado a la oración''.»

No obstante, en 1959, fecha en que se efectuó el traslado, era sabido que habían finalizado las obras del Valle de los Caídos y que en su Basílica, al pie del altar mayor y bajo la gigantesca bóveda ornamentada con el bellísimo mosaico de Padrós, estaba reservada la tumba que había de acoger el cuerpo de José Antonio, por lo que la suspicacia falangista era infundada. Pero la forma en que se planteó oficialmente la operación, con un intercambio de cartas entre Franco y Miguel y Pilar Primo de Rivera, en el que los hermanos del Fundador de la Falange manifestaban el deseo de que el traslado «tuviera lo más posible carácter íntimo y recogido», se interpretó como que se habían producido presiones del Estado para que la exhumación y posterior entierro se hiciese poco menos que de incógnito. La reacción falangista fue espectacular. Hubo escritos, oficiales y clandestinos, de todo tipo. Uno de los más expresivos fue elevado por el pleno del Consejo local del distrito de Buenavista, de Madrid, en el que se decía que un traslado así, «será interpretado, cualquiera que sea la razón con que se pretenda justificarlo, como una defección de la Falange, la última paletada de tierra que el Régimen echa sobre cuanto significa la sagrada memoria de José Antonio». Y añadía: «Todos los que conserven su dignidad estarán presentes ese día en El Escorial. Convocados o no. Guste o no guste al Estado. Agrade o no agrade a las jerarquías. Lo ordenen éstas o no. La Falange, los hombres que somos fieles a la presencia doctrinal y metafísica de José Antonio estaremos allí. Montaremos guardia a la intemperie, como él lo hubiera hecho y ordenado a cada uno de los camaradas.» El escrito, dirigido al jefe provincial de Madrid y gobernador civil, estaba firmado por Román Moreno, Carlos Pérez de Lama, Luis Ramírez Seoane, Benigno Rodríguez Alda, Luis Fernando de la Sota Salazar y Antonio Gibello.

Lo advertido en éste y otros escritos que circularon, se cumplió. Y en la gélida madrugada del 30 de marzo de 1959, bajo una ventisca inmisericorde, fueron concentrándose en El Escorial miles de falangistas que, en medio de un ambiente sumamente tenso, arrebataron físicamente el féretro del furgón fúnebre y a pie, sobre las pesadas andas, lo llevaron carretera adelante hasta la Basílica del Valle de los Caídos. A su paso ante el Cuartel del Batallón de Cañones Contra Carros, aunque no se habían dispuesto honores oficiales, el Jefe de dicha Unidad aplicó el texto de una vieja orden y dispuso que su fuerza, con él al frente, rindiera a José Antonio honores de Capitán General. El gesto le valió fuerte sanción.

En cuanto al incidente que cuenta Indalecio Prieto («Convulsiones de España», tomo I, página 127), no se produjo como dice ni con quienes cita: «Agustín Muñoz Grandes, Capitán General, y con Carlos Asensio, Jefe de la Casa Militar del Caudillo», ni en la forma que sugiere. El destinatario de la protesta falangista fue el Almirante don Luis Carrero, Subsecretario de la Presidencia, que iba acompañado de Muñoz Grandes —y de ahí el error de Prieto—, y que fue acosado al grito de «¡Abajo Carrero!», sin que el incidente pasara a más. En cuanto a Carlos Asensio, fue confundido con don Camilo Alonso Vega, Ministro de la Gobernación, y hubo un intento de repudio, acallado al advertir el grupo su equivocación. Posteriormente, en el mismo recinto, los hombres que habían denostado equivocadamente a Asensio, le presentaron caballerosamente sus disculpas, que él aceptó. Fui testigo presencial.

29. Los sucesos de Casas Viejas

El 10 de enero de 1933 se producen en Casas Viejas sangrientos sucesos que llenaron de estupor a la opinión pública española y que denunciarían ante ella la dimensión sádica acumulada por algunos gobernantes republicanos.

La hostilidad que padecían los anarcosindicalistas por parte de los socialistas, y su descontento por la política laboral desplegada por el Gobierno, habían provocado una serie de reacciones violentas, especialmente en Cataluña y Andalucía, tradicionales feudos anarquistas.

Tal como testimonia Carlos Rojas en su glosa biográfica sobre Abad de Santillán, «Curro Cruz, el "Seisdedos", lleva medio siglo sobrado entre la siega en verano y la aceituna en invierno...

»En Casas Viejas hay treinta y tres mil hectáreas sin cultivo, y en los aledaños del municipio, ochenta mil más, pasto de reses bravas»... «En Casas Viejas, municipio de Medina Sidonia, no hay olivares. *Prohibida a los peones la mudanza de municipio,* les vedan pagas de seis pesetas y cincuenta céntimos en tierras aceiteras»...

¿Cómo extrañar, entonces, actitudes desesperadas como la de los anarquistas de Casas Viejas? Su airado grito de «¡No más caridades!», con que acompañó el «Seisdedos» su pretensión libertaria, era una directa acusación contra la política socialista de auxilio al paro forzoso, insuficiente y restrictivo.

Dispuestos a proclamar el comunismo libertario, los grupos anarquistas se apoderan del pueblo, en cuya Alcaldía izan la bandera rojinegra. No se ha producido ninguna violencia; no ha habido tiros, ni heridos, ni muertos, ni saqueos, ni siquiera se ha hostigado al cura ni a algunos propietarios que viven en el pueblo. Pero cuando los anarquistas intentan apoderarse de la Casa-Cuartel de la Guardia Civil, éstos, que acaso tienen bien presente en la memoria el múltiple y bárbaro crimen de Castilblanco, se niegan a entregarse y piden refuerzos a la vecina población de Medina Sidonia. Acuden éstos, integrados por fuerzas de Asalto y de la Benemérita, con instrucciones estrictas emanadas de Madrid. Y comienza el registro del pueblo, casa por casa, para hallar armas y responsables.

Uno de ellos, «Seisdedos», considerado cabecilla de la revuelta, se niega a franquear la puerta de su choza a los guardias y se inicia un tiroteo que mantienen «Seisdedos», su hija Libertaria y cinco militantes anarquistas que allí están refugiados. El cerco se endurece. Se apostan ametralladoras, se rocía la choza con gasolina y se la prende fuego. Sólo una muchacha y un niño, que han salido previamente de la casucha, se salvan de la matanza. Ráfagas de ametralladora siegan sin piedad a los que pretenden huir de aquel infierno.

La sanguinaria represión se atribuye directamente a Azaña, quien habría decretado: «Ni heridos ni prisioneros. Los tiros, a la barriga.» Catorce prisioneros, esposados e indefensos, son fusilados sin juicio por los guardias de Asalto y de la Benemérita que comanda el Capitán Rojas.

«Los cinco capitanes de Asalto relacionados con la extinción del foco revolucionario firmaron una declaración, que en seguida fue del dominio público, según la cual habrían recibido órdenes de la Superioridad de ''no hacer heridos ni prisioneros''.»

El dato lo cita Enrique Barco Teruel en su libro «El ''Golpe Socialista'' (octubre de 1934)» (Ediciones Dyrsa, 1984), en el que el autor añade: «Según las memorias de Azaña, a los socialistas miembros del Gobierno, Fernando de los Ríos y Largo Caballero, les pareció que ''lo ocurrido en Casas Viejas era muy necesario, dada la situación del campo andaluz y los antecedentes anarquistas de la provincia de Cádiz''.»

Por otra parte, en el estudio biográfico hecho por Emiliano Aguado sobre «Don Manuel Azaña Díaz», publicado en 1972 («Ediciones Nauta, S. A.») se enfoca el suceso en los siguientes términos:

«La dimisión del Director General de Seguridad, don Arturo Menéndez, y su procesamiento y prisión no aclararon nada, y las campañas contra el Gobierno cobraron una virulencia que parecía preparada de antemano. De verdad, no creía nadie que el Gobierno, ni siquiera el señor Casares Quiroga, hombre dado a la retórica, acaso para disimular su impericia, hubiese dado órdenes capaces de justificar el fusilamiento de unos pobres hombres que se entregaron a la fuerza pública, pero eso no era obstáculo para que se repitiera una y mil veces, tanto en los medios llamados de orden como en los medios antípodas de la C.N.T., que el propio señor Azaña había ordenado: ''Tiros a la barriga.'' Creyéndolo o sin creerlo, la cosa era eficaz para combatir al Gobierno, que, desde entonces, aun saliendo victorioso siempre en los debates del Parlamento, quedó alicortado, con pocos meses por delante.»

El juicio benévolo de mi admirado amigo y profesor, Emiliano Aguado, no exonera de su directa responsabilidad al entonces Presidente del Gobierno, señor Azaña, ni mucho menos a su Ministro de la Gobernación, Santiago Casares Quiroga, famoso por sus desplantes y sus apasionadas obcecaciones. Y ya vemos lo que opinaban dos ilustres socialistas miembros del Gobierno, según las memorias del propio Azaña.

El médico forense certifica:

«Todos tenían los balazos de frente; la mayoría, en la cabeza; materialmente levantada y volada la bóveda craneana, como si hubieran recibido un disparo de gracia hecho a boca de jarro. Los cadáveres tenían dos o tres heridas de pecho, vientre y cabeza y uno solo, por excepción, atravesado el brazo con fractura de hueso.

»Algunos presentaban hasta siete heridas de bala, todos ellos de los que estaban en la corraleta, porque en la choza de "Seisdedos" no se podía entrar: allí sólo quedaba polvo y cenizas.»

Era entonces titular del Ministerio de Gobernación, responsable del orden público, Santiago Casares Quiroga, quien, como Jefe del Gobierno, siendo Presidente de la República don Manuel Azaña, sería responsable también de la muerte del jefe de la oposición, don José Calvo Sotelo, en 1936.

En el Parlamento, el Jefe del Gobierno sentencia ensoberbecido ante las acusaciones de los diputados, que le exigen responsabilidades: «En Casas Viejas no ha ocurrido, que sepamos, sino lo que tenía que ocurrir.» ¿Cómo no entender, en esta lacónica sentencia, que el Jefe del Gobierno, señor Azaña, respaldaba el horrible desenlace de Casas Viejas? Fuese o no cierta la frase a él atribuida: «Los tiros, a la barriga», sus palabras ante el Parlamento, registradas en el diario de sesiones, vienen a ser la confirmación del respaldo gubernamental a la acción represora.

«La Tierra», órgano anarcosindicalista, resumiría tres meses después, en el aniversario de la República, el balance del bienio dominado por socialistas y republicanos: «Dos años de República. Dos años de dolor, de vergüenza, de ignominia. Dos años que jamás olvidaremos, que tendremos presente en todo instante; dos años de crímenes, de encarcelamientos en masa, de apaleamientos sin nombre, de persecuciones sin fin. Dos años de hambre, dos años de odio.»

Y Diego Martínez Barrio, Gran Oriente de la Masonería española, muñidor de todas las crisis republicanas, haría un compendio aún más breve y expresivo del «bienio negro» azañista: «Sangre, fango y lágrimas.»

Con incorregible mendacidad, los socialistas actuales, dirigidos por don Felipe González, se empeñan en tratar de convencer a la opinión pública española, a través de los medios de comunicación oficial y privada controlados desde el Poder, que es a partir de 1982, «la primera vez» que gobierna en España el Partido Socialista. Como puede apreciarse con el simple repaso de la Historia, la pretensión socialista es escandalosamente falsa. Lo que les ocurre es que pesa sobre el PSOE una mala memoria histórica, que queda reflejada en los juicios transcritos de «La Tierra» y de Diego Martínez Barrio. Por otra parte, el balance que cabe hacer, en el ocaso de 1984, sobre el bienio de gobierno «absolutamente» socialista, apenas difiere del lacónicamente expresado en 1933 por el órgano informativo de la C.N.T. y por el Gran Oriente de la Masonería.

El Partido Socialista, que gobernó con los republicanos en el «bienio negro», y que volvió al Poder, bajo las jefaturas de Gobierno de Largo Caballero y de Negrín, durante la guerra civil española, ha venido a caer, entre 1982 y 1985, en las mismas actitudes sectarias y en idéntica estrategia depredadora, que las mantenidas por sus predecesores históricos. El balance de su gestión entre 1982 y 1985, también puede establecerse en tres palabras: «Mentira, envilecimiento e injusticia.»

Manejo testimonios objetivos para poner de relieve estos acontecimientos estremecedores, no sólo por dar cuenta histórica de una época en la que la convivencia nacional había hecho crisis, y durante la cual José Antonio, como tantos otros españoles, había de definir su actitud política, sino para rechazar, de paso, la tesis unidimensional con que algunos historiadores o gentes tenidas por tales se empeñan en presentar el fenómeno de la violencia como una resultante de la aparición de Falange Española en la escena política española. Una tesis cargada de parcialidad, según la cual la violencia es característica común unificadora de los movimientos revolucionarios nacionales de signo antimarxista nacidos durante los años treinta en Europa. Y que esa característica «violenta» es la que permite calificarles de «fascistas». Para apreciar la tendenciosidad de tal afirmación, basta con seguir la ebullición y desarrollo de los grupos socialistas y comunistas en los diversos países europeos, impulsados bajo una férrea disciplina internacional, y feudatarios y dependientes, ellos sí, de la II Internacional. en el caso de los socialistas, y de la III Internacional y del Komintern soviético, en el caso de los comunistas.

Por otra parte, es imprescindible tener en cuenta la cronología histórica de unos y otros movimientos políticos y la conmoción e influencia respectiva ejercida sobre el panorama político y social de la Europa surgida tras la I Guerra Mundial de 1914-1918.

La creación revolucionaria de Lenin en Rusia, a partir de la revolución roja de 1917, es *el modelo* más acabado de *Estado totalitario.* Y, como dice Marcel Rouaix en su libro de Memorias, «este Estado totalitario será y quedará como modelo para los Estados fascistas». De hecho, quiera reconocerse explícitamente o no, con la perspectiva histórica que permiten los sesenta y siete años transcurridos desde la revolución de octubre de 1917, y tras la expansión comunista en Europa, Asia, Africa y Centroamérica, cabe afirmar rotundamente que Rusia, China y sus países satélites son los únicos y genuinos Estados «fascistas» y totalitarios que hay en el mundo.

Aunque todavía existan historiadores que quieran atribuir una estrategia común y una disciplina internacional a los movimientos «nacionales» europeos, la hipótesis carece de fundamento, al menos, hasta la primera reunión de Montreux, celebrada los días 16 y 17 de diciembre de 1934.

Tengo en mi poder los boletines de la C.A.U.R., que dan noticia pormenorizada del intento italiano de influir doctrinalmente en los movimientos nacionales europeos, y mueve a sonrisa la precariedad de su edición y la parquedad de su contenido, limitado a servir de noticiario informativo y de propaganda, más que doctrinal, del pomposo Comité de Acción para la Universalidad de Roma. Su frecuencia semanal y sus ocho folios –a veces menos–, escritos a máquina, por una sola cara, y reproducción multicopista, eso sí, en idiomas italiano, francés e inglés, no daba mucho de sí.

Por otra parte, meter en el mismo saco de una pretendida descalificación política «fascista» a un proceso ideológico e histórico de tan compleja textura como el falangista, forma parte de la táctica marxista de propaganda, a la que tan puntualmente sirven, consciente o inconscientemente, personajes como Gibson, Southworth, Gallo, Viñas, Heleno Saña o Tuñón de Lara; pero es impropia de quienes, por su oficio y profesión de historiadores, saben el origen real y la función injuriante y descalificadora del epíteto «fascista», aplicado por los partidos comunistas a todos los que no forman parte de su estricta disciplina. De la misma manera que el señuelo «antifascista» –o, actualmente, el «ecológico», «verde» o «antinuclear» y «pacifista»– fue utilizado y sigue empleándose todavía con alguna eficacia para movilizar en favor de causas o intereses comunistas enmascarados la voluntad de gentes que, de otro modo, no se decidirían a apoyarlos.

Nadie mejor que el escritor izquierdista Ernst Nolte ha explicado la génesis de la táctica comunista de los «frentes populares», propuesta por el diputado comunista y alcalde de Saint Denis, Jacques Doriot, en Vincennes, en febrero de 1934. Doriot propuso la constitución de un frente común con los socialistas para combatir el «fascismo». Pero el P.C.F. se opuso y excluyó de sus filas a Doriot, siguiendo instrucciones del VI Congreso Mundial del Komintern. No obstante, a partir de junio, las instrucciones cambiaron y los comunistas franceses, con Maurice Thorez al frente, siguieron el ejemplo de Doriot y concluyeron el «Pacto de unidad de acción» con los socialistas, a los que en enero de 1935, se sumarían los radicales, la Liga de Derechos del Hombre y el Comité de Acción y de Vigilancia «antifascista».

«La forma de antifascismo *fue, desde 1934, esencialmente, sinónimo de comunismo», concluye Nolte.*

(Ernst Nolte. «Les mouvements fascistes», páginas 133 y 135.)

30. El hecho fascista

Hechas estas observaciones, asombra el mimetismo con que algunos historiógrafos siguen los pasos de los propagandistas marxistas, igual que, visto con perspectiva de varias décadas, sorprende la miopía de algunos biógrafos de José Antonio empeñados en resaltar los iniciales balbuceos políticos –lógicamente, influenciados por el esplendor del fascismo italiano y la brillante personalidad de Mussolini (una de las figuras europeas más sobresalientes del siglo XX), a quien la Historia comienza a hacer justicia–, que llevaron al Fundador de F.E. a la colaboración en el efímero semanario «El Fascio» y su inmediata polémica con Juan Ignacio Luca de Tena.

Sería torpe y mendaz, de otra parte, cualquier intento de ignorar el atractivo y la influencia expansiva del fascismo italiano, entonces en la cumbre de su esplendor. Ni un solo país europeo permaneció impermeable a su influjo. Y no pocos intelectuales y hombres de Estado manifestaron abiertamente sus simpatías por sus realizaciones sociales y económicas. Hasta la Iglesia católica, beneficiaria del Pacto de Letrán, mantenía con el Gobierno fascista de Mussolini cordiales relaciones. La radical ruptura ideológica que se produjo en el mundo entre marxistas y fascistas no tiene explicación sin el reconocimiento implícito de los valores esenciales del fascismo, en el que socialistas y comunistas, es decir, los discípulos de Marx y de Lenin, vieron en seguida un peligroso rival y competidor.

El hecho irreversible de la posterior derrota militar de Italia y Alemania en la II Guerra Mundial, una década después, no empequeñece el noble entusiasmo antimarxista que generó el fascismo en las juventudes europeas.

La forma en que hoy se presenta cuanto se relaciona con el fascismo italiano es producto elaborado «a posteriori» por la propaganda adversa, y trata de confundir la inteligencia de quienes no conocieron directamente el acontecimiento. Ahora es fácil hablar de «los crímenes del fascismo», incluyendo en la misma descalificación moral y política al fascismo italiano y al nacionalsocialismo alemán, que fueron dos fenómenos diferentes. Al confundir uno con otro, se pone en práctica la táctica de Doriot y Thorez: calificar de «fascismo» todo cuanto no es comunismo sujeto a la disciplina del Kremlin.

En los años treinta las cosas no eran así.

Mussolini había convertido Italia en una gran nación, orgullosa de su historia y de su destino. Había construido las grandes «autoestradas» que atraviesan el país de Norte a Sur. Había colonizado el Mezzogiorno, convirtiéndolo en el granero de Italia. Había dotado a la nación de una gran y poderosa industria ligera y pesada. Había proporcionado a su Ejército grandes medios, creando una fuerte flota naval y aérea. Y había movilizado a sus juventudes tras un ideal nacional de justicia social y grandeza imperial, materializada tras la conquista de Abisinia, que, dígase lo que se diga, supuso un impulso civilizador europeo en un territorio africano sometido al Poder absoluto del Negus, y en el que reinaba la barbarie, el hambre y la esclavitud, a la que ha vuelto aquel desgraciado país apenas se ha implantado en él un régimen marxista.

Y todo esto lo hizo Mussolini como creador del fascismo, después de haber repudiado al marxismo, que conocía muy bien desde su niñez, pues era hijo de un herrero socialista y él mismo militó en el Partido Socialista italiano desde 1900 hasta llegar a director del órgano oficial, el diario «Avanti», a partir de 1912. La I Guerra Mundial causó en Mussolini una profunda transformación. Rompió con el socialismo, fundó su propio periódico, «Il Popolo d'Italia», y los «fascios» de acción revolucionaria y de combate. Y, llegado al Poder, tras la marcha sobre Roma, el éxito de la política fascista en Italia fue espectacular en sus realizaciones legislativas de carácter social y económico, que beneficiaron grandemente al proletariado italiano. La rápida y pujante industrialización proporcionó al pueblo un alto nivel de vida, mientras que la lenta y precaria industrialización soviética se cimentaba en Rusia, en el mismo espacio de tiempo, sobre el hambre y los cadáveres de millones de desplazados a campos de trabajo forzado, en condiciones infrahumanas y una general falta de libertad terroríficas, descritas con fidelidad en «Archipiélago Gulag» por Solszhenitzin.

¿Quién se atreverá hoy, desde una perspectiva histórica estricta, a negar que era lógica la admiración de quienes dirigían su mirada hacia Roma en el alborear de los años treinta?

31. Efímera aparición de «El Fascio»

Colaboran a ello, sin duda, muchos de los amigos universitarios de José Antonio –Sánchez Mazas, Eugenio Montes, Mourlane Michelena, Giménez Caballero, Víctor D'Ors, José María Alfaro–, deslumbrados por la gracia y la fuerza literaria de los escritores fascistas.

Quizá por eso se ha puesto excesivo empeño en destacar la colaboración prestada por José Antonio al proyectado semanario «El Fascio», editado por Manuel Delgado Barreto el 16 de marzo de 1933. Sin embargo, «El Fascio» fue flor de un día. Un empeño efímero –nunca mejor aplicado el calificativo– que no maduró por causa de la intervención de las autoridades republicanas, que recogieron íntegramente la edición del único número impreso, antes de su reparto.

El impacto mundial que causó la noticia del nombramiento de Adolf Hitler como Canciller del Reich alemán inspiró en el avispado empresario y periodista la idea de publicar un semanario que difundiese en España las dispersas ideas nacionalistas que imputaba como de tendencia «fascista». Un sondeo previo de mercado le auspició la posibilidad de un buen negocio, ya que antes de la publicación recibió más de cien mil suscripciones que garantizaban el éxito económico «a priori». Así las cosas, consiguió reunir las firmas de José Antonio, Ernesto Giménez Caballero, Rafael Sánchez Mazas, Ramiro Ledesma y Juan Aparicio, además de la suya propia.

Sin fundamento concreto, Ximénez de Sandoval especula: «¿Quién decidió a quién a lanzar ese periódico?... ¿Delgado Barrero a José Antonio, o José Antonio a Delgado Barreto? ¿Quién sugirió al director de "La Nación" los nombres de los dirigentes jonsistas? Sería muy interesante –yo lo doy por seguro– que fuese José Antonio el que, en las conversaciones preliminares con el fundador de "El Fascio", le hiciese ver la conveniencia de contar, en lugar de con los viejos figurones de la intelectualidad derechista, con aquel grupo juvenil y revolucionario»...

Y, llevado de su propia sugestión, añade Ximénez de Sandoval:

«José Antonio se sentía contento de lo que había escrito y, sobre todo, de haber sobrepasado todas sus dudas antes de embarcarse de lleno en la aventura política. Su timidez –no obstante los elogios de los compañeros de Redacción– lo movió a no firmar su ensayo magnífico –boceto del discurso del 29 de octubre– sino con la "E" inicial de su marquesado de Estella, cosa que no volvió a hacer jamás.»

Contrariamente a las suposiciones de Ximénez de Sandoval, Stanley G. Payne sostiene:

«Para llenar los números se recabó los servicios de Ledesma y de sus colegas, quienes aceptaron encantados esa oportunidad de difundir su propia propaganda gratis. Delgado solicitó, asimismo, la colaboración de José Antonio Primo de Rivera y de unos cuantos escritores nacionalistas, entre los que figuraban Rafael Sánchez Mazas y Giménez Caballero...

«La mayoría de los colaboradores se daban cuenta de que el periódico era, sobre todo, una aventura comercial típica de la clase media, y el propio Ledesma criticaba públicamente el mimetismo del título», añade Payne. Quien concluye:

«José Antonio, casi a regañadientes, colaboró con un vago artículo sobre la naturaleza del Estado nacionalista, al que se suponía destinado a establecer una especie de sistema permanente, que nunca llegó a explicar claramente.»

Como el lector puede apreciar, hay un abismo entre el testimonio de Ximénez de Sandoval: «José Antonio se sentía contento»... y la aseveración de Payne: «José Antonio, casi a regañadientes, colaboró»...

> *La sugerencia de Ximénez de Sandoval de que fuese José Antonio el gestor de la aventura periodística de «El Fascio» no tiene fundamento alguno sino el deseo del propio biógrafo, y entra de lleno en el proceso absurdo de mitificación a que fue sometido José Antonio, haciéndole —viniera a cuento o no— sujeto activo de las más variadas iniciativas.*
>
> *La realidad está a favor de Payne. Fue Delgado Barreto y no José Antonio, quien tuvo la idea y la puso en práctica, como aclaró dos días después del fallido intento, en un artículo publicado en el diario que dirigía: «La Nación».*

Más que una aportación ideológica, «El Fascio» había supuesto una oportunidad para el contacto y el intercambio de impresiones entre dos grupos de hombres que confluirían, un año más tarde, dadas las analogías e identidades de trayectoria intelectual, temperamental y política, en un único movimiento, F.E. y de las J.O.N.S., sobre cuya génesis y antecedentes se insistirá más tarde.

Por la suspensión y recogida del semanario «El Fascio», publicó «La Nación» aquel mismo día una nota que era más aclaratoria que de protesta. Debíase a José Antonio, y en ella decía:

—«Trátase de una revista puramente doctrinal.» Y añadía: «El socialismo, por lo que se advierte, ha visto en la predicación de estas doctrinas un enorme peligro para su ya quebrantada situación, que azotan, de una parte, sindicalistas y comunistas, y de otra, elementos conservadores, dentro de la propia República, y acordó, en reunión de sus entidades, que "El Fascio" no llegara al público, apelando, para impedirlo, a todos los procedimientos»...

La sensibilidad de José Antonio, atento a los avatares de la Patria, había captado claramente el signo de los acontecimientos.

La recogida de «El Fascio» tuvo una derivación imprevista: la polémica mantenida exquisitamente por José Antonio y Juan Ignacio Luca de Tena. Surgió ésta por un editorial de protesta publicado en «ABC», en el que, al tiempo que se atacaba al Gobierno de Azaña por la arbitraria medida, se zarandeaba al fascismo como doctrina. José Antonio envió una carta abierta al director de «ABC», cuya síntesis afirma:

«Lo que menos importa en el movimiento que ahora anuncia en Europa su pleamar es la táctica de fuerza (meramente adjetiva, circunstancial acaso, en algunos países innecesaria), mientras que merece más penetrante estudio el profundo pensamiento que lo informa.»

«El fascismo no es una táctica –la violencia–. Es una idea –la unidad–. Frente al marxismo, que afirma como dogma la lucha de clases, y frente al liberalismo, que exige como mecánica la lucha de partidos, el fascismo sostiene que hay algo sobre los partidos y sobre las clases, algo de naturaleza permanente, trascendente, suprema: la unidad histórica llamada Patria. La Patria, que no es meramente el territorio donde se despedazan –aunque sólo sea con las armas de la injuria– varios partidos rivales ganosos todos del Poder. Ni el campo indiferente en que se desarrolla la eterna pugna entre la burguesía, que trata de explotar a un proletariado, y un proletariado que trata de tiranizar a una burguesía. Sino la unidad entrañable de todos al servicio de una misión histórica, de un supremo destino común, que asigna a cada cual su tarea, sus derechos y sus sacrificios.»

Es aconsejable contrastar algunas de estas ideas con el pensamiento expuesto anteriormente por José Antonio y cuanto diría después sobre la unidad de la Patria, para apreciar que existe una línea de tensión perfectamente congruente y elaborada que para nada necesitaba del remoquete de «fascista», que él mismo rechazaría posteriormente.

Enlazaba el pensamiento de José Antonio con el de otro español insigne, Ramiro de Maeztu, quien se había referido ya, en diciembre de 1931, en un editorial del primer número de la revista «Acción Española», a la «misión histórica de España», que el autor de «Defensa de la Hispanidad» conocía como pocos, tras de comprobar y contrastar personalmente la obra de España en América, cuando fue Embajador de nuestro país en Buenos Aires.

En su carta a Juan Ignacio Luca de Tena, José Antonio, después de hacer una crítica del Estado liberal, que el director de «ABC» defendía, apunta:

«Cuando un Estado se deja ganar por la convicción de que nada es bueno ni malo, y de que sólo le incumbe la misión de policía, *ese Estado perece al primer soplo encendido de fe en unas elecciones municipales.*»

El dardo va dirigido a la diana. La alusión no puede ser más directa. Dos años no han borrado en la imagen pública de España la forma en que se desarrollaron los últimos momentos de la Monarquía ni la ausencia de fe de que dieron muestra sus primeros servidores, empapados de liberalismo hasta la parálisis.

Pero Luca de Tena opta por salirse por la tangente, y prefiere dirigir sus invectivas contra la República –sin duda, merecedora de ellas– y emplear sus argumentos en la defensa del Estado liberal.

A esta réplica del director de «ABC» volvió a contestar José Antonio, mucho más brevemente. En ella, dentro del mismo tono caballeroso mantenido en todo momento, le reprocha:

«Sigues pensando en lo instrumental, no en lo profundo. Yo, por el contrario, no me indigno porque se coarte la divulgación de las ideas fascistas; me indigno porque se la coarta en acatamiento a un principio "de clase" y "de grupo". El socialismo, por definición, no es un partido nacional, ni aspira a serlo. Es un partido de lucha de clase contra clase.»

Y manifiesta, antes de concluir su carta:

«Sólo se alcanza la dignidad humana cuando se sirve. Sólo es grande quien se sujeta a llenar un sitio en el cumplimiento de una empresa grande. Este punto esencial, la grandeza del fin a que se aspira, es lo que no quieres considerar.»

Esta polémica estrechó lazos de amistad, pero no de conmilitancia política, aunque otra cosa se afirmara en 1939.

Cuando la marcha de la guerra civil había decidido de qué lado iba a estar la Victoria, Juan Ignacio Luca de Tena, que por entonces formaba parte de la Junta Política o del Consejo Nacional de F.E.T. de las J.O.N.S., consideró oportuno capitalizar políticamente aquella amistad y escribió un artículo titulado «Apología de un amigo que aún no era correligionario», publicado en la revista «Y» de la Sección Femenina, en noviembre de 1938. Decía Luca de Tena:

«Y llegó, con las elecciones de febrero del 36, la barbarie marxista erigida en sistema de gobierno. Comprendí entonces la razón plena de mi amigo, y meses antes de comenzar nuestra Cruzada contesté a su requerimiento de tres años antes, haciendo llegar hasta su celda mi efusiva adhesión. *El 25 de mayo me respondía desde la cárcel:*

''Mil gracias por tu carta. Tienes razón cuando invocas nuestros sentimientos comunes de hombres civilizados. Este es un espectáculo de barbarie nada sorprendente para quienes creemos en la necesidad de un orden nuevo y sabemos que el vigente no es más que un vivero de injusticias alternativas. Pero es bueno, siquiera, esto de sentirnos en la incomodidad (todavía me parece demasiado pomposo llamarlo persecución), porque en este aprendizaje nos hacemos fuertes para derruirlo y alzar sobre su ruina la España que quiere la Falange: una, grande y libre. Un fuerte abrazo''.»

«Esta carta fue nuestra última relación personal», apostilla Luca de Tena, quien finaliza su artículo con esta invocación:

«¡José Antonio! ¡Presente en el afán de tus centurias y en el corazón de tus amigos! Guardo como una reliquia tu carta última, donde me hablabas de la comunidad de sentimientos entre los hombres civilizados frente a la barbarie. Es la clave de nuestra revolución nacional; *comunidad, es decir: unión. Unión de todas las clases y de los españoles todos por encima de las clases, fundidas y apretadas como en un haz por el supremo interés de la Patria. Haga el cielo que cuando vuelva a reír la Primavera y las banderas victoriosas retornen, no se turbe ya nunca la paz entre los españoles que hoy gritamos juntos, con los bárbaros todavía enfrente: ¡Viva España! y ¡Arriba España!»*

Muchos años después, al publicar su libro: «Mis amigos muertos» Luca de Tena reprodujo este artículo, despojado muy oportunamente de cuantas expresiones podían representar algún género de compromiso político, distinto del estrictamente amistoso. Quizá la verdad esté más en el libro que en aquel artículo de ocasión. Transcribo la versión libresca y queda en libertad el lector para apreciar las diferencias y juzgarlas como estime oportuno:

«Y llegó, con las elecciones del 36, la barbarie erigida en sistema de gobierno. A las pocas semanas de posesionarse del poder el Frente Popular, le volvieron a meter en la cárcel con todos los directivos de la Falange. A mí no me apeteció que me volvieran a encerrar por tercera vez en cinco años, y, de polizón, en un aeroplano extranjero, huí a Francia, donde ya había instalado a mi familia. En España las atrocidades aumentaban con celeridad. La revolución, que preparaban los comunistas, se aproximaba. Comprendí, entonces, muchas de las razones de mi amigo, y meses antes de comenzar la Guerra Civil, se lo dije en una carta desde Biarritz, haciendo llegar hasta su celda mi efusiva amistad.

»¡José Antonio! ¡Presente aún en el corazón de tus más viejos amigos! Guardo, como una reliquia, tu carta última en la que me hablabas de ''la comunidad de sentimientos entre los hombres civilizados, frente a la barbarie''. Es la clave de la España que anhelamos. Comunidad, que es decir: unión. Unión de todas las clases

y de los españoles todos por encima de las clases, fundidas y apretadas, como en un haz, por el supremo interés de la Patria.»

Como se ve, en la transcripción de aquel viejo artículo de 1938 hasta este capítulo de «Mis amigos muertos», se han perdido también gran parte de «los alifafes, galanuras y accidentes del fascismo», tan errónea y efusivamente asumido en «correligión», cuando asumirlo resultaba a favor de corriente porque Alemania e Italia estaban en la cumbre de su hegemonía y ni el «fascismo» ni el «nazismo» eran todavía crímenes execrables. Y es que, como ya advirtiera José Antonio respecto a los mimetismos fascistizantes de la derecha: «Esos movimientos pueden parecerse al nuestro tanto como pueda parecerse un plato de fiambre al plato caliente de la víspera.»

La polémica mantenida con Luca de Tena iba a desencadenar sobre el despacho profesional del joven Marqués de Estella una oleada de adhesiones. Son muchos miles de españoles –como había demostrado el extraordinario número de suscripciones conseguidas por Delgado Barreto para «El Fascio»– quienes contemplan con inquietud los acontecimientos internos y con esperanza los fenómenos políticos de los que llega noticia más allá de las fronteras.

32. Hacia la formación de la Falange

Operaban, especialmente entre los jóvenes, y preferentemente entre los estudiantes, numerosos grupos de actividad política de tendencia nacional-revolucionaria más o menos definida. Con seguidores y sin ellos, se perfilaban también en el panorama personalidades definidas que hallaban eco diverso en la opinión pública. El fallido intento de «El Fascio» había servido para nucleizar futuros dirigentes. José Antonio toma conciencia de las posibilidades y, estimulado por amigos de la familia y antiguos seguidores de su padre, comienza, en aquella primavera de 1933, una serie de sondeos en provincias. Mantiene activa correspondencia y sugiere la idea de ir montando un esquema organizativo a sus familiares y amigos Sancho Dávila y Julián Pemartín, en Sevilla y Cádiz. El abanico de contactos es amplio. Un joven intelectual, Alfonso García Valdecasas, que había formado parte de la Agrupación de Intelectuales para la Defensa de la República que fundaran Ortega, Marañón y Pérez de Ayala, ha creado un pequeño grupo denominado Frente Español. José Antonio mantiene con él un intercambio de opiniones y, tras algunos forcejeos, llegan a un acuerdo inicial.

De las personalidades firmantes del manifiesto del Frente Español, sólo se mostraron partidarias de la integración con el grupo capitaneado por José Antonio y Ruiz de Alda, Alfonso García Valdecasas, Antonio Bouthelier Espasa y Eliso García del Moral, mientras que otros, como Juan Antonio Maravall —padre del ministro de Educación en el gobierno socialista de Felipe González— se manifestaron adversos.

También toma contacto con Julio Ruiz de Alda, uno de los famosos por la primera travesía aérea del Atlántico. Ruiz de Alda trabajaba por aquel entonces en una empresa aérea particular creada junto a los hermanos Ansaldo, y en una entrevista hecha por Ernesto Giménez Caballero para ser publicada en «El Fascio» había manifestado sin titubeos:

«Soy partidario de un movimiento exaltado y violento, dirigido a las nuevas generaciones, y con un fondo social grande, integrando a trabajadores e intelectuales. Un movimiento conducido por espíritus convencidos y dispuestos al sacrificio para que no resulte un simple acto de defensa clasista o de capitalismo cobarde.»

El entendimiento entre aquellos dos nobles espíritus fue inmediato. Como reseña Stanley G. Payne: «Se consideraron mutuamente más sinceros e idealistas que la serie de oportunistas y de reaccionarios que les rodeaban, y descubrieron, con satisfacción mutua, que podían trabajar juntos.»

Ruiz de Alda sumaría a los comunes proyectos sus grandes dotes de organizador, así como un grupo importante de amigos militares, además de la resonancia heroica que su nombre levantaba tras la aventura del «Plus Ultra».

Hacia el comienzo de las vacaciones estudiantiles todo estaba preparado. Existían ya núcleos iniciales en diversas provincias: Madrid, Toledo, Sevilla, Cáceres, Cádiz, Barcelona, Santander, Mallorca y Oviedo. Y se lanzaron unas octavillas de propaganda alentando al encuadramiento.

Esta actividad, paralela con la desplegada en aquellas fechas por el grupo de Ramiro Ledesma Ramos, llevó la alarma hasta la cumbre del Gobierno socialista presidido por Azaña, que se sentía acosado en todos los frentes. Un supuesto «complot fascista», urdido por la Dirección General de Seguridad, sirvió al Gobierno de excusa para realizar una amplia redada que llevó a la cárcel, juntos en el mismo saco, a jonsistas, «fascistas» y anarquistas. José Antonio y Julio Ruiz de Alda se libraron de la detención, aunque no así Ramiro Ledesma Ramos y algunos de sus fieles, como Juan Aparicio López, quienes establecieron en los ocios forzosos de la vida carcelaria en el penal de Ocaña, valiosos contactos con militantes anarcosindicalistas.

Durante el mes de agosto José Antonio mantiene un acelerado ritmo de actividad. El día 20 participa en un acto de homenaje a don Antonio Royo Villanova, celebrado en el hotel Bilbao, de Torrelavega (Santander). «La Nación» publica un resumen de su intervención oral, en la que aparece ya estructurado el eje de ideas que va a exponer, meses después, en el teatro de la Comedia. Por ejemplo: «Nuestra generación abrió los ojos en un mundo convaleciente de dos desvaríos: el liberalismo y el socialismo»... «Nosotros, como en su perenne mocedad don Antonio Royo Villanova, creemos que la Patria es una unidad permanente, un destino histórico común»... «Pero para encender esa fe nueva no basta una manera de pensar, hace falta un modo de ser: un sentido ascético y militar de la vida; un gozo por el servicio y por el sacrificio que, si hace falta, nos lleve, como a los caballeros andantes, a renunciar todo regalo hasta rescatar a la amada cautiva que se llama nada menos que España.»

El 25 de agosto José Antonio está en San Sebastián. El diario «La Noticia» publica ese día una entrevista en la que se describe a José Antonio como «un veraneante laborioso»... que «aprovecha el verano para devorar lecturas que la agitada vida madrileña hizo demorar. Su habitación, en el hotel Continental, más parece gabinete de estudio que refugio accidental de un hombre joven en playa de moda»...

En respuesta a las preguntas del periodista, José Antonio desgrana conceptos que en seguida van a encontrar estructura dialéctica definitiva. Así: «Liberalismo, económicamente, es libertad para morirse de hambre»... «Morirse, eso sí, rodeado de dignidad liberal»... Y al enjuiciar el fenómeno del marxismo, adelanta: «El obrero, víctima de la injusticia, se organiza para la defensa y el ataque, para la conquista del Poder. de acuerdo con el dogma marxista. Herido, no reacciona por hacer justicia, sino para ejercer venganza, para acabar con una tiranía e implantar otra, para imponer el dominio de una clase y hacer sufrir a la burguesía de la misma injusticia que antes padeció el proletariado»...

«El remedio lo veo en un Estado autoritario, no al servicio de una clase, ni al de un partido triunfante en la libre competencia de los partidos. En un Estado fuerte, al servicio de la idea histórica de la Patria...»

¿No forma este pensamiento, casi estas mismas palabras, el eje expositivo del discurso fundacional?

A finales del mes de agosto, ultimados los detalles de la integración con el grupo del Frente Español, mantiene José Antonio un encuentro con Ramiro Ledesma Ramos, quien, recién salido de la cárcel, se ha trasladado también a San Sebastián. Es un intento lógico, en el que persistirá, de unir bajo un común denominador a todos los grupos afines existentes. Con Ramiro asiste José María de Areilza, y acompañan a José Antonio, García Valdecasas y Julio Ruiz de Alda. La entrevista, celebrada en el hotel, frente a la playa de la Concha, no cuajó entonces en ningún acuerdo concreto, pero tampoco puede decirse que resultase estéril.

Existen varias versiones de la reunión sostenida en San Sebastián. Las más fidedignas, por proceder de dos de los asistentes, son las expuestas por José María de Areilza en su libro «Así los he visto», y la del propio Ramiro Ledesma Ramos, en su libro «¿Fascismo en España?», escrito bajo el pseudónimo de Roberto Lanzas.

Así lo cuenta Areilza:

«Los contactos se iniciaron ya, a fines de agosto de 1933, en San Sebastián, Ramiro —recién salido del penal de Ocaña— me pidió que buscáramos un lugar de encuentro con José Antonio y quienes entonces le acompañaban en su intento de fundar la Falange. La entrevista se celebró en uno de los hoteles de San Sebastián que da a la Concha. Almorzamos juntos José Antonio, Ledesma, Valdecasas y Ruiz de Alda, prolongándose la sobremesa hasta casi las seis de la tarde. Hubo mutuo recelo desde un principio y mayor reserva y casi mutismo sobre algunos extremos por parte de Ramiro, que tanteaba visiblemente a sus interlocutores. Estos hablaron de la inminente aparición pública del nuevo movimiento político que ellos habían de acaudillar como triunvirato fundacional. Se hablaba entonces de la probable disolución de las Cortes y de la caída del Gobierno Azaña a cuya nueva etapa se esperaba para gozar de un mayor margen de libertad expresiva. Debo decir que mis recuerdos me inclinan a pensar que la intransigencia estaba más veces del lado de Ramiro que del lado de su interlocutor.»

(José María de Areilza. «Así los he visto», páginas 92-94. Editorial Planeta.)

Por su parte, Ramiro Ledesma (Roberto Lanzas) cuenta así el pasaje:

«A fines de agosto fue Ledesma a San Sebastián, donde veraneaban los elementos que, fuera y alejados de las J.O.N.S., venían desde algunos meses tratando de organizar una fuerza fascista: Primo de Rivera, Ruiz de Alda y Valdecasas. Tuvo con los tres una entrevista larga, a la que asistió también José María de Areilza. (Un joven ingeniero bilbaíno, muy amigo de Ledesma, de gran sensibilidad nacional y capacidad política).

Durante los meses anteriores, la relación de las J.O.N.S. con los proyectos de esos elementos a que nos referimos, había sido muy escasa. Los jonsistas no creían en la seriedad de sus trabajos, ni les atribuían mucha importancia.

En esa entrevista de San Sebastián, Ledesma pudo apreciar que seguían dispuestos a organizar algo, y que, desde luego, estaban muy deseosos de contar con los jonsistas. Pero pudo también apreciar que se movían entre grandes vacilaciones, que sus planes eran cosa en exceso fría y calculada, y, sobre todo, que estaban decididos a no dar publicidad a sus propósitos hasta que no aconteciese la caída de

Azaña. Ledesma se mostró con ellos demasiado intransigente, encerrado en su trinchera de las J.O.N.S., y no volvió a verlos hasta pasados dos meses, ya celebrado el mitin de la Comedia.»

(«Roberto Lanzas». «¿Fascismo en España?», páginas, 110-111.)

Cuando, en el mes de septiembre, acorralado por la presión de la opinión pública, dimite Azaña como Jefe del Gobierno, queda abierto un portillo a la esperanza. El 22 de ese mes asume la jefatura del gabinete don Alejandro Lerroux, y a éste, el 9 de octubre, le sucede Diego Martínez Barrio, en un Gobierno de transición que disuelve las Cortes y convoca elecciones. Un joven abogado salmantino, José María Gil Robles, líder de Acción Popular, va a alcanzar notoriedad en el período político que abre la crisis.

La oportunidad política esperada ha surgido también para José Antonio. El frente único con el que se presenta la Confederación de Derechas Autónomas (C.E.D.A.) deja, no obstante, nulas posibilidades a cualquier otro candidato por Madrid. Esta circunstancia y la vieja raigambre familiar de los Primo de Rivera llevan a José Antonio a presentar su candidatura por la provincia de Cádiz, donde tiene fieles amigos y seguidores, organizados ya en una incipiente estructura funcional.

Paralelamente, amparados en la campaña electoral, los jóvenes dirigentes del nuevo movimiento político se lanzan a la preparación de un acto de presentación en Madrid, cuya autorización consiguen de las nuevas autoridades, fijándolo para el domingo 29 de octubre, bajo la convocatoria de «Acto de afirmación española».

En los primeros días de octubre la actividad es febril. Se discute la denominación que conviene adoptar, el sistema de encuadramiento, estatutos y finanzas del nuevo movimiento. José Antonio sugiere el nombre de Movimiento Español Sindicalista (M.E.S.), del que se había lanzado ya alguna proclama. Pero Julio Ruiz de Alda era partidario de otorgar al grupo una denominación más eufónica, más radical, más llena de sentido militar. Por otra parte, Valdecasas y los de su grupo entendían que debería mantenerse el nombre de Frente Español o buscar una denominación que conservase las iniciales de F.E., ya conocidas y que habían adquirido cierta popularidad, tanto atribuidas a Frente Español como a Fascismo Español.

Por cierto que existe una amplia polémica en torno al origen del nombre de Falange Española, cuya invención se disputan varios de los integrantes del grupo fundacional. Así, mientras Ximénez de Sandoval atribuye el nombre a una aportación directa de Julio Ruiz de Alda —versión acogida por mí en las primeras ediciones de estos apuntes—, en un artículo publicado en 1942, Eliso García del Moral, primer Secretario de Falange Española, explica cómo fue él, por encargo de García Valdecasas, quien propuso el nombre, seleccionado entre otros sacados del diccionario.

«Siempre quedaba la dificultad de acertar con el nombre. Una tarde me llamó Valdecasas para decirme que buscara uno cuyas iniciales fueran F y E que no coincidiera con el de Frente Español, ya que de los que habían firmado el manifiesto y estaban en España, sólo él, Bouthelier y yo estábamos de acuerdo en la fusión con el grupo de José Antonio.

A la mañana siguiente, en la Academia de Jurisprudencia, con el Diccionario de la Lengua a la vista, anoté todas las palabras que empezaban con F y E, siempre que tuvieran alguna significación militar y nacional. Compuse varios nombres, y si mal no recuerdo, el día 10 u 11 de octubre fui después de comer a casa de Ruiz de Alda. En su despacho estaban el inolvidable Ramón (sic) Ayza, posteriormente asesinado por los rojos, Emilio Rodríguez Tarduchy, Peláez y no estoy seguro de si también Valdés. Estaba también un muchacho joven, de cara aniñada, ojos inteli-

gentes, pelo lacio y negro, impecablemente peinado hacia atrás, y que poseía una viril e innata elegancia en todos sus gestos. Ruiz de Alda nos presentó y entonces oí su nombre: José Antonio Primo de Rivera.

Empezó la conversación sobre el nombre a adoptar y me preguntaron si había hecho el encargo de Valdecasas. Leí varios de los compuestos con ayuda del diccionario, y como era de esperar, ninguno gustó tanto como el de Frente Español. Cuando todos los nombres posibles parecían agotados (o no gustaban o sus iniciales no eran F y E, pues no sólo por las razones dichas, sino que había interés en que las siglas del Movimiento indicaran y dijeran Fe) dije el que llevaba como última reserva, que a mí me había gustado mucho y a Valdecasas también: ''Falange Española''. Inmediatamente fue aceptado, y entonces Ruiz de Alda sacó una botella de excelente coñac y por primera vez en España se brindó por la Falange.»

(Eliso García del Moral. «Cómo conocí a José Antonio».)

A su vez, fechada en 19 de marzo de 1975, y a poco de publicarse las primeras ediciones de este libro, recibí una carta firmada por Román Ayza y Suárez-Castiello, hijo de Román Ayza y Vargas Machuca, también cofundador de la Falange, a quien cita Eliso García del Moral como asistente a la reunión en que se decidió el nombre de Falange Española. En esta carta, Román Ayza manifiesta que fue su padre quien aportó, entre otras opciones, el nombre de Falange Española, que «fue elegido final e indiscutiblemente».

...«Personal e históricamente, le tengo que hacer dos importantes puntualizaciones al respecto de dos hechos que se cuentan en su obra, puntualizaciones que yo le agradecería muchísimo las tomase en su consideración.

La primera es respecto a que ''Ruiz de Alda era partidario de otorgar al grupo una denominación más eufónica, más radical, más llena de sentido militar, y propuso el de Falange Española, cuya abreviatura F.E.'' ... Puesto que los autores y los hechos fueron de otro modo. La auténtica e histórica historia del nacimiento nominal de la Falange fue así:

1.° El nuevo Movimiento se llamó desde el principio hasta su constitución legal FASCISMO ESPAÑOL bajo las siglas de F.E. y he dicho hasta su constitución legal porque precisamente de ese modo indiscutible es como se llamó y, por cierto, no se siguió llamando fue porque, concretamente, al irse a constituir legalmente no fue aceptado lo de FASCISMO ESPAÑOL por haber un precepto legal de la República (quizás en la Ley de Defensa de la República) que prohibía el uso legal de todo lo referido a la palabra fascismo, tan exactamente igual, por cierto, a como estaba prohibido el uso de la palabra nacional. En vista de ello, José Antonio, dispuesto no obstante a conservar las siglas F.E. encargó a mi padre, don Román Ayza y de Vargas Machuca, barón de Tormoye, que le encontrase dos palabras que fuesen elocuenciadoras del espíritu del movimiento y que, por encima de todo, conservasen las ya amadas y populares siglas de F.E. bajo cuya conjura había nacido y era de todo el mundo conocido. Mi padre cumplió el encargo de José Antonio aquel mismo día, pues el hecho cierto fue que en su misma noche, después de cenar, reunidos toda la familia en el despacho de mi casa, fuimos testigos de cómo él, ayudado por mi madre, Carmen Suárez Castiello y de Mumbert, entre muchas opciones de nombres, fue elegido final e indiscutiblemente el de Falange ''porque así se llamó a la principal fuerza de los ejércitos en Grecia''. Esto era en los últimos días de octubre de 1933 y tuvo como escenario un hotelito en la calle de María de Molina, número 24. Y esta es la verdad y nada más que la verdad. El error de atribuir el hecho a Ruiz de Alda no sé a quién se le deberá inicialmente pero el hecho es que ha sido un error que se viene produciendo tantas veces como se vuelve a sacar a colación el tema. Paso por alto el consecuente hecho de que, hasta la presente, oficialmente, nadie de los que podían haberlo rectificado lo han hecho. Sin embargo, la Historia es Historia o no es nada.

Por otro lado es que, mi susodicho padre, fue uno de los auténticos fundadores del movimiento F.E., y he dicho auténticos puesto que los únicos fundadores que tuvo Falange fueron los que figuraron en su acta de constitución legal. Y en ella figura como Tesorero mi mencionado padre»...

(Román Ayza y Suárez-Castiello, Barón de Tormoye, en carta dirigida, el 19 de marzo de 1975, a Antonio Gibello.)

Por si la polémica fuese corta, a ella se suma también la pretensión de Ernesto Giménez Caballero, quien esgrime el argumento de que en su libro «Genio de España», editado por primera vez en 1932, aparece citada cuatro veces la palabra falange, y que en el manifiesto de «La conquista del Estado» figura también idéntico vocablo, aunque en plural.

Para los coleccionistas de curiosidades recojo otra cita, esta vez de don Indalecio Prieto, quien, aunque «a posteriori», también usa para sí la denominación de falanges. Así, en un pasaje de su discurso pronunciado en el cine Pardiñas, de Madrid, el 4 de febrero de 1934, el dirigente socialista dice: «... Frente a estas falanges socialistas y a la Unión General de Trabajadores...»

Como se puede apreciar, la idea de «falange» y «falanges», tenía atractivo indudable en el léxico de los políticos.

Sea como fuere, me inclino a creer que todos los citados tienen razón, y que, posiblemente, tanto García Valdecasas como José Antonio y el propio Ruiz de Alda encargarían la búsqueda de las denominaciones adecuadas, con lo que muy bien pudo darse la coincidencia en la aportación. Lo cierto es que el nombre fue aceptado unánimemente y constituyó un innegable acierto. Aunque no pudo usarse en la convocatoria del acto fundacional del 29 de octubre, sí figuró, por primera vez, en el número del diario «La Nación» correspondiente al 30 de octubre, en el que se da referencia completa del acontecimiento del teatro de la Comedia, con lo que se desmiente también la presunción mantenida hasta ahora de que el nombre de Falange Española no fue usado hasta el día 2 de noviembre como encabezamiento del acta de constitución legal del movimiento.

En la sección titulada «Quisicosas políticas», del diario «La Nación» del 30 de octubre de 1933, puede leerse:

«Nace Falange Española.
Nace la F.E.
¡Y renace la Patria!
...

Es necesaria, es absolutamente necesaria, una rectificación sobre el mitin falangista *de ayer. En la radio no se oyó el final que fue este:*

''¡Viva España!
¡Viva España!
¡Viva España!''
Como no se oyó, se lo retransmitimos desde aquí a los oyentes:
¡Viva España!
¡Viva España!
¡Viva España!»

Días antes del mitin del teatro de la Comedia, José Antonio viaja a Roma y se entrevista con Mussolini.

Los pormenores del encuentro y la impresión que le causó el Duce italiano los describe José Antonio en el prólogo del libro «El Fascismo», cuyo autor era el propio

Mussolini, y en un artículo publicado el 23 de octubre en «La Nación». En él responde a las imputaciones de Gil Robles, que en su primer acto de propaganda electoral se ha apresurado a calificar al fascismo de anticatólico, racista y antitradicional. La réplica da ocasión a José Antonio a verificar una diferenciación evidente: la diversa raíz del nacionalsocialismo alemán, «racista (y, por lo tanto, antiuniversal)» y del movimiento mussoliniano, «que es, como Roma –como la Roma imperial y como la Roma pontificia– universal por esencia; es decir, "católico"... mal se puede hablar del anticatolicismo fascista después del Tratado de Letrán», argumenta José Antonio. Y desenmascara a continuación: «Cuando el señor Gil Robles, en contradicción consigo propio, dice que la democracia habrá de someterse o morir, que una fuerte disciplina social regirá para todos y otras bellas verdades, proclama principios "fascistas". Podrá rechazar el nombre, pero el nombre no hace a la cosa. El señor Gil Robles, al hablar así, no se expresa como caudillo de un partido demócrata-cristiano...»

Curiosamente, los acontecimientos posteriores darían la razón al Fundador de la Falange. Todos aquellos que, timoratamente, hipócritamente, acusaron a José Antonio y a la Falange de «fascista» desde las filas de la derecha, no sólo no dudaron en adoptar miméticamente el aparato y la apariencia «fascistas» cuando ya José Antonio había sometido a crítica rigurosa el corporativismo y otros principios fascistas, sino que acudieron a Roma para suscribir acuerdos concretos con Mussolini, que se tradujeron en ayuda material de diversa índole, destacadamente económica, cuando ésta le había sido cancelada a José Antonio. Basta con repasar los datos de los contactos habidos en 1934 y posteriores años por destacados miembros y colaboradores del partido de Gil Robles.

33. Una mañana de octubre

Y llegó el 29 de octubre.

Era una mañana típica del otoño madrileño, según la describe Ximénez de Sandoval.

José Antonio se levanta temprano, como siempre, y hace vida normal hasta las once. Ha oído misa en un convento de monjas, donde profesa una de sus tías y donde «todas ellas han rezado para que Dios nos ilumine», según confía a García Valdecasas. En su coche, acompañado de sus hermanos, llega hasta el teatro de la calle del Príncipe, cedido gratuitamente por don Tirso Escudero, incluso con el servicio de acomodadores. Hay un lleno impresionante. Stanley Payne estima que asistieron «unas dos mil personas, en su mayor parte simpatizantes derechistas; Ramiro Ledesma y un grupo de jonsistas asistieron al acto ocupando un palco próximo a la presidencia».

Pilar Primo de Rivera, en su libro «Recuerdos de una vida», precisa la presencia femenina: «Asistimos al acto mi hermana Carmen, mis dos primas, Inés y Lola, y yo, con Luisa María de Aramburu.»

Parece que el público era, efectivamente, muy heterogéneo. Un grupo de estudiantes tradicionalistas prestaron, junto a incipientes falangistas, un servicio preventivo de vigilancia y orden. También las autoridades republicanas hicieron un gran despliegue de fuerzas de orden para evitar cualquier incidente, presumible, dada la agresividad socialista ante este tipo de actos. Varios agentes de Policía Gubernativa y guardias de seguridad flanqueaban la puerta del teatro. Y, según reseñaba «La Nación» al día siguiente: «En la plaza de Canalejas y en la de Santa Ana se situaron carros de Asalto, cuyas fuerzas se repartieron por las citadas plazas y entradas de las calles de Sevilla, Carrera de San Jerónimo, Cruz, Príncipe, Visitación, Prado, Huertas y plaza del Angel. También en las entradas de algunas calles había parejas de guardias de seguridad a caballo. En algunos portales, y paseando por las calles citadas, se veían numerosos agentes de Policía.»

No obstante, no hubo ningún incidente.

El mitin fue transmitido por radio, y a las intervenciones de Alfonso García Valdecasas y Julio Ruiz de Alda siguió la de José Antonio. Había presentado el acto Narciso Martínez Cabezas, y aunque, según asegura Ximénez de Sandoval, José Antonio en persona le había confiado en una ocasión «que se le había olvidado el discurso preparado», la estructura del conocidísimo documento fundacional, la pulcritud de su construcción, la precisión expositiva y, sobre todo, su rigurosa concordancia con la línea de pensamiento expuesta en sus más recientes intervenciones públicas, permiten rechazar rotundamente tal suposición. En este mismo sentido, Raimundo Fernández Cuesta afirma: «José Antonio no olvidó el discurso, pronunció el que tenía cuidadosamente preparado, como hacía siempre con todos los suyos; odiaba la improvisación y decía que esos oradores que se levantan a hablar sin saber lo que van a decir son unos defraudadores de su auditorio.»

«A sus treinta años, José Antonio es un hombre juvenil y deportista de estatura superior a lo normal, no mal parecido, de aire desenvuelto, simpático y arrojado. Es mejor orador que sus compañeros y pone en sus palabras el fuego que le falta al catedrático granadino y la sustancia política de que carece la arenga del capitán aviador. Lleva su oración perfectamente preparada y, pese a su impetuosidad, no dice más de lo que quiere decir.»

(Eduardo de Guzmán. «La segunda República fue así», página 225. Editorial Planeta, 1977.

Pese a este criterio, lógicamente partidista, de Eduardo de Guzmán, la «arenga» de Julio Ruiz de Alda está llena de contenido social.

Francisco Bravo testimonia que él escuchó el discurso por radio junto a don Miguel de Unamuno, en el Casino de Salamanca, y asegura que el famoso Rector de la Universidad sintió nacer en él una corriente de interés y simpatía hacia el hijo de Primo de Rivera.

¿Cómo fue acogido aquel discurso por la opinión pública española?

David Jato, en su libro «La rebelión de los estudiantes», afirma que «el acto tuvo repercusión y, sin embargo, en cierto modo, decepcionó a los asistentes»... «No se vieron jóvenes uniformados, como los más, por mimetismo fascista, deseaban y, por otra parte, el discurso de José Antonio Primo de Rivera no tenía nada que ver con la oratoria violenta, con el tópico y el lugar común.» Y esto mismo viene a reconocer también Ximénez de Sandoval, pese a su apasionamiento biográfico.

La prensa dio al acto muy diversa acogida.

«El Sol», con mucho mayor acierto que el que le atribuye Payne, afirmó: «Lo rechazamos, en primer lugar, por querer ser fascismo... y, en segundo lugar, por no serlo de veras, por no ser un fascismo hondo y auténtico.» Y José María Carretero, «el comentarista más destacado de la extrema derecha», según criterio y calificación de Payne, escribió: «Ya es un poco sospechoso que el primer acto público fascista terminara en un ambiente de pacífica normalidad. Yo, al salir de la Comedia y llegar a la calle despejada, tranquila, tuve la sensación de haber asistido a una hermosa velada literaria del Ateneo.»

Medio siglo después hay que agradecer la sinceridad de estos juicios, que son, en sí mismos, la mejor réplica a la estulticia de autores como Gibson, empeñados en seguir calificando a la Falange de «fascista». Porque en la decepción que rezuman, en la descalificación que hacen del mitin por falta de «autenticidad fascista», radica el mejor testimonio —por ser espontáneo e inmediato— de que no había en el nuevo movimiento político, desde el instante mismo de su nacimiento, el menor cipayismo ni dependencia ideológica.

Dos excepciones hubo en el general ambiente de indiferencia y decepción con que acogió la prensa, tanto de izquierdas como de derechas, el acto del teatro de la Comedia. «La Nación», que recogió el texto taquigráfico de los discursos, y «Acción Española», revista que publicó íntegramente la pieza oratoria de José Antonio, y que saludó, con comentario de don Ramiro de Maeztu, la aparición del nuevo movimiento, al tiempo que el viejo maestro reivindicaba como propias algunas de las ideas expuestas por José Antonio.

Una de las obsesiones más significativas de Ian Gibson es la de presentar a José Antonio como un mero seguidor de las corrientes de pensamiento nacidas de la generación del 98, y, en este sentido se afana en tratar de demostrar que José Antonio «no era un pensador original». Así busca cuantos antecedentes puede, en Ortega, Unamuno, Azorín, Ganivet, Maeztu, Baroja, Machado, en torno a las ideas fundamentales del ser de España, para atribuirles la paternidad de cuanto José Antonio expresó como propio del entendimiento falangista del hombre, de la Patria y de la «unidad de destino en lo universal» caracterizadora de la esencia de España.

La obsesión descalificadora del escritor irlandés, le lleva a afirmar que «José Antonio insistiría una y otra vez en que el Imperio, fundado bajo inspiración divina por Fernando e Isabel y desarrollado por sus sucesores, sólo había sido posible como consecuencia de la previa unificación interna del país, unificación tanto territorial como religiosa» (página 23). Y, en la misma línea de pensamiento, se permite insistir un poco más adelante que «Esta interpretación historiográfica —que procede de Ortega y Gasset— se convirtió en dogma de la Falange (lo sigue siendo), y trajo consigo el corolario de que cualquier conato autonomista vasco o catalán, cualquier aspiración separatista, es, literalmente, un crimen contra España y su sagrada unidad.»

Al manifestarse así, Gibson demuestra principalmente dos cosas. La primera, que aunque titula su libro «En busca de José Antonio», no ha conseguido encontrarle y más que buscarle, le persigue. Y la segunda, que su roma inteligencia no ha logrado entender, en absoluto, la rica y sugestiva personalidad intelectual de José Antonio, cuyos textos y pensamiento, unas veces por acción y otras por omisión, mutila y manipula.

La imputación de que José Antonio «no era un pensador original» fundamentada en su condición de discípulo de los hombres del 98, apenas merece respuesta. Jamás hubo en José Antonio una pretensión de monopolio original sobre el concepto de España como unidad de destino. Precisamente lo que avala su pensamiento y la validez de su concepción política en torno a la definición de España como Nación, es que entronca con el pensamiento y la concepción de España definidos por las mentes más lúcidas del siglo XX: preferentemente, Unamuno y Ortega. Aquí, en este punto, no ser original no es demérito. El concepto estaba ahí, más sugerido que definido. Y el hallazgo de José Antonio radica en que lo articula con precisión lingüística insuperable. La gracia conceptual y poética se concreta así en una frase lapidaria, rigurosa y clara, asequible a todas las inteligencias —con excepción, a lo que se ve, de la de Gibson—: «España es una unidad de destino en lo universal.» Nadie, ni siquiera el maestro Ortega que anduvo cerca, lo había definido así antes de José Antonio. Y todos los que después han querido precisar con rigor una concepción histórica y política de España, han tenido que recurrir más o menos vergonzantemente a la concepción joseantoniana o han fracasado en el empeño.

En cuanto a la referencia a que el Imperio fuese fundado «bajo inspiración divina» por Fernando e Isabel, no es más que una de las muchas mentecateces de Gibson. José Antonio no era un fanático religioso ni político y eso lo debería haber averiguado o deducido el irlandés errante durante el estudio de su biografiado. Nunca afirmó tal cosa ni menos la repitió. Aunque sabía, como creyente, que «no se mueve la hoja del árbol sin que esté previsto por la Providencia».

Finalmente, hay que salir al paso de otra manipulación falsaria y maniquea de Gibson. José Antonio no se opone «a cualquier conato autonomista vasco o catalán». Sí a «cualquier aspiración separatista», que es cosa distinta. La disgregación de España como la disgregación de cualquier otro pueblo, representa una pérdida de identidad y personalidad nacional. Más que una amputación parcial que daña la funcionalidad toda del ser nacional, supone una gangrenación progresiva que fatalmente lleva a su muerte y desaparición como entidad histórica. Esto lo pueden apetecer quienes no sean o no se sientan españoles aunque les ampare la nacionalidad formal —como Gibson— pero no puede ser admisible en quienes esencial y no accidentalmente lo son. De ahí que, hoy como ayer, Falange Española considere que «todo separatismo es un crimen».

De cómo los autonomismos que no parten de una convicción profunda en la Unidad se convierten en separatismo, tenemos hoy los españoles testimonios dolorosos suficientemente vivos como para que no tengamos que invocar la memoria histórica. La Constitución articulada por el consenso político de los partidos y fuerzas participantes en el contubernio de Munich y en la «Plataforma» de París, al incluir el término «nacionalidades», abre el portillo a la disgregación que ha tomado cuerpo por la presión política de algunos gobiernos autónomos, como el del Partido Nacionalista Vasco, en Vasconia, o el de la Generalidad en Cataluña; esta presión política de corte y táctica aparentemente moderada, se encuentra respaldada por el radicalismo de otras facciones políticas, como Herri Batasuna, o Ezquerra Republicana de Cataluña, así como por los diversos grupos terroristas de ETA y Terra Lliure, a los que frecuentemente sirven aquéllos como paraguas legal.

Vayan como citas concretas dos referencias recientes. En el mes de agosto de 1984, cuando —¡al fin!— las autoridades judiciales francesas decidieron atender las peticiones de extradición de los terroristas de ETA residentes en Francia, Carlos Garaicoechea, Presidente del Gobierno autónomo vasco, salía al paso diciendo: «El problema vasco va a subsistir aunque se acabe con ETA, porque no vamos a admitir los nacionalistas la defraudación del Estatuto ni la legislación que lo recorta.»

Y cuando, insólitamente, el Gobierno socialista anuncia públicamente su oferta de negociar con ETA directamente, «donde quiera y cuando quiera», el Presidente socialista del gobierno autónomo navarro, Gabriel Urralburu, lanza la idea de que «si el terrorismo no se acaba en un plazo determinado, unos diez años, habrá que arbitrar una fórmula para separar a Euzkadi de España».

Parece claro que lejos de ser un problema definitivamente resuelto, el cáncer del separatismo sigue latente en el ocaso del siglo XX como lo estuvo en su orto. Y que está viva la necesidad de que todos los españoles comprendan que el futuro de España como nación reside en la aceptación de que es «una unidad de destino en lo universal».

La defensa de esa unidad —exigencia constitucional— requiere todos los recursos, incluido, claro está, el de la fuerza. Un pueblo, una nación, diga lo que diga su Ley de leyes, su Parlamento o su Gobierno, no puede suicidarse. Y los españoles que están en condiciones de ello, deben evitarlo en todo caso.

No le faltaba razón a don Ramiro. De él y de Ortega habían arraigado en José Antonio los conceptos de «misión histórica» y de «unidad de destino», como ingredientes de un entendimiento intelectual y metafísico de la Patria. Y otra idea, también de Maeztu, que recogía José Antonio en sus célebres «queremos» es esta: «Nos proponemos mostrar a los españoles educados que el sentido de la cultura en los pueblos modernos coincide con la corriente histórica de España.» Este pensamiento de Maeztu alcanzaría expresión de voluntad de conquista en la voz de José Antonio cuando dice: «Queremos que España recobre resueltamente el sentido universal de su cultura y de su historia.»

Pero en el discurso de José Antonio había muchos más ingredientes y muchas más coincidencias. Su desprecio de los partidos políticos y su desinterés por las urnas constituían una tradición anarcosindicalista en la que no se ha puesto suficiente acento.

Precisamente, el triunfo electoral de José Antonio como candidato por la provincia de Cádiz se debió, en gran parte, a la abstención total de las masas anarquistas. Pero no por las causas que apunta Francisco Bravo cuando dice: «Bastó, al parecer, que alguien,que sabía lo que se hacía desde un punto de vista muñidor y electorero, subvencionara a algún dirigente de la C.N.T. para que ésta acentuase su táctica inhibicionista. Un puñado de pesetas sembró las paredes de los pueblos gaditanos de recomendaciones en almazarrón para que los obreros no votasen.»

No fue un puñado de pesetas, en mi criterio, la miserable causa de la abstención anarquista, sino algo mucho más serio y más noble: un ideal humanista, erróneamente orientado, en cuyas coincidencias con multitud de convicciones falangistas convendría investigar más profundamente y destacar con todo rigor, sin temor a los tabúes. Insisto: no fue por un puñado de pesetas por lo que los anarquistas gaditanos, como los del resto de España, se abstuvieron de votar. Las recientes matanzas que habían sufrido a manos de las autoridades republicanas y socialistas durante la jefatura de Gobierno de Manuel Azaña eran razón suficiente para no creer en la farsa electoral.

Lo proclamaba «Tierra y Libertad», órgano anarquista:

«¡No votéis! El voto es la negación de vuestra personalidad... todos los políticos son nuestros enemigos... no debe importarnos el que la derecha o la izquierda salgan triunfadores de su farsa... Destruid las papeletas de voto... Destruid las urnas... ¡Fuera los supervisores de voto y los candidatos!»

¿Quién se atreverá a negar una básica analogía entre estas palabras y las dichas por José Antonio en su discurso fundacional de la Falange, a propósito de la farsa electoral?

Puede apreciarse que el desprecio por las «urnas» y el afán de destruirlas no le es achacable en exclusiva a la Falange. Era un sentimiento generalizado en el pueblo español, escarmentado de los manejos caciquiles y los «pucherazos» electorales. Y para los que se escandalizan por el sarcasmo de José Antonio en el discurso fundacional: ... «el ser rotas es el más noble destino de las urnas...», sirva como contraste esa imperativa orden del periódico anarquista: «... Destruid las urnas...»

Por otra parte, ya se vio claramente para lo que servía lo que de las urnas saliera. Los secuaces socialistas de Indalecio Prieto participaron violentamente en la ruptura de urnas y actas electorales en los comicios de Cuenca de 1936, en los que, legalmente, José Antonio salió elegido diputado. Dos años antes, en octubre de 1934, también los socialistas, tan proclamadamente «demócratas», fueron nada menos que a una revolución armada, sólo porque las fuerzas políticas de la derecha elegidas libremente en las urnas accedían al Gobierno legal y legítimamente constituido.

Como dice Enrique Barco Teruel con toda justeza («El "golpe" socialista, octubre 1934») (Ediciones Dyrsa, 1984), lo que ocurrió entonces es que «los socialistas habían disfrutado de las delicias del Poder, las habían perdido, querían poseerlas a perpetuidad y la derrota había producido en Largo Caballero un resentimiento capaz de todos los disparates». ¿Con qué autoridad moral, ética o política, son capaces estos señores de criticar la referencia de José Antonio al destino último de las urnas?

En cualquier caso, hay que remarcar que la crítica más enérgica hecha sobre aquel discurso la anunció el propio José Antonio el 19 de mayo de 1935, cuando afirmó en el teatro Madrid: «El acto de la Comedia, del que se ha hablado aquí esta mañana varias veces, fue un preludio. Tenía el calor y todavía, si queréis, la irresponsabilidad de la infancia...»

Pese a este juicio de valor del propio interesado, los sectores más conservadores del Movimiento, en un alarde de falta de imaginación y de iniciativa creadora, se empeñaron durante muchos años en repetir, miméticamente, el ritual de aquel acto, con la lectura del discurso pronunciado por José Antonio, sin que, puestos a proporcionar una conmemoración fantasmagórica aunque resultara emotiva, ni siquiera fuese la voz de José Antonio, que no se conservó grabada, sino la de Dionisio Porres, la portadora del mensaje.

El acto de la Comedia se conmemoró por vez última en el teatro el 29 de octubre de 1969. Un gran despliegue de Fuerzas de Orden Público –superior al efectuado por la República en 1933– creó fuerte tensión entre los asistentes, quienes, al finalizar el acto conmemorativo, se manifestaron con gritos que reivindicaban la vigencia falangista y su aversión hacia la monarquía, así como una conocida cancioncilla de dudoso estilo, pero muy arraigada desde antiguo en la Falange y, especialmente, en sus juventudes, que dice así:

«Viva, viva la revolución.
Viva, viva Falange de las J.O.N.S.
Muera, muera el capital.
Viva, viva, el Estado sindical.

Que no queremos Reyes idiotas
que no sepan gobernar;
implantaremos, porque queremos,
el Estado sindical.»

Cargó la fuerza pública y hubo algunos golpes. No se registraron heridos graves, pero un miembro de la Policía Armada pegó un cachiporrazo al Procurador en Cortes don Ezequiel Puig y Maestro Amado, Vieja Guardia de la Falange sevillana y Concejal del Ayuntamiento de Madrid. Le produjo una herida en la cabeza, lo que dio lugar a diversas interpelaciones parlamentarias y a que el suceso tuviera mayor resonancia en la prensa nacional y extranjera.

Aquella misma tarde los teletipos de las agencias oficiales anunciaban la formación de un nuevo Gobierno, en el que, principalmente, desaparecían, de forma espectacular, como titulares, José Solís, Ministro Secretario General del Movimiento y Delegado Nacional de Sindicatos, y Manuel Fraga Iribarne, Ministro de Información y Turismo, quien había elevado esta actividad a la condición de primera industria del país, convirtiéndola en la más importante fuente de divisas para la economía española, además de haber sido el gran promotor de la Ley de Prensa. Ambos gozaban de popularidad.

El primero ha sido borrado totalmente de la vida política. El segundo figura como «jefe de la oposición» conservadora, después de avenirse al pacto constitucional. Entonces haría célebre una frase, pronunciada durante la ceremonia de entrega del ministerio a su sucesor: «Yo no he tenido más amigos ni enemigos que los del Estado.» Hoy no podría decir lo mismo con idéntica propiedad.

Salían también del Gabinete Jesús Romeo, Ministro de Trabajo; García Moncó, titular de Comercio; Espinosa San Martín, de Hacienda, y el Gobernador del Banco de España, Mariano Navarro Rubio. Estos tres últimos figuraban implicados en el escándalo financiero de «Matesa». Mariano Rubio, que precedió en el Ministerio de Hacienda a Espinosa San Martín, y siendo ministro se había asegurado la gobernación posterior del Banco emisor, estuvo mezclado ya, al parecer, en otro escándalo de fuga de divisas –el de la «Lusofina»–, de menor resonancia, en el que el testaferro había sido Gregorio Ortega Pardo.

Los tres personajes, más Gregorio López Bravo, Ministro de Industria –que en el nuevo Gobierno pasaba, con inexperiencia total, a desempeñar la cartera de Asuntos Exteriores, y también aparecía salpicado políticamente por el «affaire», ya que su subsecretario fue condenado a pena de cárcel–, eran notorios asociados del Opus Dei.

La crisis afectaba también a Fernando María Castiella, titular de Exteriores, que había impulsado con mano firme el timón de la apertura al Este, las relaciones con Europa y, sobre todo, el contencioso con Inglaterra sobre Gibraltar. Fue injustamente motejado como «ministro del asunto exterior» por su reivindicación del Peñón, y especialmente por su oposición a la renovación de los acuerdos con Norteamérica.

Como muñidor y partero de tal reajuste ministerial aparecía Laureano López Rodó, también miembro de la Obra, gestor de los planes de Desarrollo Económico, modelo de tecnócrata, tenaz y no exento de eficacia, hombre extremadamente influyente en la Presidencia del Gobierno regida por el Almirante Carrero Blanco con categoría de Vicepresidente. A la muerte de éste, el 20 de diciembre de 1973, víctima de un brutal atentado reivindicado por E.T.A., cuando salía de oír misa en el templo de los jesuitas de la calle de Maldonado, todo el tinglado político se vino abajo, y los miembros de la Obra desaparecieron del Gabinete, en el que apenas tenían ya representación después de haber sido nombrado Presidente del Gobierno el Almirante Carrero en junio de 1973.

Este largo paréntesis resultaba imprescindible porque, torpemente, multitud de apologistas de la Falange habían pretendido encerrar, entre la inmadurez del discurso fundacional y la emoción del testamento escrito en Alicante, toda la rica floración doctrinal, crecientemente radicalizada y revolucionaria, que maduró audazmente entre 1935 y 1936.

Consecuentes con este propósito deformador grato a la derecha reaccionaria del régimen, la conmemoración mimética del acto fundacional y los funerales del 20 de noviembre, primeramente en El Escorial y luego en el Valle de los Caídos, constituyeron durante muchos años los únicos actos solemnes falangistas del calendario oficial, en tanto se echaban paletadas de olvido sobre escritos y discursos harto más representativos del pensamiento de José Antonio. Contrariamente, en la base militante, y con especial afán crítico en las centurias juveniles y del S.E.U., se estimuló el análisis doctrinal de las más radicales proposiciones ideológicas de José Antonio, con el fomento de seminarios y círculos de estudio. La voluntad de desarrollo político de este ideario y su aplicación a la vida de relación universitaria, había de ser causa directa de la disolución del Sindicato Español Universitario y de las Falanges Juveniles, por decisión gubernamental.

34. Constitución legal de la Falange

Vueltos al hilo narrativo, hay que consignar que el 2 de noviembre –tal como se anticipa anteriormente– queda formalizada el acta legal constitutiva de Falange Española en los siguientes términos:

«En Madrid, a 2 de noviembre de 1933, reunido el núcleo iniciador de Falange Española en el domicilio de dicha entidad, calle de Torrijos, número 46, principal A, y habiendo transcurrido el plazo de ocho días, determinado en el artículo 4 de la Ley de Asociaciones, de 30 de junio de 1887, acordó dicho núcleo lo siguiente:

1.° Constituir la entidad Falange Española.

2.° Nombrar la siguiente Junta Directiva:

Comité de Mando: don Julio Ruiz de Alda, don Alfonso García Valdecasas y don José Antonio Primo de Rivera.

Delegado de Estudio: don Rafael Sánchez-Mazas.

Delegado de Organización Local: don Lucio Martínez Cabezas.

Secretario: don Eliso García del Moral y Bujalance.

Tesorero: don Román Ayza.

Vocales: don Agustín Escudero, con Antonio Bouthelier Espasa y don Mariano García.

El Secretario
Eliso G. del Moral

V.° B.°
Por el Comité de Mando
como Presidente:
Julio R. de Alda.»

El acta aporta varios datos curiosos, como son el de fijar como primer domicilio social de F.E. la calle de Torrijos; designar como primer Secretario de la organización a Eliso García del Moral, y, finalmente, que no era José Antonio, sino Ruiz de Alda, el Presidente del Comité de Mando. También, que, atendiendo a los plazos legales que se citan –ocho días–, puede considerarse como fecha válida de iniciación de los trámites de constitución el 25 de octubre, con lo que es de suponer que para esa fecha ya estaría resuelto y decidido el asunto de la denominación, tan largamente debatido.

Se divulgaron entonces por toda España los «puntos iniciales», en los que se condensaban los ideales del nuevo Movimiento, y se contestaban las primeras adhesiones con este tipo de circular:

«F.E. –Falange Española–. Madrid.

»El Comité de Mando de este Movimiento nacional ha recibido la carta de adhesión dirigida por usted a uno de sus miembros. La abrumadora abundancia de las adhesiones recibidas no permite contestar personalmente a cada adherido, sino por medio de esta hoja impresa. Pero crea que las palabras de usted han sido leídas y estimadas personalmente, con la más cordial gratitud, por el jefe a quien van dirigidas, y que al enviarle esta notificación de tenerle ya por unido al Movimiento le dirige todo el Comité su fraternal saludo.

»Madrid, 8 de noviembre de 1933. Firmado: José Antonio Primo de Rivera.»

Dos observaciones curiosas cabe hacer a esta circular. Primera, el hecho de que fuera firmada por José Antonio. Ignoro, aunque es presumible, si hubo otras circulares firmadas por los demás mandos, Julio Ruiz de Alda, por ejemplo. Si no fue así, se evidenciaría el protagonismo que desde el primer momento asumía José Antonio, pese a que la presidencia del Comité de Mando recayese en Ruiz de Alda. Y segunda, que en este primerísimo documento de comunicación con sus afiliados queda reseñado expresamente, con toda literalidad, el término Movimiento Nacional, concepto que ya había expuesto José Antonio en el discurso fundacional.

La inflación del uso de la expresión «partido», referido a F.E.T. y de las J.O.N.S., como sinónimo de «partido único», fue fruto del mimetismo fascista dominante a partir de la unificación decretada en 1937, y consecuencia directa de la influencia que cobraron los hombres procedentes de la derecha japista y de Renovación Española tras la muerte de José Antonio y la eliminación de Hedilla. También, indudablemente, contribuyó a este proceso el desarrollo de la guerra civil y la camaradería surgida en ella con los combatientes voluntarios italianos y alemanes. El difícil equilibrio que España hubo de mantener al declararse posteriormente la II Guerra Mundial es historia ampliamente debatida, a la que ha aportado importantes perfiles Ramón Serrano Suñer en sus múltiples libros y escritos sobre el tema. La División Azul, integrada por voluntarios falangistas mayoritariamente, fue el precio pagado por España para su no intervención en la guerra.

En la División Azul lucharon y murieron los mejores militantes de la Falange que habían sobrevivido a los azares de la guerra civil. En los campos de batalla de Rusia quedaron para siempre Vicente Gaceo, pasante de José Antonio; Enrique Sotomayor; los hermanos García Noblejas; José Miguel Guitarte, jefe nacional del S.E.U.; los hermanos Ruiz Vernacci, y tantos otros, procedentes casi todos ellos del Sindicato Español Universitario, que constituían la verdadera esperanza de la Falange.

Su sacrificio no fue estéril, pues libró a España, con toda certeza, de la destrucción que hubiera ocasionado su beligerancia en la gran conflagración mundial. España entera le debe por este solo hecho un tributo de honor, gratitud y reconocimiento, que algunos le regatean.

Con dolor e indignación, los españoles hemos contemplado cómo durante su viaje a la Unión Soviética el Rey Juan Carlos I rendía honores a los soldados comunistas muertos en la defensa de Leningrado, en tanto que no correspondía con igual gesto a los Caídos españoles de la División Azul muertos en aquel campo de batalla en lucha contra el ejército soviético.

Tal actitud en quien ostenta la máxima magistratura del Estado español, contrasta vivamente con un reciente hecho protagonizado por el ministro alemán de Asuntos Exteriores, Hans Dietrich Genscher. Tenía anunciado éste un viaje de visita a Polonia, previsto para el 21 de noviembre de 1984. Y, cuatro horas antes de iniciarlo, suspendió la visita oficial porque las autoridades comunistas polacas habían puesto reparos a que Genscher depositase una corona de flores en un cementerio de soldados alemanes, caídos durante la II Guerra Mundial.

Valga esta nota como lección y como desagravio a los Caídos españoles —militares y falangistas— muertos en la URSS.

Pero volvamos al eje de la narración.

José Antonio era, «sin fe y sin respeto», cual dijera en su discurso del 29 de octubre, candidato para las elecciones novembrinas. Consecuentemente, se traslada a la provincia gaditana, por cuya jurisdicción se presenta, y actúa intensamente en una serie de mítines que tienen por escenario Puerto de Santa María, Sanlúcar, Villamartín, Olvera, Setenil, Algodonales, Ubrique, Arcos de la Frontera y multitud de localidades más.

Es un periplo que va a tener una jornada trágica en el domingo 12 de noviembre. Ese día, después de intervenir en el teatro Principal de la capital, José Antonio se traslada a San Fernando para celebrar allí, en el teatro de las Cortes, otra reunión de propaganda.

Apenas aparece en el escenario, se oyen unos disparos y varios asistentes caen abatidos en el suelo. La sorprendente agresión produce momentos de desconcierto. Cuando se recoge a las víctimas, se comprueba que una de ellas está muerta y que cuatro han resultado heridas, entre éstas, Mercedes Larios de Domecq, quien quedaría ciega para siempre. En medio del tumulto, el delegado gubernativo intenta en ese momento suspender el acto, pero don Ramón de Carranza, que presidía, se adelanta al proscenio y dice:

«No se puede suspender así este acto. Yo no hablaré. Pero tenéis que escuchar a José Antonio Primo de Rivera, digno hijo de su padre.»

Seguidamente, según cuentan Sancho Dávila y Julián Pemartín en su libro «Hacia la historia de la Falange», José Antonio, desde la batería, manifestó:

«Como veis, estos hechos que se suceden frecuentemente no pueden repetirse. Hay que terminar con este estado alarmante de desorden y anarquía. La autoridad, cobarde para evitar la introducción de elementos extraños, no lo es, en cambio, para suspender este acto atropellando nuestros derechos.»

Como José Antonio continuara su intervención en términos de gran dureza dialéctica, negándose a cumplir las órdenes de la autoridad –«que no la poseía para impedir la libre circulación de los asesinos», dice–, don Ramón de Carranza le pidió que terminase, ante lo que concluyó:

«La respetable y aquí única autoridad de don Ramón de Carranza me ruega que termine; sólo ahora se da por terminado el acto. Antes quiero que todos gritéis conmigo: ¡Viva España!»

Este grave atentado no impidió a José Antonio proseguir su campaña. El día 16 volvió a hablar en Puerto de Santa María, y al día siguiente, en el teatro Eslava, de Jerez de la Frontera.

Su recorrido por la provincia de Cádiz había sido un éxito. Su presencia reavivó los rescoldos del recuerdo agradecido de los gaditanos a la memoria de don Miguel, y soldó los lazos personales de nuevas adhesiones hacia el hijo. Aunque apenas nada más.

Cuando regresa a Madrid, se entera del comentario que, con dudoso gusto, ha escrito el humorista Wenceslao Fernández Flórez en las páginas de «ABC», acerca del criminal atentado de San Fernando, al que ha comparado con una dosis de aceite de ricino administrada al fascio español.

La réplica es contundente:

«Si el artículo no se hubiera publicado en "ABC", no merecería su autor la más mínima beligerancia polémica. Pero la calidad de la tribuna exige señalar que se falta a la verdad y a la justicia en aquel artículo por las razones siguientes:

Primera: Porque el acto de San Fernando no era un mitin fascista, sino de propaganda de una coalición electoral; ni la agresión fue dirigida contra ningún fascista; ni en San Fernando había organización fascista; ni el fascio tenía nada que ver con la organización del mitin ni con la vigilancia.

Segunda: Porque el autor del crimen lo cometió disparando sobre el público, y no sobre el escenario, desde una puerta lateral de la sala, sin llegar a entrar, por lo que nadie pudo verle en el momento de hacer los disparos ni iniciar en el acto su persecución, y

Tercera: Porque no ha sido posible hasta ahora determinar quiénes fueron los inductores del crimen, sobre los cuales, de ser conocidos, hubiera podido recaer una justa represalia. Quede con esto restablecida la verdad pública. Por lo demás, los fascistas españoles, sin alardes, se encargarán de demostrar que, ni simbólicamente, aceptan la más mínima dosis de aceite de ricino.–José Antonio Primo de Rivera.»

Contemplado este suceso con la perspectiva de medio siglo, no puede por menos llamar la atención que un ataque así pudiera producirse, precisamente, en las páginas de «ABC». Aunque, ciertamente, la desconcertante actitud del diario sufriría muchas variantes a lo largo del tiempo. Desde la calle de Serrano pronto se lanzarían otras incitaciones, igualmente confusas.

De idéntica manera, cabe contrastar el denso manto de silencio que historiadores, preocupados por el fenómeno falangista, a veces puntillosos en la recogida de datos irrelevantes, arrojan sobre este primer tributo de sangre.

¿Verdaderamente el primero?

La muerte, que, como una novia celosa seguiría siempre los pasos de la juventud falangista, se había cobrado ya la vida de José Ruiz de la Hermosa. Era un humilde estudiante, perteneciente a las J.O.N.S., que había asistido con el grupo de Ramiro Ledesma Ramos al acto del teatro de la Comedia. Como poco después diría José Antonio, «vino, oyó, creyó y murió». A su regreso a Daimiel, donde vivía y donde había formado una célula jonsista, cayó apuñalado durante un mitin socialista, mientras increpaba a sus enemigos. Era el día 2 de noviembre, justamente cuando en Madrid se constituía oficialmente la Falange Española. Su asesino, socialista, también se llamaba José Ruiz de la Hermosa. Como señala David Jato, «comenzaba una guerra entre hermanos, que se desconocieron, con frecuencia salvajemente, durante seis años». Con su muerte, José Ruiz de la Hermosa se adelantaba en el martirologio y en la fusión de los dos movimientos hermanos, Falange Española y las Juntas de Ofensiva Nacional Sindicalistas. En el número séptimo del semanario «F.E.», publicado el 22 de febrero de 1934, José Antonio así lo proclamaba:

«La sangre de nuestros muertos nos ha unido, y ella es la que ha sellado nuestro pacto. Aquí abajo nos abrazamos nosotros en un solo haz; pero allá arriba, sobre el cielo azul de las Españas, se dan hoy un abrazo estrecho José Ruiz de la Hermosa y Matías Montero y Rodríguez de Trujillo. Ante nuestras filas cerradas ellos están presentes»...

Aquella fusión, tan cercana, aún no se había producido en noviembre de 1933, pero el alma de no pocos militantes jonsistas, como el propio Matías Montero, que había sido el primero en enviar a Ramiro Ledesma su boletín de adhesión, en febrero de 1931, se sentía ya prendada por la bandera alzada por José Antonio el 29 de octubre.

La carta de adhesión de Matías Montero, dirigida a Ramiro Ledesma Ramos, decía así: «Sr. D. Ramiro Ledesma Ramos. Muy señor mío: Habiendo leído el

manifiesto La Conquista del Estado que usted suscribe como Presidente, y sinceramente convencido de que su ideario viene para abrir un camino salvador en la actual confusión políticosocial, envío desde luego mi adhesión y le ruego me envíe folletos que expliquen detalladamente lo que va a ser el partido. Yo soy estudiante de Medicina y cuento actualmente diecisiete años, pero me falta muy poco tiempo para cumplir dieciocho años. Espero de su bondad no demore el envío de los detalles que solicito. De usted Affmo. y s.s., Matías Montero y Rodríguez de Trujillo. Mis señas son: Marqués de Urquijo, 21, 3.°, Madrid, 9 de febrero de 1931.»

(David Jato. «La rebelión de los estudiantes», página 45. Editorial Cíes, 1953.)

Mientras José Antonio cumple su campaña electoral por tierras de Cádiz, Julio Ruiz de Alda presenta, el 6 de noviembre, los Estatutos de Falange Española en la Dirección General de Seguridad.

35. José Antonio, diputado

El día 19, según lo previsto, se celebraron las elecciones en toda España. El triunfo de la coalición derechista fue espectacular: 217 escaños, frente a los 163 centristas y 93 de las izquierdas. De éstos, solamente 53 fueron para los socialistas. En este cuadro distributivo de las fuerzas parlamentarias sólo había dos representantes de sus respectivos grupos a título individual, según registra puntualmente –aunque con tendenciosidad– Hugh Thomas: «Uno era José Antonio Primo de Rivera, joven letrado hijo del viejo Dictador, que no vacilaba en presentarse abiertamente como fascista. El otro se apellidaba Bolívar, y había sido elegido como diputado comunista por Málaga.» Como indico anteriormente, Thomas no es riguroso. Porque José Antonio fue elegido, como hemos visto, por una coalición de derechas que le proporcionó 41.720 votos, suficientes para ocupar su acta de diputado; y Bolívar, según connotación que recoge Hugh Thomas del libro de Enrique de Matorras «El comunismo en España», «fue elegido por un frente popular local de Málaga formado por comunistas, socialistas y republicanos».

El día 20 de noviembre, en «La Información», y el 21, en «Diario de Cádiz», se publicaba una nota de agradecimiento de José Antonio Primo de Rivera dirigida a sus electores, en la que decía:

«Todavía bajo la impresión de las primeras noticias, no sé si prevalece dentro de mí la emoción por el triunfo y el honor de verme elegido en la provincia donde nació mi padre, o el peso de la responsabilidad que va envuelta en la investidura, sobre todo en momentos como éstos, decisivos para España. Pero, entre la alegría y el temor, tiene que abrirse paso, en esta fecha, la más viva gratitud: una gratitud emocionada y profunda para todos los que han trabajado con tanta fe por el triunfo de la candidatura en que yo figuraba, y para todos los que, al darme su voto, han sabido hermanar delicadamente la expresión de una confianza generosa y la devoción a un recuerdo para mí sagrado. Estén todos seguros de que no se me escapa ese fino sentido de sus votos, y que, al percibirlo, me siento ligado en sujeción espiritual, que es siempre la más fuerte, al servicio de esta provincia para mí tan llena de motivos de afecto.»

Quizá no se haya ponderado suficientemente, con posterioridad, el valor intrínseco que tuvo, para el desarrollo de la Falange y la difusión del pensamiento de José Antonio, su elección como diputado en Cortes por la provincia gaditana. No es aventurado suponer que las múltiples dificultades que venció la organización gracias a la inmunidad parlamentaria de su jefe, el impresionante impacto que causaron en la opinión pública algunas de sus sonadas intervenciones parlamentarias y, sobre todo, el respeto que supo ganarse para él y para sus seguidores entre la mayoría de sus adversarios, no hubieran sido posibles si Cádiz no le hubiera otorgado con su voto el acta de diputado. Esta es una justicia histórica que la Falange debe a Cádiz.

Entretanto, la fiebre organizadora de los primeros momentos no sólo no había decaído, sino que, impulsada por Julio Ruiz de Alda, en uno de los flancos, y por José Antonio, en el otro, se acrecentaba con importantes iniciativas. Bajo la supervisión de Julio, iba a nacer, inmediatamente, el primer sindicato de la Falange. No como un organismo dependiente de ella bajo ningún género de control jurídico, pero sí impulsado e identificado con sus miembros. Esa independencia del Sindicato Español Universitario –cuyos estatutos fueron presentados el día 21 de noviembre en la Dirección General de Seguridad por Manuel Valdés Larrañaga, un joven estudiante de Arquitectura, campeón de España de natación en la especialidad de 100 metros libres– proporcionaría al S.E.U. una gran agilidad proselitista y de maniobra en su lucha contra la F.U.E. y en su rivalidad con la Asociación de Estudiantes Católicos, entonces el más importante grupo fuera de la organización oficial fueísta. Aquel incipiente sindicato, que pronto se organizaría en escuadras de acción, daría a la Falange sus mejores militantes, aquellos por los que José Antonio no dudó en calificarle como «la gracia y la levadura de la Falange».

Pronto iba a comenzar la actividad parlamentaria. En medio de la expectación que levantaba en el país la constitución de unas Cortes de signo político tan contradictorio respecto a las Constituyentes, las gacetillas periodísticas recogen el ambiente previo en los pasillos del caserón de la Carrera de San Jerónimo: «El diputado por Cádiz, don José Antonio Primo de Rivera –informan–, estuvo por la tarde en el Palacio del Congreso escogiendo su escaño. Manifestó que "quería situarse un poco distante de los escaños del sector derechista", porque él actuará en las Cortes con carácter independiente. Ha elegido escaño a la derecha de los que ocupan los socialistas.»

Aquella ubicación en el hemiciclo facilitaría la enérgica resolución de su primer incidente parlamentario con la minoría socialista, en el que, como se verá en seguida, desplegaría, al tiempo que la fuerza de sus músculos, la gracia de su demoledor sentido del humor.

Algunos reclamos en la prensa y carteles callejeros habían adelantado noticia de la inmediata aparición de un nuevo semanario con el título de «F.E.». La íntima relación que había existido entre los mentores del diario «La Nación», tan ligado a la causa de la Dictadura, y en donde José Antonio había encontrado acogida casi diaria, había sufrido un cierto enfriamiento parejo con el despegue independiente de la Falange respecto de las fuerzas de la derecha política española. Y de ahí que José Antonio impulsara, con personal dedicación y empeño, la publicación de un órgano propio en el que fuera posible recoger la pureza del contenido de la nueva doctrina, y a través del cual fuera posible mantener vivo el contacto con simpatizantes y militantes.

Tal propósito alarmó e irritó a los socialistas, que empezaban a ver en la Falange un peligroso competidor político. No en vano numerosos jóvenes militantes socialistas y comunistas de la F.U.E. se habían sentido atraídos ya por el carácter nacional y revolucionario de la Falange, singularmente activo en las jóvenes escuadras del incipiente pero dinámico S.E.U.

«La aparición en el escenario político de los falangistas repercutió inmediatamente en la Universidad. Aunque la F.U.E. había perdido influencia, sus únicos enemigos activos habían sido hasta entonces los tradicionalistas, ya que los fascistas de las J.O.N.S. no tenían casi afiliados entre los estudiantes, salvo en la Universidad de Valladolid. Falange Española traía otros objetivos. Muchos de sus afiliados universitarios eran miembros de la F.U.E., y los que no lo eran, recibieron orden de ingresar en ella. Sin duda, a Primo de Rivera le era muy grata la idea de que nuestra organización se uniera a la Falange.»

(Manuel Tagüeña Lacorte. «Testimonio de dos guerras», página 41. Editorial Planeta, 1978.)

Como recoge Ramiro Ledesma, bajo el seudónimo de Roberto Lanzas, en su libro «¿Fascismo en España?», «la táctica contra Falange Española siguió dos veredas: una, el asesinato de militantes suyos por el solo hecho de serlo. Otra, el recrudecimiento de una campaña antifascista, encaminada a conseguir llevar a la conciencia de las masas la creencia de que el fascismo significaba el aplastamiento de los obreros por una tiranía de señoritos ricos, que organizan bandas armadas al servicio de los explotadores». El diagnóstico de Ramiro Ledesma –en aquella etapa, separado del Movimiento– es rigurosamente verídico. Como ya he apuntado anteriormente, el calificativo de «fascista» como invectiva e insulto fue invento de los comunistas franceses, que lo popularización en toda Europa, y en él acogía a todos los grupos no marxistas, cualquiera que fuese su ideología, desde la derecha agraria hasta la izquierda republicana: desde los viejos liberales hasta los demócratas cristianos de más pura cepa. Por tanto, el término «fascista» tiene aquí solamente un valor indicativo, pues ya hemos visto con qué enérgica claridad fue rechazado por José Antonio.

Fruto de la táctica socialista fue el boicot decretado por el sindicato de vendedores de la U.G.T., que se negó a repartir el nuevo semanario por las calles y quioscos de Madrid y de provincias, creyendo que así cortarían en flor el nacimiento del órgano falangista. Se equivocaron. El boicot no arredró a José Antonio. Se movilizaron las jóvenes escuadras seuistas, deseosas de disputar la calle a los socialistas, y grupos de estudiantes se lanzaron a la Puerta del Sol, por la calle de Alcalá, glorieta de Bilbao y la de Cuatro Caminos, voceando la buena nueva de «F.E.».

Según cuenta David Jato, el primer número de «F.E.» cuya fecha de aparición fue el 7 de diciembre de 1933, fue voceado ese mismo día por diversas calles de la capital. En la venta y protección participaron tres centurias, mandadas, respectivamente, por Agustín Aznar, José Manuel Fanjul y Luis Aguilar. La centuria dirigida por Aznar estaba integrada por estudiantes de Medicina. La de Fanjul, por estudiantes de Ciencias, Derecho, Filosofía y Letras y Farmacia. Y la capitaneada por Aguilar la formaban estudiantes de otras facultades, incluidas las Escuelas Especiales.

(David Jato. «La rebelión de los estudiantes», página 63. Editorial Cíes, 1953.)

En la llamada «acera roja» de la Puerta del Sol, dominio de ugetistas ociosos, y en la glorieta de los Cuatro Caminos, la venta de la revista fue acompañada de puñetazos, imprecaciones y palos. Algunos escuadristas resultaron heridos, pero no llevaron mejor suerte sus adversarios. Por primera vez, los grupos socialistas tuvieron que abandonar su terreno ante aquellos jóvenes decididos a todo por vender su periódico. Dispuestos a morir, como, con sorna, diría algún significativo diario conservador, por difundir «ideas de Platón a perra gorda».

Aquella derrota en la calle alertaría a los pistoleros de la Juventud Socialista madrileña, que dirigía, por influencia de su padre Wenceslao, el joven Santiago Carrillo.

Santiago Carrillo Solares, actual diputado y portavoz del Partido Comunista en el Congreso, ha pasado a la historia por su responsabilidad en las terribles matanzas de Paracuellos del Jarama, ejecutadas durante el mes de noviembre de 1936, cuando él ostentaba la titularidad de la Consejería de Gobernación y Comisaría de Orden Público en la Junta de Defensa de Madrid, presidida por el General José Miaja, tras el abandono de la capital de España por el gobierno del Frente Popular.

La sugerencia de eliminar a los miles de patriotas que llenaban las cárceles madrileñas —de los que unos ocho mil eran militares que se habían negado a colaborar con el gobierno del Frente Popular— se le atribuye al entonces corresponsal de «Pravda» y agente especial de Stalin, Mikhail Koltsov. Los presos, sin formación de causa ni sentencia condenatoria, eran sacados de las cárceles bajo la excusa de un «traslado» de prisión, ante la inminente llegada de las tropas nacionales a Madrid. Los autobuses y vehículos en que eran trasladados los presos se dirigían a las inmediaciones del pueblo de Paracuellos del Jarama, en donde eran sacrificados en masa y enterrados en fosas comunes, «en un verdadero anticipo de las matanzas de Katin y similares», según enjuicia certeramente José Luis Acofar Nassaes en su libro «Los asesores soviéticos en la guerra civil española». Es de ahí de donde le viene al siniestro diputado comunista el sobrenombre de «duque de Paracuellos» con que es motejado popularmente.

La venta de «F.E.» ha sido sonada. En los mentideros políticos y en los cafés se empieza a comentar la audacia de los jóvenes seguidores de José Antonio, y son multitud los muchachos que, desde otros sectores políticos, empiezan a considerar con simpatía el nuevo Movimiento.

El contenido del semanario, sin embargo, decepciona a algunos. Hay un decidido regusto por lo estético, una preocupación conscientemente obsesiva por el *estilo* como expresión de una conducta superior, no sólo como característica literaria. Algún sector califica a José Antonio de «ensayista», sin apreciar que en su pretensión de entroncar pasado con futuro, ligando la mejor tradición española a los valores que España necesita en su precaria actualidad, radica, precisamente, la clave de su atracción entre la juventud.

Así, con el primer número de «F.E.» ven su luz, además de los «puntos iniciales», dos ensayos importantes: «La victoria sin alas» y «¿Euzkadi libre?»

El primero es un juicio crítico sobre el resultado electoral que ha dado el triunfo a las derechas. Nadie como José Antonio advierte la mezquindad de la victoria que les ha llegado a fuerzas políticas y reaccionarias, que no aspiran a otra cosa que a hacer perdurable su mediocridad burguesa.

Aún hoy, después de tantos años, persiste el valor de lo entonces escrito por José Antonio. Y admira la clarividencia con que supo juzgar aquel momento histórico. En él, entre otras cosas, dice José Antonio:

«España se jugó otra vez, al juego de las papeletas, el 19 de noviembre.

»Y hay quien cree que en este sorteo se ha ganado nada menos que la contrarrevolución. Muchos se sienten tan contentos.

»Una vez más tiende España a cicatrizar en falso, a cerrar la boca de la herida sin que se resuelva el proceso interior. Sencillamente: a dar por liquidada una revolución, cuando la revolución sigue viva por dentro, más o menos cubierta por esta piel endeble que le ha salido de las urnas...

»No se olvide un dato: hay algunas provincias —sobre todo en las andaluzas— donde el 60 por ciento del censo se ha quedado sin votar...

»Una orden dada a tiempo por los sindicatos, una movilización general de masas proletarias hubiera producido la derrota de quién sabe cuántos candidatos de las derechas. Los obreros lo sabían y, sin embargo, se han abstenido de votar. Hay que estar ciego para no ver bajo ese desdén la amenaza terrible hacia quienes se consideran vencedores...

»Las derechas están con su Parlamento recién ganado como un niño con juguete nuevo. Creen —así Azaña hace poco— que el mundo es ese mundo que se ve con la linterna mágica del Parlamento. Encerrados en el Parlamento se creen en posesión de los hilos de España. Pero fuera hierve una España que ha despreciado el juguete...

»Esa España, mal entendida, desencadenó una revolución. Una revolución es, siempre, en principio, una cosa anticlásica. Toda revolución rompe al paso, por justa que sea, muchas unidades armónicas. Pero una revolución puesta en marcha sólo tiene dos salidas: o lo anega todo o se la encauza. Lo que no se puede hacer es eludirla, hacer como si se la ignorase...

»Esto es lo grave del momento presente: los partidos triunfantes, engolillados de actas de escrutinio, creen que ya no hay que pensar en la revolución. La dan por acabada. Y se disponen a arreglar la vida chiquita del Parlamento y de sus frutos, muy cuidadosos de no manejar sino cosas pequeñas. Ahora empiezan los toma y daca de auxilios y participaciones. Se formarán Gobiernos y se escribirán leyes en papel. Pero España está fuera.

«Nosotros lo sabemos y vamos a buscarla. Bien haya la tregua impuesta a los descuartizadores. Pero *desgraciados los que no se lleguen al torrente bronco de la revolución* —hoy más o menos escondido— *y encaucen, para bien, todo el ímpetu suyo.* Nosotros iremos a esos campos y a esos pueblos de España para convertir en impulso su desesperación. Para incorporarlos a una empresa de todos. Para trocar en ímpetu lo que es hoy justa ferocidad de alimañas recluidas en aduares, sin una sola de las gracias ni de las delicias de una vida de hombres. Nuestra España se encuentra por los riscos y los vericuetos. Allí la encontraremos nosotros, mientras en el palacio de las Cortes enjaulan unos cuantos grupos su victoria sin alas.»

Aquella promesa: «Nosotros iremos a esos campos y a esos pueblos de España para convertir en impulso su desesperación», la cumpliría fervorosamente José Antonio.

36. Defensa de la unidad de España

En cuanto a «¿Euzkadi libre?», bosqueja José Antonio, con irreprochable argumento, uno de sus bellísimos alegatos por la unidad de España.

«Se dijera que su destino universal, el que iba a darle el toque máximo de nación, aguardaba el instante de verla unida. Las tres últimas décadas del quince asisten atónitas a los dos logros, que bastarían, por su tamaño, para llenar un siglo cada uno: apenas se cierra la desunión de los pueblos de España, se abren para España —allá van los almirantes vascos en naves de Castilla— todos los caminos del mundo.

»Hoy parece que quiere desandarse la Historia. Euzkadi va por el camino de su libertad. ¿De su libertad? Piensen los vascos en que la vara de la universal predestinación no les tocó en la frente sino cuando fueron unos con los demás pueblos de España. Ni antes ni después, con llevar siglos hablando lengua propia y midiendo tantos grados de ángulo facial. Fueron nación (es decir, unidad histórica diferente de las demás) cuando España fue su nación. Ahora quieren escindirla en pedazos. Verán cómo los castiga el Dios de las batallas y de las navegaciones, a quien ofende, como el suicidio, la destrucción de las fuertes y bellas unidades. Los castigará a servidumbre, porque quisieron, desordenadamente, una falsa libertad. No serán nación (una en lo universal); serán pueblo sin destino en la Historia, condenado a labrar el terruño corto de horizontes, y acaso a atar las redes en otras tierras nuevas, sin darse cuenta de que descubren mundos.»

Cincuenta y un años después estos pensamientos cobran de nuevo estremecedora vigencia. Al amparo de la Constitución de 1978, la aldeana falsificación histórica urdida por Sabino Arana ha vuelto a sembrar la cizaña del odio a España, envuelta en el espejismo de una pretensión utópica: convertirse en nación y estado independientes, mediante la sustración a la unidad de España de las tres provincias vascas, Navarra, Logroño y parte de Burgos y Santander. En esa maquinación andan mezclados, en diverso grado, el Partido Nacionalista Vasco y sus valedores episcopales, significativamente católicos y burgueses; Euzkadiko Ezquerra y Herri Batasuna, abiertamente marxistas; el Partido Comunista de Euzkadi, correligionario en la fe marxista-leninista de los anteriores, y los grupos de acción terrorista, que con las varias denominaciones de E.T.A. y de Comandos Autónomos Anticapitalistas sirven de brazo armado criminal a los intereses conjuntos de unos y de otros. Frente a ellos, el Gobierno socialista, como anteriormente el de U.C.D., salva las apariencias con pactos de «reinserción social» para los supuestos «terroristas arrepentidos», en una dejación de autoridad que bordea los márgenes ambiguos e imprecisos del texto constitucional. Ninguna institución del Estado parece advertir la amenaza cierta, crecientemente peligrosa, que tal política provoca contra la unidad nacional, cuya salvaguardia está encomendada constitucionalmente a las Fuerzas Armadas. ¿Habrá, finalmente, alguien que tome conciencia del riesgo y transmita esa inquietud, formulando el correspondiente remedio, al resto del pueblo español, incluidos los vascos no contaminados por el delirio separatista?

El 19 de diciembre, abierto ya el Parlamento, José Antonio va a tener una breve intervención para replicar a Gil Robles, quien lanza gratuitamente sobre el Fundador de la Falange la acusación de mantener un ideario basado en «un concepto panteísta de la divinización del Estado y en la anulación de la personalidad individual».

Las palabras de José Antonio en su réplica son inequívocas, pero durante mucho tiempo –todavía hoy, en las postrimerías del siglo, lo sugiere sectariamente el Cardenal Vicente Enrique Tarancón, en reciente libro– el sector «católico» representado por Gil Robles alentaría la calumnia de que la Falange era anticatólica.

David Jato sale al paso de esta farisaica imputación y recuerda cómo Gil Robles, mientras lanzaba esta injuria en el Parlamento, no tenía escrúpulo de pactar con los más floridos representantes de la Masonería española encuadrados en las filas del Partido Radical de Lerroux. En cambio, los jóvenes falangistas del S.E.U., por aquellos días, se reunían con el sacerdote don Manuel Gutiérrez en su domicilio de la calle de Santa Susana. «Don Manuel Gutiérrez, —aclara Jato— pertenecía a la Junta de Mando de la Falange asturiana y había sido encargado de la organización del Sindicato universitario ovetense.»

(David Jato. «La rebelión de los estudiantes», páginas 64 y 65. Editorial Cíes, 1953.)

... «Yo le diré al señor Gil Robles –argumenta José Antonio en su réplica– que la divinización del Estado es cabalmente lo contrario de lo que nosotros apetecemos...

»Los reyes absolutos podían equivocarse; el sufragio popular puede equivocarse; porque nunca es la verdad ni es el bien una cosa que se manifieste ni se profese por la voluntad. El bien y la verdad son categorías permanentes de razón, y para saber si se tiene razón no basta preguntar al rey –cuya voluntad para los partidarios de la soberanía absoluta es siempre justa–, ni basta preguntar al pueblo –cuya voluntad, para los roussonianos, es siempre acertada–, sino que hay que ver en cada instante si nuestros actos y nuestros pensamientos están de acuerdo con una aspiración permanente.

»Por eso es divinizar al Estado lo contrario de lo que nosotros queremos. Nosotros queremos que el Estado sea siempre instrumento al servicio de un destino histórico, al servicio de una misión histórica de unidad: encontramos que el Estado se porta bien si cree en ese total destino histórico, si considera al pueblo como una integridad de aspiraciones, y por eso nosotros no somos partidarios ni de la dictadura de izquierdas ni de la de derechas, ni siquiera de las derechas y las izquierdas, porque entendemos que un pueblo es eso: la integridad de destino, de esfuerzo, de sacrificio y de lucha, que ha de mirarse entera y que entera avanza en la Historia y entera ha de servirse.»

Las actas taquigráficas de las sesiones parlamentarias marginan las palabras de José Antonio con expresiones de «muy bien» manifestadas por los diputados. Con aquel joven parlamentario se podría estar de acuerdo o en desacuerdo, pero sus intervenciones estaban cargadas de rigor y seriedad.

Demostrada su capacidad dialéctica frente a las derechas, ¿pretendió el grupo socialista probar su temple cuando Prieto lanzó una injuria contra don Miguel Primo de Rivera?

Si aquél fue el propósito, consiguieron lo que deseaban.

Ante el agravio, José Antonio saltó el espacio que le separaba de los escaños socialistas y la emprendió a golpes con don Indalecio, generalizándose el tumulto. Finalizado éste, el Presidente de las Cortes reconoció:

«Señor Primo de Rivera: S.S. se ha producido por móviles que no pueden menos de tener un eco de simpatía en toda alma generosa»...

Aquella lección no fue aprendida, sin embargo, por los socialistas. Según cuenta Serrano Suñer, poco después, durante otro escándalo, y mientras el presidente trataba de poner orden a golpes de campanilla, José Antonio le requirió para que les dejaran pegarse un día en serio. Y uno de los diputados marxistas replicó: «Tú no pegas ni con engrudo.» «José Antonio vocalizó a la maravilla un epíteto incontestable y rotundo ante el que no cabía quedar impasible –dice Serrano Suñer–. El diputado avanzó. José Antonio le dejó llegar, en pie, tras la barrera de su escaño, y, cuando estuvo a tiro, le lanzó un puñetazo que le hizo ir rodando hasta el banco de los ministros. Tras esto, sin inmutarse lo más mínimo, le dijo con elegancia: "Deme su señoría las gracias porque, por una vez, y aunque haya sido rodando, lo he hecho llegar al banco azul."»

La enérgica reacción de José Antonio tuvo eco en la prensa. «La Nación» recogía estas impresiones, en su número del día 21 de diciembre:

«Al salir a los pasillos el joven e ilustre diputado don José Antonio Primo de Rivera, numerosísimos diputados de todas las minorías se le acercaron para expresarle su sincera adhesión después de su noble conducta.»

Ante un grupo de ellos decía el Marqués de Estella:

«Oí la ofensa y reaccioné en el acto. Estoy dispuesto a no tolerar calumnias ni ataques injustos. Entiendo que quien se deja injuriar en el Parlamento se autovacuna de una predisposición que permite también recibir injurias en la calle. Por tanto, con la misma serenidad que me lancé a castigar a quien había proferido la injuria, obré después, al hacer uso de la palabra en una breve intervención. Que nadie crea en mí un sentimiento de matonismo, sino la reacción que sentiré en todo momento contra aquel que intente lanzar una injuria.»

El profundo amor que José Antonio sintió siempre por Cataluña, desde que viviera sus años juveniles en la Ciudad Condal, se manifestaría apasionadamente con motivo de la sesión necrológica organizada en el Parlamento por la muerte de Francisco Maciá, Presidente de la Generalidad, el 4 de enero de 1934.

En un momento determinado, un diputado derechista lanzó el grito de «muera Cataluña», lo que motivó la intervención de José Antonio:

...«Yo me alegro, en medio de todo este desorden, de que se haya planteado de soslayo el problema de Cataluña, para que no pase de hoy el afirmar que si alguien está de acuerdo conmigo, en la Cámara o fuera de la Cámara, ha de sentir que Cataluña, la tierra de Cataluña, tiene que ser tratada, desde ahora y para siempre, con un amor, con una consideración, con un entendimiento que no recibió en todas las discusiones. Porque cuando en esta misma Cámara y cuando fuera de esta Cámara se planteó en diversas ocasiones el problema de la unidad de España, se mezcló con la noble defensa de la unidad de España una serie de pequeños agravios a Cataluña, una serie de exasperaciones en lo menor que no eran otra cosa que un separatismo fomentado desde este lado del Ebro.

»Nosotros amamos a Cataluña por española, y porque amamos a Cataluña la queremos más española cada vez, como al País Vasco, como a las demás regiones...

»Si alguien hubiese gritado muera Cataluña, no sólo hubiera cometido una tremenda incorrección, sino que hubiera cometido un crimen contra España, y no sería digno de sentarse nunca entre españoles. Todos los que sienten a España dicen viva Cataluña y vivan todas las tierras hermanas en esta admirable misión, indestructible y gloriosa, que nos legaron varios siglos de esfuerzo con el nombre de España.»

El discurso de José Antonio, que levantó una salva de aplausos entre los diputados, fue recogido en síntesis en la edición del 5 de enero del periódico «Luz», junto a una breve declaración en la que decía al periodista: «Me encuentro sorprendido de que el nombre de España haya producido en la Cámara una reacción tan significativa, pues de ella se deduce que las tres cuartas partes de las Cortes posponen a sus pasiones y sus intereses partidistas el nombre de la Patria.»

37. Primeros muertos por la venta de «F.E.»

El mes de enero iba a ser pródigo en acontecimientos. El número segundo de «F.E.» había sufrido un gran retraso en su publicación, como consecuencia del estado de excepción dictado por el Gobierno después del atentado terrorista perpetrado por grupos anarquistas que, levantando un tramo de la vía, hicieron descarrilar el tren expreso Barcelona-Sevilla, con un balance de 30 muertos y un centenar de heridos.

Aquel atentado facilitaría el acceso a la jefatura del Gobierno a Lerroux, quien formó Gabinete el día 18 de diciembre. Así las circunstancias, el segundo número de «F.E.» va a aparecer el día 11 de enero. En él describiría José Antonio cómo hizo el periódico su primera salida, el «ukase» de la U.G.T. declarando el boicot, las dificultades puestas por el Gobierno Civil y por el fiscal de prensa, que ordenó la recogida de veinte mil ejemplares que ya habían salido de imprenta. En un artículo dirigido a los obreros, asegura: «Falange Española no es un partido más al servicio del capitalismo»... «F.E. quiere una España de todos, levantada sobre la justicia social más severa»... También se incluye en el número una explicación sobre el «tono» y el «estilo» de la revista, a la que amigos y otros que lo son menos reprochan por «demasiado débil» y literaria. José Antonio replica: «Aunque la influencia de no pocos periódicos, totalmente ignorantes de su deber, haya implantado como costumbre el desgarro de lenguaje, nosotros entendemos que la fuerza de un estilo no reside en el desenfado de la expresión, sino en la firmeza doctrinal de lo que se escribe»... «"F.E." no será nunca una competidora del "Heraldo" ni de "Mundo Obrero".»

Pero, sobre todo, el número segundo de «F.E.» contenía un artículo titulado «La gaita y la lira», ensayo verdaderamente admirable sobre el concepto de nación, que permanece impecable e insuperable a través del tiempo, porque a la belleza inmarchitable de su prosa une la profundidad intelectual que se concreta en uno de sus últimos párrafos:

«... No veamos en la Patria el arroyo y el césped, la canción y la gaita; veamos un *destino,* una *empresa.* La Patria es aquello que, en el mundo, configuró una empresa colectiva. Sin empresa no hay Patria; sin la presencia de la fe en un destino común todo se disuelve en comarcas nativas, en sabores y colores locales. Calla la lira y suena la gaita»...

La venta de este segundo número de «F.E.», realizada, igualmente, por las jóvenes escuadras estudiantiles, va a tener un epílogo sangriento. Tras de los vendedores de «F.E.» marchan, dispuestos al atentado, grupos de pistoleros socialistas. Frente al teatro Alcázar, jóvenes seuistas vocean «F.E.». En su entorno, algunos transeúntes compran el periódico. Entre ellos, un muchacho que despliega sus hojas y camina leyendo sus páginas. Después lo dobla y lo guarda en el bolsillo de la chaqueta, cuidando que se vea bien el título. Los pistoleros socialistas le avistan y, de pronto, suena una descarga. Francisco de Paula Sampol cae al suelo herido por la espalda. Los asesinos se escabullen. Cuando llegan los guardias de asalto está muerto. Era un estudiante, no afiliado aún al Movimiento, que alternaba sus estudios con un trabajo como mecánico en la Telefónica. El entierro es presidido por José Antonio, al que acompañan un grupo de escuadristas. Es el primer entierro falangista. Después, en muy breve plazo, vendrían muchos más...

En la prensa de derechas empiezan a surgir críticas contra la pasividad falangista, y se lanzan sugerencias de represalia. Pero José Antonio rechaza enérgicamente la tentación. Es partidario de la lucha frente a frente, en la que no importa si llega la muerte, pero no quiere convertir a sus escuadras en grupos de asesinos.

Atento al juego oportunista, don José María Gil Robles, flamante jefe de Acción Popular, lanza en aquellas fechas el proyecto de una primaveral concentración de la J.A.P. en El Escorial. El programa, en abierta contradicción con las recientes afirmaciones de quien ya se perfila como «el jefe», está impregnado de mimetismo fascista y prevé un «juramento masivo de fidelidad al jefe supremo, don José María Gil Robles».

Con este motivo, el periódico «Luz» entrevista a José Antonio, quien en sus respuestas hace un retrato psicológico de Gil Robles y califica el proyectado encuentro como «un espectáculo fascista».

Con la aparición del número tercero de «F.E.», el día 18 de enero, va a coincidir, esta vez en Zaragoza, otro grave atentado. Este nuevo número de «F.E.» va a inaugurar una sección, «El Parlamento visto de perfil», en el que volcará José Antonio su capacidad de ironía, en algunos casos, demoledora, como las referencias que hace a Martínez de Velasco y al entonces Ministro de la Gobernación, Rico Avello, que desde su poltrona hacía permanentemente incómoda, con suspensiones arbitrarias y registros de los locales, amén de detención de militantes, la vida surgente de la Falange.

Como he dicho anteriormente, la aparición de este número de «F.E.» va a coincidir con nuevo derramamiento de sangre. En Zaragoza, la noche del 18, es abatido a tiros disparados por la espalda un activo militante del S.E.U.: Manuel Baselga. El atentado conmociona a la Universidad zaragozana, y el S.E.U. reacciona decretando una huelga general y obligando al rector a que cerrara los locales de la F.U.E. Era la primera victoria del S.E.U. Otro tanto ocurrió en Sevilla, donde las escuadras seuistas aseguraron el dominio sindical falangista en la Universidad, promoviendo un trasvase de militantes fueístas a las filas del S.E.U.

En el tercer número de «F.E.» José Antonio había hecho ya una clara advertencia a quienes armaban pistoleros contra la Falange: «No estamos dispuestos a que se derrame en las calles, gratis, más sangre de los nuestros.» No van a producirse aún represalias sangrientas, pero sí va a haber espectaculares operaciones de castigo. Una de ellas tendría por escenario la Facultad de Medicina de San Carlos, en Madrid.

Después de los incidentes universitarios de Zaragoza y Sevilla, los dirigentes de la F.U.E. madrileña, auxiliados por sus correligionarios de los B.E.O.R. (Bloques Escolares de Oposición Revolucionaria) y por los comunistas de la F.U.H.A., decretaron una huelga en la Universidad madrileña, mediante la coacción de grupos armados, que recorrieron las facultades apaleando a quienes se oponían a sus propósitos. La provocación se hace intolerable para muchos estudiantes, pero el rector, temeroso de mayores incidentes, decreta el cierre temporal, facilitando el tanto a los de la F.U.E.

Aquella es la señal para que el S.E.U., de acuerdo con un grupo de la A.E.T. (Agrupación Escolar Tradicionalista), prepare un golpe de efecto. Se organiza así, en casa de Julio Ruiz de Alda, el asalto a la F.U.E. de la Facultad de Medicina, una de las organizaciones estudiantiles marxistas más potentes. Y se fija el día 25. Dirige la operación Agustín Aznar, campeón de Castilla en lucha grecorromana, estudiante de la Facultad, que ya era famoso por su valor. Es Aznar quien, desde dentro de la Facultad, en la que ha penetrado solo por el hospital, franquea los portones que dan a la calle de Atocha, por donde penetran en tropel las escuadras seuistas y de la A.E.T. Al llegar a los locales de la F.U.E., un grupo de militantes de ésta inician un tiroteo que es respondido por los asaltantes en una escena impresionante. No hubo muertos, pero sí algunos heridos. El más espectacular, uno de la F.U.E. llamado Cordón, que recibió un tiro de sedal en el cuello.

Aquel asalto tuvo una gran repercusión pública, a la que contribuyeron, además de los comentarios de la prensa, dos debates parlamentarios suscitados los días primero y 20 de febrero, en los que José Antonio tendría una brillante intervención desenmascarando el carácter político de la F.U.E., cuyos militantes fueron los primeros en introducir la violencia y las pistolas en la Universidad. Y, de paso, pone en evidencia la parcialidad del Gobierno derechista, empeñado en perseguir, contra todo derecho, a la Falange, prohibiendo su periódico e impidiendo la constitución legal del Movimiento en algunas provincias, como Sevilla, sólo porque el gobernador así lo decide, con total desprecio por la legalidad.

Pese a la hipócrita pretensión de algunos historiadores de izquierdas, no fueron los falangistas los que iniciaron en la Universidad la escalada de violencia, resuelta multitud de veces a tiro limpio. No ya pistolas, sino bombas incluso, eran ocultadas y manejadas por los socialistas de la F.U.E. en la Universidad. Con motivo de un estúpido accidente provocado por el manejo imprudente de un revólver cargado, que al dispararse hirió en la cabeza a un joven socialista llamado Elola, estudiante de Ciencias, Manuel Tagüeña cuenta en su libro «Testimonio de dos guerras»:

«Yo llegué a los pocos momentos, y tuve que ir a mi casa a dejar mi pistola que guardaba con llave en el cajón de una mesa. Cuando regresé ya estaban los agentes interrogando a nuestro secretario general, Manuel Pardo Gayoso, y alguien me advirtió que encima de un armario había dos bombas de fabricación casera, que los anarquistas vendían a diez pesetas. Aproveché un descuido de los policías, me subí a una silla, cogí las bombas y las metí una en cada bolsillo del pantalón. La silla se resbaló y poco faltó para caerme al suelo con todo el cargamento...

... »El problema fue liberarse de las bombas. Me acerqué a unas oficinas del Socorro Rojo, pero no quisieron comprometerse. Por fin me fui a los jardines debajo del Viaducto y dejé los artefactos lo más escondidos posible entre unas matas»...

(Manuel Tagüeña Lacorte. «Testimonio de dos guerras», página 46. Editorial Planeta, 1978.)

En aquella intervención parlamentaria José Antonio proclama:

«No creo que el Gobierno nos vaya a dar el argumento de la F.U.E. de que somos una asociación de tendencia antiliberal; pero no creo tampoco que el Gobierno –no lo podrá hacer sin injusticia– nos pueda decir que somos una asociación violenta, porque aquí, frente a esas imputaciones de violencias vagas, de hordas "fascistas" y de nuestros asesinatos y de nuestros pistoleros, yo invito al señor Hernández Zancajo a que cuente un caso solo, con sus nombres y apellidos. Mientras yo, en cambio, le digo a la Cámara que a nosotros nos han asesinado un hombre en Daimiel, otro en Zalamea, otro en Villanueva de la Reina y otro en Madrid, y está muy reciente el del desdichado capataz de venta del periódico «F.E.» –que fue asesinado a tiros en la calle del Clavel y se llamaba Vicente Pérez–, y todos éstos tenían sus nombres y apellidos, y de todos éstos se sabe que han sido muertos por pistoleros que pertenecían a la Juventud Socialista o recibían muy de cerca sus inspiraciones. Estos datos son ciertos.»

38. Asesinato de Matías Montero

Pero la violencia criminal, pese a la denuncia hecha por José Antonio ante la Cámara legislativa, no iba a cesar. El día 3 de febrero dos seuistas que vendían el número 5 de «F.E.» caían heridos en la Gran Vía madrileña. Y el día 9, cuando, después de haber participado en la venta del número seis, regresaba a su domicilio, en Marqués de Urquijo, fue asesinado por la espalda el estudiante de Medicina Matías Montero. Su asesino, un pistolero perteneciente al grupo «Vindicación», de las Juventudes Socialistas mandadas por Carrillo, le disparó tres tiros a traición y uno más a bocajarro, cuando ya se encontraba tendido en el suelo herido de muerte. Cayó en la calle de Mendizábal. Sobre la fachada de una casa, en el lugar donde cayó, una lápida recuerda su sacrificio. Su asesino se llamaba Francisco Tello Tortajada; fue detenido por el inspector de policía Justino Arenillas, y, después de un proceso en el que José Antonio actuó como acusador privado, resultó condenado a veintitrés años y medio de presidio.

Manuel Tagüeña da su versión del asesinato de Matías Montero de forma especialmente objetiva. Después de aclarar que: «Las calles se ensangrentaban con motivo de la venta de ''F.E.'', órgano de Falange Española, ya que grupos armados socialistas estaban dispuestos a impedirla», añade líneas más adelante:

«Al mediodía del 9 de febrero, estábamos un grupo de amigos en el local de Eduardo Dato (actual Gran Vía), en espera de unos callos que nos cocinaba la madre de un compañero. Asomados al balcón vimos pasar un grupo de falangistas. Con ellos iba Matías Montero, de Medicina, antiguo miembro de la F.U.E. y ex simpatizante comunista. Nos saludó con la cabeza y le contestamos de la misma forma, mientras cruzábamos miradas de desafío con sus acompañantes. Cuando bajaban hacia la plaza de España vimos que los seguía un sujeto vestido de obrero, bajo y con ojos saltones, que nos hizo señas para que nos uniéramos a él. Le contestamos medio en broma, que no podíamos, porque íbamos a comer y lo vimos marchar solo. No nos imaginamos que era el prólogo de una tragedia. El obrero, de un sindicato de la U.G.T., esperó a que el grupo se dividiera y luego fue detrás de Matías Montero, y lo mató a tiros por la espalda. Trató de huir, pero fue detenido por la Policía. ... La noticia nos produjo una enorme impresión. Nos dábamos cuenta que las cosas se ponían demasiado serias. La lucha verbal se transformaba en lucha a muerte y la sangre derramada abriría un foso cada vez más profundo entre los dos polos en que se dividía nuestra generación.»

(Manuel Tagüeña Lacorte. «Testimonio de dos guerras», página 44. Editorial Planeta, 1978.)

La muerte alevosa de Matías Montero conmovió a la Universidad. En José Antonio produce una reacción desgarradora. Mientras Matías Montero caía acribillado a balazos, él participaba en una montería, lejos de Madrid. Recibe la noticia y se estremece: «Este es el último acto frívolo de mi vida.» Sentía especial afecto por Matías Montero, que había participado, con Alejandro Allanegui, David Jato y Manolo Valdés en la redacción de los estatutos del S.E.U. Precisamente en el número cinco de «F.E.», que Montero había vendido momentos antes de ser asesinado, José Antonio publicaba un artículo en el que salía al paso de quienes pretendían empujar a la Falange hacia una acción de represalia, con estas sobrias palabras:

«La muerte es un acto de servicio. Ni más ni menos. No hay, pues, que adoptar actitudes especiales ante los que caen. No hay sino seguir cada cual en su puesto, como estaba en su puesto el camarada caído cuando le elevaron a la condición de mártir.

»No hagáis caso de los que, cada vez que cae uno de los nuestros, muestran mayor celo que nosotros mismos por vengarle. Siempre parecerá a esos la represalia pequeña y tardía, siempre deplorarán lo que padece, con soportar las agresiones, el honor de nuestra Falange. No les hagáis caso. Si tanto les importa el honor de nuestra Falange, ¿por qué no se toman siquiera el trabajo de militar en sus filas?...»

Aquellas incitaciones a la represalia violenta adquirían las más sutiles formas. En los periódicos de la derecha, como «ABC», se escribían cosas como esta: «Si el fascismo paga dos cadáveres con unas protestas verbales, no es fascismo: es franciscanismo.» Y en no pocas tertulias exquisitas se ironizaba con las iniciales de F.E., diciendo que no significaban Falange Española, sino Funeraria Española.

El entierro de Matías Montero, a diferencia del de Francisco de Paula Sampol, despertó el interés de la gran prensa y constituyó un auténtico acontecimiento político. Asistieron todos los camaradas de la primera línea y multitud de estudiantes tradicionalistas con el Conde de Rodezno; jóvenes monárquicos, con su jefe Goicoechea y algunos muchachos de Acción Popular y de los estudiantes católicos, atraídos por la aureola de martirio que rodeaba al joven falangista asesinado. Son impresionantes las fotografías del sepelio. En ellas se ve a José Antonio pasar bajo un bosque de brazos en alto, con gesto serio y conmovido. Asombra la juventud de los muchachos que le rodean, y emocionan, sólo con leerlas, las breves palabras que, como oración final, pronunció en el momento de dar sepultura al camarada caído:

«Matías Montero: ¡Presente!

»Aquí tenemos, ya en tierra, a uno de nuestros mejores camaradas. Nos da la lección magnífica de su silencio; otros, cómodamente, nos aconsejarán desde sus casas ser más animosos, más combativos, más duros en las represalias. Es muy fácil aconsejar. Pero Matías Montero no aconsejó ni habló; se limitó a salir a la calle a cumplir con su deber, aun sabiendo que probablemente en la calle le aguardaba la muerte. Lo sabía, porque se lo tenían anunciado. Poco antes de morir dijo: "Sé que estoy amenazado de muerte, pero no me importa si es para bien de España y de la causa." No pasó mucho tiempo sin que una bala le diera cabalmente en el corazón. Donde se acrisolaban su amor a España y su amor a la Falange.

»¡Hermano y camarada Matías Montero y Rodríguez de Trujillo: ¡Gracias por tu ejemplo! Que Dios te dé eterno descanso, y a nosotros nos niegue el descanso hasta que sepamos ganar para España la cosecha que siembra tu muerte.

»Por última vez: Matías Montero y Rodríguez de Trujillo: ¡Presente!

»Viva España.»

Aquella ceremonia, sobria y emocionante, impresionó no sólo a los asistentes, sino a quienes leyeron sus referencias periodísticas y contemplaron las fotos recogidas. La prensa derechista acentuó sus invitaciones a la represalia, que ya rondaban en el ánimo de no pocos militantes. Según registran los historiadores de la Falange, José Sainz, jefe toledano, hombre de gran arrojo personal, le llegó a increpar a José Antonio durante el entierro de Matías Montero con estas palabras:

«¿Es que nos vamos a dejar matar como moscas?»

A lo que respondió José Antonio:

«No, pero tampoco nos vamos a convertir en una banda de asesinos.»

A aquellos reproches contestó José Antonio publicando una nota en la prensa:

«En el tercer número de "F.E." se dijo: Falange Española aceptará y presentará siempre combate en el terreno en el que le convenga, no en el terreno que convenga a los adversarios. Entre los adversarios hay que incluir a los que, fingiendo acucioso afecto, le apremian para que tome las iniciativas que a ellos les parecen mejores. Por otra parte, Falange Española no se parece en nada a una organización de delincuentes, ni piensa copiar los métodos de tales organizaciones, por muchos estímulos oficiosos que reciba.

»Lo que hace Falange Española, entre el derrotismo y el asesinato, es seguir impasible su ruta de servicio a España.»

El diario «ABC» se sintió aludido –y con razón– entre los «adversarios... que, fingiendo acucioso afecto» apremiaban a la Falange a que tomara represalias, y replicó con un comentario en el que, sin disimulo de ningún género, insistía: «La opinión pública española esperaba algo más que la enérgica protesta en los periódicos; unas represalias inmediatas... y nada.» Y aún se intentó, desde las mismas páginas, socavar la disciplina con alguna otra nota en la que manifestaba «su asombro, compartido por muchos, al comprobar el estado de indefensión en que F.E. dejaba a sus jóvenes animosos.» ¿Esperaba que algunos de esos jóvenes, procedentes de sectores aristocráticos e, incluso, relacionados con los grupos monárquicos de Renovación Española –así, los hermanos Ansaldo, en quienes recaía por aquel tiempo la responsabilidad de las escuadras de primera línea–, podrían provocar un «putch» interno, marginar a José Antonio –cosa que, en efecto, intentaron– y arrastrar a la Falange a una posición de «partida de la porra» de la reacción?

Aquel riesgo sería, posiblemente, sopesado por José Antonio. De otra parte, la pujanza del movimiento, la lógica radicalización a que le arrastraban los muertos provocados por los socialistas, y el contacto de José Antonio con el Parlamento, en donde tuvo un observatorio político de primer rango, le aconsejaban dotar al Movimiento de un mayor y más concreto contenido ideológico. En su artículo «La victoria sin alas» había pronosticado y prometido: «Nosotros iremos a esos campos y a esos pueblos de España para convertir en impulso su desesperación», y también había advertido: «Desgraciados los que no se lleguen al torrente bronco de la revolución y encaucen, para bien, todo el ímpetu suyo.»

Y esto es, justamente, lo que José Antonio va a intentar, en esta ocasión con éxito, junto a los jóvenes jonsistas, con quienes ya mantuvo contacto y pretensiones de unión en el otoño de 1933.

39. El origen de las J.O.N.S.

Habían nacido las J.O.N.S. por la confluencia de dos grupos juveniles autónomos: el madrileño de La Conquista del Estado, que capitaneaba Ramiro Ledesma Ramos, y el vallisoletano de las Juntas Castellanas de Actuación Hispánica, acaudillado por un joven abogado, antiguo lector de español en el Colegio Católico de la Universidad alemana de Mannheim, llamado Onésimo Redondo Ortega.

El grupo madrileño, integrado exclusivamente por universitarios e intelectuales, había lanzado su manifiesto creador bajo el título «La Conquista del Estado», en febrero de 1931, dos meses antes de la proclamación de la República. Su presidente, Ramiro Ledesma, se había dado a conocer espectacularmente en la tertulia del café de Pombo, durante un homenaje que se rendía a Ernesto Giménez Caballero, director de «La Gaceta Literaria», en la que Ramiro colaboraba habitualmente. Allí, Antonio Espina, militante de la F.U.E. y escritor surrealista, saca una pistola de madera y hace una parodia del suicidio de Larra, al tiempo que comenta, en forma fatalista. el irremediable oscurantismo español y critica la presencia entre los contertulios del fascista italiano Bagaglia, amigo personal de Giménez Caballero. Cuando los asistentes, algunos de ellos socialistas, inician un conato de aplauso, Ramiro se levanta y, colocando sobre la mesa una pistola de verdad, lanza este grito desafiante y esperanzador: «¡Arriba los valores hispánicos!» Era el 30 de enero de 1930.

Para aquella fecha Ramiro había publicado ya numerosos trabajos filosóficos y varias novelas, entre ellas, «El sello de la muerte», narración enjundiosa con prólogo de

Alfonso Vidal y Planas, editada por Reus en 1924. En ella, Ramiro expresa una síntesis de su pensamiento en esta cita: «La voluntad, al servicio de las ansias de superación: poderío y grandeza intelectual.» Pero su labor más sobresaliente había sido el análisis y glosa de las doctrinas de Hartmann, Max Scheler, Keyserling –con quien mantuvo una entrevista de altos vuelos filosóficos, inserta en «La Gaceta Literaria»–, Bertrand Russell, Mayerson, Schopenhauer, Maquiavelo y, sobre todo, Heidegger, filósofo del que Ramiro fue primer comentarista y crítico nacional, divulgando su doctrina a través de sus artículos cuando en España aún era un absoluto desconocido. Todos estos trabajos los publica Ramiro, bien en «La Revista de Occidente», que dirigía don José Ortega y Gasset, de quien era ferviente discípulo; bien en «La Gaceta Literaria», cuyas páginas le abrió Giménez Caballero por indicación personal del maestro Ortega.

Una personalidad tan definida en lo intelectual, capaz como Ramiro de escribir con profundidad asombrosa sobre «Hans Driesch y las teorías de Einstein», con perfecto conocimiento y manejo de las complicadas fórmulas filosófico-matemáticas del autor de la teoría de la relatividad, ha concitado por parte de los sectores reaccionarios toda suerte de maniobras deformantes y ocultistas. Ramiro, que había llegado a Madrid a los quince años desde su tierra zamorana del Sayago, era funcionario de Correos, y aquella circunstancia honrosa, que hacía de él un modelo de hombre hecho a sí mismo –«man self himself»– al estilo americano; que le acerca a la condición común hoy en tantos y tantos universitarios-trabajadores, ha servido a los exquisitos criterios conservadores de no pocos presuntos feudatarios de la historia de la Falange, como Hugh Thomas, Payne y algunos españoles dóciles repetidores de los tópicos y errores documentales de sus ídolos foráneos, para despachar la fuerte personalidad intelectual y política de Ramiro Ledesma con el despectivo calificativo de «antiguo estudiante pobre de la Universidad de Madrid», cual dice Hugh Thomas, o «empleado de Correos y a ratos estudiante de Filosofía», como le califica Payne, quien pretende restar importancia a la talla intelectual de Ramiro diciendo que «trató de obtener el título de licenciado en Filosofía».

La verdad es que, como señala el economista y catedrático de la Universidad de Madrid Juan Velarde Fuertes –estudioso de la doctrina falangista–, en su libro «El nacionalsindicalismo cuarenta años después», Ramiro se matriculó simultáneamente en las Facultades de Filosofía y de Ciencias, durante el curso de 1926, cuando tenía 21 años, y «se gradúa como licenciado en la Facultad de Filosofía y Letras en 1930, en la sección de Filosofía»... «Al mismo tiempo –concreta Velarde Fuertes– aprueba siete asignaturas de la licenciatura en Ciencias Exactas y dos de la licenciatura en Ciencias Químicas», lo que explica el fácil dominio filosófico y científico que demuestra Ramiro en sus trabajos críticos.

La manipulación histórica y la deformación, cuando no ocultación de la dimensión política de Ramiro Ledesma, ha sido siempre grata a los sectores conservadores y reaccionarios españoles, que, miméticamente, han preferido descalificarle con la invectiva de «fascista» –eso sí, «el fascista español por excelencia», tal como hace Ricardo de la Cierva–, que tomarse la molestia de analizar el rigor de sus proposiciones revolucionarias, sin duda poco gratas para el inmovilismo burgués. La falta de originalidad e imaginación de que hacen gala con ello es asombrosa. A propósito del incidente del café de Pombo, Fernández Almagro ya calificó a Ramiro de «fascista», en comentario publicado por el «Heraldo de Madrid», al que el propio Ledesma replicó con una carta abierta al director del diario, en la que, entre otras cosas, afirmaba:

«Requiero la hospitalidad de su periódico para salir al paso de unas alusiones, demasiado recargadas de injusticia, que el señor Fernández Almagro me dirige con motivo de mi intervención final en el banquete a Giménez Caballero»...

...«Es bien triste que en estos momentos en que llueven por las planas de los periódicos opiniones juveniles, y se espera como nunca que la generación recién llegada aclare la bruma política nacional, sean desvirtuados y falsificados unos propósitos rotundamente nuevos lanzados por un grupo de jóvenes. Aunque sólo fuera por la seria tarea intelectual a que los nombres de estos jóvenes permanecen adscritos, deberían merecer un poco más de respeto y atención.»

«No somos fascistas –insiste Ramiro Ledesma–. Esta fácil etiqueta con que se nos quiere presentar en la vida pública es totalmente arbitraria. Si los elementos pseudoliberales –los "restauradores", que viene a ser lo mismo, no refiriéndose a otros aquí– quieren combatirnos, y bien justificado está que lo hagan, tengan primero con nosotros la bondad elemental de enterarse de cuáles son nuestros propósitos y qué cosas queremos y propugnamos.»

Como se prueba al leer esta declaración de Ledesma, es nula la imaginación descalificadora de los actuales oponentes al pensamiento nacionalsindicalista. Como si el tiempo no hubiese transcurrido, los pseudoliberales y los socialistas de hoy –«los restauradores» monárquicos, que viene a ser lo mismo– siguen utilizando el sambenito de «fascista» con idéntica ligereza y propósito de descalificación falsificadora que el usado por sus predecesores. Se agarran a cualquier excusa: a palabras como «imperio», que no tuvieron en los fundadores el sentido que hoy se les quiere atribuir, o a frases que manipulan fuera de su contexto.

Dionisio Ridruejo, que de ferviente falangista pasó a exaltado franquista y más tarde fue converso de la social democracia tras de un período agudo de pronazismo, ha escrito —por ejemplo— que la idea de Imperio en José Antonio, «pertenece al modelo fascista genérico, con un empeño en desplazar hacia fuera los conflictos internos y especialmente los de clase».

No cabe mayor disparate. Lamentablemente ya no es posible preguntarle a Ridruejo qué conflictos internos — se supone que nacionales— pretendió desplazar José Antonio hacia fuera. Para el Fundador de Falange, inequívocamente, los conflictos nacionales —el enfrentamiento de los partidos políticos, la lucha de clases y el separatismo— hallan una respuesta adecuada no sólo en la búsqueda y hallazgo de una ilusión colectiva común, sino, esencialmente por vía de una síntesis superadora, basada en la libertad del hombre y en una enérgica justicia social, transformadora de la organización económica.

Decididamente, Dionisio Ridruejo, acuciado por los imperativos de la propaganda que él mismo generó al servicio de Franco y del partido único de F.E.T. y de las J.O.N.S., no tuvo tiempo ni acierto para conocer y comprender el genuino pensamiento de José Antonio. Quizá le cuadren con justeza, las palabras que Juan Velarde recoge de Ramiro Ledesma: «Hay muchos espíritus débiles y enclenques que creen que esto del imperio equivale a lanzar ejércitos a las fronteras. No merece la pena detenerse a desmentir una tontería así.»

Por su parte, José Antonio, abundó en el mismo sentido:

«Tenemos que esperar en una España que impere. Ya no hay tierras que conquistar, pero sí hay que conquistar para España la rectoría en las empresas universales del espíritu.»

En febrero de 1931, posiblemente el domingo día 8 –como deduce agudamente Juan Velarde–, lanza Ramiro su célebre manifiesto de «La Conquista del Estado», firmado, conjuntamente, por once jóvenes que se alumbran por la luz vacilante de una vela, en el local de la avenida de Eduardo Dato –uno de los tramos de la actual Gran Vía–, número 7, planta D.

En la revista que aparece el 14 de marzo con el título del manifiesto, se pide a los lectores que manden sus adhesiones. La revista contiene el texto íntegro del manifiesto y diversos artículos de los firmantes, que son ya nombres para la Historia:

Ramiro Ledesma Ramos, Ernesto Giménez Caballero, Ricardo de Jaspe Santonra, Manuel Souto Vilas, Antonio Bermúdez Cañete, Francisco Mateos González, Alejandro M. Raimúndez, Ramón Iglesias Parga, Antonio Riaño Lanzarote, Roberto Escribano Ortega y Juan Aparicio López.

Las columnas básicas propugnadas para la acción por el genial manifiesto se resumen en 17 puntos.

Los 17 puntos del manifiesto de «La Conquista del Estado» son los siguientes:

1.—Todo el poder corresponde al Estado.

2.—Hay tan sólo libertades políticas en el Estado, no sobre el Estado ni frente al Estado.

3.—El mayor valor político que reside en el hombre es su capacidad de convivencia civil en el Estado.

4.—Es un imperativo de nuestra época la superación radical, teórica y práctica del marxismo.

5.—Frente a la Sociedad y al Estado comunista oponemos los valores jerárquicos, la idea nacional y la eficacia económica.

6.—Afirmación de los valores hispánicos.

7.—Difusión imperial de nuestra cultura.

8.—Auténtica colaboración de la Universidad española. En la Universidad radican las supremacías ideológicas que constituyen el secreto último de la ciencia y de la técnica. Y también las vibraciones culturales más finas. Hemos de destacar por ello nuestro ideal en pro de la Universidad magna.

9.—Intensificación de la cultura de masas utilizando los medios más eficaces.

10.—Extirpación de los focos regionales que den a sus aspiraciones un sentido de autonomía política. Las grandes comarcas o confederaciones regionales, debidas a la iniciativa de los municipios, deben merecer, por el contrario, todas las atenciones. Fomentaremos la comarca vital y actualísima.

11.—Plena e integral autonomía de los municipios en las funciones propia y tradicionalmente de su competencia, que son las de índole económica y administrativa.

12.—Estructuración sindical de la economía. Política económica objetiva.

13.—Potenciación del trabajo.

14.—Expropiación de los terratenientes. Las tierras expropiadas se nacionalizarán y serán entregadas a los municipios y entidades sindicales de campesinos.

15.—Justicia social y disciplina social.

16.—Lucha contra el farisaico caciquismo de Ginebra. Afirmación de España como potencia internacional.

17.—Exclusiva actuación revolucionaria hasta lograr en España el triunfo del nuevo Estado. Método de acción directa sobre el viejo Estado y los viejos grupos político-sociales del viejo régimen.

Afirmaba, igualmente, el manifiesto la búsqueda de «minorías audaces y valiosas»... «jóvenes equipos militantes, sin hipocresías frente al fusil ni a la disciplina de guerra»... y anunciaba la estructuración «a base de células sindicales y células políticas».

Tal cual señala Ernst Nolte, el movimiento de Ramiro Ledesma se caracterizaba «por el hecho de que, en el comienzo de los años treinta, presentaba un programa todavía más revolucionario»... «¿Qué podía haber más revolucionario que el programa del grupo de Ramiro Ledesma Ramos, que reclamaba la expropiación de todos los terratenientes?», se pregunta Nolte. Quien todavía se interroga más: «¿Este grupo no hubiera de ser asimilado simplemente al movimiento de masas anarcosindicalistas, del que había arrebatado hasta sus colores?»

No anda descaminado Nolte al relacionar uno y otro movimiento.

Cerca de dos millones de trabajadores figuraban como encuadrados en la C.N.T., Confederación Nacional del Trabajo, de extraordinario arraigo, singularmente, en el ámbito industrial de Cataluña y en las áreas rurales de Andalucía y Aragón. Creo que no se ha valorado suficientemente la fuerza del anarcosindicalismo español, tanto en lo que tiene de movimiento proletario de masas, como por su mística revolucionaria, genuinamente española.

José Antonio –y antes que él Ramiro Ledesma y sus compañeros en La Conquista del Estado y en las J.O.N.S.– tuvieron buen cuidado de estudiar la organización sindicalista de la C.N.T., con algunos de cuyos dirigentes sostuvieron contactos en diversas ocasiones –recuérdese el forzado encuentro y relación en el penal de Ocaña–, y algunos de los cuales, figuras destacadas como Nicasio Alvarez de Sotomayor y Guillén Salaya pasaron a integrar las huestes jonsistas.

Estos contactos se acentúan tras la creación de la Federación Anarquista Ibérica (F.A.I.) y la escisión de la C.N.T. en dos tendencias. De modo que se intensifica la acción proselitista en favor de la captación de militantes sindicalistas, tanto de la facción «faísta» como del grupo moderado de los «treintistas» que capitanea Angel Pestaña, después de la muerte de Salvador Seguí, más conocido como el «Noi del Sucre».

De que tales contactos fueron realidad y no una invención de la propaganda falangista, dan fe diversos escritores anarcosindicalistas.

Así, Juan García Oliver, que fue Ministro de Justicia en el Gobierno de Largo Caballero que prestó su enterado a la sentencia de muerte de José Antonio.

Comentando las indecisiones de Prieto en los años finales de la II Guerra Mundial, afirma García Oliver:

«Liberal agotado, Prieto no creía en la libertad. Decepcionado por lo que le ocurriera al aliarse con Negrín contra Largo Caballero, Prieto se sentía colindante con la Falange. De haber vivido José Antonio Primo de Rivera, aquel fascista ''sui géneris'' que buscó contar con Pestaña y con Prieto, seguro que hubiera tratado de asociarse con los falangistas para ir contra Franco. Pero los ''camisas viejas'' carecían de prestigio y de jefe.»

(Juan García Oliver. «El eco de los pasos», página 555. Editorial Ruedo Ibérico, 1978.)

Por su parte, Diego Abad de Santillán comenta:

«Ya entrado el año 1935 nos llegaron diversas incitaciones a un encuentro con José Antonio Primo de Rivera para dialogar en torno a un posible entendimiento o acercamiento. El Fundador de la Falange Española se había dirigido a Angel Pestaña, pero éste no se hallaba en condiciones de hacer llegar a la C.N.T. sugerencias en este sentido. Sospecho que pudo ser Pestaña el que señalara a José Antonio mi nombre. Sus adeptos de Barcelona me hacían llegar cartas, declaraciones, material impreso para que me formase una idea de la doctrina del Movimiento iniciado. Algunos de nuestros compañeros de Madrid, como Nicasio Alvarez Sotomayor, habían juzgado que ese entendimiento era posible; también algunos militantes de Andalucía.»

(Diego Abad de Santillán. «Memorias. 1897-1936», página 217. Editorial Planeta, 1977.)

Este afán proselitista tuvo importantes frutos, que pudieron ser decisivos de no haber estallado la guerra civil. Miguel Primo de Rivera y Sáenz de Heredia, hermano del Fundador de la Falange, salvado de la muerte por la defensa jurídica de José Antonio ante el Tribunal de Alicante, publicó en el diario «Arriba», el día 18 de julio de 1961, un artículo de gran interés documental e histórico, en el que afirmaba taxativamente que Angel Pestaña, el prestigioso líder del Partido Sindicalista, se integró como militante activo en Falange Española de las J.O.N.S.

Refiriéndose a 1936, comenta Miguel Primo de Rivera:

... «Los falangistas tienen ya un copioso fichero de afiliados que hay que guardar y proteger con riguroso secreto y con especialísima reserva.

Yo revisé ese fichero por última vez a principios de 1936. Había que camuflar un buen número de nombres cuya presencia en nuestras filas podría acarrear graves daños a todos.

Entre los afiliados de primera línea, que por aquel entonces eran varios miles en Madrid, había una ficha en la que se leía: ''Alfonso Mariátegui, Duque de Almazán''.

La afiliación en primera línea suponía el aceptar toda clase de riesgos, y mi buen amigo el Duque de Almazán los aceptó de buen grado, sirviendo y cumpliendo ejemplarmente.

En el mismo fichero, protegido por la palabra ''reservadísimo'' y con una nota ''para prestar la más conveniente colaboración'', había otro nombre: Angel Pestaña.

¿Angel Pestaña, el famoso líder anarcosindicalista, y el Duque de Almazán en la misma línea política? ¿Qué venía ocurriendo en nuestro país para que apareciesen juntos, encuadrados en igual propósito, estos dos hombres tan aparentemente dispares?

El hecho tiene para mí una explicación sencilla: la Falange había dicho la verdad entera, esa verdad que, sofocada y falseada por las medias verdades de los unos y de los otros, parecía no existir, pero que en la hora crítica convocó a muchos miles de españoles enteros, como el Duque de Almazán y como Angel Pestaña.»

(Miguel Primo de Rivera. «La verdad entera». Artículo publicado en el diario «Arriba», de Madrid, el 18 de julio de 1961.)

También Manuel Valdés Larrañaga, fundador del S.E.U., en conversación con quien escribe este libro, testimonió que José Antonio, en su despacho de la calle de Serrano, 86, mantuvo contacto directo con Buenaventura Durruti, el legendario dirigente anarquista que habría de morir en Madrid, asesinado por los comunistas, el mismo día 20 de noviembre de 1936, en el que, también por imposición comunista, caía fusilado en Alicante José Antonio Primo de Rivera.

De otra parte, existen datos expresivos sobre la afluencia de centenares de sindicalistas de la C.N.T. a los incipientes sindicatos de la Central Obrera Nacional Sindicalista (C.O.N.S.), especialmente a raíz de la huelga de la construcción que se desarrolló en el año 1934, en la que la U.G.T. presionó a los patronos con piquetes de «milicias socialistas», amenazando a quienes proporcionasen trabajo a los obreros encuadrados en la C.N.T.

Naturalmente, las amenazas socialistas no hicieron mella en los medios falangistas, y varios miles de obreros en paro acudieron a la C.O.N.S. en demanda de trabajo, afiliándose al sindicato falangista muchos de ellos.

El segundo grupo fundacional confluyente en las J.O.N.S. era el vallisoletano de Onésimo Redondo. Hombre de profunda formación y convicción católica, había fundado en la capital castellana el periódico «Libertad» como órgano de expresión de sus ideas, impregnadas de un hondo sentido misional respecto a los valores unitivos e integradores de Castilla.

Preocupado seriamente por la explotación que padecían los campesinos castellanos, Onésimo fundó un Sindicato de Remolacheros, que fue germen del sindicalismo nacional en aquella provincia. Sus dotes de organización, su cálido verbo, calaron pronto entre los trabajadores y pequeños propietarios del campo castellano y, también, entre jóvenes universitarios de igual extracción social, muchos de los cuales se integraron en las Universidades de Valladolid y Salamanca, después del cierre de la de Deusto, al ser expulsados los jesuitas por decisión del Gobierno republicano.

Aquel movimiento de las J.O.N.S. así integrado por las dos corrientes de Ramiro y Onésimo, elaboró una revista teórica que con el mismo título vio la luz en mayo de 1933, con importantes firmas universitarias: Ramiro Ledesma, Enrique Compte, Jesús Ercilla, Lorenzo Puértolas, Emiliano Aguado, Tomás Bolívar, José María Castroviejo, José María Cordero, Ernesto Giménez Caballero, Onésimo Redondo, José María de Areilza, Javier Martínez de Bedoya, Francisco Bravo, Santiago Montero Díaz, Félix García, Nemesio García Pérez, Ildefonso Cebriano, José María Fontana Tarrats y Juan Aparicio López.

Las pujantes aunque reducidas huestes jonsistas serían protagonistas de sonadas acciones antimarxistas, como el asalto al local de los «Amigos de la Unión Soviética» o al Fomento de las Artes, lo que prestigió al jonsismo entre la gente joven universitaria y despertó interés en los sectores obreros sindicalistas. Su programa había alcanzado madurez y radicalismo revolucionario de forma que, en diciembre de 1933, ante el nuevo año, reclamaba a sus militantes: «Acelerar etapas y conseguir para en breve eficacias rotundas. En 1934, las J.O.N.S. tienen que conseguir uno de los objetivos más difíciles del partido: hacer una brecha en el frente obrero marxista; es decir, conseguir la colaboración, el apoyo y el entusiasmo de un gran sector de trabajadores»...

Para ello, las J.O.N.S. propugnan una táctica de infiltración consistente no en la creación de sindicatos en competencia con la U.G.T. o la C.N.T., que pudieran debilitar o desmenuzar el frente obrero, sino que fomente: «la existencia de grupos de oposición nacionalsindicalista que democráticamente influyan en la marcha de los sindicatos y favorezcan el triunfo del movimiento jonsista, que será también la victoria de todos los trabajadores», según proclama el manifiesto dirigido a los trabajadores de España.

40. Fusión de F.E. y J.O.N.S.

Las J.O.N.S. –que por aquellas fechas cuentan con los siguientes órganos de prensa propios: «Libertad», en Valladolid; «Revolución», en Zaragoza; «Unidad», en Santiago de Compostela; «Patria Sindicalista», en Valencia», y «J.O.N.S.», como revista teórica– convocan, por orden del triunvirato central, una reunión del Consejo Nacional del partido para los días 11, 12 y 13 del mes de febrero, a fin de estudiar la actitud de las J.O.N.S. ante el grupo de Falange Española. A dicha reunión habían de concurrir: José Gutiérrez Ortega, por Granada; Felipe Sanz Paracuellos, por Bilbao; Santiago Montero Díaz, por Galicia; Onésimo Redondo Ortega, por Valladolid; Javier Martínez de Bedoya, por la misma provincia; Andrés Candial, por Zaragoza; Bernardino Oliva, por Badajoz; Ildefonso Cebriano, por Barcelona; Maximiliano Lloret, por Valencia, y Juan Aparicio, Nicasio Alvarez de Sotomayor, Ernesto Giménez Caballero, José Guerrero y Emiliano Aguado, por Madrid.

Idéntico objetivo el mantenido por Ramiro Ledesma respecto al frente obrero marxista, pero diferente táctica aconsejaba Julio Ruiz de Alda a los jóvenes estudiantes del S.E.U. falangista:

«Nuestro objetivo es la destrucción de la F.U.E., a la que hemos de hacer desaparecer, bien absorbiéndola, diviéndola o suprimiéndola»... «Haced que las Asociaciones Católicas de Estudiantes luchen; no hay que dejarlos tranquilos, pues no se puede consentir que en estos momentos de ansiedad española se cubran bajo una bandera los neutros, los que quieren la vida cómoda. En estos momentos de lucha no puede haber neutrales»... «La calle. Esta palabra nos dice un objetivo que tenemos que conquistar pronto. La calle, dentro de un año, tiene que estar llena de nuestra presencia, de nuestros gritos, de nuestras ideas y de nuestros escritos.»

Cuando enjuician la fusión de F.E. y de las J.O.N.S., la práctica totalidad de los historiadores de la Falange y exegetas biógrafos de José Antonio han prestado atención bizantina a las razones menores que empujaron a uno y otro movimiento, de suyo convergentes, a unirse en febrero de 1934. Dejando al margen testimonios excepcionalmente ilustrativos, como el del propio Ramiro Ledesma en sus escritos del año 1935, lo importante es que ambas corrientes juveniles e impetuosas se unieron, proporcionando al movimiento común un caudal ideológico, una masa apreciable de militantes y, sobre todo, un empuje y capacidad de arrastre que alcanzaría especial sugestión revolucionaria durante los años 1935 y 1936.

Al debate final del Consejo Nacional de las J.O.N.S. asisten José Antonio y Ruiz de Alda, por si es precisa alguna aclaración. Su contacto era antiguo y amistoso. Recordemos la presencia de Ramiro en el acto del teatro de la Comedia y la común colaboración en el número único de «El Fascio», así como las entrevistas habidas en el primer intento de integración durante el verano previo a la fundación de F.E. Pero, además, José Antonio mantenía un enlace permanente a través de su pasante Manuel Sarrión, que pertenecían a las Juntas desde los tiempos precursores de La Conquista del Estado. En cuanto a Julio Ruiz de Alda, también había pasado por sus filas. Sin contar —como resaltaría poco después el propio José Antonio— con los mártires comunes, como José Ruiz de la Hermosa y Matías Montero.

El encuentro de los mandos falangistas con sus compañeros de las J.O.N.S. fue, sin duda, amistosamente cordial. No hay reservas mentales en Ramiro cuando señala: «Una vez perfiladas y aceptadas las bases del acuerdo, procedieron a firmarlo: Primo de Rivera, por Falange Española, y Ramiro Ledesma, por las J.O.N.S.»

Sobre el aprecio personal existente entre José Antonio y Ramiro, oscurecido un tiempo después por la escisión de éste, pero renacido finalmente en una reconciliación que fue definitiva, ya en los albores de 1936, existen diversas anécdotas. Una de ellas, narrada por Tomás Borrás en su espléndida biografía sobre Ramiro Ledesma Ramos, es especialmente emotiva. Refiriéndose a las visitas que su madre le hacía a la prisión de Ocaña, durante el tiempo en que estuvo encarcelado junto a otros camaradas jonsistas y un numeroso grupo anarquista, cuenta Borrás:

«Una tarde salió la madre del locutorio, serena y, como siempre, sola. Jamás dio muestras de debilidad, madre de la entereza. Un joven, asimismo acudido a visitar a los presos, se le acercó sumamente afable:

—¿Es usted la madre de Ramiro Ledesma? ¿Va usted a la estación? El tren tarda en pasar y, además, es incómodo. ¿Me permite que la lleve a Madrid en mi coche?

»El rostro del joven era de expresión dulce y al tiempo viril. Su acento, cariñoso. La anciana aceptó. Fue en el coche que guiaba el joven. La dejó en Santa Juliana, 3, abrió la portezuela, apretó su mano al ayudarla a descender:

—Su hijo tiene un gran talento, señora, vale mucho. A su disposición. Soy José Antonio Primo de Rivera.»

(Tomás Borrás. «Ramiro Ledesma Ramos», págs. 374 y 375. Editora Nacional, 1971.)

Como se ve, se trata sólo de una anécdota. ¿Pero no son este tipo de detalles humanísimos, puramente anecdóticos, los que mejor reflejan el alcance profundo de los sentimientos vitales?

El texto del documento es sumamente conciso, y dice así:

«Bases aprobadas del acuerdo entre J.O.N.S. y F.E.:

»1.ª Creación del movimiento político Falange Española de las Juntas de Ofensiva Nacional Sindicalista. Lo fundan F.E. y J.O.N.S. reunidos.

»2.ª Se considera imprescindible que el nuevo movimiento insista en forjarse una personalidad política que no se preste a confusiones con los grupos derechistas.

»3.ª Encaje de las jerarquías de F.E. y J.O.N.S. Recusación en los mandos del nuevo movimiento de los camaradas mayores de cuarenta y cinco años.

»4.ª Afirmación nacionalsindicalista en un sentido de acción directa revolucionaria.

»5.ª El nuevo movimiento ha de ser organizado, de modo preferente, por los actuales jerarcas jonsistas en Galicia, Valladolid y Bilbao, y de acuerdo inmediato con las actuales organizaciones de F.E. en Barcelona, Valencia, Granada, Badajoz y sus zonas.

»6.ª Emblema del nuevo movimiento ha de ser el de las flechas y el yugo jonsista y la bandera actual de las J.O.N.S.: roja y negra.

»7.ª Elaboración de un programa concreto nacionalsindicalista, donde aparezcan defendidas y justificadas las bases fundamentales del nuevo movimiento: unidad, acción directa, antimarxismo, y una línea económica revolucionaria que asegure la redención de la población obrera, campesina y de pequeños industriales.

»Madrid, a 13 de febrero de 1934.

Por F.E., José Antonio Primo de Rivera. Por J.O.N.S., Ramiro Ledesma.»

Aunque pendientes de desarrollo se perfilan nítidamente arriscadas metas revolucionarias, en clara rivalidad con las fuerzas de la izquierda, cuyas masas quiere arrastrar hacia sí el nuevo movimiento nacido de la fusión.

La pretensión del nuevo movimiento político surgido de la fusión de F.E. y las J.O.N.S. responde a un claro desafío. Las elecciones de noviembre de 1933 al dar el triunfo a las derechas, provocaron en las masas socialistas una reacción exasperada de frustración y derrota. El P.S.O.E. y sus dirigentes, igual en la facción caballerista que en la prietista, no supieron asimilar el democrático rechazo de las urnas y se lanzaron, abiertamente, a la preparación de un golpe revolucionario que, como es sabido de todo el mundo, estalló en octubre de 1934. Un año antes, curándose en salud ante el riesgo previsible de perder las elecciones convocadas, Indalecio Prieto pronuncia un discurso en el Parlamento en el que afirma rotundamente:

«Toda colaboración de los socialistas con gobiernos republicanos ha concluido definitivamente»... y añade amenazante:

«Si llegan al Poder las fuerzas reaccionarias, el pueblo estará en el deber de levantarse revolucionariamente.»

Esta actitud de Prieto, conocida públicamente, se reitera en un discurso pronunciado en el cine Pardiñas, de Madrid, el 4 de febrero de 1934, es decir, nueve días antes de decidirse la fusión de F.E. de las J.O.N.S. y una semana justa, previa a la convocatoria del Consejo Nacional de las J.O.N.S. que trató el hermanamiento con Falange.

Ante un público enfervorizado de socialistas y ugetistas, Prieto proclama: «Nuestro triunfo es inevitable. Llamo vuestra atención sobre cómo podemos y debemos administrar la victoria. Por mi experiencia de gobernante, debo deciros que no hay más remedio que domeñar a la burocracia española y convertirla en fiel servidora de la República Socialista, sin contemplaciones. Los órganos de la Administración del Estado deberán estar intervenidos por comisarios políticos del pueblo.» Y añadía seguidamente: «Hay que democratizar a las Fuerzas de Orden Público y muy principalmente al Ejército; éste debe desaparecer»...

Estas palabras del líder socialista, tenido hoy por «moderado» tienen un valor testimonial y político indiscutible, no sólo respecto al ánimo revolucionario —antidemocrático— que movía entonces al Partido Socialista, como consecuencia de su despecho por la pérdida de las elecciones, sino también, en lo que sirve de referencia aclaratoria de muchos de los acontecimientos actuales, si se tiene en cuenta la fidelidad con que el Gobierno socialista viene aplicando desde 1982 aquellas consignas expuestas por Indalecio Prieto como objetivo revolucionario.

Ante aquella actitud socialista, resulta plenamente lógica la aspiración de Falange Española de las J.O.N.S. en clara rivalidad con las fuerzas de la izquierda: «Unidad, acción directa, antimarxismo, y una línea económica revolucionaria que asegure la redención de la población obrera, campesina y de pequeños industriales.» Además de un programa nacional revolucionario genuino, es una respuesta adecuada, la única posible, al desafío marxista del P.S.O.E.

También en 1985.

La fusión de F.E. con las J.O.N.S. va a tener un impacto inmediato en la vida nacional, pese a la sordina impuesta por el aparato del Poder manejado por la coalición radical-cedista. De hecho —los acontecimientos posteriores se encargarán de demostrarlo—, F.E. de las J.O.N.S. va a representar la única opción de contenido revolucionario nacional capaz de captar para la empresa de transformación radical de las estructuras económicas y sociales a las masas proletarias no contaminadas por el influjo de la propaganda internacionalista del Komintern, que acabaría arrastrando hacia la disciplina del P.C. a la mayoría de los jóvenes militantes socialistas.

La primera noticia de la fusión de F.E. y de las J.O.N.S. la proporciona el núm. 7 del semanario «F.E.», que lleva fecha de 22 de febrero de 1934. Bajo la impactante y geométrica cabecera del periódico, y con el escueto título de F.E. y J.O.N.S., un editorial escrito por José Antonio da cuenta de la fusión. Remarca en él la perfecta fusión en todos los grados nacionales y locales de la jerarquía y la entrañable fraternidad en todas las masas de afiliados. Añade: «No podía ser de otra manera. No es una unión lo que se ha logrado, sino una hermandad lo que se ha reconocido.»

En el artículo, que desgrana punto por punto las muchas identidades que caracterizan a los dos movimientos, hay un extremo que cobra especial significado visto con la perspectiva que proporcionan los años transcurridos. Dice el editorialista: «El movimiento de las J.O.N.S. había, sobre todo, insistido en *una cierta crudeza de afirmaciones sindicales,* que en nosotros habían, quizá, retardado su virtud operante y expresiva, aunque estuviesen bien dibujadas en nuestras entrañas.»

Es decir, José Antonio reflejaba con esta precisión —en mi criterio— una cierta duda sobre el preciso perfil sindicalista y revolucionario que debía asumir F.E., y que, realmente, asumió tras la fusión con las J.O.N.S. La duda había quedado superada por la unión. Una unión que, como señala José Antonio en el artículo editorial, se había producido antes en la calle, en la fraternal concurrencia en el sacrificio: «La sangre de nuestros muertos nos ha unido, y ella es la que ha sellado nuestro pacto.»

Una curiosidad ortográfica cabe anotar en este artículo: las dos veces que se cita Falange Española con su nombre completo y no con siglas, Falanje viene escrita con jota.

En el mismo número de la revista, en su página 10, se explica a los lectores la historia y el ideario de las J.O.N.S. con una larga antología de textos de Ramiro Ledesma que se transcriben. Es importante subrayar el espíritu nacional, la confianza en el ser de España y en el patriotismo de los españoles, que rezuma en el verbo de Ledesma. Dice en uno de sus párrafos:

«Hay en nosotros una voluntad irreprimible, la de ser españoles, y las garantías de unidad, de permanencia y defensa misma de la Patria las encontramos, precisamente, en la realidad categórica del Estado. La Patria es unidad, "seguridad de que no hay enemigos disconformes en sus recintos". Y si el Estado no es intérprete de esa unidad, ni la garantiza ni la logra, según ocurre en períodos transitorios y vidriosos de los pueblos, es entonces un Estado antinacional, impotente y frívolo.»

Reproduzco este pasaje intencionadamente, y no lo sustraigo ni me sustraigo a las muchas sugerencias actuales que aporta en nuestros días, en los que también España vive un período transitorio y vidrioso, en el que el Estado no parece ser intérprete de la unidad nacional, ni la garantiza ni la logra frente al separatismo.

También difunde el anuncio de la fusión la revista «J.O.N.S.», y, a través de una nota dada a la prensa, llega, igualmente, a conocimiento de la opinión pública. Esta nota, que reproduce lo ya conocido sobre el nombre, emblemas y estructura del movimiento, acaba con una reiteración de los objetivos fundamentales: «Unidad, Patria, acción directa, antimarxismo, antiparlamentarismo, revolución económica que instaure la redención de la población campesina, obrera y de todos los pequeños productores.»

Estas afirmaciones finales, que algunos historiadores parecen desdeñar, van a ser clave de reacciones posteriores, inexplicables sin la previa consideración del compromiso que comportan.

Acaso no se haya meditado suficientemente sobre el giro, incluso dialéctico, que la fusión supuso en la personalidad de José Antonio, en cuyo espíritu pesaba ya la carga de responsabilidad que la muerte de sus jóvenes seguidores había echado sobre él. La aportación jonsista definió en José Antonio, nítidamente, su vocación y voluntad revolucionaria; le despojó de sus muchas adherencias derechistas y aristocráticas, y determinó, por encima de sentimientos entrañables, una acentuación de su capacidad crítica, que le llevó a objetivar el análisis de la crisis existencial padecida por España, forzándole a asumir un papel de dirigente que representó en su propia alma la ruptura con no pocos escrúpulos y dudas íntimas, y la renuncia total a una legítima vida privada.

La mayoría de los historiadores que han abordado el estudio de la Falange han menospreciado la labor que realizó, en orden a la captación de militantes y extensión de sus cuadros, durante los años 1934 y 1935. Así, por ejemplo, Ricardo de la Cierva sostiene en su «Historia ilustrada de la guerra civil española»:

«Debido a su falta de estrategia sindical y a sus equívocas vinculaciones reaccionarias, Falange Española de las J.O.N.S. dejó pasar la fabulosa ocasión que se le brindó durante los años 1934 y 1935 para convertirse en un auténtico movimiento de masas.

Sus efectivos fueron siempre modestos en número y con bien escasa irradiación en las capas proletarias españolas.»

Sin duda, el espejismo del fenómeno cedista, con sus multitudes fascistizadas, ha influido no poco en esta apreciación.

En igual sentido que Ricardo de la Cierva, aunque reconociendo la intensa actividad desplegada por el movimiento falangista durante ese período inmediato a la fusión, opina Eduardo de Guzmán, —escritor y periodista de raíz y militancia anarquista— quien observa un cierto paralelismo analógico entre la trayectoria de F.E. de las J.O.N.S. y el Partido Comunista. En este sentido, dice Eduardo de Guzmán:

«Aunque Falange Española de las J.O.N.S. actúa intensamente durante 1934 y 1935, pese a que interviene en numerosos actos de propaganda y sucesos violentos que provocan extensos y polémicos comentarios tanto en los periódicos como en la Universidad y los centros de trabajo, no consigue en ningún momento anterior a julio de 1936 contar con el apoyo de grandes masas populares. Es una organización de acción, de choque, de vanguardia, pero minoritaria. Prueba decisiva es que en las elecciones de febrero de 1936, aunque presenta diversas candidaturas, no consigue que el voto popular haga triunfar a uno solo de sus hombres.

En cierto modo y medida le pasa lo que al Partido Comunista: Falange no adquiere verdadera importancia hasta que se desencadena en nuestro país la más sangrienta y fratricida de las guerras civiles.»

(Eduardo de Guzmán. «La segunda República fue así», página 226. Editorial Planeta, 1977.)

No tienen en cuenta, quienes así juzgan, el mínimo tiempo transcurrido desde el nacimiento de la Falange ni las condiciones adversas –doblemente adversas: por la derecha y por la izquierda– en las que transcurrió su desarrollo. Como movimiento unido, F.E. de las J.O.N.S. nació realmente el 13 de febrero de 1934. ¿Qué otro movimiento político, de izquierdas o de derechas, puede mostrar, en tan corto período de vigencia, una tan alta incidencia en la vida nacional?

La fusión operada en febrero de 1934 supuso un mutuo reforzamiento de la organización que consolidó sus cuadros, aumentó su capacidad de actuación, extendió su presencia a todo el territorio nacional, abrió los cauces de su propio sindicato al proselitismo de elementos proletarios, y atrajo, tanto en el ámbito universitario, en donde actuaba el S.E.U., como en el mundo laboral, campesino e industrial, a notables individualidades procedentes de las ideologías comunista y anarquista. ¿Qué otro grupo, no marxista, hizo otro tanto?

Quienes infravaloran, como hemos visto, la actividad de la Falange en aquel período crucial, adolecen del defecto que ya apuntó José Antonio a Juan Ignacio Luca de Tena en su conocida polémica de 1933: aprecian lo cuantitativo, no lo esencial; siguen pensando en lo instrumental, no en lo profundo.

Otro tanto les ocurre al aplicar la valoración al Partido Comunista. La laguna histórica que representa el contraste entre esa tesis y el peso irreversible de los hechos, tratan de salvarla achacando al poder suasorio de la propaganda política la fuerte influencia que el Partido Comunista ejerció posteriormente, tanto en el marco del Frente Popular, como durante la guerra civil, y de la que había sido indicio expresivo el hábil papel jugado durante la revolución de octubre de 1934, especialmente en Asturias y Bilbao.

La clave no está en la propaganda. de la que los comunistas fueron hábiles manipuladores, sin duda. Sino en su capacidad organizativa y de penetración, por más que otra cosa pretendan deducir los historiógrafos.

Al tratar de la Falange no hay solamente una infravaloración consciente de su actividad y de sus efectivos. Existe un premeditado propósito de ocultación en el que incurren, en muchos casos, tanto los historiadores extranjeros como los nacionales.

Así, cuando Hugh Thomas hace referencia a la organización del Partido Comunista, cuenta cómo durante los años 1931-1932 el Politburó estaba integrado por Bullejos, secretario general (el mismo que disputó en 1931 con José Antonio una candidatura para las Constituyentes obteniendo una mínima votación); Adame, Antonio Arrarás, José Silva, Etelvino Vega, Casanellas (el asesino de Eduardo Dato, devenido en comunista desde el anarquismo), José Díaz, Jesús Hernández y «el Secretario del partido en Madrid».

¡Magnífico truco de ocultismo!

¿Por qué silencia Thomas el nombre del «secretario del partido en Madrid»? ¿por ignorancia?

No es posible. Acaso sea porque en aquella época era Secretario del Partido Comunista en Madrid Manuel Mateo, un bravo dirigente navarro nacido en Corella, quien después de visitar la Unión Soviética y comprobar por sí mismo las delicias del «paraíso soviético», «patria del proletariado», abandonó tan alto puesto en la dirección del Partido Comunista y pasó a la Falange, en la que ocupó junto a José Antonio un lugar clave en la organización de los sindicatos falangistas, creando las Centrales Obreras Nacional Sindicalistas.

Manuel Mateo no fue un caso insólito.

Lo mismo había ocurrido antes con Carlos Rivas Villar, responsable de las Juventudes Comunistas, que pasó a encargarse de la propaganda en la Falange fundacional; o con José Miguel Guitarte, Enrique Quesada y Enrique Matorras, todos, igual que Mateo, procedentes del Partido Comunista; de la misma manera que ocurrió con Nicasio Alvarez Sotomayor o Guillén Salaya, llegados a las J.O.N.S. desde el liderazgo del sindicalismo anarquista. O Angel Pestaña, de quien ya hemos tenido referencia. E igual ocurriría, poco después, con Oscar Pérez Solís, ex secretario general del P.C., convertido al catolicismo por el padre Gafo.

¿A qué se debe esta ocultación?

Quizá sea porque a ciertos historiadores españoles y foráneos les resulta difícil mantener a un mismo tiempo la tesis de una supuesta falta de atractivo de la Falange entre las masas proletarias y contrastar, de otro lado, el trasvase de dirigentes desde los sectores marxistas y anarquistas hacia el nacionalsindicalismo. La contradicción la resuelven por vía de ocultación y así no se comprometen ni con la izquierda ni con la derecha.

Mas, pese a la manipulación informativa e histórica, el año 1934 fue un año crucial y fructífero para Falange Española de las J.O.N.S., la cual se consolida, madura y acrece su presencia en la calle, disputándola en rivalidad revolucionaria, las más veces violentamente, a sus oponentes marxistas.

Tal proclama, excepcionalmente, Raymond Carr, quien, contrariamente a sus colegas, reconoce que en aquella época la Falange «creció enormemente en las ciudades que tenían Universidad: Sevilla, con su violento mundo laboral, Valladolid y el propio Madrid».

No es casualidad que, cuando los diarios «Ahora» y «La Nación» realizan una encuesta a diversas personalidades en febrero de 1934, a propósito de los sangrientos sucesos de Austria –en los que los socialdemócratas fueron barridos de la escena política por los seguidores del Canciller Dollfuss– José Antonio se sitúe ante la opinión pública, por vez primera, en un plano de rivalidad revolucionaria con el socialismo, al tiempo que relaciona el tema austríaco con el español y a José María Gil Robles con el Canciller centroeuropeo.

Los dramáticos sucesos españoles de octubre de aquel mismo año y su torpe liquidación, demostrarían que no andaba equivocado en su criterio el dirigente falangista cuando contestó al periodista que le interrogaba:

«Considero que a la revolución socialista sólo puede hacerle frente la revolución que propugna la Falange.

»No creo en las soluciones intermedias que defienden los partidos populares. La lucha de Acción Popular contra los socialistas no resolverá el problema revolucionario español. El papel de Gil Robles es actuar frente a la revolución, con los instrumentos del Poder en la mano, como Presidente del Consejo, o como Ministro de la Gobernación. Hace falta una motivación espiritual muy fuerte para que los hombres se jueguen la vida, y eso es lo que les falta a los núcleos derechistas que se están organizando.»

El forzado alejamiento de su bufete, cuyos asuntos tiene depositados prácticamente en manos de sus fieles pasantes, se interrumpe con motivo de la causa contra el asesino de Matías Montero, en la que actúa como acusador privado y durante la cual, a través del interrogatorio forense, se logra evidenciar la existencia del grupo «Vindicación» de las Juventudes Socialistas dirigidas por Santiago Carrillo, con planes destinados a la eliminación criminal de los activos militantes falangistas.

La actividad parlamentaria, con su permanente gimnasia dialéctica, y su labor como articulista, principalmente en la revista «F.E.», dan testimonio del dinamismo desplegado por José Antonio, quien aún participará en mítines políticos en diversas provincias antes de la conmoción nacional determinada por la revolución socialista de octubre.

41. 4 de marzo en Valladolid

El primer acto celebrado tras la fusión de F.E. y J.O.N.S., es el de Carpio de Tajo, en la provincia de Toledo, presidido por Ramiro Ledesma Ramos, y reúne una audiencia numerosa de labriegos, enjutos, requemados por el sol y la intemperie, agobiados por la angustia del paro y del hambre, resentidos por la injusticia y las promesas incumplidas. A todos ellos hablan Ramiro y José Antonio el 25 de febrero. Antes, cuando han hecho su camino hacia la corrala en donde se celebra la reunión, grupos de trabajadores les han increpado, casi como un desafío: «Salud y revolución».

Y a ellos se dirige José Antonio al comenzar su discurso, que tiene resonancias del fundacional de la Comedia, pero que está preñado, también de promesas esperanzadoras:

«Cuando veníamos aquí, por esas calles, hubo quien, sin duda con el propósito de molestarnos, nos dijo: ¡"Salud y revolución"! Pues bien; eso, lejos de molestarnos, es lo que queremos: salud para nosotros y para vosotros y para vuestros hijos, y revolución, la profunda y verdadera revolución, no la revolución con cuya promesa os están engañando a vosotros, a vuestros padres y a vuestros abuelos desde hace más de un siglo»...

«Después de la primera y de la segunda liberación, seguís siendo tan esclavos de la tierra, del jornal, del Banco que os aprisiona con sus anticipos a interés usurario, como antes que llegaran los libertadores. Seguís igualmente necesitados de revolución. Por eso, cuando nos dicen: "Salud y revolución", contestamos en la misma forma: "Salud de cuerpo y alma y revolución que os haga felices y dignos en esta tierra donde pasan vuestras vidas." Y esto no lo lograréis vosotros ni lo lograremos nosotros mientras estemos divididos»...

«La revolución hemos de hacerla todos juntos, y así nos traerá la libertad de todos, no la de la clase o la del partido triunfante; nos hará libres a todos al hacer libre y grande y fuerte a España. Nos hará hermanos al repartir entre todos la prosperidad y las adversidades, porque *no estaremos unidos en la misma hermandad mientras unos cuantos tengan el privilegio de poder desentenderse de los padecimientos de los otros*»...

El acto de Carpio de Tajo es pórtico feliz del acto público más importante de la Falange Española de las J.O.N.S. durante el año 1934. Va a ser el anuncio de la fusión de los dos movimientos y va a tener por escenario la ciudad de Valladolid, donde el vigor de las J.O.N.S., en el doble frente obrero y universitario está reclamando una acción resonante.

Desde primeras horas de la mañana, en el frío domingo del 4 de marzo, que había de caldearse con el fuego de los discursos y el fuego de las armas, comienzan a llegar caravanas de autobuses desde los pueblos cercanos y las provincias vecinas. Y llegan, igualmente, expediciones en los trenes. Allí están jonsistas y falangistas de Salamanca, Zamora, Palencia, León, Burgos, Asturias, Santander, Bilbao y Madrid.

La ciudad vive un ambiente tenso e inusitado. Hay despliegue de fuerzas de orden público que cachean a los viandantes por las calles y en las puertas del teatro Calderón, en donde se va a celebrar el mitin y en cuyos alrededores se han desplegado las escuadras de la primera línea, para evitar sorpresas.

El teatro, materialmente atestado de público —Payne calcula «más de tres mil asistentes entusiastas», aunque comete el error de fechar el acto en el 14 de marzo, equivocación de bulto que difunde también Hugh Thomas, quien se limita a transcribir de su colega—, hierve de expectación, cuando entran en el recinto Onésimo Redondo, Julio Ruiz de Alda, Ramiro Ledesma y José Antonio, oradores principales en el mitin, a quienes acompañan también en los discursos, Gutiérrez Palma, en representación de los obreros nacionalsindicalistas de Valladolid, y Martínez de Bedoya, por los estudiantes del S.E.U.

Víctor Fragoso del Toro, que vivió aquella y otras muchas jornadas de las J.O.N.S. vallisoletanas, transcribe con extraordinaria fidelidad en «La España de ayer», el enfervorizado ambiente que rodeó el acto, sus incidentes y los resúmenes de los discursos de quienes intervinieron; textos que aparecen en el número 9 de «F.E.».

El discurso pronunciado por Ramiro Ledesma es vibrante y directo. Denuncia la situación de España y advierte:

«El primer peligro y el primer objetivo nuestro es defender y conquistar la unidad de España hoy quebrantada en la flamante constitución oficial del Estado...

«Hay que salir al paso de los que dicen que España no es una porque es varias naciones, cuando España es la primera nación que se constituyó en Europa y que hace cuatro siglos que aparece unida en la Historia. Esta es la justificación histórica

de la unidad de España, si no lo fuera también las páginas gloriosísimas que ha realizado. Pero hay otra razón para defender la unidad de nuestra Patria y es que si no quieren las justificaciones históricas y de los siglos, España es una, por nuestra y exclusiva voluntad»...

¿Quién se atreverá a negar vigencia hoy —desgraciadamente— a estas palabras de Ramiro Ledesma? ¿No es necesario, también ahora, manifestar, además de las razones históricas irrebatibles, la resuelta voluntad de unidad nacional que proclama Ramiro en su discurso?

El de José Antonio, del que curiosamente sólo se recogen en la biografía hecha por Ximénez de Sandoval los párrafos líricos dedicados a cantar la belleza y la historia de Castilla, constituye una de las piezas maestras de su oratoria política y lo reproducimos íntegramente en el apéndice documental.

Si al salir del mitin fundacional del teatro de la Comedia, de Madrid, pudo decir José María Carretero, que tuvo la sensación «de haber asistido a una hermosa velada literaria del Ateneo», al salir del teatro Calderón, entre el chasquido de los disparos y el entusiasmo de los asistentes, se puede afirmar que, en verdad, acababa de abrirse el paso a unas huestes que creen en la esperada revolución nacional.

Allí no hubo, ni durante el acto ni después del mitin, ambiente de hermosa velada literaria. Hubo, en el interior del teatro, una resuelta voluntad de conquista revolucionaria. Y en el exterior, la violenta constatación de que aquella conquista había de producirse después de una lucha dura y sangrienta. Toda la mañana y parte de la tarde vivió la ciudad castellana numerosas escenas de enfrentamientos. Las refriegas a la salida del teatro, cuyos asistentes fueron tiroteados por una multitud de marxistas, eran constantes y los oradores tuvieron que repeler, pistola en mano, algunas de las agresiones. El balance de la jornada fue trágico. Hubo, por parte de unos y de otros numerosos heridos. El más grave sería el estudiante Angel Abella, que no pertenecía a ninguna organización política y que ni siquiera había asistido al mitin. Le atacaron, cuando caminaba por la calle de Zapico, un grupo de ocho socialistas que le golpearon y apuñalaron sañudamente. Dos días después, moría en el hospital. Sus compañeros de la Facultad de Medicina le acompañaron hasta la estación durante el traslado del cadáver, que fue inhumado en su tierra asturiana de Pravia.

José Antonio, que había tenido que enfrentarse a tiros con varios grupos marxistas en Fuente Dorada y en la calle de Regalado, templó aquella mañana, junto a sus compañeros de las J.O.N.S. su recio espíritu de luchador, contrastando en la implacable dureza de la refriega callejera la gran verdad que encerraban sus propias palabras: «Tenemos a España partida entre tres clases de secesiones: los separatismos locales, la lucha entre los partidos y la división entre las clases»... «Nosotros... hemos preferido... irnos por el camino de la revolución, por el camino de otra revolución, por el camino de la verdadera revolución. Porque todas las revoluciones han sido incompletas hasta ahora, en cuanto ninguna sirvió, juntas, a la idea nacional de la Patria y a la idea de la justicia social. Nosotros integramos estas dos cosas: la Patria y la justicia social, y resueltamente, cateróricamente, sobre esos dos principios inconmovibles queremos hacer nuestra revolución.»

Vuelto a Madrid, José Antonio se va a enfrentar, nuevamente, con el dolor de dar tierra a otro camarada muerto. El día 8, en la glorieta de Bilbao, mientras vende la revista «F.E.», es asesinado por un grupo marxista el obrero Angel Montesinos. El día 10 se verifica el entierro, en el que José Antonio va a pronunciar otra de sus bellas oraciones que es, además, una lección de estoicismo:

«¡Firmes! ¡Otro! Y este es un hombre humilde. Los que nos creen incapaces de entender el dolor de los humildes, sepan que desde hoy la Falange, además de por su resuelta voluntad, *está indisolublemente unida a la causa de los humildes por este sacramento heroico de la muerte.*

»¡La muerte! Unos creerán que la necesitamos para estímulo. Otros creerán que nos va a deprimir; ni lo uno ni lo otro. La muerte es un acto de servicio. Cuando muera cualquiera de nosotros, dadle, como a éste, piadosa tierra y decidle: "Hermano: para tu alma, la paz; nosotros, por España, adelante."

»¡Firmes otra vez! ¡Angel Montesinos!»

La respuesta de «¡Presente!» retumbó el recinto del camposanto. Presente allí, entre los camaradas que le sobrevivían, quedaba el ejemplo de Montesinos. Y su lección prendida en los corazones. La mística revolucionaria de la Falange constituía ya algo más que una enunciación literaria.

No habían de pasar muchos días, sin que los marxistas se cobraran en la Falange un tributo más de sangre. El 25 de aquel mes (marzo de 1934), estudiantes del S.E.U., capitaneados por Enrique Quesada –que había pasado a formar parte del Triunvirato Central y que, según concreta David Jato, había sido representante de la juventud comunista, junto a Guitarte y Paco Galán, en las reuniones de la «Liga contra el fascismo y la guerra»–, asaltaron, sin éxito, el centro de la F.U.E. de Derecho, en donde se tuvo la confidencia de que existía un alijo de armas, del que pretendieron apoderarse. La lucha callejera, que abiertamente enfrentaba ya a marxistas y falangistas, obligaba a este tipo de operaciones para adquirirlas. Ese mismo día, en una acción semejante, en las inmediaciones de la «Casa del Pueblo» cayó herido de muerte Jesús Hernández, un estudiante de Bachillerato que sólo tenía 15 años, pero cuya fortaleza física le había permitido encuadrarse en la Falange. Su asesino fue un anarquista, contra el que actuó José Antonio, como acusador privado, ante el Tribunal de Urgencia celebrado en la cárcel Modelo el día 10 de abril. La vista fue favorable para el acusado del crimen que fue absuelto, y, hacia las tres de la tarde, José Antonio abandonó el recinto carcelario donde se había celebrado el juicio.

Momentos después, cuando su coche marchaba por la calle de la Princesa, unos individuos apostados en la confluencia con García Gutiérrez lanzaron dos petardos sobre el automóvil, que hicieron explosión y sembraron de cristales la calzada, dañando la carrocería y el parabrisas. José Antonio, que iba acompañado por Manuel Sarrión, Andrés de la Cuerda y José Gómez, frenó, bajó del vehículo y salió en persecución de los autores del atentado, pistola en mano, intercambiando unos disparos. No pudo alcanzarlos y volvió sobre sus pasos. Ximénez de Sandoval cuenta que «algunos falangistas que habían salido a pie de la cárcel le rodearon, vitoreándole y gritando "Arriba España". Los curiosos, agrupados alrededor del coche, y los vecinos, asomados a los balcones por la alarma de las explosiones, aplaudieron al Jefe de la Falange».

No fue el único intento para eliminarle, pero sí el que más cerca estuvo de conseguir su objetivo.

Después de dos meses de suspensión, en el mes de abril reapareció la revista «J.O.N.S.», en la que José Antonio colabora con un «Ensayo sobre el nacionalismo», que es clara lección del concepto de Patria. También las páginas de «F.E.» reciben colaboraciones de José Antonio, al tiempo que empiezan a aparecer artículos vigorosos de Ramiro Ledesma.

Por aquellas fechas, bajo el gobierno del radical Samper, Falange de las J.O.N.S. fue víctima de numerosas arbitrariedades y persecuciones. La coalición centro-radical, incapaz de atajar el activismo socialista, que empezaba a amenazar con promesas de ruptura revolucionaria, prefería dirigir sus acciones punitivas contra F.E. de las J.O.N.S., deteniendo a sus militantes y urdiendo complots inexistentes.

El día 12 de abril, en el número décimo de la revista «F.E.», José Antonio enjuicia el fracaso republicano en un artículo no exento de ironías, pero rigurosamente crítico, tanto hacia el bienio socialista como con la gestión radical.

Merece la pena reproducir algunos de los pensamientos recogidos en él, porque pueden considerarse, sin duda, antecedente de resonantes intervenciones parlamentarias y del discurso que un año más tarde pronunciaría en el teatro Madrid.

«El 14 de abril de 1931 se implantó la República en España. No puede negarse que, casi anulando la melancolía con que no pocos vieron caer el régimen monárquico secular, se extendió por España un júbilo lleno de esperanzas. Las esperanzas, de seguro, hallaban su clave en esto: la República iba a ser el régimen nacional, de todos, bajo cuyo signo se llevará a cabo la revolución anhelada durante años y años»...

«Ya era mucho el haber logrado que entraran los socialistas en un Gobierno que no era de clase, sino que aspiraba a ser un Gobierno nacional. Los socialistas –no hay que ocultarlo– formaban el partido más serio de cuantos trajeron la República y de cuantos perdieron la Monarquía; eran tenaces, disciplinados, abnegados muchos de ellos y casi todos excelentes organizadores. Lo que tiene de repelente el socialismo –exclusivismo de clase, materialismo, antinacionalidad– parecía disuelto en la emoción patriótica con que un pueblo, casi unánime en la alegría, imaginaba zarpar hacia rumbos mejores. Así, el socialismo infundiría a la República su profundo contenido de justicia social sin convertirla en República de clase»...

«Han corrido tres años... Los gobernantes de la República se las arreglaron para hacerla pronto inhospitalaria. Lo que pudo ser un régimen nacional fue achicado por sus guardianes hasta trocarlo en régimen de secta... Y, lo que es aún peor, se empezó a pagar con trozos de España, traicionando la voz de lo nacional, servicios prestados a la secta. La que iba a ser República de todos los españoles ya estaba casi reducida a República de antiespañoles.

»Pero, a falta de lo nacional, quedaba lo social todavía. Empresa incompleta –manca–, pero empresa aún: media empresa al menos. Hasta que triunfó en las urnas el Parlamento que ahora tenemos la felicidad de gozar...

»Todo lo que Azaña y los socialistas llevaron a cabo en el famoso bienio se va a borrar del mundo: ha terminado la revolución social.

»Y en cuanto a lo nacional, mejor es no decir nada. Nunca se ha visto Parlamento con menos sentido histórico que el Parlamento presente. Todos los partidos "de orden" más o menos adheridos al régimen parecen limitar su ambición a que haya "autoridad", es decir, no a que se remedien los profundos motivos de desesperación popular, sino a que esa desesperación no se manifieste con demasiado ruido»...

Ataca aquí José Antonio el reaccionarismo de la combinación radical-cedista, que había invalidado, desde el dominio parlamentario que ostentaba, todas las reformas sociales –por otra parte escasas– conquistadas por el bienio socialista. En esta crítica, destaca, una vez más, la objetividad con que José Antonio se enfrentaba a todo enjuiciamiento histórico y político, elogiando, incluso de sus adversarios –como los socialistas– las virtudes que poseían, sin que ello endulzara, para nada, el combate dialéctico de los errores que esos mismos adversarios sostenían.

42. Carta a un estudiante

En el número 11 de «F.E.» José Antonio sale al paso de quienes siguen intentando el desviacionismo de las juventudes falangistas hacia posturas que no son concordes con el estilo que sus mandos, –esencialmente José Antonio– quieren implantar en el Movimiento. Un estilo nuevo: directo, ardiente y combativo. Despojado de zafiedad y de desgarro. La reciente muerte de Jesús Hernández había levantado una hipócrita oleada de comentarios adversos a la Falange. Y José Antonio reacciona con este artículo que ha quedado, en la doctrina de la Falange, como modelo de lo que ha de ser norma de actuación permanente; se publicó el 19 de abril y llevaba el título de «Carta a un estudiante que se queja de que "F.E." no es duro».

«No te tuvo Dios de su mano, camarada, cuando escribiste: "Si 'F.E.' sigue en ese tono literario e intelectual, no valdrá la pena de arriesgar la vida por venderlo".

»Entonces, tú, que ahora formas tu espíritu en la Universidad bajo el sueño de una España mejor, ¿por qué arriesgarías con gusto la vida? ¿Por un libelo en que se llamara a Azaña invertido y ladrones a los ex ministros socialistas? ¿Por un semanario en que quisiéramos tender las líneas del futuro con el lenguaje pobre, desmayado, inexpresivo y corto de cualquier prospecto anunciador?

»Es posible que si escribiéramos así nos entendiera más gente desde el principio. Acaso, también, nos fuera fácil remover provechosos escándalos. Pero entonces hubiéramos vendido, por un plato de éxito fácil, nada menos que la gloria de nuestro empeño.

»Si nos duele la España chata de estos días (tan propicia a esas maledicencias y a ese desgarro que echas de menos en nuestras páginas) no se nos curará el dolor mientras no curemos a España. Si nos plegásemos al gusto zafio y triste de lo que nos rodea, seríamos iguales a los demás. Lo que queremos es justamente lo contrario: hacer, por las buenas o por las malas, una España distinta de la de ahora, una España sin la roña y la confusión y la pereza de un pasado próximo; rítmica y clara, tersa y tendida hacia el afán de lo peligroso y lo difícil.

»Hacer un "Heraldo" es cosa sencilla; no hay más que recostarse en el mal gusto, encharcarse en tertulias de café y afilar desvergüenzas. Pero envuelta en "Heraldos" y cosas parecidas ha estado a punto España de recibir afrentosa sepultura.

»Camarada estudiante: revuélvete contra nosotros, por el contrario, si ves que un día descuidamos el vigor de nuestro estilo. Vela por que no se oscurezca en nuestras páginas la claridad de los contornos mentales. Pero no cedas al genio de la pereza y de la ordinariez cuando te tiente a sugerirnos que le rindamos culto.

»Y en cuanto a si vale la pena de morir por esto, fíjate simplemente en la lección de uno de los mejores: de Matías Montero, al que cada mañana tenemos que llorar. Matías Montero arriesgó su vida por vender "F.E." y cuando, muerto, se escudriñaron los papeles que llevaba encima, apareció un artículo suyo, que engalanó estas páginas, en el que no se llamaba a Azaña invertido ni ladrones a los socialistas, sino en el que se hablaba de una España clara y mejor, exactamente en nuestro mismo estilo.»

¿Iba –realmente– dirigida esta carta a un estudiante concreto? ¿Se trataba de puntualizar en el propio seno del triunvirato central, la pauta que debía ser línea de conducta del Movimiento? Cual se han encargado de remarcar ciertos comentaristas no exentos de regusto, en su libro «¿Fascismo en España?» Ramiro expone precisamente este criterio de que la revista «F.E.» resultaba excesivamente literaria, puntillosamente preocupada por el estilo. Desconozco si José Antonio dirigió su carta, además de «a un estudiante», a alguien como Ramiro, que acaso hubiera comentado ya con algún otro su apreciación sobre el periódico. No hay que olvidar que Ramiro, más avezado que José Antonio en la lucha callejera, era dialécticamente más agresivo, sin que ello menguara en ningún momento su magnífica categoría intelectual, que hizo exclamar a don José Ortega y Gasset, cuando conoció su muerte violenta en octubre de 1936: «No han matado a un hombre. Han matado a un entendimiento.»

En mayo de 1934, José Antonio realizó un viaje a Alemania. Era su primer viaje y durante su estancia en Berlín le acompañaron, según testimonia Ximénez de Sandoval, Eugenio Montes y, a veces, César González Ruano, que un mes antes le había entrevistado para «ABC» a propósito del atentado sufrido cuando el juicio contra el asesino de Jesús Hernández.

Del paso de José Antonio por Berlín queda un autógrafo suyo en la Pensión Latina; Ximénez de Sandoval lo transcribe: «Con un recuerdo –agradecido a esta hospitalidad– para la España que acaso no existe físicamente, pero que existe en lo eterno, como las verdades matemáticas, y que volverá a proyectarse en la Historia.–José Antonio Primo de Rivera, 6 de mayo de 1934.» Como se ve todo su pensamiento está puesto en España. ¿Qué impresión causó este viaje en el ánimo de José Antonio? Dudo mucho, pese a las insinuaciones de Francisco Bravo, de que sus comentarios fueran encomiásticos para algo más que la simple recuperación alemana; para el elogio de las virtudes de trabajo, disciplina, coraje y fe del pueblo alemán. Como en más de una ocasión manifestó, el nacionalsocialismo había exaltado hasta el paroxismo el sentimiento racial del pueblo alemán, en un movimiento romántico que en nada coincidía con la concepción joseantoniana de la Patria, expuesta con clarividente comprensión intelectual en sus diversos ensayos sobre la nación y el nacionalismo.

Esta falta de simpatía por el nazismo ¿no sería la causa remota de las dificultades con que tropezaron en Alicante los intentos de liberación de José Antonio por parte de las autoridades alemanas instadas a colaborar? ¿El adverso informe de la jefatura del Partido Nazi no sería lejana consecuencia de la nula simpatía que José Antonio sentía por el nacionalsocialismo alemán?

Como se verá en su momento, Carlos Rojas ha puesto en evidencia que el interés de la Alemania de Hitler estaba en apoyar a grupos de la derecha, distintos y adversos a la Falange, aunque luego aprovecharan la decapitación general del Movimiento falangista para apoderarse de sus riendas y tratar de desnaturalizar su contenido.

Estos grupos –principalmente la C.E.D.A. y las J.A.P.– se hallaban durante la primavera y el verano de 1934 en el cenit del poder parlamentario. Dominaban el Congreso y condicionaban desde él los resortes del Gobierno. Aquella influencia la emplearon, con toda la frecuencia que les fue posible, en fomentar la persecución a la Falange y a los falangistas. Registros en las sedes del Movimiento. Detención de militantes. Cierre arbitrario de locales...

No obstante las adversas circunstancias, Falange Española de las J.O.N.S. iba a protagonizar, el 3 de junio, en pleno «estado de alarma» decretado por el Gobierno Samper un magnífico episodio que sirvió, en el orden interno como entrenamiento paramilitar, y en el externo, como resonante proyección propagandista.

Existe abundante documentación escrita y gráfica. El diario «Luz», por inspiración de Ramiro Ledesma Ramos que ocupaba la sección de Prensa y Propaganda, publicó un amplio reportaje informativo y gráfico en el que, bajo la apariencia de una dura crítica al «fascismo», se hacía la apología de F.E. y de las J.O.N.S., magnificando los detalles de organización, número y disciplina de las milicias, capacidad de movilización, etcétera...

Se trata de la concentración de centurias de la Primera Línea, efectuada en el aeródromo de Estremera, en las inmediaciones de Cuatro Vientos, propiedad de los hermanos Ansaldo.

Con grandes titulares en su página primera «Luz» decía: **Movilización fascista y en pleno estado de alarma.** Y el reportaje «hincha» el acontecimiento: «Centurias en marcha, desfiles en formación militar, ejercicios de combate y arengas en los alrededores más próximos de Madrid»... «Formaron veinte centurias y fueron arengadas por José Antonio Primo de Rivera»... Y habla de «secreto de las órdenes»... «un campo que reuniera las condiciones para que en él pudieran formar, ejercitarse y desfilar mil quinientos o dos mil hombres»... «fue convocada la sección de Transportes de la Falange Española de las J.O.N.S.»... «Según los cálculos que habían hecho los organizadores... se reunirían en la concentración unas veintiocho centurias, o sea, dos mil ochocientos hombres»... «pero las ocho últimas centurias que habían sido avisadas tuvieron que quedarse en Madrid y no se unieron a la movilización». «Luz» aún describe la llegada de los «triunviros» que «pasaron revista a sus fuerzas y fueron haciendo observaciones sobre la regularidad y disciplina de cada una de las centurias»... «Terminada la revista, don José Antonio Primo de Rivera, subió a la torreta que hay en ese aeródromo y pronunció una breve arenga de sentido militar, que fue contestada con vítores por todas las formaciones»... «Apenas había terminado de hablar el señor Primo de Rivera, se presentaron en el campo varios aviones procedentes de Cuatro Vientos... que "llegaron a volar a muy poca altura"»... «y entre los "fascistas" y algunos de los pilotos se cambiaron saludos»...

Finalmente, «Luz» cuenta la llegada de unos números de la Guardia Civil y la prohibición de que continuase el acto, presentándose José Antonio ante el Juzgado de Carabanchel, donde se hizo único responsable del acto. Critica «Luz» la pasividad del Gobierno y el silencio de la Dirección General de Seguridad, y concluye:

... «La Falange Española de las J.O.N.S., que después de la fusión ha sido nutrida por el espíritu revolucionario de los "jonsistas", está propagándose entre la juventud y reclutando adeptos, sobre todo entre los jóvenes. Lo que ayer pudieron llevar a cabo hubiera parecido absolutamente imposible hace muy pocos meses. Si los republicanos siguen como hasta ahora, entregados a la incapacidad de defender el régimen, no nos sorprenda que dentro de unos meses más el desfile y la concentración y las arengas tengan por escenario el Paseo de Coches del Retiro o la propia Puerta del Sol.»

El vaticinio se cumpliría, puntualmente, cuatro meses después, como consecuencia de la revolución socialista de octubre.

El propósito perseguido al organizar la concentración se había conseguido plenamente. Esto animó a los mandos de la Falange a preparar una acción punitiva contra las juventudes marxistas que cada domingo campaban por sus respetos en las orillas del Manzanares, entre Puerta de Hierro y los Montes de El Pardo, y que eran conocidísimos en Madrid con el apodo derivado del estribillo de una canción de burdel que solía acompañar sus expansiones político-erótico-excursionistas: los «chíbiris».

Aquella operación, acaso por exceso de confianza, quizá porque sólo se decidió la intervención de dos centurias, resultó trágica. Juan Cuéllar, hijo de un agente de Policía y miembro de una escuadra falangista resultaría muerto en uno de los encuentros.

Apuñalado, alcanzado por disparos hechos a quemarropa, fue pisoteado, machacado el cráneo con un cántaro de vino y, finalmente, en apoteosis bárbara, una joven socialista, Juanita Rico, con bestialidad satánica, orinó sobre su cuerpo destrozado. Llegan nuevos escuadristas de la Falange, y cuando la lucha se ha generalizado acude la Guardia Civil, ante la que huyen los marxistas y a la que denuncian el hecho los falangistas, que son detenidos. El cadáver de Cuéllar, irreconocible, fue trasladado al Juzgado de El Pardo, y desde allí, subrepticiamente, al Depósito Judicial. José Antonio, que está en su despacho, recibe la noticia y acompañado de Julio, Ansaldo y Raimundo Fernández Cuesta se traslada al lugar del suceso. Impresionado, murmura: «Esto se tiene que acabar.»

Hay una tremenda confesión personal de los sentimientos que embargaban a José Antonio al ver caer, muertos a tiros, a sus jóvenes camaradas. Francisco Bravo cuenta cómo en una ocasión en que compartió con José Antonio un día entero en Madrid, charlando de las comunes inquietudes, después comer juntos en el Hotel Nacional, el jefe nacional de la Falange le confesaba:

«Yo hablé en la Comedia de la dialéctica de los puños y de las pistolas, no pensando en las emboscadas callejeras donde cayeron nuestros mejores muchachos de la primera hora, sino en la conquista del Estado y en la defensa de la Patria. Pero cuando fueron ensangrentándose las calles de Madrid con aquellos jóvenes, niños más bien, que salían a vender ''F.E.'' inermes y valerosos, comprendí que no tendríamos más remedio que defendernos a toda costa. Mis escrúpulos morales y religiosos fueron también tiroteados por los pistoleros, no sin una larga lucha interior, a cuyo final la fe de nuestras ideas venció a toda desilusión o desánimo.»

Como puntualmente comenta Francisco Bravo, «sólo la barbarie de los marxistas impuso a Falange la adscripción a la ley tremenda de la represalia».

(Francisco Bravo. «José Antonio: el hombre, el jefe, el camarada», página, 45. Ediciones Españolas, 1939.)

Como apunta Ximénez de Sandoval, «el día de la muerte de Cuéllar, José Antonio se resignó a que la Falange dejara de ser angelical, como él la había soñado». Juan Antonio Ansaldo y Groizard, jefes de las Milicias, se encargan de organizar la represalia. Va a ser la primera ejecutada por la Falange, **después de ocho víctimas del terrorismo socialista.** A partir de la muerte de Juan Cuéllar, cada Caído de la Falange provocaría una represalia contra los autores o responsables de esa muerte.

En la calle de Eloy Gonzalo, en las inmediaciones de Cardenal Cisneros, un automóvil espera la llegada de los «chíbiris». Cuando arriba el grupo, suenan varios disparos y caen, heridos, los hermanos Rico, de la Agrupación Socialista Madrileña. Juanita Rico, que tan sádicamente había actuado por la mañana, orinando sobre el cadáver de Cuéllar, es alcanzada mortalmente. David Jato afirma: «Juanita Rico confesó antes de morir y dijo que bien se merecía un castigo; al descargar su conciencia, alivió también la de los falangistas que participaron en la represalia.»

Socialistas y comunistas difundieron aquellos días el rumor de que en el atentado contra Juanita Rico había participado una mujer y, más concretamente, Pilar Primo de Rivera. Esta versión de una intervención femenina en la represalia, la recoge Eduardo de Guzmán, quien proporciona la siguiente visión de los hechos:

... «En la esquina de Eloy Gonzalo y Cardenal Cisneros, disparan desde el interior de un coche en que ni siquiera han reparado. Como consecuencia de la agresión muere Juanita Rico Hernández, una joven de veinte años, modista de profesión; resultan gravemente heridos dos de sus hermanos y una amiga de diecisiete años que los acompaña. Posteriormente se sabe que el coche es propiedad de Alfonso Merry del Val, falangista, y que desde el interior del coche hizo fuego una mujer

joven. (De la identidad de la mujer se habla mucho entonces y Dolores Ibárruri lo hace posteriormente en una dramática sesión parlamentaria). » (Eduardo de Guzmán: obra citada).

Efectivamente, fue La Pasionaria quien acusó a Pilar Primo de Rivera como autora de los disparos. Era falso. La propia Pilar lo ha desmentido con estas palabras:

«... Yo estaba amenazada de muerte por la represalia contra un grupo de ''chíbiris'' en la que había muerto Juanita Rico. Dieron en decir que en el grupo que atacó a los ''chíbiris'' iba una mujer y que esa mujer era yo. Era mentira, y muy gorda, porque la Sección Femenina jamás intervino en las luchas callejeras; eran demasiado hombres los hombres de la Falange para meternos a nosotras en estos menesteres. Yo, por mi parte, he sido incapaz en mi vida de manejar un arma, pero corrió la especie y aún sigue corriendo. ''Calumnia, que algo queda''. »

(Pilar Primo de Rivera. «Recuerdos de una vida», página 70. Ediciones Dyrsa, 1983.)

El entierro de Juanita Rico gozó de las exenciones gubernamentales derechistas y constituyó una demostración de «masas» socialista. El de Juan Cuéllar hubo de hacerse, por imposición de las mismas autoridades, al amanecer y casi en secreto. Durante el entierro de la joven socialista, un coche ametralló el local de Falange, en Marqués del Riscal. Hubo dos heridos graves: Francisco Trapero y José Arranz.

43. Prieto y José Antonio

La animosidad gubernamental contra la Falange, pronto iba a orientar sus acciones contra su figura indiscutible, pese a que el mando del Movimiento fuera todavía colegiado. Y así, en el mes de junio de 1934, la coalición radical-cedista iba a urdir en el Parlamento una operación para privar a José Antonio de su inmunidad parlamentaria, bajo la excusa de un procedimiento judicial que se seguía contra él por supuesta reunión ilegal y tenencia ilícita de armas. El suplicatorio del Tribunal Supremo —¡oh la exquisita neutralidad de los radical-derechistas!— afectaba también al diputado socialista Lozano, razón por la que Indalecio Prieto hizo una defensa ardorosa de los acusados, poniendo acento en José Antonio Primo de Rivera, con lo que la cobertura de su correligionario quedaba, además, impregnada de objetividad. Payne afirma que «José Antonio pudo librarse del procesamiento gracias a la intervención del líder socialista moderado Indalecio Prieto, quien tenía un aprecio considerable por el joven jefe de la Falange, además de serias dudas acerca de la regularidad del procedimiento». Oculta Payne el interés de Prieto por el diputado Lozano, perteneciente a su partido, pero no marra ni en lo del «aprecio» por José Antonio, que era cierto y hasta mutuo, pese a la violencia de un anterior incidente, ni en la irregularidad del procedimiento, que fue puesto en evidencia por las intervenciones de José Antonio, ante el propio Parlamento, el día 3 de julio.

Según el Diario de Sesiones del Congreso, votaron NO y, por tanto a favor de la denegación del suplicatorio:

Gordón Ordás, Ruiz del Toro, Alvarez Angulo, Sabrás, Alvarez del Vayo, Serrano Suñer, Rubio Heredia, Ruiz Valdepeñas, Calzada, Salvador, Barcia, González Ramos, Araquistain, Alonso Zapata, señora Nelken, Prat, Núñez Manso, García Atance, Ibáñez, Albiñana, Maeztu, Sierra Pomares, Lamamié, Rodríguez Pérez, Besteiro, Azaña, Llopis, Septién, Finat, Arellano, Comín, Sainz Rodríguez, Roa de la Vega, Moreno Herrera, Mairal, De Gracia, Prieto, Negrín, Andrés y Manso, Casares,

Zamanillo, Calvo Sotelo, Amado, Maura (don Honorio), Fernández Montes, Menéndez, González, Lejárraga (señora), Blázquez, Santos, Iglesias Corral, Goicoechea, Prieto (don Luis), De los Ríos, Tirado, Romero, Martínez Moretín, Fuentes Pila, Domínguez Arévalo, Ramírez, Tejera, González Suárez, Lamoneda, Alfaro y el Sr. Presidente.

En total, 65 diputados.

Votaron a favor de la concesión del suplicatorio y, por tanto, a favor del procesamiento de José Antonio, un total de 137 diputados, entre ellos, los más significados miembros del Partido Radical y de la C.E.D.A.: Samper, Salazar Alonso, Hidalgo, Del Río, Pérez Aguila, Lerroux, Cambó, Nadal, Puig de la Bellacasa, Fernández Heredia, Geminiano Carrascal, Moreno Dávila, Pascual Cordero, Pérez Madrigal, Tuñón de Lara, Trías de Bes, Martínez de Velasco, Mallo, Ventosa, Moltó, Aza, Cassinello, Villanueva, Marichal, Villalonga, Aizpún, Martín Artajo, Pérez de Rozas, Vidal Guardiola, Pabón, Giménez Fernández, Salmón, Pérez Molino, Burgos Díaz, Guisasola, Salgado, Rojas Marcos, Moreno Navarrete...

Aprobado el suplicatorio, tras de una votación nominal, cuyos resultados se reflejan más arriba, un grupo de diputados, por iniciativa de Indalecio Prieto, que la defendió eficazmente, presentaron una proposición incidental en estos términos:

«Los diputados que suscriben presentan a la Cámara la siguiente proposición incidental:

—Al amparo de lo dispuesto en el párrafo 6.° del artículo 56 de la Constitución, la Cámara acuerda la suspensión del procedimiento judicial hasta la expiración del mandato parlamentario del diputado objeto de la petición del suplicatorio que se discute.

»Palacio del Congreso, 3 de julio de 1934: José Andrés y Manso, Antonio Septién, Fermín Blázquez, Luis Romero, María Lejárraga, Ramón González Peña, Luis Prieto, Luis Araquistain, Bienvenido Santos, Fernando de los Ríos, Bruno Alonso, Juan Tirado, Margarita Nelken, Juan Negrín, Indalecio Prieto.»

Fue la aplicación de esta proposición incidental la que permitió seguir a José Antonio en el Congreso, libre de procesamiento, si bien al acabar la legislatura y no conseguir nuevo escaño en las elecciones de 1936, le fue reabierto el proceso al carecer ya de inmunidad parlamentaria.

No obstante, José Antonio, al intervenir por segunda vez ante la Cámara, y después de haber cruzado el espacio que separaba su escaño del de Prieto para estrecharle la mano públicamente y manifestarle gallardamente su agradecimiento, afirma:

«El señor Prieto, que, en una no todavía larga, pero sí activa vida del Congreso, se ha ejercitado en todas las artes menores del parlamentarismo, se sabe dar el lujo, no asequible a todos, de usar algunas veces las artes mayores; de adoptar actitudes estéticas de la mejor clase, y en muchas ocasiones, por el camino de estas actitudes estéticas, llegar a algo que vale más que ellas: a una profunda y auténtica emoción humana. Yo faltaría a mi propia autenticidad si en este instante no empezara, con toda la sinceridad de mi alma, dando las gracias por su actitud al señor Prieto...»

El propio Indalecio Prieto se hace eco de este gesto gallardo de José Antonio cuando en el exilio escribe sobre «Coincidencias y discrepancias» entre socialistas y falangistas.

«Primo de Rivera... terminado el debate y concluida la votación, que le fue tan adversa como a Juan Lozano, vino hasta mi escaño, donde, estrechándome la mano, me reiteró su gratitud y pronunció en voz alta duros vituperios para los diputados derechistas que, contra él, habían unido sus votos a los del lerrouxismo.»

(Indalecio Prieto. «Convulsiones de España». Volumen I, pág. 130. Ediciones Oasis, 1967.)

Este gesto de José Antonio, en línea con su autenticidad más sincera –como él mismo se encarga de subrayar– causaría escándalo en los escaños y en la prensa derechista, acostumbrados a poner su pasión partidista y su rencor político por encima de cualquier otro sentimiento. Más aún, cuanto que José Antonio está cada vez más lejos de su actitud conservadora y reaccionaria y se atreve, además, a proclamarlo, como lo hace en ese mismo discurso parlamentario, después de contradecir a Prieto en su imputación de que la Falange es un movimiento romántico. Y así, insiste José Antonio:

«Yo le aseguro al señor Prieto que no es eso. Lo que pasa es que todos los que nos hemos asomado al mundo después de catástrofes como la de la Gran Guerra, y como la crisis, y después de acontecimientos como el de la Dictadura y el de la República española, sentimos que hay latente en España y reclama cada día más insistentemente que se la saque a la luz –y eso sostuve aquí la otra noche– una revolución que tiene dos venas: la vena de la justicia social profunda, que no hay más remedio que implantar, y la vena de un sentido tradicional profundo, de un tuétano tradicional español que tal vez no reside donde piensan muchos y que es necesario a toda costa rejuvenecer»...

Esa simbiosis de lo nacional y lo social, que es la característica más peculiar e importante de toda la doctrina falangista, acaso influyera en esa «auténtica emoción humana» que invade a veces la personalidad de Indalecio Prieto y que tantas esperanzas de acercamiento a la Falange despertó en José Antonio, especialmente en 1936, cuando, en su célebre discurso de Cuenca, Prieto afirmó: «Me siento cada vez más profundamente español.» Sentimiento que corroboraría en 1946, con este estremecedor testimonio, ya tardío, que tantas cosas hubiese evitado de ser expuesto en los cruciales años anteriores a la guerra civil: «Guía mis aspiraciones un sentido genuinamente español y las baso en ansias fervorosamente patrióticas. Me acojo de nuevo a Jaurés para suscribir estas palabras suyas: "La Patria es necesaria al socialismo. Fuera de ella no es nada ni puede nada; hasta el movimiento internacional del proletariado, aunque pase por encima de las naciones, necesita encontrar en ella los puntos de partida y los puntos de apoyo, so pena de perderse en lo difuso y en lo indefinido."»

La mutua corriente de simpatía y afecto, aun dentro de la adversidad política, entre José Antonio y Prieto, la testifica también Julián Zugazagoitia, el director de «El Socialista», quien al comentar el cansancio de Prieto y la incomprensión que le rodea en los primeros meses de la guerra civil, afirma: «José Antonio Primo de Rivera, el único español con capacidad y emoción para entenderlo, estaba en la cárcel.»

La incapacidad para la comprensión de este tipo de actitudes humanísimas, no era sólo defecto de los políticos socialistas y republicanos. Tampoco el gesto de José Antonio con Prieto fue interpretado correctamente entre algunos activistas de la Falange, especialmente los de procedencia monárquica, como Ansaldo y el Marqués de la Eliseda.

Pese a que el mando de la Falange descansaba en el triunvirato ejercido por Ramiro Ledesma, que ostentaba el carnet número uno; José Antonio, número dos, y Julio Ruiz de Alda, número cuatro; por razones de inserción parlamentaria y por su propia arrolladora personalidad, José Antonio se perfilaba, cada día más, como el jefe indiscutible del Movimiento, especialmente entre los jóvenes militantes seuistas. Gestos como el protagonizado con Prieto tenían forzosamente que molestar a los intrigantes y, por esta razón, urdieron un plan para eliminar a José Antonio marginándolo de la Falange e, incluso, si era preciso, haciéndole víctima de un atentado personal. Cerebro de la operación era Juan Antonio Ansaldo, quien lo confesó al propio José Antonio en su despacho, cuando éste le interrogó sobre el asunto, cuya noticia había llegado a su conocimiento. Esto determinó la expulsión de Ansaldo antes de finalizar el mes de julio, y con ello, se produjo una reorganización de las milicias.

Estas intrigas interiores, de inspiración derechista, acaso estuvieran relacionadas con la calculada persecución programada desde el Gobierno, ciego, por otra parte, para apreciar los preparativos de sublevación que urdían los partidos proletarios y que no se ocupaban en disimular los propios órganos de prensa. Así, como recopila Víctor Fragoso del Toro, «El Socialista» glosa la concentración de juventudes marxistas en San Martín de la Vega, el día 7 de ese mes de julio, y dice: «Iban uniformados, alineados, en fina formación militar, en alto los puños impacientes por apretar el fusil... Los discursos los constituyen palabras que son disparos, frases que eran una consigna... En el ánimo de los oyentes, un pozo de odio imposible de borrar sin una violencia ejemplar y decidida»...

Y el órgano de la Federación de Juventudes Socialistas anuncia: «Hay que combatir al enemigo con todas las armas. Todos los medios son lícitos. Cuanto más enérgicos y sangrientos, mejor.»

La más completa historia documental sobre los preparativos y desarrollo de la insurrección armada socialista contra el gobierno radical-cedista de la II República, está contenida en el libro «El ''golpe'' socialista. Octubre 1934» escrito por Enrique Barco Teruel y publicado por Ediciones Dyrsa en octubre de 1984. En este libro se pone en evidencia el «golpismo» socialista y también el complot separatista urdido por la Generalidad de Cataluña. «El ''golpe'' socialista» supera por objetividad y documentación contrastada a todo lo escrito hasta ahora, por cualquier autor, sobre la española revolución de octubre de 1934.

Pero el Gobierno de masones y demócratas centristas no dirige sus golpes contra los socialistas, sino contra la Falange. Y así, el 10 de julio, numerosos camiones de la Guardia de Asalto rodean el edificio de la calle de Marqués del Riscal esquina a la Castellana –el mismo que fue sede de la Delegación Nacional de Juventudes y hoy es dependencia del Instituto de la Juventud– y detiene a todos los que allí había. Cuando aparece de nuevo la revista «F.E.», que ha estado suspendida, una vez más, por el Gobierno Samper, en sus páginas se cuenta extensamente la forma en que se produjo el registro del local y la detención de sesenta y siete falangistas, incluidos José Antonio y el Marqués de la Eliseda, ambos diputados a Cortes. Y cuando, vacío el centro y conducidos a los calabozos los detenidos, nadie puede estorbar la «operación», la Policía empezó a «encontrar» armas y artefactos explosivos de todo tipo.

El ardid no podía ser más grosero, pero para el Gobierno radical todo valía cuando se trataba de hacer la vida imposible a la Falange.

Entretanto, en todo el país se almacenaban, de verdad, explosivos y armas para una insurrección.

44. Defensa de la unidad frente al separatismo

La situación subversiva latente se había complicado con el problema de la Ley de Cultivos de la Generalidad de Cataluña, que había legislado como si se tratase de un estado independiente y soberano sobre asuntos que eran competencia del Gobierno nacional de la República. Contra aquella disposición de la Generalidad, recurrieron los afectados apoyados por la Lliga y algunas entidades económicas de Cataluña que llevaron el conflicto ante el Tribunal de Garantías Constitucionales, precedente del actual Tribunal Constitucional. El día 1 de junio, el Tribunal dictaminó a favor de los recurrentes y declaró la incompetencia de la Generalidad para legislar en tal materia, anulando así la disposición.

A pesar de tal sentencia, acogida por Companys como «una declaración de guerra a Cataluña», el Parlamento catalán decidió en su sesión del 12 de junio, aprobar una ley idéntica a la rechazada por el Tribunal de Garantías Constitucionales, dándole vigencia retroactiva a la fecha de la anterior disposición. Esta actitud de abierta rebeldía frente al Poder central dio lugar a un recrudecimiento de la campaña separatista en Barcelona, capital de la burguesía industrial que la alentaba. Frente a esta agitación separatista y antiespañola, publicó Falange Española de las J.O.N.S. un manifiesto en el que, por pluma de José Antonio, se decía:

«La abierta rebeldía de la Generalidad de Cataluña contra el Estado español nos hace asistir a un espectáculo más triste que el de la misma rebeldía: el de la indiferencia del resto de España, agravada por la traición de los partidos, como el Socialista, que han pospuesto la dignidad de España a sus intereses políticos.

»Mientras los nacionalistas catalanes caldean el ambiente en Barcelona, no hay en Madrid nacionalistas españoles que proclamen a gritos la resuelta voluntad de mantener unida a España.

»Falange Española de las J.O.N.S. no juzga ahora la bondad o malicia de la Ley de Cultivos. Ni siquiera el acierto del Tribunal de Garantías Constitucionales. Lo que estima intolerablemente ofensivo para la dignidad de España es el alzamiento frente al Estado de un organismo regional, subrayado con palabras y ademanes de reto y teñido no ya del más patente desamor, sino del odio más agresivo contra España.

»Falange Española de las J.O.N.S. no quiere hacerse solidaria con el cobarde silencio que rodea a tal actitud de los separatistas. Ni quiere ser cómplice de la desasistencia que en estos instantes debilita al Gobierno español.

»Para alentarle y para servir a España hasta donde sea preciso, Falange Española de las J.O.N.S. compromete su resuelta palabra de alistamiento.

¡Viva España!
¡Viva Cataluña española!
¡Viva Falange Española de las J.O.N.S.!»

El manifiesto había sido difundido el 15 de junio. Pero a la solidaridad de la Falange ya hemos visto cómo respondió el Gobierno: con registros y detenciones.

A pesar de ello, fiel a su inequívoco sentido nacional e integrador, en el número 15 de «F.E.», correspondiente al 19 de julio, José Antonio vuelve a salir al paso de la campaña separatista con un artículo modélico titulado «España es irrevocable». Es un ataque contra el separatismo. Contra todos los separatismos: los propugnados por quienes tienden hacia la autonomía desde la inercia de su sentimentalismo centrífugo; y los que lo hacen desde la incomprensión de su centripetismo. Y así, el bello artículo de José Antonio advierte:

... «Aquí no concebimos cicateramente a España como una unidad física, como conjunto de atributos nativos (tierra, lengua, raza) en pugna vidriosa con cada hecho nativo local. Aquí no nos burlamos de la bella lengua catalana ni ofendemos con sospechas de mira mercantil los movimientos sentimentales —equivocados gravísimamente, pero sentimentales– de Cataluña. Lo que sostenemos aquí es que nada de eso puede justificar un nacionalismo, porque la nación no es una entidad física individualizada por sus accidentes orográficos, étnicos o lingüísticos, sino **una entidad histórica, diferenciada de las demás en lo universal por su propia unidad de destino»....**

...«Hace falta que las peores deformaciones se hayan adueñado de las mentes para que personas que se tienen, de buena fe, por patriotas, admitan la posibilidad, dados ciertos requisitos, de la desmembración de España. Unos niegan licitud al separatismo porque suponen que no cuenta con la aquiescencia de la mayoría de los catalanes. Otros afirman que no es admisible una situación semiseparatista, sino que hay que optar –¡que optar!– entre la solidaridad completa o la independencia. "O hermanos o extranjeros", dice "ABC"; y aún afirma recibir centenares de telegramas que le felicitan por decirlo. Es prodigioso –y espeluznante– que periódico como "ABC", en el que la menor tibieza antiespañola no ha tenido jamás asilo, piense que cumple con su deber al acuñar semejante blasfemia: "Hermanos o extranjeros"; es decir, hay una opción: se puede ser una de las dos cosas. ¡No! La elección de la extranjería es absolutamente ilícita, pase lo que pase, renuncien o no renuncien al arancel, quiéranlo pocos catalanes, muchos o todos. Más aún terminantemente: **Aunque todos los españoles estuvieran conformes en convertir a Cataluña en país extranjero, sería el hacerlo un crimen merecedor de la cólera celeste.»**

«España es irrevocable...

»Las naciones no son contratos, rescindibles por la voluntad de quienes los otorgan; son fundaciones, con sustantividad propia, no dependiente de la voluntad de pocos ni de muchos.»

«Algunos han formulado la siguiente doctrina respecto a los Estatutos regionales: no se puede dar un estatuto a una región mientras no es "mayor de edad". El ser mayor de edad se le nota en los indicios de haber adquirido una convicción suficientemente fuerte de su personalidad propia...

...»No es fácil, tampoco ahora, concebir más grave aberración. También corre prisa perfilar una tesis acerca de qué es la mayoría de edad regional; acerca de cuando deja de ser ilícito conceder a una región su Estatuto.

»Y esa mayoría de edad se nota, cabalmente, en lo contrario de la afirmación de la personalidad propia. Una región es mayor de edad **cuando ha adquirido tan fuertemente la conciencia de su unidad de destino en la patria común, que esa unidad ya no corre ningún riesgo por el hecho de que se aflojen las ligaduras administrativas.**

»Cuando la conciencia de la unidad de destino ha penetrado hasta el fondo del alma de una región, ya no hay peligro de darle Estatuto de autonomía»...

«Todos los síntomas confirman nuestra tesis. Cataluña autónoma asiste al crecimiento de un separatismo que nadie refrena: el Estado, porque se ha inhibido de la vida catalana en las funciones primordiales: la formación espiritual de las generaciones nuevas, el orden público, la administración de justicia... y la Generalidad, porque esa tendencia separatista, lejos de repugnarle, le resulta sumamente simpática.

»Así, el germen destructor de España, de esta unidad de España lograda tan difícilmente, crece a sus anchas...

»Y mientras tanto, a nosotros, a los que queremos salir por los confines de España gritando estas cosas, denunciando estas cosas, se nos encarcela, se nos cierran los centros, se nos impide la propaganda. Y la insolencia separatista crece. Y el Gobierno busca "fórmulas jurídicas". Pero piense el Gobierno que si España se le va de entre las manos, no podrá excusarse tras de una excusable negligencia. Cuando la negligencia llega a ciertos límites y compromete ciertas cosas sagradas, ya se llama traición.»

¿Cabe actitud más limpia y más noble que la de José Antonio?

Cuando se repasa la historia de aquellos días y se contempla en directo la realidad de nuestro tiempo, asombra y entristece, pero sobre todo indigna, comprobar cómo España ha vuelto a caer en la misma espiral, como si fuera fatal maldición bíblica que el sistema de partidos políticos, con sus intereses mezquinos, sus servidumbres internacionales, sus rivalidades parlamentarias y sus disputas de intereses de grupo y de clase, lleve a España a la aberración de los odios tribales, en tanto los españoles, insensibles al drama profundo de la Patria en trance de desmembración, se desentienden de aquello que más les afecta.

José Antonio cumple durante el verano de 1934 un denso programa de actividad política. Habla el 22 de julio en Callosa del Segura, donde siembra una semilla imperecedera que empujará a los bravos mozos de la Ribera a la aventura trágica de intentar la liberación de su jefe nacional, apenas dos años después. Habla también en el Ateneo de Santander, donde expresa ya un atisbo clarividente: «La invasión de los bárbaros –dice– tiene dentro de sí el fermento de una nueva civilización.» Y añade seguidamente: «En el comunismo hay muchos ingredientes que no se pueden abolir; pero trae, además, una fuerza arrolladora de destrucción. Así, pues, si nos adelantamos a lo que va a ser el nuevo camino del futuro histórico, podemos tender un puente para empalmar los restos de una civilización en plena decadencia con los principios de la nueva, construyendo la arquitectura del nuevo sentido de la vida»...

Esta misma idea, que es una de las intuiciones políticas más certeras de José Antonio y uno de sus mayores atractivos –por cuanto representa la comprensión de los valores positivos encerrados en el marxismo, al tiempo que la esperanza de salvar los valores ciertos y permanentes del liberalismo–, la desarrollaría con expresión rigurosa y poética en su discurso del cine Madrid, el 17 de noviembre de 1935.

Y va a hablar a Pamplona, en el centro social de la Falange, para insistir en la concepción de la Patria como unidad de destino, y cómo la Falange funde la doble aspiración de lo nacional y lo social. Allí tuvo ocasión de felicitar a la brava Falange navarra que integraban ya, en aquel verano de 1934, casi dos mil militantes. Se entrevista en Bilbao con los dirigentes vizcaínos del Movimiento, y el 28 de agosto, después de reunida la Junta de Mando, con asistencia del propio José Antonio, Ruiz de Alda, Ramiro Ledesma y Onésimo Redondo, queda convocado el Consejo Nacional para la aprobación de los Estatutos definitivos, elegir Jefe Nacional (o nombrar nueva junta de mando plural, de elegirse tal opción) y fijar los puntos esenciales de doctrina política y organización.

«Hasta la reunión del Consejo, que se celebrará en los días del 4 al 7 de octubre próximo –dice la nota publicada en "La Nación", el 3 de septiembre– queda en suspenso la actuación de la Junta de Mando y del Triunvirato Ejecutivo Central, que venía actuando por delegación suya, y todas las facultades de uno y otro son asumidas por el Presidente del Consejo Nacional, José Antonio Primo de Rivera.»

La convocatoria del Consejo no puede ser más oportuna. Los acontecimientos nacionales lo van a demostrar. El ambiente revolucionario se ha acentuado durante el mes de septiembre.

Un mes antes, José Antonio ha estado en San Sebastián. No ha sido, en el sentido estricto, un veraneo; solamente unos días de descanso y de contactos personales con camaradas y amigos. Francisco Bravo fija la estancia en la capital donostiarra durante la segunda quincena de agosto. «Coincidimos José Antonio, Ruiz de Alda, Sánchez Mazas, Giménez Caballero, Aizpurúa y algunos falangistas», dice. «Nos reuníamos a tomar café –después de haber comido en algún restaurante-taberna del puerto– sobre la terraza del Náutico. Alguna vez fue allí Picasso, que después de muchos años de ausencia "descubría" de nuevo su España.» Esta presencia de Pablo Ruiz Picasso en la tertulia de José Antonio, no la registra Ximénez de Sandoval, que la envuelve en una fórmula genérica de «algunos intelectuales jóvenes no falangistas». Entre ellos cita también Francisco Bravo, al pintor Tellaeche, un comunista aficionado a la buena mesa y, pese a su filiación, amigo de José Antonio. Estas omisiones en Ximénez de Sandoval y la recortada referencia de Bravo, seguramente son involuntarias, fruto de las circunstancias. En la época en que fueron escritos sus libros, no estaba bien visto hablar de Picasso, acaso por haber pintado el «Guernica»; quizá por haber sido nombrado por el Gobierno republicano, ya en 1936, director del Museo del Prado, cargo del que no llegó jamás a tomar posesión debido a la guerra.

El caso es que, en aquel verano de 1934 –y éste es un testimonio que avala la sensibilidad de José Antonio, su afición al arte, su relación intelectual y su aprecio por todos los valores positivos españoles– durante una de esas tertulias, José Antonio se interesa por la exposición que, según los rumores, iba a celebrar el gran pintor en Madrid. Picasso duda. La República, afirma, no puede permitirse asegurar sus obras. Sólo promete poner Guardia Civil por la vía del tren. «Algún día nosotros pondremos para recibirle la Guardia Civil, pero como honor, y tras haberle asegurado su pintura» le replica José Antonio entusiasmado. El testimonio lo recoge Carlos Rojas, quien lo toma, a su vez, de Jaime Campmany en artículo titulado «La voz de los demás», publicado en «Solidaridad Nacional», de Barcelona, el 25 de noviembre de 1971.

A la ciudad donostiarra va a volver en seguida José Antonio. El 9 de septiembre, Manuel Carrión, Jefe de la Falange en San Sebastián, hombre bueno, gerente de un hotel, cae asesinado. Una hora después, «la Falange de la sangre» –como se denominaba a las escuadras encargadas de las represalias– se toma venganza y abate a Manuel Andrés Casaux, el que fue célebre Director General de Seguridad durante el primer bienio socialista. Murió instantáneamente: sólo tuvo tiempo de lanzar una blasfemia, según testimonios.

Al entierro de Carrión envía José Antonio a Raimundo Fernández Cuesta. Se celebra el día 11 y acompaña al féretro una manifestación impresionante y silenciosa. El día 12, el propio José Antonio preside los funerales.

Al entierro de Casaux, que se realiza ese mismo día, asisten Azaña, Prieto y Casares Quiroga. Casaux era, según se conocería después, puntal básico en el movimiento subversivo que preparaban los socialistas.

La violencia revolucionaria sube de tono en aquel mes de septiembre. Numerosas huelgas generales, tiroteos y, sobre todo, descubrimiento de grandes alijos de armas y municiones jalonan el calendario septembrino. La prensa marxista no deja de advertir: «Atención a octubre.» Pero el Gobierno apenas reacciona. Dos graves indicios van a sacudir su modorra: el alijo de armas desembarcado en Asturias desde el vapor «Turquesa», y los preparativos de concentración marxista en Madrid con motivo del proyectado traslado de los cadáveres de Galán y García Hernández, los sublevados en Jaca, al panteón preparado bajo los arcos de la Puerta de Alcalá, que el Gobierno se decide a suspender, después de haber pasado por la vergüenza de solicitar la apertura de expediente para conceder a Galán la Laureada.

Pese al cerco de silencio y persecución que sufre la Falange en aquellos días, en los que, por otra parte se preparan febrilmente los temas que van a debatirse en el inmediato Consejo Nacional, septiembre registra algunos actos audaces, como el masivo reparto de octavillas en la concentración de juventudes socialistas celebrada, bajo la presidencia de Prieto, en el estadio Metropolitano de Madrid. Puede imaginarse el estupor de los asistentes al leer el texto: «La Falange Española de las J.O.N.S. aguarda a cuantos reclamen el honor inaplazable de alistarse para servir, con riesgo glorioso de muerte, la causa de España. Para los demás todo llamamiento es inútil. No puede pedirse sacrificio de la vida a quien ha comenzado por perder la vergüenza.»

También van a repartirse, en todo Madrid, octavillas con este texto: «El paro ha sido posible por la conducta débil y de pacto del Gobierno y por el miedo y el egoísmo de todos. Una minoría audaz se impone. ¿Vais a consentir esta vergüenza? Con vuestra ayuda, Falange Española de las J.O.N.S. con el Gobierno, o a pesar del Gobierno, se compromete a terminar con la huelga definitivamente en veinticuatro horas. ¡Que cada cual cumpla con su deber!»

¡Qué difícil para aquel Gobierno débil, y para aquellos españoles, asustados ante la amenaza marxista, cumplir cada cual con su deber, como invoca la Falange!

45. Carta de José Antonio a Franco

José Antonio se da cuenta de ambas cosas. De la inminencia de la acción marxista-separatista. Y del miedo y debilidad gubernamentales. Y escribe una carta que está en todas las antologías, dirigidas al General Francisco Franco, al que vuelven sus ojos ya muchos miles de españoles. La carta le llegó a Franco a través del arquitecto Fernando Serrano Suñer, secretario de F.E. en Mallorca. Lleva fecha de 24 de septiembre de 1934 y hasta octubre de 1938 no fue divulgada, según Ximénez de Sandoval. En ella dice José Antonio:

«Mi general: Tal vez estos momentos que empleo en escribirle sean la última oportunidad de comunicación que nos quede; la última oportunidad que me queda de prestar a España el servicio de escribirle. Por eso no vacilo en aprovecharla con todo lo que, en apariencia, pudiera ello tener de osadía. Estoy seguro de que usted, en la gravedad del instante, mide desde los primeros renglones el verdadero sentido de mi intención y no tiene que esforzarse para disculpar la libertad que me tomo.

»Surgió en mí este propósito, más o menos vago, al hablar con el Ministro de la Gobernación hace pocos días. Ya conoce usted lo que se prepara: no un alzamiento tumultuario, callejero, de esos que la Guardia Civil holgadamente reprimía, sino un golpe de técnica perfecta, con arreglo a la escuela de Trotsky, y quién sabe si dirigido por Trotsky mismo (hay no pocos motivos para suponerle en España). Los alijos de armas han proporcionado dos cosas: de un lado, la evidencia de que existen verdaderos arsenales; de otra, la realidad de una cosecha de armas risible. Es decir, que los arsenales siguen existiendo. Y compuestos de armas magníficas, muchas de ellas de tipo más perfecto que las del Ejército regular. Y en manos expertas que, probablemente, van a obedecer a un mando peritísimo. Todo ello dibujado sobre un fondo de indisciplina social desbocada (ya conoce usted el desenfreno literario de los periódicos obreros), de propaganda comunista en los cuarteles y aun entre la Guardia Civil, y de completa dimisión, por parte del Estado, de todo serio y profundo sentido de autoridad. (No puede confundirse con la autoridad esa frívola verborrea del Ministro de la Gobernación y sus tímidas medidas policíacas, nunca llevadas hasta el final.) Parece que el Gobierno tiene el propósito de no sacar el Ejército a la calle si surge la rebelión. Cuenta, pues, sólo con la Guardia Civil y con la Guardia de Asalto. Pero, por excelentes que sean todas estas fuerzas, están distendidas hasta el límite al tener que cubrir toda el área de España en la situación desventajosa del que, por haber renunciado a la iniciativa, tiene que aguardar a que el enemigo elija los puntos de ataque. ¿Es mucho pensar que en un lugar determinado el equipo atacante pueda superar en número y armamento a las fuerzas defensoras del orden? A mi modo de ver esto no era ningún disparate. Y, seguro de que cumplía con mi deber, fui a ofrecer al Ministro de la Gobernación nuestros cuadros de muchachos por si, llegado el trance, quería dotarlos de fusiles (bajo palabra, naturalmente, de inmediata devolución) y emplearlos como fuerzas auxiliares. El ministro no sé si llegó siquiera a darse cuenta de lo que le dije. Estaba tan optimista como siempre, pero no con el optimismo del que compara conscientemente las fuerzas y sabe las suyas superiores a las contrarias, sino con el de quien no se ha detenido en ningún cálculo. Puede usted creer que cuando le hice acerca del peligro las consideraciones que le he hecho a usted, y algunas más, se le transparentó en la cara la sorpresa de quien repara en esas cosas por vez primera.

»Al acabar la entrevista, no se había entibiado mi resolución de salir a la calle con un fusil a defender a España, pero sí iba ya acompañada de la casi seguridad de que los que saliéramos íbamos a participar dignamente en una derrota. Frente a los asaltantes del Estado español, probablemente calculadores y diestros, el Estado español, en manos de aficionados, no existe.

»Una victoria socialista, ¿puede considerarse como mera peripecia de política interior? Sólo una mirada superficial apreciará la cuestión así. Una victoria socialista tiene el valor de invasión extranjera, no sólo porque las esencias del socialismo, de arriba abajo, contradicen el espíritu permanente de España; no sólo porque la idea de Patria, en régimen socialista, se menosprecia, sino, porque, de modo concreto, el socialismo recibe sus instrucciones de una Internacional. Toda nación ganada por el socialismo desciende a la calidad de colonia o de protectorado.

»Pero, además, en el peligro inminente hay un peligro decisivo que lo equipara a una guerra exterior; este: el alzamiento socialista va a ir acompañado de la separación, probablemente irremediable, de Cataluña. El Estado español ha entregado a la Generalidad casi todos los instrumentos de defensa y le ha dejado mano libre para preparar los de ataque. Son conocidas las concomitancias entre el socialismo y la Generalidad. Así, pues, en Cataluña la revolución no tendría que adueñarse del Poder: lo tiene ya. Y piensa usarlo, en primer término, para proclamar la independencia de Cataluña. Irremediablemente, por lo que voy a decir. Ya sé que, salvo una catástrofe completa, el Estado español podría recobrar por la fuerza el territorio catalán. Pero aquí viene lo grande: es seguro que la Generalidad, cauta, no se habrá embarcado en el proyecto de revolución sin previas exploraciones internacionales. Son conocidas sus concomitancias con cierta potencia próxima. Pues bien; si se proclama la República Independiente de Cataluña, no es nada inverosímil, sino al contrario, que la nueva República sea reconocida por alguna potencia. Después de eso, ¿cómo recuperarla? El invadirla se presentaría ya ante Europa como agresión contra un pueblo que, por acto de autodeterminación, se había declarado libre. España tendría frente a sí, no a Cataluña, sino a toda la antiEspaña de las potencias europeas.

»Todas estas sombrías posibilidades, descarga normal de un momento caótico, deprimente, absurdo, en el que España ha perdido toda noción de destino histórico y toda ilusión por cumplirlo, me ha llevado a romper el silencio hacia usted con esta larga carta. De seguro, usted se ha planteado temas de meditación acerca de si los presentes peligros se mueven dentro del ámbito interior de España o si alcanzan ya la medida de las amenazas externas, en cuanto comprometen la permanencia de España como Unidad.

»Por si en esa meditación le fuesen útiles mis datos, se los proporciono. Yo, que tengo mi propia idea de lo que España necesita y que tenía mis esperanzas en un proceso reposado de madurez, ahora, ante lo inaplazable, creo que cumplo con mi deber sometiéndole estos renglones. Dios quiera que todos acertemos en el servicio de España.

»Le saluda con todo afecto, José Antonio Primo de Rivera.»

No erraba José Antonio en su pronóstico ni en sus apreciaciones esenciales. Al alijo de armas del vapor «Turquesa» –destinado a las milicias socialistas de la cuenca minera asturiana y descargado en presencia de Indalecio Prieto– sucedió el descubrimiento de otros también importantes en Madrid: en el campo de deportes de la F.U.E. en la Ciudad Universitaria, en la Casa del Pueblo –que fue clausurada por el Gobierno–, en la residencia del ex diputado socialista Gabriel Morón y en algunos otros lugares.

Y cuando el «jefe» de la C.E.D.A., José María Gil Robles, después de su fracasada concentración en Covadonga, anuncia que retirará la confianza al Gobierno Samper, «El Socialista» lanza la consigna: «Las nubes van cargadas camino de octubre». Era la señal para la rebelión. Aparentemente, si las derechas retiran su apoyo a Samper, no hay más salida que el acceso de la C.E.D.A. al Gobierno. Y eso no están dispuestos a consentirlo ni los socialistas ni los catalanistas de Companys.

Hubiera sido otra la solución dada a la crisis y el resultado no habría variado en nada la decisión socialista de lanzarse a la rebelión. Venían anunciándola con todo lujo de detalles en cada intervención pública de sus dirigentes, desde el instante mismo en que perdieron las elecciones de noviembre de 1933. Desde entonces, los socialistas se sentían desvinculados de la República del 14 de abril y aspiraban a otra República: la República socialista. Así lo había manifestado Largo Caballero y así lo había anunciado igualmente Indalecio Prieto.

La inevitable entrada de representantes de las derechas en el Poder, consecuencia de su mayoría relativa en el Parlamento —contaban con 115 diputados, frente a 102 del Partido Radical y los 60 del P.S.O.E.— fue solamente la señal esperada para el alzamiento revolucionario largamente preparado, que contaba con un programa de gobierno de corte soviético y un gabinete en la sombra presidido por Largo Caballero.

La enajenación revolucionaria no era, sin embargo, patrimonio único de los socialistas y de la izquierda en general. La compartían delirantemente los separatistas catalanes que cercaban y acosaban al Presidente de la Generalidad. José Dencás y los hermanos Badía presionaron a Companys hasta hacerle saltar todos los resortes de la prudencia política. Y en vísperas de la formación del nuevo gobierno presidido por Lerroux, Companys llamó a Madrid pretendiendo hablar con el Presidente de la República, don Niceto Alcalá Zamora.

«Sólo consiguió hablar con Sánchez Guerra, secretario general de la Presidencia, y anunció a éste que remitía un mensaje telegráfico al Jefe del Estado, previniéndole que si daba entrada en el Gabinete a alguien de la C.E.D.A. desencadenaría en Cataluña una catástrofe de dimensiones incalculables.»

(Enrique Barco Teruel. «El ''golpe'' socialista. Octubre 1934», páginas 170 y 171. Ediciones Dyrsa, 1984.)

No obstante, cuando dimite el Gobierno Samper, falto de asistencia parlamentaria, Alcalá Zamora, presionado por todos los grupos republicanos –desde Azaña hasta Maura, pasando por socialistas y nacionalistas– no llama a Gil Robles para formar Gobierno, sino a don Alejandro Lerroux que nombra tres ministros de la C.E.D.A., pero margina al «jefe» derechista.

La lista del nuevo Gobierno fue facilitada a la prensa en la tarde del día 3 de octubre. Quedó constituido así:

Presidencia: Alejandro Lerroux, radical. Estado: Ricardo Samper, radical. Guerra: Diego Hidalgo, radical. Gobernación: Eloy Vaquero, radical. Marina: Juan José Rocha, radical. Hacienda: Manuel Marraco, radical. Industria y Comercio: Andrés Orozco, radical. Comunicaciones: César Jalón, radical. Instrucción Pública: Filiberto Villalobos, liberal demócrata. Sin cartera: Leandro Pita Romero, independiente. Obras Públicas: José María Cid, agrario. Sin cartera: José Martínez de Velasco, agrario. Justicia: Rafael Aizpún, C.E.D.A. Trabajo: José Anguera de Sojo, C.E.D.A. Agricultura: Manuel Giménez Fernández, C.E.D.A.

46. La revolución de octubre y primer Consejo Nacional

Es el momento señalado para la rebelión. El disco rojo salta dando paso a la oleada revolucionaria. Esta, coincide en todo con las advertencias de José Antonio a Franco: estalla simultáneamente en Madrid, Barcelona y Asturias. La coalición socialista-separatista es un hecho. El 6 de octubre, los tiroteos que siguen a la huelga general decretada por la U.G.T. se generalizan en la capital de España, y son especialmente intensos en la Puerta del Sol, donde hay un intento de asalto al Ministerio de la Gobernación, y en las grandes barriadas obreras. Aunque el gobierno reacciona con rapidez, durante la noche sigue el paqueo, sobre todo en los barrios de Cuatro Caminos, Tetuán y Prosperidad.

En Barcelona, la sublevación tiene el esperado carácter separatista. El estado revolucionario que Companys considera afecta al resto de la nación, marca el momento preciso para proclamar la escisión y lanza por radio un discurso en el que proclama una «República catalana dentro de la República federal de España», «reviviendo así la antigua doctrina federal de Pi y Margall». Lo hace alentado por Dencás y los hermanos Badía, sus consejeros y colaboradores y afirma, después de leída su proclama: ¡«Ja est'fet! ¡Ja veurem com acaba tot això! ¡i a veure si ara també direu que no soc catalanista!» Pero a Companys no le asisten más que sus «scamots». La U.G.T. no tiene fuerza en Barcelona y la C.N.T. –que nada tiene que ver con las apetencias burguesas de autonomía– se sitúa al margen de una sublevación que no es «su revolución». La Guardia Civil y el Ejército apoyan al Gobierno español y, sitiado junto a sus mozos de escuadra, Companys se rinde a la mañana siguiente, mientras sus consejeros huyen por las alcantarillas.

Pero los fracasos de Madrid y Barcelona no apagan la llamarada revolucionaria. El socialismo era fuerte en la cuenca minera asturiana, donde la gente es bronca, habituada al peligro y a la dinamita y donde la U.G.T. cuenta con entrenados dirigentes y una buena organización. Por excepción, la Alianza Obrera, tímidamente pactada con la C.N.T., funciona en Asturias. Y la revolución sobrepasa todas las resistencias que le opone la Guardia Civil y se desborda por toda la región. También se suman los comunistas que ensayaron con éxito no sólo su técnica de propaganda, capitalizando para sí un movimiento que no habían organizado ni provocado, sino atrayendo hacia sus cuadros a los grupos más extremistas del socialismo. Esta técnica de penetración sería tan eficaz, que el gran bloque de las Juventudes Socialistas Unificadas, dirigidas por Santiago Carrillo, traicionaría a su jefe, Largo Caballero, pasándose, dos años después, con armas y bagajes, al comunismo.

Durante quince días, la cuenca minera fue controlada por los comités locales, que proclamaron la República Socialista y organizaron un «Ejército rojo», que se apoderó de la fábrica de armas de Trubia y puso cerco a Oviedo.

Para sofocar la sublevación, el Gobierno tuvo que emplear al Ejército. El Ministro de la Guerra, Diego Hidalgo, llamó a los generales Franco y Goded, que organizaron la recuperación de la región asturiana. Franco –quien sin duda recordaría en aquellos momentos la carta de José Antonio– se instaló en el Ministerio de la Guerra y movilizó a la Legión y Regulares que desembarcaron en Asturias al mando de Juan Yagüe, iniciando la reconquista y limpieza de la difícil región, mientras López Ochoa acude con una columna desde Lugo. Oviedo fue dinamitado por los revolucionarios y, cuando fue sofocada totalmente la rebelión, el balance de víctimas es escalofriante: 1.300 muertos y unos tres mil heridos. Más que una revolución, el alzamiento socialista de octubre fue un ensayo general para la guerra civil.

Estas cifras, que recoge Hugh Thomas, desdicen las facilitadas por Carr, que estima los muertos en cuatro mil, fiándose de la propaganda comunista. El propio Thomas, que suele pecar de parcial, considera excesivo el balance que establece Carr. Gil Robles contabiliza 1.375 muertos y 2.945 heridos. El Ejército se incautó de 90.000 fusiles, 33.000 pistolas, 10.000 cajas de dinamita; 30.000 granadas y 330.000 cartuchos, además de varios cañones y vehículos blindados que estaban en poder de los revolucionarios, lo que da idea de las dimensiones del conflicto.

El día 4 de octubre, en el local de Marqués del Riscal, en tanto que por toda España discurren las consignas para la rebelión socialista, iniciada con una huelga general, comienza sus reuniones el primer Consejo Nacional de F.E. de las J.O.N.S.

Aunque ya se había decidido, el 28 de agosto, quienes debían acudir al Consejo, no todos los convocados pudieron asistir y, además de algunos de los previstos, asistieron otros por decisión de la Junta de Mando.

Desafortunadamente no se conserva relación de los asistentes al Primer Consejo Nacional de F.E. de las J.O.N.S. Unicamente se sabe el nombre de aquellos que fueron convocados, así como el de otros, no asignados en principio, que sí asistieron finalmente a las deliberaciones y trabajos del Consejo.

La relación de los convocados es la siguiente, según acuerdo del 28 de agosto, fecha en la que se decidió la celebración del Consejo:

JUNTA DE MANDO: José Antonio Primo de Rivera, Julio Ruiz de Alda, Ramiro Ledesma Ramos, Onésimo Redondo Ortega, Rafael Sánchez Mazas y Raimundo Fernández Cuesta.

JEFES DE SERVICIO: Emilio Rodríguez Tarduchy, Luis Arredondo, Manuel Valdés Larrañaga, Emilio Alvargonzález y Nicasio Alvarez de Sotomayor.

REPRESENTANTES REGIONALES: José Sainz, por Castilla la Nueva; Emilio Gutiérrez Palma, por Castilla la Vieja; Alfonso Bardají, por Extremadura; Sancho Dávila, por Andalucía; Rafael Palmi, por Valencia; Vicente Navarro, por Murcia; Roberto Bassas, por Cataluña; Jesús Muro, por Aragón; Felipe Sanz, por el País Vasco; Pedro García Hoyos, por León; José Cedrón del Valle, por Galicia; Antonio Nicolau, por Baleares; Francisco Guerrero, por Canarias; y Laureano Salamanqués, por Marruecos.

DESIGNADOS POR LA JUNTA DE MANDO: Francisco Rodríguez Acosta, Luys Santamarina, José Manuel de Aizpurúa, Javier Martínez de Bedoya, Francisco Bravo Martínez, Ernesto Giménez Caballero, José María Alfaro, Manuel Yllera, Juan Aparicio López, Manuel Groizard, José Miguel Guitarte, Eduardo Ezquer, José Antonio Martín, Jesús Suevos, Aniceto Ruiz Castillejos, José María de Areilza, Vicente Gaceo y Luis Aguilar.

Al margen de éstos, se conoce por las votaciones que asistieron un total de 34 consejeros, incluidos los miembros de la Junta de Mando y que, entre ellos, estaban representando a Asturias, Panizo y Yela. También asistió Manuel Mateo.

De los asuntos incluidos en el orden del día, el que primero se sustanció fue el relativo a la alternativa entre mando único o junta colegiada. Por diecisiete votos contra dieciséis y la abstención de José Antonio, que presidía el Consejo, quedó decidido el sistema de mando único. Parece que quien decidió la votación fue Jesús Suevos. Solventado este dilema, en la tarde del día 5, se suscitó quién había de ser el Jefe Nacional y Sánchez Mazas, según cuenta Francisco Bravo –de quien tomamos todos estos datos– propone que sea José Antonio, iniciativa a la que se suma inmediatamente Ramiro Ledesma, en un gesto encomiable de generosidad. El mandato tendría una duración de tres años y según testigos que le sobrevivieron, el discurso de aceptación «fue un juramento cálido de llegar hasta el final de su mandato sin otro orgullo que el de España y el de la Falange, sirviéndolas con toda su fe, con toda su entereza y con toda la sangre, si fuera preciso». Y añadió: «Ahora es cuando puedo deciros que lo hecho por vosotros salva a la Falange de la descomposición, acaso de la muerte. Yo veré si soy capaz de cumplir con mi deber, que es tan duro y penoso. Pero pase lo que pase, jamás olvidaré el desinterés de los camaradas que me habéis hecho Jefe Nacional, por creerme el más dispuesto al sacrificio y pensando únicamente en el bien del Movimiento. Siempre he pensado que sin la unidad de mando no se va a parte alguna.»

Curiosamente, con aguda perspicacia, el órgano del Partido Comunista, «Mundo Obrero», había escrito dos días antes sobre la Falange, atribuyéndole a José Antonio toda la responsabilidad de la acción falangista. Como apunta Ximénez de Sandoval: «Los comunistas habían comprendido, antes que algunos falangistas, que la Falange era José Antonio.»

Elegido José Antonio como Jefe Nacional, su primera decisión fue fijar como prenda de uniforme la camisa azul mahón, por considerarlo un color «neto y proletario».

En los años que siguieron a la escisión de Ramiro Ledesma y, especialmente, durante la guerra civil y la postguerra, hubo un deliberado intento de ocultar o, en todo caso, menospreciar, marginándole, el importante papel que jugó Ramiro Ledesma Ramos en la conformación de la Falange Española de las J.O.N.S, así como su decisiva aportación doctrinal, principalmente, su «Discurso a las juventudes de España», que el propio José Antonio consideraba como el texto más riguroso existente entonces sobre nacionalsindicalismo.

De ahí las contradicciones en que incurren algunos historiadores de la Falange, que yo intenté atajar en la primera versión de estos Apuntes, ahora corregidos y ampliados.

Así ocurre con las dos diferentes versiones de los hechos que proporciona Francisco Bravo Martínez, en torno a la elección de José Antonio como Jefe Nacional, según se lea su «Historia de Falange Española de las J.O.N.S.» publicada por Ediciones F.E. en 1940, o se repase su obra «José Antonio: el hombre, el jefe, el camarada», publicada por Ediciones Españolas en 1939.

En esta última versión, que recoge artículos y reportajes escritos durante la guerra civil, reproduce uno titulado «Origen de la camisa azul», publicado en la prensa nacionalsindicalista en noviembre de 1936, en zona nacional, en el que omite entre los participantes en el primer Consejo Nacional de F.E. de las J.O.N.S. nada menos que a Ramiro, enmascarando la omisión con una fórmula genérica que adolece de injusticia, ya que a la menguada relación de consejeros que cita, añade: «Con otros más que no supieron mostrarse firmes en la lealtad, en la fe respecto al Movimiento o que, sencillamente, no eran nacionalsindicalistas y fueron quedando arrumbados al margen del camino heroico y duro que la Falange siguió posteriormente.»

Esta injusta coletilla descalificadora, abona mi convicción de que, entre los grupos reaccionarios que imperaban ya en la España nacional al comienzo de la guerra, la memoria de Ramiro Ledesma y su radical pensamiento político y económico producían evidente desazón. Ramiro, en aquellas fechas, ya había ofrendado ejemplarmente su vida por España y por el nacionalsindicalismo del que había sido creador, rebelándose contra quienes le llevaban a asesinar desde la cárcel de Ventas hasta el camposanto de Aravaca, donde reposan sus restos mortales junto a otro gran Ramiro: don Ramiro de Maeztu. Y hacía tiempo, también, que tanto Ramiro como José Antonio, habían depuesto sus diferencias, habían reanudado su amistad y habían celebrado entrevistas y mantenido correspondencia, como se verá más adelante en las páginas correspondientes.

Siguieron las tareas del Consejo en torno a las ponencias previstas sobre unidad de la Patria, lucha de clases, situación del campo, defensa nacional, pedagogía, cuestión religiosa y política nacional. Debidamente analizadas y debatidas y una vez perfilado su contenido, José Antonio las daría el último retoque estilístico, sistematizando su conjunto. Un mes más tarde, en noviembre, estas ponencias pasaban a formar los 27 puntos de la Norma Programática de Falange Española de las J.O.N.S.

Se mantenía contacto permanente con las diversas provincias a consecuencia de la alarma existente y cuando llegaron las primeras noticias de la insurrección, José Antonio dio orden a los mandos afectados para que volvieran junto a los suyos a fin de cumplir las órdenes de movilización previstas. Así lo hicieron, entre otros consejeros, Panizo y Yela, quienes en Oviedo ganaron la Palma de Plata, máxima condecoración falangista entonces, por su valerosa acción en la defensa de la ciudad contra los asaltantes marxistas. También se distinguieron en las misiones asignadas otros muchos camaradas, como Suárez Pola y Tomás Inerarity que fueron condecorados, además, con la Medalla al Mérito Naval por su acción de enlaces con el crucero «Libertad» en aguas de Gijón.

En la noche del 4 al 5, se producen en Madrid numerosos tiroteos y hasta la madrugada permanece José Antonio en el local de Falange, trabajando con algunos de los consejeros. El día 5 marcha a Gobernación para ofrecer sus fuerzas, sin que el ministro, Eloy Vaquero, reaccione. Solamente cuando en una acción combinada de gran audacia y fuerza, las milicias socialistas y comunistas se lanzan en la tarde del día 6 al asalto del Ministerio de Gobernación, en plena Puerta del Sol, y de los edificios de la Telefónica, Ministerio de Agricultura, Palacio del Congreso y comisarías y cuarteles de los barrios periféricos, al tiempo que se confirma la sublevación de la Generalidad y la extensión de la insurrección socialista por toda la cuenca asturiana, León y Bilbao, el Presidente del Gobierno, don Alejandro Lerroux, decide la proclamación del estado de guerra y la movilización del Ejército, al tiempo que desde el edificio de Gobernación, en esos momentos tiroteado por los socialistas, lanza un breve discurso por radio dando cuenta de la situación.

Entretanto, el centro de la Falange era un hervidero. Resuenan en el aire de Madrid los estampidos de los «pacos» mientras los falangistas se acuartelan en Marqués del Riscal. Allí, según relata Raimundo Fernández Cuesta, «Julio Ruiz de Alda, en una de sus intuiciones geniales, propuso organizar una manifestación callejera para expresar nuestra alegría por la derrota de la Generalidad. Desde ese momento hasta el de su realización, hubo discusiones y argumentos en pro y en contra, que cortó José Antonio, dando orden de salir a la calle hacia las diez u once de la mañana».

Fuese así, exactamente, o como, acogiendo otros testimonios, describe Ximénez de Sandoval, el caso es que José Antonio es el único político que reacciona ante la agresión revolucionaria y lanza sus huestes –no muy numerosas, pero decididas y curtidas ya por los combates callejeros– para apoyar al Gobierno que, en aquel momento, defiende la unidad nacional. Antes, el día 6, el propio José Antonio ha lanzado una circular en la que dice:

«El Consejo Nacional de la Falange Española de las J.O.N.S. en estas lamentables circunstancias porque España atraviesa, considera de su deber adoptar las siguientes resoluciones:

Primera.–Respecto a la trayectoria y resolución de la crisis de Gobierno, reiterar la repulsa más enérgica contra el sistema torpe y caduco que la ha producido y cuya pervivencia expone a España a los mayores riesgos.

Segunda.–Frente al intento subversivo de las organizaciones separatistas y marxistas, declarar que está dispuesta a emplear sus fuerzas donde sea preciso en defensa del Estado español.

Tales acuerdos implican la asistencia de hecho –con todas las reservas de doctrina– a la organización existente por parte de la fuerza más numerosa y enérgica de cuantas pueden en España ahora constituir grupos combatientes auxiliares.

No se trata de un alarde verbal. Falange Española de las J.O.N.S. mantiene en comunicación constante a todos sus órganos para acudir al primer aviso tan pronto como el Gobierno estime que no debe rehusar la cooperación ofrecida y acceda a confiar al mando de la Falange los adecuados instrumentos de combate.

Se ordena a todos los militantes que permanezcan en sus puestos, sin perder para nada el contacto con sus inmediatos superiores. Y se invita a cuantos quieran engrosar los cuadros de la Falange de las J.O.N.S., en esta ocasión apremiante, para que accedan a inscribirse en la calle del Marqués del Riscal, número 16.»

Y el día 7, domingo, hace circular otra proclama dirigida a los trabajadores:

«Los sindicatos de Falange Española de las J.O.N.S. tienen el personal suficiente para cubrir todos los servicios, obras y trabajos paralizados, y acabar así, en pocas horas, la huelga general, por tener, además, este personal la decisión y disciplina suficiente para resistir a toda coacción y violencia.

El Estado y la clase patronal, movidos quizá por el prejuicio político de impedir que nuestra organización ponga de manifiesto su pujanza y cobre mayor incremento, lo mismo en la huelga general del 5 que en la actual, se opusieron y se oponen al trabajo de nuestros obreros, con escasas excepciones patronales, entre los que queremos citar "La Nación" e "Informaciones".

No obstante, los sindicatos nacionalsindicalistas hacen un llamamiento a sus afiliados y a todos los trabajadores que quieran incorporarse a dicha organización para que acudan a su domicilio social de la calle del Marqués del Riscal, 16, de donde están saliendo equipos ya colocados.»

Enlaces enviados por todo Madrid comunican a los afiliados falangistas la orden de manifestación, y empiezan a acceder al local central escuadras completas que, al filo de las once y media de la mañana agrupan ya cerca del millar de militantes. Rápidamente se ha improvisado una pancarta, con una sola y expresiva invocación:

«¡Viva la Unidad de España!»

Cuando José Antonio regresa de Gobernación, donde ha intentado en vano convencer al ministro para que autorice la manifestación –el ministro solamente garantiza que «si se produce espontáneamente», los agentes de la autoridad no la impedirán– da la orden de lanzarse a la calle con una magnífica arenga en la que, después de recordar que es el aniversario de Lepanto, interroga a quienes le escuchan enardecidos:

«¿Hemos de resignarnos a ver a España fragmentada en tribus cabileñas? Mil veces roja que rota, porque no recuperaríamos como tribu lo que perdamos como nación.»

Hacia las doce, agrupados en torno a la pancarta y ante el asombro de los escasos transeúntes que cruzan apresurados el paseo de la Castellana, un millar de falangistas empiezan la manifestación. Ciertamente, son pocos, pero sus pulmones juveniles multiplican el eco con sus gritos vigorosos de «¡Viva España!»

Ximénez de Sandoval, que no fue testigo directo, transcribe: «Los primeros que salieron fueron Binás, Alvargonzález y Sainz. Inmediatamente, Julio, Valdés, Alfaro y José Antonio»...

El relato es de Montes Agudo. Se omite injusta e injustificadamente, una vez más, la presencia de Ramiro Ledesma Ramos.

Raimundo Fernández Cuesta, que sí estuvo allí, narra: «En primera fila, delante de todos, iban abriendo paso Alvargonzález y Fernando; después Bassas con su cartel vitoreando la unidad de España, y luego, la presidencia de la manifestación, formada por José Antonio, Julio, Ramiro, Garcés, Alfaro, Valdés, Rada y yo, que recuerde»...

Cuando la manifestación sube desde Cibeles hacia la Puerta del Sol, después de dos detenciones en las que se han producido momentos de tensión, y una serie de consultas telefónicas con Gobernación por parte de la Guardia Civil y la de Asalto, los «cuatro gatos» falangistas –el millar escaso de ardorosos militantes que habían salido de Marqués del Riscal– se han convertido en una riada humana que grita enardecida su alegría y su fervor patriótico en el Madrid desmedrado y amedrentado por la dura lucha de la noche anterior.

En la Puerta del Sol, ante el edificio de Gobernación, en uno de cuyos balcones asoman el Jefe del Gobierno, don Alejandro Lerroux, y sus ministros, José Antonio sube a las vallas de las obras del «Metro» y lanza estas hermosas y emocionantes palabras:

«Gobierno de España: En un 7 de octubre se ganó la batalla de Lepanto, que aseguró la unidad de Europa. En este otro 7 de octubre nos habéis devuelto la unidad de España.

»¿Qué importa el estado de guerra? Nosotros, primero un grupo de muchachos y luego esta muchedumbre que veis, teníamos que venir, aunque nos ametrallaran, a daros las gracias.»

«¡Viva España! ¡Viva la Unidad nacional!»

Momentos después, José Antonio era recibido por Lerroux a quien reiteró su ofrecimiento. De la imponente manifestación y de sus organizadores entrando en la Puerta del Sol, a pancarta desplegada, así como del momento en que José Antonio habla al Gobierno, existen expresivos testimonios gráficos. Curiosamente, Payne omite la existencia de esta manifestación hurtando así un dato esencial que explica reacciones posteriores.

El propio Lerroux, en sus memorias dejaría escrito, años después refiriéndose a José Antonio: «Cuando me visitó el 7 de octubre, para ofrecerme el concurso de sus amigos y pedirme armas cortas con que servir la causa del orden, limpiando a Madrid de los "pacos" que asesinaban a mansalva, en los ojos se le reverberaba el fuego que ardía en su corazón.»

Acaso, en la memoria del viejo político radical, de vuelta de tantas cosas, reverdeciera también el recuerdo de la intervención que José Antonio tuvo en la sesión parlamentaria del día 9 de octubre, solamente dos días después de vencida la sublevación en Cataluña. En aquella jornada ante las Cortes, José Antonio elogió al Presidente del Gobierno y a su gabinete, pero apuntó ya el perfil de burla que empezaba a tomar forma en la acción punitiva contra los revolucionarios, al tiempo que, sin posibilidad de equívoco alguno, establecía su desacuerdo esencial con el sistema. He aquí algunos de sus párrafos más elocuentes:

«... El Gobierno ha tenido el acierto de desenmascarar dos cosas: primera, cómo lo que se llama la revolución –y que no es la revolución que España necesita, porque es evidente que España necesita una– es una cosa turbia en donde hay de todo menos un auténtico movimiento obrero y nacional: es una revolución de burgueses despechados que ponen en juego para sus intereses personales, para su medro personal, lo mismo la desesperación de los obreros hambrientos, a los que ni un día podemos dejar de asistir, que los sentimientos separatistas de origen más torpe»...

«... Al Gobierno se le ha presentado la ocasión, que tenemos que agradecerle todos, de descubrir las entrañas sucias de ese movimiento aparentemente revolucionario, y espero que a la hora del rigor sabrá distinguir también a los pobres "pacos" que se limitan a actuar, engañados seguramente por propagandas subversivas, de los "leaders" que se ocultan sabe Dios dónde, y que se aprestan a poner fronteras por medio entre su responsabilidad y el rigor del Estado español»...

«... El Gobierno se ha visto ante la dificultad de tener muchos servidores tibios y traidores en los puestos de mando; yo me reservo formular en su momento la acusación. El Gobierno ha tenido, incluso, entregado el Ejército de Cataluña –digámoslo claro desde ahora– a un general que no creía en España»...

«... Señor Presidente del Consejo de Ministros, señor don Alejandro Lerroux: Yo –lo sabe ya S.S.– no creo en el Estado vigente; creo que España y Europa cuajarán en otras formas políticas; pero si algún día una juventud española, que yo adivino ya cercana, construye un nuevo Estado español, le deberá a S.S. la gratitud de haberla hoy aliviado de un pesimismo de lustros»...

La petición de José Antonio iba a ser desoída. La «justicia» del Gobierno se iba a cebar descargando sobre dos desgraciados: el sargento Vázquez y el «Pichilatu», en tanto que los máximos responsables quedaban amparados por la máxima impunidad. La sospecha del Jefe de la Falange y la actitud que ésta adoptaba, quedó expresada en un manifiesto dirigido a todos los militantes el día 13 de octubre, así como en las palabras pronunciadas en el local de Marqués del Riscal, momentos antes de salir hacia Oviedo, en visita informativa, el día 21.

En el primero, advertía contra la confusión:

«Cumplido el circunstancial deber de contribuir con nuestras fuerzas a la derrota del movimiento antiespañol, ya casi vencido, es de vida o muerte para nosotros salvar a todo trance, de entre la turbiedad que amenaza, el rigor de un estilo y una doctrina»...

«... El tesoro del sentido español que encierra la victoria sobre el separatismo se gastará en la calderilla de las "sesiones patrióticas", de las acciones de gracias al Gobierno y de las alianzas de las gentes de orden. Nuestra juventud, terminantemente, se abstendrá de participar en tales mojigangas. En el altivo aislamiento de ayer y de siempre, guardará intacta la virtud espiritual de la reconquista para cuando llegue, ni mediatizada ni compartida, la total victoria»...

«... El régimen social imperante, que es, por de pronto, lo que se ha salvado de la revolución, nos parece *esencialmente injusto.* Hemos estado contra la revolución por lo que tenía de marxista y antiespañola; pero no vamos a ocultar que en la desesperación de las masas socialistas, sindicalistas y anarquistas hay una profunda razón en la que participamos del todo. Nadie supera nuestra ira y nuestro asco contra un orden social conservador del hambre de masas enormes y tolerante con la dorada ociosidad de unos pocos. Todos nuestros afiliados lo proclamarán en todas partes y ajustarán su conducta a esta norma estricta: tras el silencio del último fusil de la revuelta, toda cooperación con los "elementos de orden" queda expresamente prohibida»...

«... Exigimos la derogación total del Estatuto de Cataluña: una Cataluña purgada de propósitos separatistas podrá aspirar, como las otras regiones de España, a ciertas reformas descentralizadoras; pero la breve experiencia del Estatuto lo ha acreditado como estufa para el cultivo del separatismo; conservarlo después de semejante demostración sólo puede ser obra de traidores...

...» La sangre militar se ha derrochado en desagravio a España por las culpas y las traiciones de otros.

»Las armas de España necesitan más que elogios verbales y ceremonias. Necesitan justicia... Que no queden impunes los culpables verdaderos, los políticos, que, por sustanciar sus despachos o lograr sus codicias, desataron el caudal irreparable de tanta y tan buena sangre española»...

En el breve discurso desarrollado en el local del movimiento, José Antonio advertía a sus afiliados:

«La cobardía del Gobierno está preparando los hilos de una burda maniobra impunista. Impunidad para los cabecillas y dirigentes; impunidad para los militares que han deshonrado su uniforme y para los políticos que han lanzado a unas pobres masas embrutecidas de odio a las más atroces violencias»...

Y recomendaba a todos que, en los lugares públicos, en las calles más concurridas de la capital, en bares y cines, en cuanta ocasión tuvieran, actuasen suscitando discusión en torno al impunismo y a la necesidad de hacer justicia, de forma que en su torno se congregasen los verdaderos impunistas que manifestarían su opinión en la supuesta querella: «Entonces, todos la emprendéis a mamporros con ellos, gritando: "¡Arriba España!"»

Oviedo y, con la capital del Principado, los demás lugares asturianos que recorrió le causaron a José Antonio una impresión terrible. Así lo manifiesta al corresponsal de «ABC»: «Lo ocurrido aquí no es un suceso local. Fue una ofensiva contra la estructura general de la nación. Asturias recibió el golpe que iba dirigido contra toda España. Por eso, el Estado no puede, en manera alguna, desentenderse de esta catástrofe económica de la región.»

47. Oración a los Caídos de la Falange

El 29 de octubre, primer aniversario del acto fundacional, ya de regreso en Madrid, José Antonio presidió unos funerales solemnes por los Caídos, en la iglesia de Santa Bárbara, que, desde entonces, sería conocida por los camaradas como Santa Bárbara de la Falange. A la salida, formadas las centurias en la magnífica escalinata, Raimundo Fernández Cuesta leyó, emocionadamente, la oración que había sido redactada por Sánchez Mazas, y cuyo texto es una bellísima invocación al sacrificio y una permanente llamada a la conciencia cristiana y al estilo de la Falange. Pocos son hoy los que conocen su texto. Al reproducirlo estoy plenamente seguro de que llevaré hasta el lector que lo desconozca una corriente de emoción, una sensación nueva casi inaprehensible, pero expresiva como ninguna otra, de lo que es el *estilo* de la Falange; y a quien lo conozca, el reencuentro con la honda intimidad de una conducta irrenunciable. La oración por los Caídos de la Falange fue compuesta pocos días después de la muerte de Matías Montero, que conmocionó el alma de los primigenios falangistas. Dice así:

«Señor, acoge con piedad en tu seno a los que mueren por España y consérvanos el santo orgullo de que solamente en nuestras filas se muera por España y de que solamente a nosotros honre el enemigo con sus mayores armas. Victimas del odio, los nuestros no cayeron por odio, sino por amor, y el último secreto de sus corazones era la alegría con que fueron a dar sus vidas por la Patria. Ni ellos ni nosotros hemos conseguido jamás entristecernos de rencor ni odiar al enemigo y tú sabes, Señor, que todos estos caídos mueren por libertar con su sacrificio generoso a los mismos que les asesinaron, para cimentar con su sangre joven las primeras piedras en la reedificación de una Patria libre, fuerte y entera. Ante los cadáveres de nuestros hermanos, a quienes la muerte ha cerrado los ojos antes de ver la luz de la victoria, aparta, Señor, de nuestros oídos las voces sempiternas de los fariseos, a quienes el misterio de toda redención ciega y entenebrece, y hoy vienen a pedir, con vergonzosa urgencia, delitos contra delitos y asesinatos por la espalda a los que nos pusimos a combatir de frente. Tú no nos elegiste, Señor, para que fuéramos delincuentes contra los delincuentes, sino soldados ejemplares, custodios de valores augustos, números ordenados de una guardia puesta a servir con amor y valentía la suprema defensa de una Patria. Esta ley moral es nuestra fuerza. Con ella venceremos dos veces al enemigo, porque acabaremos por destruir no sólo su potencia, sino su odio. A la victoria que no sea clara, caballeresca y generosa, preferimos la derrota, porque es necesario que mientras cada golpe del enemigo sea horrendo y cobarde, cada acción nuestra sea la afirmación de un valor y de una moral superiores. Aparta así, Señor, de nosotros, todo lo que otros quisieran que hiciésemos y lo que se ha solido hacer en nombre de un vencedor impotente de clase, de partido o de secta, y danos heroísmo para cumplir lo que se ha hecho siempre en nombre de un Estado futuro, en nombre de una cristiandad civilizada y civilizadora. Tú solo sabes, con palabra de profecía, para qué deben estar "aguzadas las flechas y tendidos los arcos". Danos ante los hermanos muertos por la Patria perseverancia en este amor, perseverancia en este valor, perseverancia en este menosprecio hacia las voces farisaicas y oscuras, peores que voces de mujeres necias. Haz que la sangre de los nuestros, Señor, sea el brote primero de la redención de España, en la unidad nacional de sus tierras, en la unidad social de sus clases, en la unidad espiritual en el hombre y entre los hombres y haz también que la victoria final sea en nosotros una entera estrofa española del canto universal de tu gloria.»

La práctica totalidad del mes de noviembre, lo va a ocupar José Antonio en agotadoras sesiones parlamentarias. Las Cortes, embarcadas en bizantinismos leguleyos, viven ya un clima de larvado impunismo hacia los responsables del golpe antinacional de octubre. La debilidad gubernamental tiene su inspiración y su reflejo, en doble corriente de interacción, en la coalición mayoritaria del radical-cedismo. José Antonio, en medio de ese clima encenagado de compromisos y componendas, actúa, sin embargo, en un doble frente: la denuncia sistemática de la maniobra impunista; y el análisis profundo de las motivaciones revolucionarias y del riesgo que, cara al futuro, supone la táctica gubernamental y parlamentaria del «aquí no ha pasado nada».

En el orden de la organización interna, la Falange Española de las J.O.N.S. pasa un mal momento. Su generosa participación en la reciente lucha es sistemáticamente ocultada por la censura, que prohíbe, incluso, la noticia de la condecoración por el Gobierno a los camaradas que se han distinguido en la lucha durante la sofocación del golpe revolucionario. Mientras, miles de folletos, tarjetas postales, carteles de propaganda, impresos por el aparato propagandístico de la C.E.D.A., proporcionan al país una imagen falsificada de la revolución de octubre. Es una propaganda destinada a despertar el temor, a asustar a las «gentes de orden», que olvida conscientemente la necesidad de analizar, profundamente, las causas soterradas del movimiento revolucionario y separatista. Y mientras los millones fluyen hacia las arcas de los partidos derechistas, la Falange se debate entre dificultades financieras.

No importa. José Antonio hace un llamamiento a los militantes para que aporten fondos y activa el nombramiento de la Junta Política del Movimiento, que pasa a presidir Ramiro Ledesma Ramos y que integran, Ruiz de Alda, Fernández Cuesta, Onésimo Redondo, Sánchez Mazas, Francisco Bravo, Aizpurúa, Sancho Dávila, Manuel Mateo, José María Alfaro, José Sainz y Manolo Valdés. El primer trabajo de la Junta Política fue la ultimación de la norma programática, cuyo esquema estaba elaborado desde la reunión del Consejo Nacional. Después del toque definitivo de José Antonio, se publican los 27 puntos –su texto se incluye en el apéndice de esta biografía–, que fueron ampliamente difundidos por toda España.

Trabaja también José Antonio en la redacción de algunos manifiestos y declaraciones y adopta una clara postura ante los proyectos de formación de un bloque nacional, que postulan los partidos de derechas. La idea inicial la había lanzado Pedro Sainz Rodríguez, durante un homenaje a Calvo Sotelo y éste, recién llegado de su exilio en París, en donde se había embebido en la doctrina de Charles Maurras la hace suya, manifestándola en unas declaraciones hechas en «ABC», en las que mantuvo esta postura: «... A mi juicio, el Estado liberal es una pura ruina, que sólo puede traernos nuevos dolores... El Estado corporativo y totalitario, tal como yo lo construyo, ni absorbe la personalidad individual, ni la mutila. Ciertos derechos individuales me parecen sustantivos. Pero ninguno absoluto. Y su limitación, imperiosa cuando sin ella puede resultar un peligro para la sociedad. Propugnamos la formación de un bloque, de un frente patriota para coordinar, no para fundir, fuerzas preexistentes. ¿Objetivo? *La conquista del Estado.* ¿Programa? Un programa realista, inmediato. En lo económico, izquierdismo; en lo político, derechismo. O sea, justicia social, y autoridad. Un Estado fuerte que imponga su ley a patronos y obreros. Jerarquía férrea. Valores morales. Culto a la vieja tradición española. Dentro del Estado, sólo un poder, el suyo; sólo una nación, la española.»

No hace falta reclamar la atención del lector para que repare en el mimetismo de estas afirmaciones; en la identidad, incluso, de términos concretos acuñados años atrás por la dialéctica jonsista y falangista; y en la evidente confusión que tal mimetismo terminológico podía crear entre quienes, por razones obvias, aún no habían madurado ni asimilado el eje doctrinal esencial que marcaba el pensamiento nacionalsindicalista.

Para salir al paso de ese confusionismo, José Antonio publica en noviembre de 1934 una nota en la que se dice:

«Calvo Sotelo y la Falange»

«José Antonio Primo de Rivera quiere hacer constar, sin mengua de todas las consideraciones afectivas que le unen al señor Calvo Sotelo como eminente colaborador de su padre, que Falange Española y de las J.O.N.S. no piensa fundirse con ningún otro partido de los existentes ni de los que se preparen, por entender que la tarea de infundir el sentido nacional en las masas más numerosas y enérgicas del país exige precisamente el ritmo y el estilo de la Falange Española y de las J.O.N.S. Esta, sin embargo, *bien lejos como está de ser un partido de derechas,* se felicita de que los grupos conservadores tiendan a nutrir sus programas de contenido nacional en lugar de caracterizarse, como era frecuente hasta ahora, por el propósito de defender intereses de clase.»

Esta nota y la publicación de los veintisiete puntos de la Falange van a determinar la definitiva ruptura de los elementos reaccionarios y upetistas que pervivían en el seno de la Falange. La excusa va a estar para alguno —el más notorio fue Paco Moreno, Marqués de la Eliseda entonces, y después Conde de los Andes— en el punto 25 de la norma programática, pero la causa verdadera estará en el 27, que dice:

«Nos afanaremos por triunfar en la lucha con sólo las fuerzas sujetas a nuestra disciplina.

»Pactaremos muy poco.

»Sólo en el empuje final por la conquista del Estado gestionará el mando las colaboraciones necesarias, siempre que esté asegurado nuestro predominio.»

¿Cómo iba a resultar grato este principio del altivo aislacionismo a quienes apetecían fortalecer la defensa de sus posiciones conservadoras con la solidez de un pensamiento nacional y de unas milicias aguerridas probadas ya en el combate?

La decisión de Paco Moreno —insólita si no se contempla desde esta perspectiva— va a provocar en José Antonio una réplica publicada en «ABC» el 1 de diciembre, en la que, una vez más, dentro de la pulcritud y caballerosidad con que siempre se expresa José Antonio, se filtra el espíritu zumbón y sarcástico con que adereza su crítica. Dice así la nota:

«El Marqués de la Eliseda buscaba hace tiempo pretexto para apartarse de Falange Española de las J.O.N.S., cuyos rigores compartió bien poco. No ha querido hacerlo sin dejar tras de sí, como despedida, una ruidosa declaración que se pudiera suponer guiada por el propósito de sobresaltar la conciencia religiosa de innumerables católicos alistados en la Falange.

»Estos, sin embargo, son inteligentes de sobra para saber: primero, que la declaración sobre el problema religioso contenido en el punto 25 del programa de Falange Española y de las J.O.N.S. coincide exactamente con la manera de entender el problema que tuvieron nuestros más preclaros y católicos reyes, y segundo, que la Iglesia tiene sus doctores para calificar el acierto de cada cual en materia religiosa; pero que, desde luego, entre esos doctores no figura hasta ahora el Marqués de la Eliseda.»

La nota con que éste se había despedido de la Falange, de la que era Consejero Nacional, decía así:

«Francisco Moreno y de Herrera, Marqués de la Eliseda, miembro del Consejo Nacional de Falange Española de las J.O.N.S., ha visto con gravísima pesadumbre que en el nuevo programa doctrinal aprobado por la Junta Política, y publicado por el Jefe, el Movimiento nacionalsindicalista adopta una actitud laica ante el hecho religioso y de *subordinación de los intereses de la Iglesia a los del Estado.*

»Con ser esto, a juicio del que suscribe, una posición doctrinal insostenible, llega al colmo su tristeza cuando ve que el espíritu que informa el artículo 25 del programa es francamente herético y recuerda que por motivos semejantes fue condenado el movimiento de "Action Française".

»Por todo ello, el que suscribe, con pena hondísima, pero cumpliendo su deber católico, se ve obligado a apartarse del Movimiento de F.E. de las J.O.N.S.»

Para apreciar mejor la futilidad de la excusa a la que se agarraba Eliseda y la falsedad de su imputación (subrayada en el texto anterior), se transcribe aquí el punto 25, que dice:

«Nuestro Movimiento incorpora el sentido católico —de gloriosa tradición y predominante en España— a la reconstrucción nacional.

»La Iglesia y el Estado concordarán sus facultades respectivas, *sin que se admita intromisión* o actividad alguna que menoscabe la dignidad del Estado o la integridad nacional.»

¿Dónde está la subordinación de los intereses de la Iglesia a los del Estado?

La defección de Eliseda vino a provocar nuevos quebraderos de cabeza en la economía precaria de la Falange. Eliseda había apoyado económicamente, con notables donativos, los fondos falangistas, y el local de Marqués del Riscal, centro nacional de la Falange, estaba alquilado a su nombre, por lo que intentó el desahucio, bien que sin éxito.

La acción combinada de los sectores derechistas, desde el flanco económico —negando auxilios pecuniarios a F.E. de las J.O.N.S.— y desde el flanco político —aislándole de cara a las futuras elecciones parlamentarias— tendrían un claro objetivo: eliminar a José Antonio del panorama político nacional y yugular la vida crecientemente activa y revolucionaria de la Falange.

48. Falange no es un movimiento fascista

En tanto que la presión política impunista iba a provocar antes del cierre del año el sobreseimiento de la causa que se seguía contra Azaña por su supuesta participación en el golpe revolucionario de octubre, José Antonio va a subrayar públicamente su independencia respecto de cualquier mimetismo fascista, «dando un paso de gigante en su liberación ideológica», según comenta David Jato.

Conviene tratarlo en extenso.

Estaba anunciada para los días 16 y 17 de diciembre de 1934 una reunión en Montreux (Suiza), de todos los dirigentes y representantes de los movimientos de carácter fascista, corporativista y nacionalista, integrados en el Comité de Acción para la Universalidad de Roma (C.A.U.R.). Y alguien conjeturó que Falange Española asistiría a la reunión, de modo que así se publicó en los periódicos. Inmediatamente, José Antonio, que por aquellas fechas ya era Jefe Nacional de F.E. de las J.O.N.S., como hemos visto, y que tras la experiencia sangrienta de la revolución socialista y separatista de octubre, procuraba acentuar el proceso de autentificación e identidad de la Falange por las vías de un sindicalismo nacional, alejado de todo mimetismo corporativista comparable con el fascismo, desmintió el supuesto con una nota pública en la que decía:

«La noticia de que José Antonio Primo de Rivera, jefe de Falange Española de las J.O.N.S., se disponía a acudir a cierto Congreso Internacional fascista que está celebrándose en Montreux es totalmente falsa. El jefe de la Falange fue requerido para asistir; pero rehusó terminantemente la invitación, por entender que el genuino carácter nacional del movimiento que acaudilla repugna incluso la apariencia de una dirección internacional.

»Por otra parte, la Falange Española de las J.O.N.S. no es un movimiento fascista; tiene con el fascismo algunas coincidencias en puntos esenciales de *valor universal;* pero va perfilándose cada día con caracteres peculiares y está segura de encontrar precisamente por ese camino sus posibilidades más fecundas.»

El desmentido de José Antonio no fue un truco propagandístico, sino la expresión estricta de la realidad. Frente a las continuas insidias de Ian Gibson, empecinado en atribuir el sambenito «fascista» a la Falange pese a estar más que probado por la Historia su independencia funcional e ideológica respecto al Fascismo, cabe esgrimir el testimonio de un escritor como Ernst Nolte, también izquierdista, pero que prefiere la verdad a la propaganda y puntualiza así: «Era más que una estratagema cuando él negó que la Falange fuese un movimiento fascista y se rehusó a participar en el Congreso fascista de Montreux.» Al mismo tiempo, Nolte rechaza la filiación fascista de José Antonio subrayando los caracteres de su formación espiritual: «Sin duda, su pensamiento estaba más inspirado por la tradición católica que por las enseñanzas de su maestro Ortega y Gasset, y por tanto, su forma de espíritu era bien diferente de la de Mussolini; más todavía de la de Hitler y de Codreanu.»

En una enjundiosa crítica literaria publicada en el diario «Ya» el 5 de agosto de 1984, sobre cinco libros publicados en torno a la personalidad de José Antonio, su doctrina y la historia de la Falange, Juan Velarde Fuertes, uno de los más prestigiosos economistas españoles y autor del más interesante tratado económico-social sobre el Nacionalsindicalismo («El Nacional Sindicalismo, cuarenta años después», Editora Nacional, 1972), subraya, a propósito del libro de Arnaud Imatz («José Antonio et la Phalange Spagnole», Ediciones Albatros, París 1981), el acierto del autor acogido al seudónimo que oculta su verdadera personalidad de eminente profesor e hispanista francés, cuando describe el «aura de simpatía y curiosidad» que el Fascismo despertaba «a principios de los años 30». Y añade: «a Montreux también van, casi simultáneamente invitados —porque José Antonio fue— intelectuales tan refinados, y que hoy nadie consideraría fascistas, como

Emmanuel Mounier, el creador de «Esprit»; Robert Aron o Thierry Maulnier, entre otras valiosas personalidades jóvenes de 1935.»

Queda claro, también a través de este testimonio del autor francés reseñado por Juan Velarde, que el fenómeno de atención y simpatía por la idea fascista ni fue tentación exclusivamente española ni lo fue únicamente falangista. En cuanto a la rotunda afirmación de que José Antonio sí fue a Montreux, nótese que se refiere a 1935 y no a 1934, que fue cuando surgió la polémica y cuando José Antonio publicó su célebre y comentada nota.

Por otra parte, sobre si participó o no José Antonio en el II Congreso Fascista de Montreux, celebrado en septiembre de 1935, creo que estoy en condiciones de dejarla definitivamente resuelta, con aportación documental, según se verá unas páginas más adelante.

Importante es, no obstante, poner las cosas en su sitio. Todo el empeño de Gibson por descalificar a la Falange tildándola de «fascista», se fundamenta en la ejecutoria de Giménez Caballero y en la «influencia» ejercida por éste sobre José Antonio.

Ernesto Giménez Caballero produjo sin duda un fuerte impacto en José Antonio, cuando publicó su libro «Genio de España». Giménez Caballero —él no lo desmiente, antes al contrario insiste en ello con gallardía que le honra— sí fue un ferviente partidario y se considera a sí mismo como el «precursor» del Fascismo en España. Pero Ernesto Giménez Caballero no era José Antonio —cuestión obvia— ni fue tampoco definidor de la corriente ideológica de Falange Española de las J.O.N.S., dicho sea con toda mi admiración y amistad.

Colaboró muy activamente en todos los números de la revista «F.E.» entre el jueves 7 de diciembre de 1933 (número 1) hasta el jueves 19 de julio de 1934 (número 15 y último). Pero las colaboraciones que aparecen con su firma en los dos últimos números, no son artículos originales sino reproducción de los publicados, respectivamente, en los diarios «El Adelanto» e «Informaciones».

De igual manera, cuando el 21 de marzo de 1935 aparece el primer número de «Arriba», el artículo firmado por Ernesto Giménez Caballero es otra vez reproducción de uno publicado en «El Diario Vasco». A partir de éste —salvo error— nunca más aparece la firma de Giménez Caballero en el semanario falangista. Prácticamente, desapareció de F.E. de las J.O.N.S. en el primer semestre de 1935, cuando se materializó la escisión de Ramiro Ledesma Ramos. Meses después, el inquieto escritor e inestable político, fundaría el Partido Patronal, festivamente conocido por el «pepe», que fue incluido en la coalición de las Derechas para las elecciones de febrero de 1936. Como ya hemos visto, Giménez Caballero fue candidato por Madrid por dicha coalición.

Fueron la guerra civil y su presencia en zona nacional las que convirtieron a Ernesto en uno de los activistas más conocidos, propagandista incansable y entusiasta propulsor de la figura de Franco como Caudillo. Fue entonces cuando capitalizó eficazmente sus antecedentes como promotor de «La Conquista del Estado», de las J.O.N.S. y de Falange Española de las J.O.N.S. Otro tanto haría, también, José María de Areilza, uno de los «armadores» de la escisión de Ramiro.

La verdad histórica aconseja ésta y otras puntualizaciones.

Como queda dicho anteriormente, los días 16 y 17 de diciembre se reúne el Congreso de la C.A.U.R. en Montreux, bajo la presidencia de Eugenio Coselschi, quien pronuncia un vigoroso discurso en el que dice: «Cuando la juventud de toda Europa, o, mejor todavía, de todo el mundo, haya adquirido una conciencia revolucionaria, una conciencia libre, tanto del materialismo bolchevique como del egoísmo capitalista, entonces el Corporativismo habrá encontrado definitivamente el camino para la formación de una nueva Sociedad humana.»

El noticiario número 24 de la C.A.U.R. informa del Congreso el 23 de diciembre de 1934 y enumera los asistentes.

Hay representantes de la «Heimwehren» austríaca; de la «Legion Nationale Belge»; de la «Ligue Nationale Corporative du Travail» belga también; del «National-Korpset» danés; del «Francismo» galo; del Partido Nacionalsocialista griego; de los Camisas Azules irlandeses; del Partido Nacionalista Popular Lituano; de la «Nasjonal Samling» noruega; del Frente Negro holandés; del Sindicalismo Nacional portugués; de la Guardia de Hierro rumana; de la Unión Nacional de la Juventud, sueca; y de la Federación Fascista suiza. En el último lugar aparece el nombre de Ernesto Giménez Caballero, a quien se le atribuye la condición de «delegado de la Falange Española, capitaneada por José Antonio Primo de Rivera, el cual, imposibilitado de intervenir, ha enviado su adhesión a los trabajos del Congreso». En el mismo boletín aparece citado de nuevo Giménez Caballero, supuesto «jefe de los servicios de prensa de la Falange».

¿Fue Giménez Caballero, verdaderamente por delegación de José Antonio o lo hizo por su cuenta y riesgo, atribuyéndose tal delegación? Mi opinión se inclina por lo primero.

Los trabajos iniciados en Montreux tuvieron continuidad en meses sucesivos. Y es importante seguirlos con fidelidad para aclarar un capítulo de la historia de la Falange que aparece constantemente manipulado por acción o por omisión. Así, en las tituladas «Obras completas de José Antonio» –que durante muchos años, acaso por oportunismo político, no incluyó diversos e importantes escritos y discursos de José Antonio– y en la edición cronológica publicada por el Instituto de Estudios Políticos, en 1976, sorprendentemente se inserta un escrito publicado por Felipe Ximénez de Sandoval en la revista «Fuerza Nueva» número 498, fecha 24 de julio de 1976, en el que se transcribe un supuesto discurso del Presidente del II Congreso de Montreux, celebrado el 11 de septiembre de 1935, en el que se da la bienvenida a José Antonio, así como la respuesta atribuida a éste.

> *«Después de buscarlo durante muchos años, la casualidad quiere que el mismo día en que Fuerza Nueva Editorial me hacía entrega del primer ejemplar de la VII Edición de mi ''Biografía apasionada de José Antonio'', encuentre entre mis viejos papeles unos documentos que pertenecieron a mi inolvidable camarada Vicente Gaceo, quien los recogió, en 1940, en la secretaría general de F.E.T. y de las J.O.N.S., en donde trabajaba a las órdenes de Pedro Gamero del Castillo. Uno de estos documentos, que me hubiese gustado poder incorporar a la nueva edición de mi libro, contiene, en francés, las palabras pronunciadas por José Antonio en la reunión de Montreux, tantas veces mencionada, en la que se negó a formar parte de una propuesta internacional fascista.*
>
> *En dos folios amarillentos y mecanografiados se contiene el siguiente texto que traduzco al español: ''Stralcio dalla relazione de la Riunione della Commissione per l'intesa del Fascismo Universale''. Montreux II Settembre 1935. (El señor Primo de Rivera entra en el Salón de Sesiones).*
>
> *EL PRESIDENTE:*
>
> *''Permítanme interrumpir este discurso para saludar al representante de la Falange Española, Primo de Rivera, que lucha encarnizadamente en su patria contra el comunismo.*
>
> *La Falange Española tiene una aureola de martirio y de gloria porque casi todos los días, en las calles, se combate en España, y la juventud de ese país derrama su sangre por defender el ideal que nos reúne a todos. Estoy seguro de expresar*

vuestro sentimiento al saludar, en Primo de Rivera, a la joven España y os ruego guardar un momento de silencio para saludar a los muertos de todos los Movimientos que representamos aquí. (Se guarda un minuto de silencio.)

Desde hace tiempo, Primo de Rivera sigue con simpatía nuestra organización, y si todavía no forma parte efectivamente de ella es por razones de política interior que él mismo os explicará. Cuando formemos un Frente único, que será la conclusión de nuestras discusiones, pienso que Primo de Rivera habrá preparado a la opinión pública de su país, la cual sentirá la necesidad de no estar ausente en una reunión semejante. Yo pienso que los sentimientos de España a este respecto —y si me engaño, que Primo de Rivera me lo diga— proviene del temor que siente de verse mezclada en los asuntos internacionales. El español posee un individualismo que le impulsa a rechazar toda organización internacional; pero ustedes verán por las conclusiones del Congreso del Komintern que cuando se trata de constituir un Frente único se ve llegar hasta los partidos de extrema derecha socialista (radical-socialista) para desencadenar la revolución mundial que sería el fin de la civilización europea. Pienso, pues, que unirse no es hacer internacionalismo, sino responder con la unión de las fuerzas puras y sanas a la unión de las fuerzas que quieren desencadenar la revolución sangrienta.''

PRIMO DE RIVERA:

''Agradezco muy sinceramente la emocionante acogida que habéis tributado, no a mí, sino a la Falange Española que combate cada día en las calles ensangrentadas de mi país. Me siento muy conmovido por vuestro recibimiento y os transmito muy sinceramente el saludo de la Falange Española y el mío. De momento, estoy en la obligación de no participar en los trabajos de vuestra Comisión. El Presidente os ha dado las razones. España no está preparada todavía a unirse, por mi mediación, a un movimiento de carácter no ya internacional, sino supernacional, universal. Y esto no sólo porque el carácter español es demasiado individualista, sino también porque España ha sufrido mucho por las Internacionales. Estamos en las manos de tres Internacionales por lo menos: una masónica, una socialista, otra capitalista y quizá de otros poderes, de un carácter extranacional que intervienen en los asuntos españoles. Si apareciésemos ante la opinión española como unidos a otro movimiento, y esto sin una preparación lenta, profunda y difícil, la conciencia pública española, e incluso la conciencia democrática, protestaría. Es preciso, pues, preparar a los espíritus en vista de estos trabajos supernacionales.

Los jefes están obligados, con mucha frecuencia, a refrenar a sus propios partidos. Si yo comprometiera mi condición de jefe, iría probablemente contra la opinión de la mayoría de mi partido. Ahora bien, ustedes saben que la Falange Española, para su gloria y su desgracia, ha tenido ya treinta y cuatro muertos (combatimos todos los días; Barone me decía hace un momento que los periódicos franceses relatan un encuentro en el que hemos tenido la suerte de triunfar, pero en el que ha habido muertos y heridos) y esto me crea lazos más fuertes que el sencillo deber o la vanidad y me amarra a mi puesto de Jefe. ... Estoy atado por la sangre de nuestros mártires, por lo que no me considero autorizado a contrariarlos. Pero creo que frente a los peligros comunistas e internacionalistas hay que reconocer que los pueblos civilizados tienen el derecho y el deber de transmitir esta civilización a los más retrasados.

Yo creo que todos nosotros estamos obligados a preparar la opinión en nuestros diferentes países antes de iniciar una acción colectiva. Yo prometo a todos vosotros hacer lo que pueda en ese sentido y despertar una conciencia nacional.

Ahora debo abandonar esta reunión por las razones que he expuesto y también porque tengo varios trabajos que realizar. No obstante, espero poder participar próximamente en vuestras reuniones''.»

(Documento publicado por Felipe Ximénez de Sandoval en la revista «Fuerza Nueva», en el número 498, de 24 de julio de 1976). Recogido en «Obras Completas de José Antonio». Tomo II. Páginas 750, 751 y 752. Editadas por el Instituto de Estudios Políticos, 1976.

Es importante el testimonio –de cuyo hallazgo se hace una rocambolesca historia poco creíble– porque de las palabras de uno y de otro se infiere claramente que José Antonio no participó ni en el I ni en el II Congresos Fascistas de Montreux, si por participar se entiende, como ha de entenderse rectamente, tomar parte en los trabajos y debates.

Quiero dar crédito a esta aportación documental de Ximénez de Sandoval –traducida, dice, del francés, aunque el titular citado venga en italiano–, pero no puedo menos de preguntarme por qué no la hizo anteriormente y sí en 1976. ¿Fue por cálculo político por lo que también se incluyó en las «Obras completas» editadas por el Instituto de Estudios Políticos en dicho año? Desconozco la autenticidad de los papeles que Ximénez de Sandoval dice haber encontrado entre legajos que pertenecieron a Vicente Gaceo, pasante de José Antonio. Pero yo conservo, como he dicho anteriormente, los boletines originales de la C.A.U.R., incluido el correspondiente al 22 de septiembre de 1935, en el que se da cuenta de la III Reunión de la Comisión Coordinadora para el Entendimiento del Fascismo Universal, celebrada el 11 de septiembre y que es más conocida como II Congreso Fascista de Montreux.

Pues bien, en el informe que incluye, se cita a todos los delegados de las naciones que formaban parte de la Comisión, así como se da referencia, también, a las adhesiones recibidas. Y en ningún momento aparece citado José Antonio Primo de Rivera ni la Falange Española de las J.O.N.S. Esto, lo mismo en el boletín impreso en español, que en los impresos en inglés, francés, alemán e italiano.

Lo que sí publica el boletín, en sus folios 4 y 5, es el resumen de unas «declaraciones del honorable Primo de Rivera sobre el conflicto italo-etíope», hechas con ocasión de su estancia en Ginebra, sede de la Sociedad de Naciones, a cuya asamblea había informado el representante italiano, Barón Aloisi.

Con el título «Declaraciones del Honorable Primo de Rivera sobre el conflicto italo-etíope», el noticiario número 37 de la C.A.U.R., de fecha 22 de septiembre de 1935, publica en sus folios 4 y 5 una noticia que dice:

«Habiendo sido informado sobre las resoluciones votadas por la Comisión de Coordinación del Fascismo Universal, reunida el 11 de septiembre en Montreux, el Honorable Primo de Rivera, jefe de la Falange Española y Diputado en Cortes, encontrándose en Ginebra, ha declarado que "la Falange Española, pese a estar en buenas relaciones de amistad con las C.A.U.R., no ha asistido a los trabajos de la Comisión para impedir malévolas interpretaciones por parte de sus enemigos". »

La información se extiende seguidamente en lo que son propiamente declaraciones sobre el conflicto italo-etíope, respecto al cual afirma José Antonio: «En mi criterio, los grandes pueblos civilizados, como Italia, no tienen solamente el derecho, sino también el deber, de incorporar a su civilización a los pueblos salvajes o semi-salvajes. Quien haya leído el informe presentado por el Barón Aloisi al Consejo de Ginebra no podrá negar, sin mala fe, el estado espantoso de retraso y las costumbres bárbaras que rigen en Abisinia.»

Las declaraciones de José Antonio terminan diciendo que la cuestión es clarísima, pero que el conflicto italo-etíope se ha esgrimido como pretexto para desencadenar todo el odio antifascista del mundo.

¿Hay que deducir que si José Antonio estuvo en Ginebra fue de paso hacia Montreux? ¿O estuvo como observador en la Asamblea de la Sociedad de Naciones? En cualquier caso, lo que sí se desprende de uno y otro documento –el aportado por Ximénez de Sandoval y el boletín de la C.A.U.R., es que José Antonio, en cualquiera de los supuestos no asistió ni tomó parte, tampoco, en el II Congreso Fascista de Montreux. Porque, según las palabras atribuidas a José Antonio en el documento de Ximénez de Sandoval, el Fundador de la Falange declara: «Estoy en la obligación de no participar en los trabajos de vuestra Comisión.» Y según referencia del boletín de la C.A.U.R. «no ha asistido a los trabajos de la Comisión para impedir malévolas interpretaciones por parte de sus enemigos».

En definitiva –y valga esto como respuesta a Juan Velarde y aclaración definitiva de esta innecesaria polémica en torno a un asunto intrascendente– Falange Española de las J.O.N.S. no participó en los Congresos Fascistas de Montreux, aunque José Antonio estuviera en Ginebra y pudiese haber estado pasajeramente en la idílica ciudad suiza de Montreux.

Los hechos, como se ve, son consecuentes con las actitudes.

Ya el 4 de marzo de 1934, en el discurso pronunciado en Valladolid para presentar públicamente la fusión de F.E. con las J.O.N.S., José Antonio había advertido:

«Al camarada Onésimo Redondo yo le diría: no te preocupes porque nos digan que imitamos. Si lográsemos desvanecer esa especie, ya nos inventarían otras. La fuente de la insidia es inagotable. Dejemos que nos digan que imitamos a los fascistas. Después de todo en el fascismo, como en los movimientos de todas las épocas, hay, por debajo de las características locales, unas constantes, que son patrimonio de todo espíritu humano y que en todas partes son las mismas. Así fue, por ejemplo, el Renacimiento; así fue, si queréis, el endecasílabo; nos trajeron el endecasílabo de Italia, pero poco después de que nos trajeran de Italia el endecasílabo cantaban los campos de España, en endecasílabo castellano, Garcilaso y Fray Luis, y ensalzaba Fernando de Herrera al Señor de la llanura del mar, que dio a España la victoria de Lepanto»...

Y añadía:

«Todos saben que mienten cuando dicen de nosotros que somos una copia del fascismo italiano, que no somos católicos y que no somos españoles; pero los mismos que lo dicen se apresuran a ir organizando con la mano izquierda una especie de simulacro de nuestro Movimiento. Así, harán un desfile en El Escorial si nosotros lo hacemos en Valladolid. Así, si nosotros hablamos de la España eterna, de la España Imperial, ellos también dirán que echan de menos la España grande y el Estado corporativo.

»Mucho cuidado con eso de Estado corporativo; mucho cuidado con todas esas cosas frías que os dirán muchos procurando que nos convirtamos en un partido más. Nosotros no satisfacemos nuestras aspiraciones configurando de otra manera el Estado. Lo que queremos es devolver a España un optimismo, una fe en sí misma, una línea clara y enérgica de vida en común.»

Como puede apreciar cualquier conocedor de la historia política española de los años treinta, la alusión al mimetismo de las J.A.P., dirigidas por Gil Robles, es evidente.

Hay una curiosa vivencia poco conocida en la biografía de Gil Robles, quizá porque políticamente no le ha interesado airearla, que es la siguiente:

En septiembre de 1933, José María Gil Robles asistía como observador al Congreso Nacional-socialista alemán que se celebraba en Nuremberg. Allí le sorprendió la noticia de la caída del gobierno Azaña y, rápidamente, regresó a Madrid. El episodio se incluye en la nota biográfica que reseña la Enciclopedia Larousse.

49. Escisión y reconciliación de Ramiro

Con la llegada de 1935 va a conocer la Falange el trauma de la escisión. Son momentos de absoluta penuria económica. En el local de Marqués del Riscal no hay ni suministro de luz eléctrica, cortada por falta de pago. Hay criterios financieros y políticos opuestos en el seno de la Junta Política. También los sindicatos sufren una crisis de proselitismo, quizá como consecuencia del ambiente general que ha seguido al desenlace de la revolución socialista de octubre.

Es el momento en que Ramiro decide separarse. En torno a la escisión de Ramiro Ledesma se han producido hasta ahora tres tipos de actitudes: una, la de aquellos que achacan su postura a un rapto de soberbia, a una envidiosa rivalidad con la jefatura que ejerce José Antonio; otra, la de los que entienden que su conducta responde a una maniobra derechista, que alienta su inquieta personalidad para debilitar y aun hacer desaparecer a la Falange; y, finalmente, la que supone a José Antonio un reaccionario de la peor especie, un «señorito» incapaz de asimilar el espíritu revolucionario, en tanto que Ramiro es el líder popular, sacrificado y pospuesto por el brillo social y la elegancia aristocrática del Marqués de Estella.

De acuerdo con estas arbitrarias clasificaciones, se han alentado las pasiones y se ha puesto el acento, con deleite, en perennizar el clima de división y distanciamiento que el episodio supuso.

La perspectiva histórica permite hacer hoy justicia. Para ello hay que despojarse de filias y de fobias personales, empezando por admitir que la escisión fue, sin duda, dolorosa y perturbadora a corto plazo, pero beneficiosa por sus resultados finales. Y esto sin desdoro del respeto y admiración que merecen tanto Ramiro Ledesma como José Antonio Primo de Rivera.

Ha habido demasiado empeño en ocultar los hechos, primero, y en deformarlos y magnificarlos, después, explotándolos en perjuicio de la esencialidad doctrinal y aireándolos como piedra de escándalo, para que quienes estamos alejados de aquellos acontecimientos por medio siglo de distancia, no deseemos encararnos a la verdad.

Y la verdad es que el acontecimiento hay que reducirlo a su exacta dimensión: la de lamentable incidente ocasional superado por protagonista y antagonista, quienes, un año después, a causa de un giro parabólico del drama de la historia, supieron deponer sus diferencias personales como amigos y camaradas, reconciliándose.

La escisión se produjo mediado el mes de enero. El gobierno radical-cedista, que escandalosamente amparaba el impunismo separatista y socialista por influencia de las Logias, se revolvió contra la Falange, reanudando sus conocidas manías persecutorias. Influyó en ello, seguramente –además de las conexiones masónicas conocidas existentes entre ministros radicales y algunos de los más importantes responsables de la revolución de octubre–, la constante actitud de denuncia de José Antonio, ya en el Parlamento, ya en cuantas tribunas públicas –mítines o prensa– se le ofrecían. En este ambiente de asfixia, agobiante en los últimos meses de 1934, el Movimiento empezó a declinar y un cierto aire fatalista invadió el espíritu de su jefe nacional. ¿Acaso no era un hombre como los demás? ¿Cómo no comprender que tuviera, igualmente, momentos de desaliento y sintiera la tentación –venturosamente vencida– de abandonarlo todo? El empeño mitificador que ha rodeado la presentación de la figura de José Antonio ha tintado de virtudes arcangélicas lo que es una personalidad humanísima, proporcionándole así, falsamente, una dimensión idealizada, etérea, irreal, de superhombre.

Nada más lejos de la exacta proporción humana de José Antonio. Su atractivo no está en esa supuesta perfección sobrehumana que, de hacer caso a sus epígonos, rodearía desde el nacimiento su equilibrada personalidad. Está justamente en que supo superar sus limitaciones de clase, sus prejuicios aristocráticos, sus tentaciones de intelectual, para evolucionar hacia un más fértil pragmatismo. Era, ciertamente, un señorito, pero supo imponerse, por sentido del deber, una misión de servicio y allanó su espíritu para unir su destino vital, indisolublemente, a la causa de los humildes, tal como en algún caso había afirmado ante la tumba de sus camaradas caídos.

En ese momento de duda que invade a José Antonio a finales de 1934, que le afecta como hombre y como jefe político, otro hombre, profundamente revolucionario, dotado de una exuberante mente creadora y de valiosas cualidades de tesón y constancia básicas para el mando, se siente defraudado por la marcha del Movimiento político común y por el desánimo de su jefe y se lanza a la separación. Intenta arrastrar a algunos de los que le habían acompañado en la fusión con la Falange y hay momentos de vacilación en la que hombres tan equilibrados como Onésimo y Manuel Mateo, llegan a participar en los pasos iniciales de ruptura. Así, el 14 de enero, el «Heraldo de Madrid» y luego otros diarios, publican un suelto firmado por Ramiro Ledesma, Nicasio Alvarez Sotomayor y Onésimo Redondo, en el que anuncian «la necesidad de reorganizar las J.O.N.S. fuera de la órbita de Falange Española y de la disciplina de su Jefe, José Antonio Primo de Rivera».

Onésimo reconsidera su postura días después y sopesando su conciencia de responsabilidad reitera su adhesión a José Antonio, al igual que lo había hecho también Manuel Mateo. Ramiro, equivocadamente, pero respondiendo también a su conciencia, sigue adelante. Le secundan unos pocos. Algunos, como Martínez de Bedoya, Alvarez Sotomayor, Giménez Caballero y Gutiérrez Palma, también consejeros nacionales y miembros destacados de la organización. Pero sólo con Ramiro Ledesma se ceban los detractores. ¿Por qué? Porque Ramiro representa, en paralelo con José Antonio, la autenticidad creadora del nacionalsindicalismo.

Es esa autenticidad, reflejada en sus escritos doctrinales –los polémicos son eso, polémicos, y por lo tanto puramente circunstanciales, como le ocurre a José Antonio– y contenida especialmente en su «Discurso a las juventudes de España», la que le hizo decir a José Antonio que «es lo mejor que se ha escrito sobre nacionalsindicalismo».

Y como son la autenticidad, el vigor, las posibilidades pragmáticas del nacionalsindicalismo las que resultaban ingratas a los sectores conservadores y reaccionarios del régimen de Franco –como hoy a los mismos sectores asentados en el régimen monárquico parlamentario–, durante décadas se mantuvo sobre Ramiro Ledesma un tupido velo de silencio, un equívoco juego de imputaciones y acusaciones injustas y miserables, y una calculada exaltación de los dos artículos de réplica polémica, críticamente ácida, escritos por José Antonio bajo los títulos de «Aviso a los navegantes» y «A los armadores», que fueron, sin embargo, solamente eso: dos artículos polémicos y circunstanciales, de igual naturaleza que los escritos por Ramiro.

Ricardo de la Cierva, en su obra ya citada, «Historia ilustrada de la guerra civil española», manifiesta sus reservas acerca de la autenticidad de la reconciliación entre Ramiro y José Antonio en estos términos:

«Comentaristas bien intencionados han insistido en que Ramiro y José Antonio se reconciliaron definitivamente en una visita que el intelectual zamorano hizo a su antiguo jefe cuando éste ya se encontraba en la cárcel Modelo de Madrid. La autoridad de los testigos parece corroborar la realidad de esta entrevista, de la que no hay testimonios contemporáneos.»

Pues bien, sí hay, y voy a aportarlo, un testimonio contemporáneo e irrevocable, cuya prueba conservo como un tesoro. Se trata de una carta que me dirigió el 9 de diciembre de 1973 Emiliano Aguado, lúcido intelectual que acompañó a Ramiro Ledesma en su doble aventura de «La Conquista del Estado» y de las «J.O.N.S.», y que compartió su amistad con Ledesma hasta la muerte de éste, al tiempo que frecuentaba también la de José Antonio.

La carta lleva un membrete que dice en el ángulo izquierdo: Emiliano Aguado, y en el ángulo derecho su domicilio: Conde de Valle de Suchil, 8. Teléfono 257 19 02. Madrid-15. El texto es el siguiente:

«Querido Antonio: La carta de José Antonio la recibió Ramiro Ledesma el día 14 de julio de 1936 en un pisito que había alquilado en la calle del Príncipe, creo que en el número 16, en donde se redactaba un semanario titulado ''Nuestra Revolución'', que salió a la calle dos veces con muchos esfuerzos y poca popularidad. Ramiro nos leyó la carta, a mí, dos veces, una en la calle del Príncipe y otra en el café Zara (sic), el día 16. No necesito decirte que, con lo que ha llovido desde entonces, mi memoria anda un tanto floja ni que lo que recuerdo ahora no son las palabras de José Antonio. No respondo, pues, de las palabras, pero estoy seguro de las ideas de la carta.

Comenzaba recordando la última entrevista de José Antonio en la cárcel y Ramiro, que fue a visitarle. Se lamentaba José Antonio de que Azaña, el hombre más popular y más capaz de reducir a las masas, estuviese viejo y sin verdaderas convicciones para sacar al país del atolladero en que estaba metido de hoz y coz. Se quejaba también de la falta de sentido histórico de las izquierdas, que tenían tantas cartas a su favor y de que las derechas no tuviesen entonces como antes de entonces, más recurso que el de los militares. Los militares no podían arreglar nada, pero si conseguían establecer el orden, sería a costa de las cosas que dan gracia a la vida. No hemos venido a este mundo a que nos manden por todas partes para que haya orden en la calle. La carta, que tenía cinco carillas, se extendía en lamentaciones sobre el golpe militar que se preparaba y que, según se habían puesto las cosas, era inevitable en España.

Porque era inevitable, había que aceptarlo, pero era una desgracia que hubiese que afrontarlo, porque sobre no prometer nada más que el orden de la calle, se llevaba consigo las posibilidades que había ganado Falange en unos pocos meses. Luchando en la calle podía formarse un Estado vivo, ágil, sugestivo; tomando el poder en bandeja serían iguales todos los que le tomasen y Falange se iría desdibujando más y más con el tiempo, porque ni estaba en condiciones de ser una fuerza junto a las otras fuerzas reales de España, ni tenía bien maduras sus aspiraciones, ya que éstas no pueden ser nunca ocurrencias de unos cuantos teóricos, sino diagnóstico de lo que el país quiere y es posible en cada momento. Era una desgracia y un anacronismo el golpe militar que se preparaba, pero era una desgracia mayor que no hubiese más remedio que sumarse a él sabiendo que Falange tendría que quedar relegada a una fuerza auxiliar sin capacidad de decisión ni capacidad de entender las aspiraciones de las derechas tradicionales, al menos en el sector más despierto de los jóvenes. ¿En qué se diferenciarían, si llegasen a triunfar los militares, los afiliados a Renovación Española, al partido del señor Gil Robles y a Falange? Todos serían vencedores y el poder carecería de rostro, ya que lo alcanzarían todos.

Estas son las cosas de que me acuerdo mejor. Hay otras que no recuerdo tan bien, pero que ahora no quiero escribir porque parecen de un profeta. Son tan claras, que diría alguien que las he inventado yo después de las cosas que han pasado. Un abrazo y el deseo de que puedas hacer algo bueno con estos recuerdos pálidos que te envío. ¿Quién hizo desaparecer la carta de José Antonio de la calle del Príncipe? Hasta pronto. Emiliano.»

Madrid, 9 de diciembre de 1973.

Pero volvamos al hilo narrativo.

El día 16 de enero, después de una reunión de la Junta Política, fue expulsado oficialmente de la Falange Ramiro Ledesma, y con él cuantos le secundaron.

Y al día siguiente, José Antonio, enfrentado a una multitud de obreros soliviantados que intentaban cortarle el paso y agredirle cuando pretendía acceder a los locales de las C.O.N.S. instalados en la calle del Príncipe, arrojó definitivamente por la borda toda adherencia conservadora que pudiera restarle. Allí, acosado por aquellos militantes proletarios y sindicalistas que le abuchean llamándole «señorito», se revuelve y, encendido, replica:

«Quizá salga muerto de este cuarto. Pero lo que es seguro es que antes de matarme habréis oído a este señorito»... Desgrana, elocuente, sus razones y remarca, apasionadamente, la sinceridad de su fe revolucionaria y nacionalsindicalista; y aquellos hombres, prestos a la agresión, le aclaman cuando finaliza.

La separación de Ramiro tuvo esa inmediata repercusión y efecto: obligó a José Antonio a una radicalización definitiva que alcanzaría en seguida magníficos frutos creativos en el terreno doctrinal y organizativo.

Al margen de un breve viaje a San Sebastián, anterior a la separación de Ramiro, el mes de enero va a registrar una importante salida pública de la Falange: el acto constitutivo oficial del S.E.U. en Valladolid. Fue importante por el número de asistentes. También por lo significativa que resultaba la masiva presencia de las J.O.N.S. vallisoletanas en torno a José Antonio y a Onésimo, y que sellaban la indisoluble unidad de F.E. y de las J.O.N.S.

Es en este acto cuando José Antonio cierra su parlamento con una confesión personal que es, al mismo tiempo, una lección de cómo debe entenderse éticamente el mando:

«La jefatura es la suprema carga; la que obliga a todos los sacrificios, incluso a la pérdida de la intimidad; la que exige a diario adivinar cosas no sujetas a pauta, con la acongojante responsabilidad de obrar. Por eso hay que entender la jefatura humildemente, como puesto de servicio; pero por eso, pase lo que pase, no se puede desertar ni por impaciencia ni por desaliento ni por cobardía.»

Cuando los miles de asistentes al acto le aclaman entusiasmados, José Antonio tiene la certeza de que la crisis interna está superada. Y cuando momentos más tarde pasa revista a las centurias formadas en un campo de las afueras de la ciudad, en su ánimo hace presa una resolución: dedicar toda su atención y todo su esfuerzo a la organización del Movimiento, a su directo impulso, a la captación de nuevos militantes y al reforzamiento doctrinal sobre el esquema básico de los 27 puntos programáticos. El balance de actividades que arroja su agenda de trabajo al finalizar el año 1935, confirma esta decisión. El Parlamento quedará solamente como caja de resonancia, una tribuna de primer rango en la que exponer los puntos de vista de la Falange y ejercer la ardorosa defensa de sus postulados. Por el contrario, serán los pueblos de España, grandes y pequeños, los que le atraerán en un peregrinaje inigualado por ningún otro político. Y aún hallará tiempo para la gran cátedra definitoria, en donde lucirá su categoría intelectual y su talla de estadista, como en la conferencia del Círculo de la Unión Mercantil. Y estallará su capacidad creadora con la fundación de «Arriba» en el que verterá sus mejores artículos.

Contra el pronóstico de los más y el erróneo juicio de algunos comentaristas, el año 1935 representa el momento de eclosión militante de la Falange. Su mejor ciclo propagandístico. La etapa magnífica de una sembradura que germina rápida y profundamente en toda la geografía española.

50. Con don Miguel de Unamuno en Salamanca

Después del acto seuista vallisoletano, cobraría especial resonancia el discurso pronunciado en el teatro Bretón, de Salamanca, el 10 de febrero de 1935. Era Rector Magnífico de la Universidad don Miguel de Unamuno, cuyo destierro en Fuerteventura era razón suficiente de distanciamiento hacia el hijo del Dictador. Pero Unamuno había oído, no exento de simpatía, según testimonia Francisco Bravo en su libro, el discurso fundacional a través de la radio.

Y cuando José Antonio arriba a Salamanca, usa de la amistad de Francisco Bravo con el Rector para conocer personalmente al maestro que tanto admira. Bravo narra ampliamente los detalles del encuentro:

«El día 10 de febrero de 1935 se celebró en Salamanca el primer mitin de Falange Española de las J.O.N.S., en la provincia. Dos horas antes acompañé a José Antonio y a Sánchez Mazas a casa de don Miguel, en la calle salmantinísima de Bordadores, junto a la "Casa de las Muertes". Entramos los tres en aquel frío despacho donde don Miguel escribía, sin brasero, como si le calentase y sostuviese su ardor interior...

...»Buenos días, don Miguel. Aquí tiene usted a José Antonio y a Rafael Sánchez Mazas –le dije yo presentándole a mis camaradas.

»Don Miguel les dio su mano pequeña y sarmentosa, mientras inquisitivamente se fijaba en José Antonio, que se sentía un poco cohibido en presencia de aquel hombre, todavía en la belleza de su noble senectud –más alto quizá que él mismo– que tantas ferocidades había dicho y escrito de su padre. Y como acostumbraba a hacerse el dueño de la conversación, sin andarse con rodeos, Unamuno se encaró con Sánchez Mazas y le dijo:

–Usted y yo somos un poco parientes»...

...«Y agotado el tema del bilbainismo y del parentesco, don Miguel volvió a dirigirse a José Antonio:

–Sigo los trabajos de ustedes. Yo soy sólo un viejo liberal que he de morir en liberal. y al comprobar que la juventud ya no nos sigue, algunas veces creo ser un superviviente. Cuando de estudiante me puse a traducir a Hegel, acaso pude ser uno de los precursores de ustedes.

–Yo quería conocerle, don Miguel –vino a decir José Antonio–, porque admiro su obra literaria y sobre todo su pasión castiza por España, que no ha olvidado usted ni aun en su labor política de las Constituyentes. Su defensa de la unidad de la Patria frente a todo separatismo nos conmueve a los hombres de nuestra generación.

–Eso siempre. Los separatismos sólo son resentimientos aldeanos. Hay que ver, por ejemplo, qué gentes enviaron a las Cortes. Aquel pobre Sabino Arana que yo conocí era un tontiloco. Maciá también lo era, acaso todavía más por ser menos discreto.

Estando yo en Francia, cuando la Dictadura, se empeñó en que hablásemos en un mitin contra "aquello". Yo me negué. Y él lo hizo ante unos cientos de curiosos a los que se empeñó en hablarles en catalán, siendo así que la mayoría de los españoles presentes no le entendían. Era un viejo desorbitado, absurdo...

—... Bueno, don Miguel. Aquello del padre de José Antonio es ya historia. Díganos cuándo le apuntamos para Falange.

Don Miguel sonrió. Los ojos le brillaban con malicia.

—Sí; aquello es historia. Y lo de ustedes es otra historia también. Yo jamás me apunté para nada. Como tampoco jamás me presenté candidato a nada; me presentaron. Pero esto del fascismo yo no sé bien lo que es, ni creo que tampoco lo sepa Mussolini. Confío en que ustedes tengan, sobre todo, respeto a la dignidad del hombre. El hombre es lo que importa; después lo demás, la sociedad, el Estado. Lo que he leído de usted, José Antonio, no está mal, porque subraya eso del respeto a la dignidad humana.

—Lo nuestro, don Miguel —le dijo José Antonio— tiene que asentarse sobre ese postulado. Respetamos profundamente la dignidad del individuo. Pero no puede consentirse que perturbe nocivamente la vida en común...

Estamos necesitados, don Miguel, de una fe indestructible en España y en el español —aseveró José Antonio.

—¡España! ¡España!...

Y ante este nombre sagrado, que sus labios proferían con unción, rescatando tanta paradoja egolátrica, don Miguel se emocionaba...

—Muchas veces he pensado que he sido injusto en mis cosas; que combatí sañudamente a quienes estaban enfrente; acaso quizás a su padre. Pero siempre lo hice porque me dolía España, porque la quería más y mejor que muchos que decían servirla sin emplearse en criticar sus defectos.

—También nosotros, don Miguel, hemos llegado al patriotismo por el camino de la crítica. Eso lo he dicho yo antes de ahora, replicó José Antonio. Y hoy, en esta Salamanca unamunesca, voy a decir a quien nos escuche que el ser español es una de las pocas cosas serias que se pueden ser en el mundo.

—Muy bien, pero sin xenofobia. ¡El hombre, el hombre! Y también el español y España. Y los valores del espíritu y de la inteligencia...

La conversación tomó un derrotero intelectual y cuando Francisco Bravo inició la despedida, por estar cercana la hora del mitin, dijo don Miguel:

—Voy con ustedes.»

Bravo destaca el asombro de las gentes salmantinas al ver al viejo Rector por las calles de la ciudad, llevando a su derecha al Jefe de la Falange. Idéntico asombro y curiosidad despertó su presencia en el teatro, donde ocupó una platea.

«Después del mitin —continúa narrando Bravo— fuimos con José Antonio al Gran Hotel a comer. Y con sorpresa nos encontramos allí a don Miguel, acompañado de Eugenio Montes, José León, Burgos y Zamora. Comimos todos, entregados a una conversación literaria y política de la que eran guías don Miguel y José Antonio. Y al terminar y separarnos del Rector, éste dijo, estrechando la mano de nuestro Jefe:

—¡Adelante! Y a ver si ustedes lo hacen mejor que nosotros.»

De aquel mitin en el teatro Bretón, lo más valioso, quizá, fue la presencia de don Miguel de Unamuno, que supuso, ante los ojos de muchos, un respaldo moral del viejo maestro universitario a los jóvenes discípulos falangistas. Aquel gesto cordial y espontáneo de don Miguel jamás sería olvidado por los intelectuales de la Falange, quienes en los difíciles días de la guerra, cuando tras el incidente con Millán Astray, el Rector vive destituido y acosado, le corresponden con afecto y amistad. Es un falangista, Aragón, quien conversa con el Rector en el instante mismo de la muerte, acaecida el día final del año 1936. Cuando este falangista, que en consideración a Unamuno ha dejado su camisa azul en el hotel y sólo lleva el yugo y las flechas en la solapa, le confiesa a don Miguel con cierto escepticismo:

«La verdad es que a veces pienso si no habrá vuelto Dios la espalda a España disponiendo de sus mejores hijos»...

Don Miguel exclama:

«¡No! ¡Eso no puede ser, Aragón! Dios no puede volverle la espalda a España. España se salvará porque tiene que salvarse.»

Son sus últimas palabras. El anciano Rector –que ya no lo es porque ha sufrido una doble destitución: por el Gobierno de Madrid y por el de Burgos– acaba de expirar. Al día siguiente, la prensa falangista elogia su figura, en loa de Maximiano García Venero. Y camino de su última morada, los restos de don Miguel van en hombros de falangistas: el tenor Miguel Fleta y Víctor de la Serna.

Nadie podía predecir, no obstante, en aquel febrero de 1935, que aquel joven José Antonio, que en su discurso del teatro Bretón tiene palabras de admiración y elogio por el maestro de Salamanca, iba a precederle en la hora de la muerte y, acaso, estar presente en el postrer pensamiento del Rector. ¿No hay una clara alusión a José Antonio en las palabras de Aragón a don Miguel? ¿No fue José Antonio, uno de esos «mejores hijos» de España, a los que hace referencia?

Ante los concurrentes en el mitin del teatro Bretón, José Antonio había vaticinado: «Si no damos una fe y un ideal a las nuevas masas desesperadas, volverán de nuevo a la violencia.» No erró el pronóstico.

Aquel mismo día, por la tarde, en el local de «La Unica», frente a la castiza plaza madrileña de Barceló, celebró el S.E.U. un acto en memoria de Matías Montero, de cuya muerte se cumplía el primer aniversario, acto en el que intervino José Antonio con palabras emocionadas.

Asombra, al contemplar las crónicas de aquellos días, la actividad constante desplegada por José Antonio. Lo he indicado anteriormente: el año 1935 es el de la apoteosis falangista. Asumida por entero su responsabilidad como dirigente revolucionario, José Antonio se multiplica. Viaja de uno a otro extremo de España y, allí donde concurre, predica su fe a cuantos le rodean. Los días 13 y 14 de febrero, va a volver a tierras gaditanas. Recorre las localidades que le apoyaron en las elecciones, y de las que es representante en el Parlamento, y así, habla en San José del Valle, Arcos de la Frontera, Villamartín, Puerto de Santa María y Jerez. Salta desde allí hasta Zaragoza, en cuyo cine Alhambra pronuncia el domingo día 17 una conferencia dentro del curso organizado por el Ateneo de la ciudad augusta, sobre el tema «El nuevo orden». Es una disertación entre académica y política, en la que esboza ya su teoría sobre las edades medias y clásicas y sobre la invasión de los bárbaros. De otra parte, hace una dura crítica del marxismo, de la socialdemocracia y de los totalitarismos. Del fascismo dice que «es una experiencia que no ha llegado a cuajar». Del hitlerismo señala que «arranca de una fe romántica».

«Alemania no es, como cree la gente partidaria de las interpretaciones gruesas, el país de la disciplina, aunque así parezca juzgado por los signos exteriores. Alemania es un pueblo muy especial. Cantan a coro muy bien, andan al mismo paso militar, pero todos los movimientos de indisciplina, de rebeldía del mundo, a lo Espartaco, han salido de Alemania.»

Importa destacar que en su última parte, insiste en el esquema de lo que es sustancia del edificio político a que aspira la Falange:

«La vida de España ha de basarse en los Municipios y en los Sindicatos, pues el Corporativismo es una solución tímida y nada revolucionaria. Es necesario volver a cimentar nuestra vida en la religión y en la familia.»

El día 19, «Acción Española» rindió homenaje a Eugenio Montes en un acto celebrado en el hotel Ritz, de Madrid, en el que José Antonio, por razón de amistad con el homenajeado, se ve invitado a hablar. Este homenaje se anticiparía al que iban a rendirle al escritor gallego, sus camaradas de la Falange, y que sería, como la propia Falange, mucho más humilde, pero también más directo, menos académico. Se celebró el domingo día 24, en el café de San Isidro. Por la mañana, en Toledo, José Antonio participó en un mitin, en el que estudió el problema triguero, al tiempo que esbozaba y repetía las ideas esenciales de siempre. Hay una nueva aportación, sin embargo, de primerísimo rango revolucionario, que después desarrollaría. José Antonio afirma en Toledo: «En las relaciones entre capital y trabajo, el primero debe supeditarse al segundo para el logro de la verdadera justicia social.»

Una de las impresiones más fuertes que produce el análisis del pensamiento socioeconómico de José Antonio, es la comprobación de que, siendo fiel al magisterio social de la Iglesia, se anticipó en varias décadas a la formulación concreta de algunas de las enseñanzas aportadas por los Pontífices, a partir, principalmente, de Pío XII y Juan XXIII. Resulta un estimulante ejercicio que invita a profundas reflexiones, la contrastación de esos textos joseantonianos con los de las Encíclicas sociales de la Iglesia, especialmente en cuanto se refiere a la necesaria superación del dogma marxista de la lucha de clases, mediante la radical transformación del orden social y económico a fin de situar, en el puesto máximo de la escala de valores sociales, la dignidad del hombre y, consecuentemente, la primacía del trabajo frente al capital, entendido éste, estrictamente, como lo entiende la ciencia económica: como el conjunto de bienes instrumentales y técnicos al servicio de la producción.

Como ejemplo, valga esa afirmación de José Antonio en Toledo, que no es más que una apresurada síntesis de la teoría que había de desarrollar, profundizando en ella, en los meses sucesivos.

Durante la visita primera que el Papa Juan Pablo II hizo a España en octubre-noviembre de 1982, y en el acto celebrado en Montjuich, Su Santidad decía:

«Conviene recordar siempre un principio importante de la doctrina social cristiana: "La jerarquía de valores, el sentido profundo del trabajo mismo exigen que el capital esté en función del trabajo, y no el trabajo en función del capital".»

Recordaba así su encíclica «Laborem exercens», en la que igualmente se afirma «la prioridad del trabajo frente al capital», es decir, lo mismo que afirma José Antonio con otras palabras, pero con el mismo espíritu de justicia. Como expresa, también «Laborem exercens»: «Este principio es una verdad evidente, que se deduce de toda la experiencia histórica del hombre.» Lo que ocurre es que, mientras a esta consecuencia se ha llegado en nuestra estricta coetaneidad, es decir, en 1981, fecha de la Encíclica, José Antonio ya la había formulado en 1935, no sin escándalo de los sectores políticos oficialmente «católicos».

En el homenaje a Eugenio Montes, José Antonio habló sobre la Falange, «que integra una intelectualidad que vivió sin entraña, perdida en un esteticismo estéril, con una tierra entrañable a la que quiso privar de toda exigencia de estilo»...

Este entronque intelectual, que fue, junto con la captación de los trabajadores, preocupación prioritaria de José Antonio, tuvo un reflejo en la iniciativa de Vicente Gaceo, que por aquellas fechas –el día 25 de febrero– ponía en marcha el Cine Club del S.E.U., con una exhibición realizada en el cine Bilbao, ante gran expectación y concurrencia.

51. España y la barbarie

La llegada del mes de marzo y el aniversario de la fusión de Falange con las J.O.N.S. iba a prestar una nueva oportunidad para actuar en Valladolid e irradiar su influencia desde la capital universitaria a todas las demás provincias castellanas. El prestigio de Onésimo y la fortaleza del Sindicato Universitario hacían de las falanges vallisoletanas uno de los bastiones más poderosos de la organización. El día 3, en el mismo escenario del teatro Calderón que fue plataforma para el anuncio de la fusión, José Antonio habló sobre «España y la barbarie».

Solamente a efectos documentales, como prueba de la definitiva consolidación de Falange Española de las J.O.N.S. y de la nula incidencia en que derivó la escisión de Ramiro, valga este dato:

En el último número de «Patria Libre», semanario editado por Ramiro Ledesma y sus escindidas J.O.N.S., se incluía el siguiente anuncio de un gran mitin nacionalsindicalista en Valladolid:

«El día 2 de marzo, a las 11 de la mañana. Organizado por el Comité Central de las J.O.N.S. Hablarán Javier M. de Bedoya, Nicasio Alvarez Sotomayor, Emilio Gutiérrez Palma y Ramiro Ledesma Ramos. El acto se celebrará a puerta abierta. Asistirán más de mil campesinos de la provincia y gran número de jonsistas de toda España.»

Pese al anuncio, no se celebró.

Es, en sustancia, el desarrollo de la tesis mantenida en Zaragoza, pero plena de contenido intelectual y de intención política. Hay, en esta intervención una carga doctrinal que adquiere ya forma permanente; que alcanza validez y mantiene vigencia por encima de las circunstancias temporales, de las peripecias ocasionales. Y en ella marca, imperativamente, desde el principio, una misión para las juventudes españolas, las de su tiempo y las del nuestro; de su generación, de todas las generaciones. Está expresada en palabras proféticas:

«Nos sentimos, no la vanguardia, sino el ejército entero de un orden nuevo que hay que implantar en España; que hay que implantar en España, digo, y ambiciosamente, porque España es así, añado: de un orden que España ha de comunicar a Europa y al mundo.»

¿Se ha recogido fielmente este mensaje? ¿Se tiene la voluntad de cumplir este mandato de José Antonio por quienes han decidido continuar, al menos formalmente, la existencia de una organización falangista?

He aquí interrogantes permanentes que nos acucian en cada despertar, cuando contemplamos la crisis existencial en que se debate España al mediar la década de los años ochenta. Cincuenta años después de aquel vaticinio joseantoniano, ¿se puede hablar hoy, no ya de «ejército entero» sino siquiera de vanguardia? Y sin embargo, la realidad española, tan crítica, tan en quiebra, tiene necesidad de hallar una salida superadora, que sólo encontrará en el rumbo marcado por José Antonio. En cuanto a

Europa, ¿acaso no sienten muchas gentes del Viejo Continente el imperativo de encontrarse a sí mismas, en aquellas raíces culturales que hicieron irradiar a todo el mundo el espíritu de una civilización superior? ¿Acaso no está pleno de sentido el grito de amor lanzado en Santiago de Compostela por Juan Pablo II: «Vuelve a encontrarte. Sé tú misma.»? ¿Y cómo podría Europa ser ella misma sin España?

No me refiero, claro está, a la Europa mercantil desmedrada que regatea ventajas aduaneras en la Comunidad Económica Europea. Sino a una Europa fuerte y unida, liberada de las hipotecas tutelares del capitalismo y del comunismo, impuestas por Estados Unidos y la Unión Soviética.

Es en esa construcción europea libre en donde cobra sentido la presencia española. ¿Quién olvidará, en este sentido, los inquietantes y esperanzadores vaticinios de los profesores Herman Kahn y Anthony J. Wiener en su estudio «El año 2000»?

UN NUEVO MOVIMIENTO PANEUROPEO

«En las condiciones existentes de desarrollo de una crisis económica mundial o de estancamiento, como en los ''mundos caracterizados por la existencia de ciclos económicos'', cobran fuerza las tendencias a favor de las protestas de tipo ''pujadista'' entre los pequeños empresarios y los oficinistas de Europa Occidental y Estados Unidos. Estos se separan voluntariamente del gobierno parlamentario y exponen, en forma dramática, la incompetencia o irrelevancia de muchos de los partidos políticos e instituciones existentes en Occidente, aunque siguen representando una fuerza marginal. A continuación, las crisis económicas ocasionan una serie de quiebras bancarias en España. Se forma entonces una inesperada alianza entre estos elementos de protesta y los trabajadores españoles, que tienen una gran tradición de acción anárquica y sindicalista. Empieza a crecer un movimiento antigubernamental fuerte, aunque aún no conozca perfectamente adónde va, que pone en peligro al débil régimen liberal que ha sustituido al General Franco. En esta situación, un grupo de intelectuales (y, fundamentalmente, antiguos falangistas) publican un manifiesto en el que se echa la culpa de las dificultades económicas y de la actual impotencia de España —y de Europa— a la capitulación del siglo XX a los valores burgueses y ''americanos''. Se condena el espíritu burgués y comercial. Predica una reformulación de las sociedades europeas que incorporará a todas las clases en un movimiento de reforma y unidad europea de tipo austero y disciplinado. Su manifiesto implica una reinterpretación de carácter muy romántico, de las tradiciones aristocráticas y caballerescas de Europa, pero extendiéndolas a las masas de una nueva Europa sin clases, añadiendo a lo anterior un programa de administración tecnocrática de la economía nacional y de las empresas industriales, en el que se da un gran relieve a las nuevas técnicas de dirección y de proceso de datos. Desean un control racionalizado de la industria por parte del Estado, una producción ''para las necesidades humanas, más bien que para el beneficio''; quieren reinstaurar el poder militar de Europa y su autonomía política, cultivar y promover una sociedad sin clases; desean que los ricos abandonen voluntariamente sus privilegios, que todos los ciudadanos sirvan durante cierto tiempo en organizaciones estatales de tipo social y militar, y que se llegue al ''abandono del egoísmo''.

»Este movimiento consigue un gran triunfo en España, y, llegado al Poder, da pruebas de un nivel de competencia en el gobierno y de energía desconocido en España durante todo este siglo. La economía española todavía sufre las consecuencias de la depresión mundial, pero en España hay un programa nacional digno y equitativo, entre cuyas medidas se encuentran unos servicios sociales muy eficaces, una distribución enormemente equitativa de los bienes, un patrocinio estatal de las artes y de las empresas intelectuales que obtiene enormes éxitos. La doctrina romántica del régimen, reforzada por su programa humano y social, sus realizaciones culturales, y su gran éxito en la restauración de una moral nacional y

en la consecución de un standard notable de conducta individual en España, tiene un enorme impacto en Europa»...

(Herman Kahn y Anthony J. Wiener. «El año 2000», páginas 423, 424 y 425. EMECE Editores, 1969.)

Si esta es la premonición científica de un futurólogo que hizo su exposición a contrapelo de los deseos y expectativas de quienes le habían contratado, y que con cuidadoso celo se encargan de ocultar y silenciar quienes hoy ejercen el poder –político y económico– en España, ¿por qué habríamos de hacerles nosotros el juego?

También la juventud española de los años ochenta tiene el deber inexorable de afrontar su responsabilidad ante el futuro, con fe operante, sacudiéndose los complejos y condicionamientos que les ha creado una sociedad y un sistema político esencialmente injusto. Y debe tener la certeza de que, como advirtió Ramiro Ledesma: «Sobre España no pesa maldición alguna, y los españoles no somos un pueblo incapacitado y mediocre. No hay en nosotros limitación, ni tope, ni cadenas de ningún género que nos impidan incrustar de nuevo a España en la Historia Universal.»

«La debilidad internacional de España, su resignación dramática, emanaba de su política interior»... «El problema está hoy dentro, y lo está de un modo como quizá no lo haya estado nunca.»

Ramiro Ledesma Ramos. «Discurso a las juventudes de España». Primera edición: 1935. Segunda edición: 1938. Tercera edición: 1939. Cuarta edición: 1942.

(Editorial Tecnos. Madrid.)

Como se puede apreciar, la conjunción ideológica de José Antonio y Ramiro Ledesma, en ese mismo año de 1935, pese a su ocasional distanciamiento, es perfecta. La radicalización que opera en José Antonio, desde el comienzo de 1935, le funde con el ímpetu revolucionario de Ledesma y le lleva a marcar el camino de la redención nacional a través de una crítica lúcida y objetiva. Está incluida en ese discurso del 3 de marzo en Valladolid:

«En el comunismo –dice– hay algo que puede ser recogido: su abnegación, su sentido de solidaridad. Ahora bien, el comunismo ruso, como invasión bárbara que es, es excesivo y prescinde de todo lo que pueda significar un valor histórico y espiritual; es la antipatria, carece de fe en Dios: de aquí nuestro esfuerzo por salvar las verdades absolutas, los valores históricos, para que no perezcan.»

Este discurso de José Antonio es una de las piezas más sólidas de su armazón político y merece la pena estudiarlo con reposo. Porque en él apunta ya los caracteres diferenciales del sindicalismo nacional, que no es –evidentemente– el esquema estructural del sindicalismo que estuvo vigente, con esa denominación, y en parte con el mismo espíritu, durante el régimen de Franco. ¿Por qué no había de decirse, si, en cualquier caso, el sindicalismo vigente en el régimen de Franco fue, pese a sus imperfecciones y carencias, infinitamente más solidario, más eficaz, más revolucionario y positivo, más independiente y representativo y más participativo en las instituciones públicas y en las propias estructuras empresariales que este remedo de sindicalismo clasista, servil correa de transmisión de los partidos socialista y comunista, existente en la actualidad?

Respecto a lo que debe de ser en plenitud de posibilidades operativas y funcionales el Nacional Sindicalismo, parece claro que es tarea que corresponde desarrollar teóricamente y ensayar pragmáticamente a quienes hoy se sientan identificados con el pensamiento de José Antonio. Teniendo en cuenta, en cualquier caso, que él sólo dejó apuntadas las características esenciales, la filosofía política que, basada en la libertad y la dignidad del hombre, había de inspirarles como elementos dinámicos de la transformación de la sociedad en pos de un orden nuevo, en lo social y en lo económico y, sobre todo, en la necesaria participación del mundo del trabajo, tanto en las decisiones de la vida política como en las decisiones de la actividad económica, a escala nacional y en la célula primaria y fundamental de producción que es la empresa.

José Antonio critica en aquella oportunidad el corporativismo de inspiración fascista, que miméticamente empieza a patrocinar por aquellas fechas José Calvo Sotelo, vuelto de su exilio y dirigente del Bloque Nacional.

No es el tipo de sindicalismo corporativo el que define y propone José Antonio. Está claro que asigna a los Sindicatos, no una misión amortiguadora en las relaciones entre patronos y obreros, sino «la regulación completa, en muchos aspectos económicos». Su misión no es la regulación ni el simple encuadramiento y representación social de los trabajadores, sino la intervención y participación en la organización económica. Insisto, desde la estructura básica de la empresa hasta la superior estructura del Estado.

Para entender esta concepción es imprescindible partir de una valoración superior del hombre, no como objeto pasivo de las relaciones económicas, sino como el centro en torno al cual giran éstas para servirle. Es una de las ideas más diáfanas en José Antonio:

«Nosotros consideramos al individuo como unidad fundamental, porque este es el sentido de España, que siempre ha considerado al hombre como portador de valores eternos. El hombre tiene que ser libre, pero no existe libertad sino dentro del orden.»

Sabido este principio esencial, es fácil comprender todo lo demás:

«El trabajo –dice José Antonio– es una función humana, como es un atributo humano la propiedad. Pero la propiedad no es el capital: el capital es un instrumento económico, y como instrumento debe ponerse al servicio de la totalidad económica, no del bienestar personal de nadie.»

Invito de nuevo a que se contraste este pensamiento de José Antonio con las más modernas enseñanzas sociales de la Iglesia.

A la concreción y madurez ideológica de este año crucial, se va a sumar en José Antonio una actividad permanente que proyecta sobre la estructura funcional y los medios de que dispone la organización. Habla a mitad de mes en la localidad zamorana de Corrales, donde hay un inquieto grupo falangista. Y el día 17 de marzo, en Villagarcía de Arosa, hacen acto de presencia las Falanges Gallegas, que se convertirían en fuerza casi mítica un año después.

También interviene en el Parlamento, y con ocasión de sustanciarse un debate sobre el proceso contra Azaña por sus supuestas responsabilidades en la revolución de octubre, rebate los argumentos incidentales, sectarios y torpes de las derechas, que incluso hubieran podido provocar un incidente con Portugal, y señala los verdaderos cargos de los que sí era responsable el que fue Jefe del Gobierno durante el «bienio negro».

«A los sistemas políticos –dice– hay que enjuiciarlos en su conjunto, y el reproche político que puede lanzarse sobre el señor Azaña, la verdadera y grave acusación de que puede hacerse objeto al señor Azaña es esta: el señor Azaña tuvo en sus manos una de esas coyunturas que bajan sobre los pueblos cada cincuenta, sesenta o cien años, el señor Azaña pudo hacer sencillamente la revolución española, la inaplazable y necesaria revolución española, que ya vamos camino de escamotear»...

52. Nacimiento de «Arriba»

Ese mismo día —21 de marzo— sale a la calle el nuevo y definitivo órgano de la Falange. Ximénez de Sandoval cuenta las peripecias de la gestación y nacimiento de «Arriba», que va a imprimirse en los talleres de «El Financiero», situados en los bajos del edificio número 11 de la calle de Ibiza, de Madrid, un hermoso palacete en donde durante muchos años, con posterioridad a 1939, estuvo instalada la Delegación Provincial del Frente de Juventudes. Había desaparecido «F.E.», suspendido por el Gobierno radical-cedista, y no había cuajado, por falta de medios financieros suficientes, aquel dorado proyecto de diario falangista que meses atrás programara don Manuel Aznar, director de «El Sol», siguiendo la sugerencia de José Antonio. El ambicioso proyecto de articular un periódico diario, que habría de titularse «Sí», fue una ensoñación inalcanzable. El propio Aznar narraría, lustros después, su abortada génesis. Fue en 1934 y en el intento se embarcaron, aportando sus ideas y alguna ayuda económica, José Félix de Lequerica, Ramiro Ledesma, Rafael Sánchez Mazas, el doctor Pardo Urdapilleta y Manuel Aznar, junto a José Antonio.

> *«Llegué a fijar, como cifra indispensable si se quería echar a andar decorosamente, la de 200.000 pesetas. José Antonio sonrió al leer mis cuartillas. ¡Doscientas mil pesetas! Le constaba que tal cantidad no era nada, ¡nada!, con destino a la fundación de un periódico en Madrid...*
>
> *»Dos días después se decidió que Fernando Primo de Rivera se pusiera de acuerdo con el doctor Pardo Urdapilleta para estudiar en detalle la financiación, según se había pensado. Fernando —tan silencioso y tan sereno, pero tan lleno de fe y de coraje— se dispuso a luchar.*
>
> *»No se volvió a presentar ocasión de tratar el problema del periódico. El dinero que se recaudaba resultaba necesario para finalidades mucho más urgentes»...*
>
> (Manuel Aznar. «El nonato periódico de F.E. titulado Sí». Artículo publicado en la revista «Y» para la mujer, de la Sección Femenina. Noviembre, 1938.)

Aquella relación con José Antonio. Su amistad con intelectuales y periodistas falangistas; sus servicios habilísimos como director de «Luz», en cuyas páginas tanta propaganda gratuita había obtenido la Falange, le iban a salvar a don Manuel Aznar, en octubre de 1936, de una muerte cierta. Detenido por delación de desconocidos y a punto de ser ejecutado, Manuel Hedilla, jefe de la Junta de Mando provisional de la Falange, gestionó con éxito su libertad y su regreso a Francia, adonde había llegado anteriormente huyendo del Madrid rojo. Aquella gestión salvadora del mando falangista permitió la fértil existencia profesional y de servicios a España de quien fue, además de Periodista de Honor, brillante Embajador de España, representante de nuestra Patria en la Organización de las Naciones Unidas, y fiel cronista de la Guerra de Liberación, en su obra «La historia militar de la guerra».

La salida de «Arriba» fue un éxito. En él colaboran con José Antonio, Rafael Sánchez Mazas, José Manuel Aizpurúa, Manuel Mateo, Vicente Gaceo, Julio Ruiz de Alda, Vicente Cadenas, Carlos Ruiz de la Fuente, Felipe Ximénez de Sandoval, José María Alfaro, Emilio Alvargonzález y muchos más. Y, como he indicado ya anteriormente, se reproduce un artículo de Giménez Caballero publicado en «El Diario Vasco». En aquella Redacción hace sus pinitos como confeccionador un joven periodista, Julio Fuertes. Y firma una columna fija, de política internacional, José Luis Gómez Tello. Ambos sobrevivirían a la hecatombe de la guerra y José Luis Gómez Tello, además, a la lucha en Rusia encuadrado voluntariamente en la División Azul. Venturosamente, los dos consumarían su ilusionado anhelo de escribir en «Arriba», diario, en donde alcanzarían la categoría de subdirectores en distintas épocas.

Julio Fuertes fue en vida un generoso y entrañable patriarca para quienes iniciamos nuestros pasos profesionales en los viejos talleres y Redacción de la calle Larra, núm. 14, en donde antes se imprimieran «El Sol» y «La Voz». José Luis Gómez Tello, firme en su fidelidad falangista es hoy subdirector de «El Alcázar» y en él mantiene su columna internacional como certero comentarista. Este diario nacido durante la heroica defensa del Alcázar toledano, devenido en órgano de la Confederación Nacional de Excombatientes, ha acogido y acoge a un núcleo importante de los hombres formados en aquella escuela de periodismo falangista que fue el diario «Arriba»: Antonio Izquierdo, Rafael García Serrano, José Luis Gómez Tello, Juan Blanco, Manuel Díez Crespo —Vieja Guardia de la Falange sevillana y sensible poeta—, Ismael Medina, Enrique de la Puerta, Marcelo Arroita-Jáuregui, Diego Boscán, Antonio Gibello... Bajo la dirección de Antonio Izquierdo, que también dirigió «Arriba», diario, el periódico alcazareño ha llegado a sus máximas cotas de difusión y de influencia política.

Después de que cesó en su dirección Antonio Izquierdo, como consecuencia de la publicación del llamado «gironazo» —un clarividente artículo firmado por José Antonio Girón, en el que denunciaba el desviacionismo ideológico del «espíritu de febrero», inspirador del programa propugnado por el Presidente del Gobierno, Carlos Arias— el diario «Arriba» arrastró una vida política y económica lánguida y tuvo, finalmente, una muerte artera y miserable.

Al fallecer Franco el 20 de noviembre de 1975 y desaparecer meses después la Secretaría General del Movimiento, «Arriba» y los demás periódicos y emisoras pasaron a depender del ente Medios de Comunicación del Estado, adscrito al Ministerio de Cultura. El viernes 15 de junio de 1979, el Consejo de Ministros decidió, por decreto, el cierre de «Arriba» y de otros diarios, así como de la agencia Pyresa. Era titular de Cultura Manuel Clavero Arévalo, un singular personaje acorde con la ínfima categoría del Presidente del Gobierno Adolfo Suárez.

Durante la semana previa a esta decisión, el comité de empresa, que estaba dominado por comunistas y socialistas infiltrados en las redacciones y talleres por tolerancia de los cuadros directivos, promovió la celebración de una asamblea permanente de protesta a la que se opusieron sin éxito los vocales falangistas, en minoría frente a la coalición socialista-comunista. Y en la noche del viernes 15, al conocerse la decisión del Consejo de Ministros, los activistas se apoderaron materialmente de la Redacción y taller de «Arriba» y en audaz golpe de mano editaron el último número del diario, que lleva fecha 16 de junio de 1979. Bajo la cabecera figura como «Dirección en funciones» el Comité de Empresa de los Medios de Comunicación Social del Estado. Y firmado por éste, se publica un artículo editorial que lleva un expresivo título —expresivo de la zafiedad de sus autores, y expresivo de la política ejercida por los sucesivos gobiernos de U.C.D.—: «U.C.D. y la teoría de la mierda».

¡Nada! ¡Absolutamente nada! resta ya, en este último y miserable número, de cuanto supusieron de aporte intelectual y rigor de estilo en la historia del periodismo español el semanario y el diario «Arriba» genuinamente falangistas.

Era director hasta esa agitada noche Alejandro Armesto, y ejercía de subdirector Pedro Rodríguez. Ninguno de los dos se opuso, ni siquiera con un mínimo gesto de dignidad, al asalto izquierdista. La misma operación pretendieron perpetrar en la agencia Pyresa, pero, al menos, su director Donato León Tierno ordenó el cierre de los teletipos e impidió la ocupación de la agencia.

Desde dos años antes —al legalizarse la organización en 1977 amparada en la Ley de Partidos Políticos del nuevo régimen monárquico parlamentario— Raimundo Fernández Cuesta, jefe nacional de F.E. de las J.O.N.S., intentaba la recuperación legal de la titularidad de «Arriba», pero los sucesivos gobiernos ucedarras, igual que ahora el socialista, lo han impedido sistemáticamente. Interpuso F.E. de las J.O.N.S. un recurso administrativo basado en que el título de «Arriba» era propiedad de la familia Primo de Rivera, como herederos de José Antonio. Y entonces, el Gobierno de U.C.D. exigió la presentación del correspondiente certificado de defunción del Fundador de la Falange, como si esto no fuese notorio, especialmente para los órganos del Estado. Pese a la razón moral y legal que asistía a los recurrentes, el expediente se cerró con una denegación. Valga la anécdota como ejemplo de la actitud hiriente adoptada por el Gobierno de Adolfo Suárez, antiguo trepador que llegó a Ministro Secretario General del Movimiento adulando a diestro y siniestro, como paso previo a la Presidencia del Gabinete.

En 1983, F.E. de las J.O.N.S. inició la publicación de un periódico con el título de «Arriba los valores hispánicos», subrayando en grandes caracteres el título de «Arriba» y reduciendo el resto a una tipografía mínima. La ingeniosa argucia ha dado resultado. No así la publicación que, pese a la buena voluntad de sus redactores, no ha alcanzado aún ni la categoría, ni el impulso, ni la regularidad exigibles a un periódico de la Falange.

Visto con la perspectiva del tiempo y comparado con su antecesor «F.E.», ¡qué lejanos quedan aquellos números, tan literarios, del primer semanario falangista! El semanario «Arriba», igualmente pulcro, fiel al estilo impoluto de Falange, es otra cosa. En él ha tomado cuerpo el propósito ambicioso de llegar a todos los españoles y en él se articula la información con la opinión. El ensayo y el artículo de tesis doctrinal, con la crítica política, la crónica internacional, el concreto suceso de cada semana y el humor. Y va, además, acompañado con importante documentación gráfica que aporta en imagen el testimonio visual del crecimiento y la actividad de la Falange.

En «Arriba», como antes en «F.E.», pero con mayor intensidad, va a proyectar José Antonio su capacidad creadora, toda la carga de su pensamiento, que expone igualmente en los numerosos mítines que la Falange organiza a lo largo de 1935.

Esta expansión cobra especial relieve en el seno del Sindicato Español Universitario que es ya, en la mayoría de las Universidades españolas, el sindicato estudiantil más potente. Lo demostrará la aparición del semanario «Haz», que se convierte en nuevo portavoz falangista con especial proyección en la Universidad.

«La Redacción (de ''Haz'') tenía por domicilio la pensión donde residía Alejandro Salazar, que se encargó de la dirección del periódico. La pensión era, de hecho, un centro falangista más. En la habitación donde Salazar recibía a sus camaradas, una gran bandera rojo y negra cubría una de las paredes. En el incesante ir y venir más de uno se prendó de la delicada belleza de la hija del hostelero. El periódico contaba con la fecundidad literaria del grupo de Filosofía, que soportó el trabajo más extenso de redacción. La portada del número inicial la ocupaba un manifiesto del Jefe del Sindicato. Reproducimos una frase: ''El S.E.U. no ha luchado ni luchará nunca por una parte sólo de estudiantes. Lucha por todos, porque ansía tener a todos junto a sí''.»

(David Jato. «La rebelión de los estudiantes», página 143. Editorial Cíes, 1953.)

Más de medio centenar de artículos, en su mayoría doctrinales, escribiría José Antonio entre los dos semanarios. En ellos, en sus discursos por los diversos pueblos de España y en sus intervenciones parlamentarias, quedó prendida la semilla de su doctrina.

La denuncia sistemática de la precaria situación española tiene su principal cámara de resonancia en «Arriba», cuya venta en la calle sigue poniendo a prueba el valor de las escuadras falangistas. En el primer número de «Arriba», José Antonio publica un artículo titulado «España, estancada», que es reflejo y denuncia de los males que aquejan a la Patria. Cuando analiza el bienio azañista, el balance es desolador y el acta de acusaciones abruma por su gravedad: Estatuto de Cataluña, desmembración del Ejército, ofensa a los sentimientos religiosos, burla de la reforma agraria, desquiciamiento económico y política antinacional.

Pero cuando describe el «bienio estúpido», radical-cedista, no es menos duro su juicio. Ni reforma agraria, ni transformación económica, ni remedio al paro obrero, ni aliento nacional en la política. Chapuzas para remediar algún estrago del bienio anterior y pereza.

Y al final, el veredicto: «¡Basta de falsificaciones! La tarea española está intacta: la tarea de devolver a España un ímpetu nacional auténtico y asentarla sobre un orden social distinto.»

No es posible reproducir aquí todo lo escrito o hablado por José Antonio. Pero hay profecías que impresionan por la certeza de su cumplimiento. En el número segundo de «Arriba» se contiene una de ellas. Cuando enfoca la actualidad nacional, anuncia la apoteosis próxima de Azaña. El propio José Antonio la subraya: «Recordad el vaticinio, lectores: antes de la primavera del año próximo tendremos a Azaña en el Poder.»

Este vaticinio lo escribía el 28 de marzo de 1935.

Antes de la primavera de 1936. Exactamente tras el triunfo del Frente Popular en las elecciones de febrero de 1936, Azaña es elevado al Poder. No cabe anticipación más rigurosa ni profecía política más exactamente cumplida. No sería la única.

Entretanto, ¿qué acontece en España?

Aunque la respuesta se intuye en la crítica que José Antonio hace de la situación, cabe una descripción esquematizada. El alzamiento separatista y revolucionario de octubre empieza a ser enterrado desde el Poder. Se han diluido las acusaciones, y las responsabilidades de los cabecillas más destacados se disuelven como azucarillo en el agua. El Tribunal Supremo, sin duda presionado por el ambiente político y desde el Poder Ejecutivo –en el que no están ausentes altos grados de la Masonería– informa favorablemente el indulto. «¿No fue indultado también el General Sanjurjo?», se arguye públicamente. Y Lerroux somete el informe a votación del Consejo de Ministros, pese a la oposición del Ministro de Justicia, que es de la C.E.D.A. ¿Resultado? Se confirman los indultos de González Peña y de Belarmino Tomás –ambos masones–, jefes principales de la revuelta asturiana que tantos muertos y heridos produjo. Y con el indulto cae el Gobierno para formarse otro de idéntica contextura. La farsa radical-cedista se prolonga, con incrustaciones indefinidas y el refuerzo de algún otro miembro de la Masonería, como es Portela Valladares, grado treinta y tres de la secta.

Sigue mientras tanto José Antonio su campaña proselitista. En Jaén, acompañado de Fernández Cuesta, habla el día 7; y el día 9 de abril, en medio de un ambiente singularmente expectante, va a participar en Madrid en un acto organizado por el Círculo de la Unión Mercantil, con una conferencia que es modelo de precisión y de elegancia expositiva: «Ante una encrucijada en la historia política y económica del mundo».

¿Qué contiene esta conferencia? Aporta una clarificación conceptual, tras de la exposición rigurosamente científica de lo que el liberalismo político y el liberalismo económico son y aspiran:

«Cuando se habla de capitalismo no se hace alusión a la propiedad privada; estas dos cosas no sólo son distintas, sino que casi se podría decir que son contrapuestas.

Precisamente uno de los efectos del capitalismo fue aniquilar casi por entero la propiedad privada en sus formas tradicionales»... «Y cuando llega el capitalismo a sus últimos perfeccionamientos, el verdadero titular de la propiedad antigua ya no es el hombre, ya no es un conjunto de hombres, sino que es una abstracción representada por trozos de papel: así ocurre en lo que se llama la sociedad anónima»...

«... Pues bien: este gran capital, este capital técnico, este capital que llega a alcanzar dimensiones enormes, no sólo no tiene nada que ver, como os decía, con la propiedad en el sentido elemental y humano, sino que es su enemigo»...

Son ideas desgranadas frente a un auditorio que no es político. Pero sus precisiones son penetrantes y gana a los concurrentes. Termina con criterios concretos, con proposiciones pragmáticas:

«La única manera de resolver la cuestión social es alterando de arriba abajo la organización de la economía. Esta revolución en la economía no va a consistir en la absorción del individuo por el Estado, en el panteísmo estatal... Toda la organización, toda la revolución nueva, todo el fortalecimiento del Estado y toda la reorganización económica iran encaminados a que se incorporen al disfrute de las ventajas esas masas enormes desarraigadas por la economía liberal y por el conato comunista... El Estado tendrá dos metas bien claras; lo que nosotros dijimos siempre: una, hacia afuera, afirmar a la Patria; otra, hacia adentro, hacer más felices, más humanos, más participantes en la vida humana a un mayor número de hombres... El hombre no puede ser libre, no es libre, si no vive como un hombre, y no puede vivir como un hombre si no se le asegura un mínimo de existencia, y no puede tener un mínimo de existencia si no se le ordena la economía sobre otras bases que aumenten la posibilidad de disfrute de millones y millones de hombres, y no puede ordenarse la economía sin un Estado fuerte y organizador, y no puede haber un Estado fuerte y organizador sino al servicio de una gran unidad de destino, que es la Patria... Cuando se logre eso sabremos que en cada uno de nuestros actos, en el más familiar de nuestros actos, en la más humilde de nuestras tareas diarias, estamos sirviendo, al par que nuestro modesto destino individual, el destino de España, y de Europa, y del mundo, el destino total y armonioso de la Creación.»

No hay que subrayar que la conferencia causó asombro y que el orador, aquel joven abogado y político, deslumbró con la pulcritud de su oratoria y de sus conceptos.

Pero la realidad del drama español había llamado trágicamente de nuevo, el día 2, en las filas de la Falange. José García Vara, uno de los dirigentes sindicalistas más activos, cae abatido por el plomo de los pistoleros marxistas en la plaza de la Opera, a pocos metros del local falangista de la Cuesta de Santo Domingo. Era uno de los más dinámicos activistas en el Sindicato de Panadería. Procedía, como tantos otros obreros nacionalsindicalistas, del campo comunista y había logrado crear una fuerte corriente proselitista en el Sindicato de las «Artes Blancas», como se llamaba al de los panaderos. Por eso fue asesinado. En su entierro, José Antonio pronunció una de sus bellas oraciones. Terminaba con esta dura arenga: «Vil y cobarde, mal nacido el que ahora se retrase de la primera fila: ese no es digno de llamarse camarada del muerto en esta hermandad suprema de la Falange.»

Esta comunión estrecha con los caídos, lleva a comprender en la Falange, mejor que en ningún otro movimiento político, lo que representa morir por un ideal aunque sea adversario. No ocurre igual a otros grupos, sin fe y sin mártires, ávidos de alcanzar poltronas ministeriales en el pacto gubernamental. Y así, cuando unos desconocidos cometen la profanación de las tumbas de los capitanes de Jaca, Galán y García Hernández, José Antonio hace público un breve manifiesto:

«La Falange Española y de las J.O.N.S., ante las primeras noticias de haber sido profanadas las tumbas de los capitanes Galán y García Hernández, no quiere demorar por veinticuatro horas su repulsión hacia los cobardes autores de semejante acto. Quien demostrara su aquiescencia para tan macabra villanía no tendría asegurada ni por un instante su permanencia en la Falange Española y de las J.O.N.S., porque en sus filas se conoce muy bien el decoro de morir por una idea.»

Una idea. La de la Falange no dimite de su vocación de servicio a España, de su permanente toque de atención a una conciencia nacional acorchada por las veleidades de una política alicorta. Y cuando se cumple, sin ningún decoro ni gloria, el cuarto aniversario de la República, José Antonio ejerce de aguafiestas, una vez más, desde las páginas de «Arriba»; denuncia la esterilidad de los dos bienios y deja constancia de una triste noticia: «La última línea de barcos españoles ha emprendido su postrer viaje a América.»

El ostracismo español parece irrevocable y subleva el alma de José Antonio, tan poblada de ancestros criollos. Y protesta:

«América es, para España, no sólo la anchura del mundo mejor abierta a su influencia cultural, sino, como dicen los puntos iniciales de la Falange, uno de los mejores títulos que puede alegar España para reclamar un puesto preeminente en Europa y en el mundo. Todo esfuerzo por mantener tensos los hilos en comunicación con América deberían parecernos escasos, sobre todo cuando la influencia española riñe allá con la competencia de tantos influjos organizados e inteligentes.

»En vez de eso, y probablemente con razones financieras considerables (pues nuestro desbarajuste interior también es fértil en ofrecer apremios financieros con que argumentar), España se ha resignado a dejar libres los caminos atlánticos a las quillas de otras naciones. Paso a paso, España va dimitiendo su puesto en el mundo.»

Recórtese a este testimonio lo que tiene de explicación a un hecho concreto, lo que tiene de circunstancia temporal –la suspensión de la última línea ultramarina– y, a pesar de ello, seguirá siendo válida la argumentación esencial: la validez de la vocación americana de España como título para su valoración internacional en Europa. ¿Se atreverá alguien a mantener que no sigue vigente el planteamiento?

53. Deberes de los universitarios y sindicalismo de participación

La apertura del I Congreso Nacional del S.E.U., el día 11 de abril en Madrid, presta oportunidad a José Antonio para definir ante los estudiantes los deberes que les afectan, y para subrayar el carácter diferencial del sindicalismo falangista, respecto del viejo sindicalismo reivindicativo de clase acuñado por el marxismo:

«Somos, de veras, lo que dijimos desde el principio: nacionalsindicalistas. Por eso nos apresuramos a estructurarnos en sindicatos. Los sindicatos no son órganos de representación, sino de *actuación,* de *participación,* de *ejercicio.*»

Esta breve puntualización de José Antonio acerca de las características que deben definir el sindicalismo falangista o nacionalsindicalismo son, sin duda, sustanciosas. Aunque no las desarrolla explicitándolas, no cabe duda de que marca en ellas peculiaridades diferenciales suficientes respecto al sindicalismo marxista, de lucha de clases, y frente al simple «corporativismo».

Los sindicatos falangistas, conforme a esta definición joseantoniana, no limitan su papel a una simple acción de encuadramiento social y representación en el ámbito, bien de la actividad productiva en la empresa o en órganos sociales superiores, bien en los órganos legislativos o consultivos del Estado. Además de eso —la proyección representativa de los sindicatos en los Municipios, Cortes, Consejo Social y Económico, Consejo Nacional del Movimiento, Consejo de Estado y Consejo del Reino, tuvo una cierta plenitud durante el régimen de Franco, suprimida, antidemocráticamente, al advenimiento del sistema parlamentario partidista de la Monarquía— la tesis de José Antonio propone para el sindicalismo una concepción dinámica que lo convierta en trama del tejido social, en órganos de «actuación», de «participación», de «ejercicio». Esa «actuación» debe darse, en primer término, allí donde el sindicalismo es más vivo y directo: en el seno de la empresa, en donde debe alcanzar su máxima eficacia, con la «participación» en los órganos empresariales de gestión y decisión, y con «participación», igualmente, en los resultados de la producción, es decir, en los beneficios. Este ejercicio real y actuante de la participación sindical es el que convierte la empresa, realmente, en una comunidad social y económica de convivencia y responsabilidad. Sin que le sean vedados al trabajador, a través de este sindicalismo participativo, el acceso a la propiedad de los bienes de producción ni el acceso a la planificación económica general del Estado.

Esta doctrina, sugerida, más que desarrollada, por José Antonio, ha sido respaldada en el correr de los años por la autoridad ética y moral del magisterio de la Iglesia.

Como se reitera en «Laborem exercens», la encíclica social de Juan Pablo II, ...«Bajo esta luz —"la subjetividad del hombre en la vida social, especialmente en la estructura dinámica de todo el proceso económico"— adquieren un significado de relieve particular las numerosas propuestas hechas por expertos en la doctrina social católica y también por el Supremo Magisterio de la Iglesia. Son propuestas que se refieren a la copropiedad de los medios de trabajo, a la participación de los trabajadores en la gestión y/o en los beneficios de la empresa, al llamado "accionariado" del trabajo y otras semejantes.»

Y apunta los que han de ser prioritarios deberes estudiantiles.

«Los camaradas estudiantes tienen que meditar acerca de tres órdenes de deberes: Primero, en sus deberes para con la Universidad, que no ha de ser considerada como una oficina de expedición de títulos, sino como un organismo vivo de formación total. Así, el sindicato, dentro de la Universidad, tiene que cumplir dos fines: el propiamente profesional, escolar –donde nuestros camaradas han de aspirar a ser los primeros–, y el de aprendizaje para los futuros sindicatos, en que el día de mañana se insertará cada uno.

Segundo, en sus deberes para con España. La ciencia no puede encerrarse en un aislamiento engreído; ha de considerarse en función de servicio de la totalidad patria, y más en España, donde se nos exige una tarea ingente de reformación.

Y tercero, en sus deberes para con la Falange, donde el sindicato de Estudiantes ha de ser gracia y levadura. Por eso han querido introducir en él sus más activos venenos de desunión todos los enemigos declarados o encubiertos de lo que representa la Falange.»

Con la llegada del mes de mayo, va a dar el Movimiento un fuerte campanazo: la celebración en el cine Madrid, de la capital de España, de un resonante acto político, al que asisten, según apreciaciones de la prensa diaria, entre las diez mil y las doce mil personas.

De hecho, la multiplicidad de intervenciones públicas de José Antonio, en diversas provincias y ante el Parlamento, pueden resumirse, en cuanto a contenido doctrinal, en cuanto a germinación ideológica, en orden a sugestividad de ideas y actitudes, en este acto celebrado el 19 de mayo, y en el de clausura del II Consejo Nacional de Falange Española de las J.O.N.S., que tuvo por escenario el mismo local del cine Madrid, el 17 de noviembre.

En ellos se analizan también situaciones y problemas inmediatos, mas la doctrina en ellos expuesta remonta alas y se aleja de las incidencias cotidianas para insertarse en las grandes líneas de inspiración ideológica del nacionalsindicalismo.

El discurso sobre la «Revolución Española» pronunciado el 19 de mayo, tiene un antecedente que es menester subrayar. Se trata de la conferencia expuesta en el local de la Falange barcelonesa, en la calle de Rosich, el viernes, 3 de mayo.

Barcelona es bastión del sindicalismo cenetista. Barcelona es la capital del activismo de la F.A.I. Barcelona es, para José Antonio, el recuerdo siempre grato de sus años juveniles. Todo ello va a pesar en su ánimo. Pero, sobre todo, la certeza de que sus oyentes conocen a fondo la autenticidad sindicalista. No cabe acudir ante ellos con evasivas ni vaciedades. Hay que ir directos al grano. En un plano de rivalidad revolucionaria. Y así lo hizo José Antonio. Del resumen de su intervención, sobresalen afirmaciones tajantes:

«... Para destruir el régimen capitalista y desembocar en la revolución social que anunciaba Marx basta con abolir los títulos de propiedad. Sólo entonces será cuando ingenieros, técnicos y proletariado pasarán a ocupar el lugar preeminente que en la producción les corresponde»... «Sin embargo, la revolución marxista no estaría caracterizada por la rápida implantación de una justicia social, sino por la extirpación de todos los valores espirituales. La revolución marxista es absolutamente odiosa y temible»...

«... Nosotros queremos sustituir el orden capitalista por el orden sindical. Este es el programa de Falange Española. Fuera de aquí, esto no podría conseguirse más que por la revolución. Pero nosotros hemos de conseguirlo con nuestro sindicalismo, que es el sindicalismo con primacía de lo espiritual...»

«Terminó –dice "La Vanguardia" del día siguiente– defendiendo el Estado sindical, en el que dijo no habrá tiranía y los obreros dispondrán de lo necesario para la vida decorosa.»

La presencia y las palabras de José Antonio en Barcelona tienen un objetivo concreto, largamente acariciado por la Falange Española de las J.O.N.S.: atraer a las masas y dirigentes sindicalistas de la C.N.T. Compárense las palabras de José Antonio, con estas otras del órgano anarquista barcelonés «Solidaridad Obrera»: «A la concepción puramente materialista, que convierte a los pueblos en rebaños preocupados sólo en satisfacer sus necesidades fisiológicas, debemos oponer la fuerza del espíritu, la potencia dinámica del ideal.»

En aquel viaje se arbitraron contactos entre las dos organizaciones. Abad de Santillán, uno de los máximos dirigentes de la F.A.I. reconoce: «En diversas ocasiones se acercaron a nosotros gentes de la Falange para que tuviésemos un encuentro con Primo de Rivera, y se nos hizo llegar cartas y manifiestos en los que había muchos *objetivos comunes.*» Y Carlos Rojas recoge testimonio de Gabriel Juliá Andreu, quien dice haber amparado algunas conversaciones en casa de su padre entre hombres de la F.A.I. y Luys Santamarina. A estos testimonios cabe añadir el de José María Fontana: «José Antonio se interesaba mucho por nuestros contactos con la C.N.T. En uno de sus viajes –precisamente en este de mayo de 1935– mantuvimos una charla y celebramos una cena con un grupo de directivos. No llegamos a nada, pero simpatizamos mucho.» Esta reunión no es una fantasía de Fontana. Está confirmada, igualmente, por Abad de Santillán. Alguno de los anarquistas asistentes padeció el incendio de un quiosco de periódicos del que era propietario. Se lo quemaron sus propios camaradas cenetistas, que le creían traidor a su causa, pese a estar autorizado por los máximos dirigentes de la F.A.I., cosa que tenía que mantener en secreto.

> ...«*Ya se había tenido una deplorable experiencia con motivo de una reunión de falangistas en Barcelona, a la que asistió Zalabardo, con la anuencia de compañeros bien conocidos, para ver de qué se trataba. La reunión fue descubierta por la Policía catalana y entre los detenidos figuraba Zalabardo, lo que dio motivo a las iras de los que vieron en él un traidor. Tenía ese compañero un quiosco de periódicos y revistas en la plaza de la Universidad y fue incendiado en represalia por la asistencia a la reunión de la Falange y a él mismo se le buscaba para aplicarle el castigo por la supuesta traición. Y no se podía echar mano al recurso de una declaración pública de los que aconsejaron que fuese a la reunión a que se le había invitado para tener así una información más directa.*»
>
> (Diego Abad de Santillán. «Memorias 1897-1936», página 217. Editorial Planeta, 1977.)

Yerra, por tanto, Frank Jellinek, y con él Stanley G. Payne, que toma por cierto su testimonio, cuando califica de «irresponsables» a los que mantuvieron «cierta colaboración bastante estrecha» con la Falange. Los supuestos «irresponsables» estaban autorizados –así lo afirma Abad de Santillán– aunque otra cosa tuvieran que declarar los comités correspondientes.

En cuanto a los contactos con Angel Pestaña, dirigente de los «treintistas» disidentes de la F.A.I., también se equivoca Payne, cuando afirma que «Pestaña mantenía su desconfianza y no se llegó a ninguna colaboración».

Ya he transcrito, anteriormente, el testimonio esclarecedor de Miguel Primo de Rivera, hermano de José Antonio. Su seguridad es total.

¿Se desvanecerán así dudas y especulaciones? ¿Quién dudaría de la coincidencia, cuando, hombres «duros» de la F.A.I., como Abad de Santillán, dícense revolucionarios por amor a la justicia y «supedita la economía a la moral y no ésta a la aquélla»?

Nada tan elocuente en esta atracción como el contenido de los dos discursos eje de José Antonio, en el año 1935, ambos en el cine Madrid, como ya se ha señalado.

Hay una insistencia joseantoniana en la consideración de la quiebra universal del capitalismo. A propósito de esta afirmación, no pocos comentaristas han querido hacer burla basándose en la aparente pujanza material del capitalismo en algunos países de Occidente. No deja de ser un espejismo. La quiebra moral y ética, además de funcional, es tan evidente que Pontífices de la Iglesia católica tan insignes como Juan XXIII, Pablo VI y, sobre todo, Juan Pablo II, no han dudado en descalificarlo en el mismo grado que al marxismo, alentando a la búsqueda de un orden nuevo más justo y más participativo, en el que el hombre del trabajo recupere el protagonismo personalista que le corresponde en la economía y en la sociedad.

La causa de la quiebra capitalista está en el proceso intrínseco de acumulación, de tendencia al monopolio, que denuncia José Antonio en su discurso del 19 de mayo:

«El capitalismo ha ido sustituyendo esta propiedad del hombre por la propiedad del capital, del instrumento técnico de dominación económica. El capitalismo, mediante la competencia terrible y desigual del capital grande contra la propiedad pequeña, ha ido anulando el artesanado, la pequeña industria, la pequeña agricultura: ha ido colocándolo todo –y va colocándolo cada vez más– en poder de los grandes "trust", de los grandes grupos bancarios.»

Tampoco es solución el marxismo. José Antonio lo critica, no por razones económicas, sino por causa moral. Por eso rechaza a quienes consideran que Carlos Marx se equivocó en sus previsiones. Y, en este sentido, puntualiza:

«Las previsiones de Marx se vienen cumpliendo más o menos deprisa, pero implacablemente. Se va a la concentración de capitales; se va a la proletarización de las masas, y se va, como final de todo, a la revolución social, que tendrá un durísimo período de dictadura comunista. Y esta dictadura comunista tiene que horrorizarnos a nosotros, europeos, occidentales, cristianos, porque ésta sí que es la terrible negación del hombre; esto sí que es la asunción del hombre en una inmensa masa amorfa, donde se pierde la individualidad, donde se diluye la vestidura corpórea de cada alma individual y eterna. Notad bien que por eso somos antimarxistas; que somos antimarxistas porque nos horroriza, como horroriza a todo occidental, a todo cristiano, a todo europeo, patrono o proletario, esto de ser como un animal inferior, en un hormiguero. Y nos horroriza porque sabemos algo de ello por el capitalismo; también el capitalismo es internacional y materialista. Por eso no queremos ni lo uno ni lo otro; por eso queremos evitar –porque creemos en su aserto– el cumplimiento de las profecías de Carlos Marx»...

«... Si se tiene la seria voluntad de impedir que lleguen los resultados previstos en el vaticinio marxista, no hay más remedio que desmontar el armatoste cuyo funcionamiento lleva implacablemente a esas consecuencias; desmontar el armatoste capitalista, que conduce a la revolución social, a la dictadura rusa»...

«... Si queremos evitar eso, la construcción de un orden nuevo la tenemos que empezar por el hombre, por el individuo, como occidentales, como españoles, y como cristianos; tenemos que empezar por el hombre y pasar por sus unidades orgánicas, y así subiremos del hombre a la familia, y de la familia al Municipio, y, por otra parte, al sindicato, y culminaremos en el Estado, que será la armonía de todo. De tal manera, en esta concepción político-histórico-moral con que nosotros contemplamos al mundo, tenemos implícita la solución económica; desmontaremos el aparato económico de la propiedad capitalista que absorbe todos los beneficios, para sustituirlo por la propiedad individual, por la propiedad familiar, por la propiedad comunal y por la propiedad sindical.»

> «*Conviene subrayar y poner de relieve la primacía del hombre en el proceso de producción,* la primacía del hombre respecto de las cosas. *Todo lo que está contenido en el concepto de ''capital'' (en sentido restringido) es solamente un conjunto de cosas. El hombre como sujeto del trabajo, e independientemente del trabajo que realiza el hombre, él solo, es una persona. Esta verdad contiene en sí consecuencias importantes y decisivas...*
>
> »*Ante todo, a la luz de esta verdad, se ve claramente que no se puede separar el ''capital'' del trabajo, y que de ningún modo se puede contraponer el trabajo al capital ni el capital al trabajo, ni menos aún los hombres concretos, que están detrás de estos conceptos, los unos a los otros. Justo, es decir, conforme a la esencia misma del problema; justo, es decir, intrínsecamente verdadero y a su vez moralmente legítimo, puede ser aquel sistema de trabajo que en su raíz* supera la

antinomia entre trabajo y capital, *tratando de estructurarse según el principio expuesto más arriba de la sustancial y efectiva prioridad del trabajo, de la subjetividad del trabajo humano y de su participación eficiente en todo el proceso de producción, y esto independientemente de la naturaleza de las prestaciones realizadas por el trabajador»...*

(Juan Pablo II. Encíclica «Laborem exercens». 14-IX-1981.)

Hay un amplio apartado de este discurso en el que José Antonio descalifica, definitivamente, a los hombres del 14 de abril: «Tienen en la Historia la responsabilidad terrible de haber defraudado otra vez la revolución española.» Y les acusa por ésta, no por otra causa. Y cuando se plantea el problema que muchos suscitan, sobre Monarquía o República, José Antonio saja más profundamente para llegar a la raíz misma de la cuestión. Y por eso, después de analizar los dos órdenes de fuerzas movilizadas contra el *sentido revolucionario* frustrado el 14 de abril, determina:

«Nosotros no podemos estar en ningún grupo que tenga, más o menos oculto, un propósito reaccionario, un propósito contrarrevolucionario, porque nosotros, precisamente, alegamos contra el 14 de abril, no el que fuese violento, no el que fuese incómodo, sino el que fuese *estéril,* el que frustrase una vez más la revolución pendiente española»...

«Y por eso nosotros, contra todas las injurias, contra todas las deformaciones, lo que hacemos es recoger de en medio de la calle, de entre aquellos que lo tuvieron y abandonaron, y aquellos que no lo quieren recoger, el sentido, el espíritu revolucionario español, que, más tarde o más pronto, por las buenas o por las malas, nos devolverá la comunidad de nuestro destino histórico y la justicia social profunda que nos está haciendo falta. Por eso nuestro régimen, que tendrá de común con todos los regímenes revolucionarios el venir así del descontento, de la protesta, del amor amargo por la Patria, será un régimen nacional del todo, sin patrioterías, sin faramallas de decadencia, sino empalmado con la España exacta, difícil y eterna que esconde la vena de la verdadera tradición española; y será social en lo profundo, sin demagogias, porque no harán falta, pero implacablemente anticapitalista, implacablemente anticomunista.»

Con espíritu deformante, radicalmente opuesto a su función de historiador, Stanley G. Payne –que, seguramente, no se ha molestado en contemplar en las hemerotecas la prensa española de aquel tiempo– afirma con suficiencia, despectivamente, que «Durante 1935 ni un solo periódico de toda España consideró que la Falange mereciese que se le consagrara el menor espacio entre las noticias o los editoriales».

Payne falta a la verdad. Y lo hace conscientemente, porque apenas escribe esto, se contradice con una nota marginal en la que admite: «La única excepción tal vez fuese "Informaciones", de Juan March, donde colaboraba Giménez Caballero. Hasta el periódico upetista "La Nación" había vuelto la espalda a Falange.»

Para desmentir a Payne no hace falta más que comprobar cómo acogió la prensa el acto del día 19 de mayo.

«ABC» lo hizo con probidad informativa, reflejando la verdad y dedicando casi una plana en su edición de Madrid y dos en la de provincias. «El Debate» le restó importancia, por razones obvias de rivalidad política, pero también dedicó espacio suficiente. «Informaciones» dio noticia amplia y exacta, con grandes titulares y una fotografía. «La Epoca» unió a la información un comentario en su sección de artículos de fondo, en el que se reflejan objeciones perfectamente lícitas. «Ya» también cumplió con objetividad su misión informativa y reflejó correctamente el «clima» del acto. Y algunos periódicos de izquierda, que por su enemistad política estaban excusados de reflejarlo, también dieron noticia, si bien brevísima, de él.

Pero es que, además, ya hemos visto cómo «La Vanguardia», de Barcelona, recogió referencia del acto celebrado en el local de la Falange de la Ciudad Condal, con el resumen del discurso de José Antonio. Y en cada una de las provincias en las que José Antonio sembró su doctrina a lo largo de 1935 —y fueron numerosas— la prensa local volcó su atención hacia el Jefe de la Falange.

Precisamente sería «La Vanguardia», de Barcelona —uno de los grandes rotativos de España—, la que reflejase, el 5 de julio de 1935, este impresionante y certerísimo vaticinio de José Antonio, no compartido por ningún otro político no izquierdista:

«Si hay pronto elecciones, triunfarán las izquierdas. Pero no sabrán conservar el triunfo. Volverán a hacer lo que hicieron. Tienen el prurito de revivir viejos rencores y cosas pasadas sin mirar adelante. Eso les pasó después de lo de abril del año 1931. Y eso les volverá a pasar otra vez.»

Parece que ese es el sino inexorable de todos los gobiernos de izquierda cuando acceden al Poder en nuestra Patria.

En 1982, el P.S.O.E. alcanzó la mayoría absoluta en el Parlamento y formó gobierno respaldado por diez millones de votos —no computados fehacientemente, pero admitidos tácitamente por todos— después de una campaña electoral henchida de promesas: creación de 800.000 puestos de trabajo; persecución y castigo del fraude y la corrupción; transparencia en la gestión pública; reformas diversas en la Administración Civil y Militar, «para que España funcione»; elevación de las rentas de trabajo; parón a las quiebras empresariales; consolidación de la Seguridad Social y reforzamiento de las pensiones; mejoría de la asistencia sanitaria; disminución del índice de inflación; saneamiento de las empresas públicas del I.N.I.; salida de la O.T.A.N. y un largo etcétera, que encandiló las esperanzas de los españoles y movilizó el voto en favor de quienes así prometían poner fin al caos, la incompetencia y la inmoralidad que caracterizó a los sucesivos gobiernos de U.C.D.

¿Qué ha ocurrido después?

Simplemente esto: el P.S.O.E. no ha cumplido nada de lo que prometió, salvo aquello que tenía una carga negativa, inmoral, coactiva de las libertades existentes o proclamadas por la Constitución.

Alcanzado el Poder, los socialistas pusieron en marcha no el programa de acciones positivas anunciado, sino la liberación de sus resentimientos personales y corporativos, el espíritu de revancha, el «enchufismo» y favoritismo entre sus partidarios, las corruptelas, ampliamente denunciadas por la Prensa, en los ayuntamientos, en las comunidades autónomas y en el mismo seno de la Administración gubernamental, conmocionada estruendosamente por el escándalo «Flick» que ha forzado una investigación parlamentaria.

Satisficieron y revivieron sus «viejos rencores» desmontando estatuas, y han defraudado no sólo a su electorado, sino a quienes, siendo adversarios de su fe marxista, hubieran aceptado todas las iniciativas que contribuyesen a mejorar la vida nacional española, la unidad y la convivencia interna, el avance en el camino de la justicia social y la consolidación del prestigio de España en la comunidad internacional.

Es obvio que no vale la pena refutar a Payne. La evidencia lo hace innecesario.

El panorama político nacional a lo largo de 1935 no puede ser más desolador y alarmante. Absuelto Azaña de las imputaciones de connivencia revolucionaria con los responsables del octubre rojo que le habían acuñado las derechas, se lanza durante la primavera y verano a una activa campaña de propaganda, en la que destacan el mitin del campo de Mestalla, en Valencia, celebrado en mayo, y el de Baracaldo, en el mes de julio, en los que el ex jefe del Gobierno airea la consigna de constitución de un Frente Popular en España, por sugerencia de Prieto.

Indica Gabriel Jackson, irónicamente, que «en su tentativa de destruir políticamente a Azaña, las derechas crearon virtualmente el Frente Popular».

En la imputación existe un fondo de razón, pues la iniciativa del Komintern —tomada, según se ha visto, del francés Doriot— no hubiese encontrado el campo abonado sin la inhábil actitud de las derechas españolas tras las jornadas revolucionarias de octubre de 1934. Sin embargo, la realidad no fue así.

En abril de 1935, exactamente el día 12, los republicanos de izquierda pactaron un plan conjunto. Y el día 26 de ese mismo mes, Indalecio Prieto, voluntariamente exiliado en París, adonde se había fugado, una vez más, para eludir sus responsabilidades, propuso a la ejecutiva del P.S.O.E. «una urgente alianza con toda la izquierda».

No obstante, es José Díaz, secretario general del Partido Comunista, quien habla por primera vez de «Frente Popular» durante un mitin celebrado el día 2 de junio en el cine Monumental de Madrid. Sigue así, estrictamente, la estrategia y consignas cursadas por el Komintern.

La virulencia de las campañas de propaganda azañista, acogida con delirio por las masas socialistas, aconsejan al Gobierno la prohibición de todo acto público y dicta una orden en ese sentido el 7 de junio. Seis días después, desde las páginas de «Arriba», en donde José Antonio proyecta sus más agudos artículos políticos poniendo en evidencia la ineficacia y esterilidad del Gobierno radical-cedista, el Jefe de la Falange aventura este pronóstico:

«Hacia fin de año se disolverán las Cortes. Acción Popular habrá perdido todos sus tópicos electorales; habrá gobernado sin gobernar, que es el mayor desastre que le puede ocurrir a un partido. Toda su crítica del primer bienio caerá como follaje sin vida después de haber soportado la larga estación de esterilidad del segundo bienio. Y, en cambio, las extremas izquierdas, seguras de contar con la falta de memoria de las masas, desplegarán una propaganda frenética que les dará el triunfo.»

Los acontecimientos se encargaron de demostrar el acierto del pronóstico.

En julio, el Gobierno suspende «Arriba» como consecuencia de un sarcástico artículo sobre Gil Robles, que el «jefe» no acierta a encajar.

54. Reunión en Gredos

El mes anterior, concretamente desde la noche del 15 de junio, José Antonio había reunido en Gredos a los miembros de la Junta Política, con quienes estudia pormenorizadamente la situación española. Les reitera la certeza de que las elecciones van a dar el Poder a las izquierdas, que catapultarán a Azaña hacia el Gobierno. Y les hace partícipes de una confidencia: deben tener alertados a los militantes ante la posibilidad de ir a una insurrección armada. Para ello cuenta con la promesa de recibir diez mil fusiles y la colaboración de un general. Aunque el proyecto pueda parecer rocambolesco, la actitud de José Antonio y de la Junta Política no era insólita. Desde hacía muchos meses los requetés se entrenaban militarmente en Navarra poniendo al día su instrucción de combate. Como asesores figuraban el bilaureado General Varela y el

Teniente Coronel Rada, que había sido jefe de la primera línea falangista. Y en el polo opuesto, los miembros de las Juventudes Socialistas Unificadas (J.S.U.) se adiestraban en igual menester paramilitar instruidos por oficiales de la U.M.R., preparándose para la revancha de octubre. De hecho, el estado de guerra civil que se manifestó durante la revolución separatista y socialista, no había sido cancelado. Solamente aplazado, como habría de comprobarse.

Francisco Bravo, asistente a la Junta Política de Gredos, asegura que fue entonces cuando los mandos provinciales recibieron orden de establecer una estructura organizativa clandestina, por si surgía la necesidad de utilizarla. Sus palabras exactas son estas:

«A partir del verano de 1935, la Falange se convirtió en una organización de tipo carbonario, sin renunciar a sus tareas de organización política destinada a moverse a la luz del día. Se daban mítines, había atentados y refriegas, se editaban los escasos periódicos que los fondos del Movimiento permitían; pero los que estábamos en el secreto —por así decir— los elementos responsables de las organizaciones provinciales, sabíamos que, paralelamente a dicha actividad proselitista, se desenvolvería otra destinada a conseguir armas, dinero y cuanto es menester para que se eche a la calle una minoría, resuelta a no dejar que la Patria se entregase inerme a la revolución anárquica y destructiva o aceptase una dictadura lamentable, de vuelo corto.»

Ximénez de Sandoval, al transcribir estas anotaciones que Francisco Bravo hace de la reunión celebrada en el Parador de Gredos y su pinar, introduce un capítulo sentimental, absolutamente imprevisto.

La hija del Duque de Luna, Pilar Azlor de Aragón y Guillamas, que había sido el primer y gran amor frustrado de José Antonio, comparece aquella noche en el Parador acompañada de su esposo, Mariano de Urzaiz y Silva, hijo de la Condesa del Puerto. Iban, al parecer, camino de Portugal en viaje de novios. José Antonio es advertido de su presencia por Sánchez Mazas y Alfaro y cuando llega al Parador y durante la cena ve al matrimonio, se acerca y les felicita cortésmente. Ximénez de Sandoval, que no estaba allí y recibe la confidencia de Garcerán, monta un relato melodramático en el que supone en José Antonio una noche de insomnio e inquietud, de amargura acaso, tras este relativamente inesperado encuentro. Claro que otros muchos testimonios de Garcerán han quedado en entredicho. En cualquier caso, el episodio no pasa de ser más que una pura anécdota en la biografía del Fundador de la Falange, quien como hombre de mundo bien informado, difícilmente podría desconocer la noticia de la boda, celebrada el día 12 de junio en Madrid y recogida ampliamente en los «ecos de sociedad» de los principales diarios capitalinos.

Los vaticinios políticos de José Antonio se van cumpliendo, entretanto, con puntualidad casi cronométrica. Con la llegada del otoño, dos estruendosos escándalos resquebrajan aún más la ya débil sustentación gubernamental: son el famoso «estraperlo» y el «asunto Nombela». En el «estraperlo» —llamado así por ser sus máximos responsables los judíos Strauss y Perlowitch— hay mezclado un sucio negocio de juego y pequeños sobornos que salpican a un ahijado de Lerroux, al propio Lerroux y a su Ministro de la Gobernación, señor Salazar Alonso. En un primer efecto, el escándalo provoca una crisis que desmonta a Lerroux de la jefatura de Gobierno, en la que es sustituido por Joaquín Chapaprieta, quedando Lerroux de Ministro de Estado. Pero en un segundo envite, el asunto pasa al Parlamento, en el que José Antonio tiene sonada intervención. Cuando después de una votación para depurar responsabilidades, Lerroux y Salazar Alonso quedan exculpados, José Antonio, desde su escaño, lanza un grito sorprendente: «¡Viva el estraperlo!», que desconcierta a los diputados e irrita a los gubernamentales. No obstante, salta la crisis el 29 de octubre. Y cuando Chapaprieta forma su segundo Gobierno, han desaparecido de él el antiguo «rey del Paralelo» barcelonés, y el señor Salazar Alonso.

El día 20 de ese mismo mes de octubre, vuelve a actuar Azaña, esta vez en Madrid, donde se celebra un espectacular mitin del Frente Popular en el campo de Comillas, al que asisten enfervorizados cerca de medio millón de seguidores.

En noviembre, se reúne los días 15 y 16 el II Consejo Nacional de F.E. de las J.O.N.S.

Las sesiones se celebran en el despacho de José Antonio, en la Cuesta de Santo Domingo, número 3, de Madrid. Se estudian problemas de vivísima actualidad y preocupación en aquel momento: «Posibilidades de creación de un frente nacional español y actitud de la Falange ante tal supuesto», «El problema del paro», «Actitud ante los nacionalismos particulares españoles», «Elaboración de un índice de problemas económicos más apremiantes», y «Orientaciones de política agraria». Son elegidos los nuevos miembros de la Junta Política que queda constituida por Julio Ruiz de Alda, Rafael Sánchez Mazas, Manuel Mateo, Manuel Valdés Larrañaga, José María Alfaro y Sancho Dávila.

El día 17, en el cine Madrid, ante una ingente multitud que desborda el local y rebosa la plaza del Carmen y calles adyacentes, se celebra el acto de clausura con un mitin en el que tras de un homenaje emocionante a los veinticuatro caídos de la Falange, hablan Roberto Bassas, jefe provincial de Barcelona; Raimundo Fernández Cuesta, secretario general de la organización, y José Antonio.

El discurso del jefe nacional es espléndido. Pone acento en la urgente necesidad de desmontar el sistema capitalista. Se puede decir que José Antonio ha alcanzado por esas fechas su plenitud personal como político. Sus proposiciones y juicios son tajantemente revolucionarios, lo que explica por qué la propaganda de postguerra, tan mediatizada por elementos derechistas procedentes de la C.E.D.A. relegasen casi a ocultación y olvido esta magnífica oración, dando preferencia, en cambio, al canto entre épico y lírico del discurso fundacional del 29 de octubre de 1933.

La lectura atenta y pormenorizada de este discurso, complementado con el análisis de sus intervenciones ante el Parlamento a propósito de la reforma agraria, resultan imprescindibles para conocer el pensamiento político del Fundador de la Falange en torno a temas tan decisivos en la economía española de aquel tiempo. Se evitará así que con tanta suficiencia como Payne y pareja ligereza y superficialidad, haya habido historiógrafo español que diga: «La ideología económica de Primo de Rivera se muestra aquí –en su norma programática– demasiado elemental», y haya añadido que «más tarde, considerará como una bendición el carácter agrícola de España, que le ha permitido sufrir menos en la crisis mundial, lo que constituye una de las pocas consagraciones políticas del subdesarrollo».

La falacia es tan evidente, que se desmiente por sí misma y descalifica a su autor.

A propósito de las discusiones sostenidas en el Parlamento sobre la reforma agraria con activa participación de José Antonio, cuenta don Claudio Sánchez Albornoz:

«Dos diputados, situados muy lejos en el cuadrante político del momento, han pronunciado sendos discursos durante la discusión del proyecto de reforma agraria

en las segundas Cortes de la República. Se encuentran poco después sentados ante dos pupitres vecinos corrigiendo las copias taquigráficas de sus dos oraciones parlamentarias. Uno pertenecía al Partido de Acción Republicana que presidía Azaña. Otro acababa de crear la Falange Española. Había éste aprobado parte de las ideas del otro. Charla intrascendente entre ambos. El primero dice al segundo: ''Si continúa por el camino en que le he visto avanzar esta tarde va a desilusionar a las derechas españolas que le siguen''. ''Albornoz —me replica— lo sé y hasta he podido comprobarlo. Desde que he girado hacia la izquierda me han suprimido la subvención con que antes favorecían mis campañas''. Doy fe de la autenticidad de este diálogo y de estas palabras de José Antonio.»

(Claudio Sánchez Albornoz. «Anecdotario político», página 181. Editorial Planeta.)

No hay bendición ni consagración del subdesarrollo en José Antonio, sino todo lo contrario: permanente denuncia de las condiciones infrahumanas en que viven millones de españoles, como aquellos de la provincia de Cádiz que un día le recibieron a pedradas. Y porque conoce esas condiciones casi de alimañas, propone la extirpación de sus causas, la erradicación del capitalismo rural y la ordenación de la agricultura conforme a criterios económicos de productividad y de socialización:

«Lo primero que tiene que hacer una reforma agraria inteligente es delimitar las superficies cultivables de España, delimitar las actuales superficies cultivables y las superficies que pueden ponerse en cultivo con las obras de riego que inmediatamente hay que intensificar. Y después de eso, tener el valor de dejar que las tierras incultivables vuelvan al bosque, a la nostalgia de bosque de nuestras tierras calvas, devolverlas a los pastos, para que renazca nuestra riqueza ganadera, que nos hizo fuertes y robustos; devolver todo eso a lo que no es el cultivo; no volver a meter un arado en su pobreza.»

Y añade:

«Una vez hecha esta clasificación de las tierras; una vez constituidas estas unidades económicas de cultivo, entonces llega el instante de llevar a cabo la reforma social de la agricultura; y fijaos en esto: ¿En qué consiste, desde un punto de vista social, la reforma de la agricultura? Consiste en esto: hay que tomar al pueblo español, hambriento de siglos, y redimirle de las tierras estériles donde perpetúa su miseria; hay que trasladarle a las nuevas tierras cultivables; hay que instalarle, sin demora, sin espera de siglos, como quiere la ley de contrarreforma agraria, sobre las tierras buenas. Me diréis: pero, ¿pagando a los propietarios o no? Y yo os contesto: Esto no lo sabemos; dependerá de las condiciones financieras de cada instante. Pero lo que yo os digo es esto: Mientras se esclarezca si estamos o no en condiciones financieras de pagar la tierra, lo que no se puede exigir es que los hambrientos de siglos soporten la incertidumbre de si habrá o no habrá reforma agraria; a los hambrientos de siglos hay que instalarlos como primera medida; luego se verá si se pagan las tierras; pero es más justo y más humano, y salva a más número de seres, el que se haga la reforma agraria a riesgo de los capitalistas que no a riesgo de los campesinos.»

Y todas estas afirmaciones doctrinales son en José Antonio no una táctica electoral, no una formulación demagógica de cara a la complacencia de las masas, sino un propósito en el que cree. Y cree con tanta fe, que cuando en Campo de Criptana se dirige a los campesinos que le escuchan, les dice:

«Muchos habrán venido a prometeros cosas que no cumplieron jamás. Yo os digo esto: nosotros somos jóvenes; pronto —lo veréis— tendremos ocasión de cumplir o incumplir lo que predicamos ahora.»

«Pues bien: si os engañamos, alguna soga hallaréis en vuestros desvanes y algún árbol quedará en vuestra llanura; ahorcadnos sin misericordia; la última orden que yo daré a mis camisas azules será que nos tiren de los pies, para justicia y escarmiento.»

Y porque no son halago para el proletariado ni recurso demagógico, propone también, en su discurso del 17 de noviembre, el desmantelamiento del capitalismo financiero, reconociendo, lógicamente, la necesidad técnica de la institución crediticia. Y dice:

«Tal como está montada la complejidad de la máquina económica, es necesario el crédito; primero, que alguien suministre los signos de créditos admitidos para las transacciones; segundo, que cubra los espacios de tiempo que corren desde que empieza el proceso de la producción hasta que termina. Pero cabe transformación en el sentido de que este manejo de los signos económicos de crédito, en vez de ser negocio particular, de unos cuantos privilegiados, se convierta en misión de la comunidad económica entera, ejercida por su instrumento idóneo, que es el Estado. De modo que al capitalismo financiero se le puede desmontar sustituyéndolo por la nacionalización del servicio de crédito.»

Sobre esta idea vuelve a insistir más adelante:

«Dos cosas positivas habrán, pues, de declarar quienes vengan a alistarse en los campamentos de nuestra generación: primera, la decisión de ir, progresiva, pero activamente, a la nacionalización del servicio de bancas; segunda, el propósito resuelto de llevar a cabo, a fondo, una verdadera Ley de Reforma Agraria.»

Aunque los medios informativos silencian en lo posible los ecos del discurso, éste tiene fuerte impacto en muchos sectores, especialmente universitarios y sindicalistas.

Cuando en ese mismo mes de noviembre salta el «asunto Nombela», el problema de corrupción es mucho más grave que en lo del «estraperlo». José Antonio explaya un amplio informe ante el Parlamento, donde Miguel Maura había pedido una investigación a fondo. Estaban en juego casi cuatro millones de pesetas –una verdadera fortuna entonces– que se pretendía abonar a una compañía naviera cuyo contrato de servicio con las colonias africanas se había cancelado. Este asalto al Tesoro Colonial había sido denunciado por don Antonio Nombela, ejemplar funcionario y Caballero Laureado, quien contra toda razón había sido relevado de su cargo después de la denuncia.

Aquel nuevo escándalo, en el que la corrupción alcanza a numerosos responsables de la Administración y del Gobierno, da al traste con el segundo Gobierno de Chapaprieta, quien presenta su dimisión al Presidente de la República, Niceto Alcalá Zamora, el día 9 de diciembre. El día 14, forma Gabinete provisional el masón Manuel Portela Valladares, quien habría de disolver el Parlamento el 2 de enero y convocar elecciones generales para el 16 de febrero de 1936.

55. Homenaje y reproche a Ortega y Gasset

En el borde del camino, como un testimonio de su íntima tensión intelectual, José Antonio ha dejado escrito en la revista universitaria «Haz», un artículo de «Homenaje y reproche a don José Ortega y Gasset».

Este artículo y el antiguo enfrentamiento habido entre don Miguel Primo de Rivera y los intelectuales, ha servido para que algunos comentaristas superficiales y de mala fe, tratasen de atribuir también a José Antonio un cierto desdén hacia los intelectuales de su tiempo. Nada tan erróneo.

En José Antonio no existía ningún resentimiento contra los intelectuales, por su vieja oposición a la Dictadura, hasta el punto de que, como se ha visto, al enjuiciar este capítulo de la historia durante el juicio de responsabilidades abierto por la República, el hijo del Dictador, que ejercía la defensa de don Galo Ponte, buscó una posible justificación al distanciamiento de esos intelectuales formulando estos dos interrogantes: «¿Por culpa sólo suya?», «¿por culpa, en parte, del Dictador?», que son la mejor demostración de que en su alma, pese al dolor por el drama paterno, José Antonio no albergaba ninguna reserva ni resentimiento hacia ellos.

¿Acaso José Antonio no era también un intelectual? Lo fue en el sentido estricto. Por su formación universitaria y por su brillante profesionalidad forense. Pero, sobre todo, por su inquietud, por su constante búsqueda de la verdad, aplicada, ciertamente, a la política, pero con perfiles que tienen más de pensador, de creador, de teórico, que de organizador, aunque también lo fuese.

¡Pero si lo que precisamente le echan en cara sus detractores, tratando de demostrar la poca influencia de la Falange, es la excesiva carga intelectual que le caracteriza! ¿No le habían censurado públicamente que sus muchachos morían «por vender ideas de Platón a perra gorda»?

A finales del año 1935, don José Ortega y Gasset cumplió las bodas de plata con su cátedra de Metafísica de la Universidad Central. Ortega y Gasset había sido maestro indiscutible de dos generaciones universitarias y, plenamente, de la generación de José Antonio. Y con Ortega y Gasset se encontraban esencialmente identificados tanto José Antonio como Ramiro Ledesma. No es difícil reconocer, en las formulaciones políticas de ambos numerosos reflejos filosóficos del maestro. ¿De quién, sino de Ortega, es la raíz del pensamiento expuesto por Ramiro en su «Discurso a las juventudes de España» cuando reclama una política que rompa «la debilidad internacional de España» y libere «la economía española del yugo extranjero, ordenándola con vistas exclusivas a su propio interés»? Ya había dicho el maestro en «La España invertebrada»: «Sólo una acertada política internacional, política de magnas empresas, hace fecunda una fecunda política interior, que es siempre, a la postre, política de poco calado.»

¿Y de quién, sino de Ortega, es la concepción de España como una unidad de destino, en la que también coincidía Ramiro de Maeztu? ¿Y la teoría de «una minoría selecta, inasequible al desaliento»? ¿Y la convicción de que la democracia no es una forma, sino un contenido, al que la forma tiene que servir?

Quien se moleste en comprender a Ortega –hoy abandonado, salvo honrosas excepciones– no tendrá dificultad alguna en comprender igualmente a José Antonio, porque éste es uno de sus discípulos más rigurosos. Y porque lo es, razona su «Homenaje y reproche».

José Antonio plantea en su polémico artículo esta interrogante: «¿Es la política función de intelectuales?», y se responde:

«Específicamente, la política no es función de intelectuales»... «Los valores en cuya busca se afanan los intelectuales son de naturaleza intemporal: la verdad y la belleza, en absoluto, no dependen de las circunstancias. El hallazgo de una verdad es siempre oportuno; la indagación de una verdad no admite apremios por consideraciones exteriores»... «En cambio, la política es, ante todo, temporal. La política es una partida con el tiempo en la que no es lícito demorar ninguna jugada. En política hay obligación de llegar y llegar a la hora justa. El binomio de Newton representaría para la Matemática lo mismo si se hubiera formulado diez siglos antes o un siglo después. En cambio, las aguas del Rubicón tuvieron que mojar los cascos del caballo de César en un minuto exacto de la Historia»...

«... Un hombre educado en la busca de los valores intemporales –es decir, un intelectual– puede cualquier día sentirse llamado por la política. En ocasiones no es siquiera moral resistirse al llamamiento. Hay coyunturas de conmoción del mundo o de la Patria en que puede resultar monstruoso permanecer bajo la lámpara de la propia celda. Pero si se acude al llamamiento de la política no se puede acudir a medias»... «Al echar sobre sí una misión política, el intelectual renuncia a la más cara de sus libertades: la de revisar constantemente sus propias conclusiones»...

«... De ahí, la imponente gravedad del instante en que se acepta una misión de capitanía. Con sólo asumirla se contrae el ingente compromiso ineludible de revelar a un pueblo –incapaz de encontrarlo por sí en cuanto masa– su auténtico destino. El que acierta con la primera nota en la música misteriosa de cada tiempo, ya no puede eximirse de terminar la melodía»...

«... Don José Ortega y Gasset –que cumple en estos días veinticinco años de profesor– oyó la valoración de la política. En esta hora de valoración, ¿quién podrá negarle, si es justo, la clarividencia crítica y la limpieza moral de sus actitudes? No tuvo que expresar a gritos el dolor de España –«acostumbro gritar pocas veces», ha dicho–; pero nosotros, los hombres nacidos del 98 acá, entendemos muy bien el escozor entrañable que esconde la sobriedad castellana de sus gestos. Acaso porque hayamos aprendido a identificarla en libros suyos. ¡Cómo se nos sube hasta la garganta la mediocridad de una España sin alma común, que al descalzarse el coturno del Imperio no halló modo de andar si no era poniéndose en babuchas! No; don José no quiso hacer de la política un "flirt", pero se dio por vencido. Cuando descubrió que "aquello", lo que era, no era "aquello", que él quiso que fuese, volvió la espalda con desencanto. Y los conductores no tienen derecho al desencanto. No pueden entregar en capitaulaciones la ilusión maltrecha de tantas como les fueron a la zaga. Don José fue severo con sí mismo y se impuso una larga pena de silencio; pero no era su silencio, sino su voz lo que necesitaba la generación que dejó a la intemperie. Su voz profética y su voz de mando»...

«... Pero nada auténtico se pierde. Cuando un "egregio espíritu" se entrega por entero, hasta agotarse en frustración generosa, nunca se dilapida el sacrificio. Los que vienen detrás tienen ya ganado incluso el aprendizaje de los errores. La crítica precursora ha desbrozado mucho. Otros brazos, con golpes más simples y más fuertes, seguirán la tarea. Al final –acaso en un final no previsto, en los instantes de la crítica precursora–, los que lleguen tendrán un recuerdo de gratitud para los que si no vieron del todo la verdad o no tuvieron fuerzas para entronizarla, al menos deshicieron a cuchilladas muchos espantapájaros armados con mentiras»...

«Una generación que casi despertó la inquietud española bajo el signo de Ortega y Gasset se ha impuesto a sí misma, también trágicamente, la misión de vertebrar a España. Muchos de los que se alistaron hubiesen preferido seguir, sin prisas ni arrebatos, la vocación intelectual»... «Nuestro tiempo no da cuartel»...

«... Todo eso es amargo y difícil, pero no será inútil. Y en esta fecha de plata para don José Ortega y Gasset se le puede ofrecer el regalo de un vaticinio: antes que se extinga su vida, que todos deseamos larga, y que por ser suya y larga tiene que ser fecunda, llegará un día en que al paso triunfal de esta generación, de la que fue lejano maestro, tenga que exclamar complacido: "¡Esto sí es!"»

Aquel generoso deseo final de José Antonio no pudo cumplirse. Primero el destierro, después de su regreso, un cerco de silencio sectario y beligerante tendido por quienes le acusan de acatólico y heterodoxo, y hoy se alzan con máscara de demócratas y liberales, le habían de impedir la exclamación complacida que deseaba José Antonio. En definitiva, por aquellas mismas fechas, José Luis de Arrese, Ministro Secretario General del Movimiento, se acercaba a la tumba de José Antonio, para confesar, condolido, que el Fundador tampoco podía sentirse contento.

Los silenciadores oficiales de cuantos intelectuales habían intervenido directa o indirectamente en el nacimiento de la República, aunque luego se apartaran de ella con desencanto, han puesto sordina, igualmente, al encuentro y posterior correspondencia que José Antonio mantuvo con don Gregorio Marañón. Lo cuenta Ximénez de Sandoval, quien recuerda el hecho –seguramente generador de una corriente de simpatía y de entendimiento– de que Fernando Primo de Rivera, hermano de José Antonio y oficial aviador, una vez abandonada su carrera militar, cursó brillantemente en la Facultad de Medicina, donde se licenció para ingresar después en la clínica del doctor Marañón, de quien se sentía discípulo. Por otra parte, Gregorio Marañón Moya, hijo del doctor, era ya militante de la Falange.

56. Convocatoria de elecciones

En diciembre, ante la presentida convocatoria de las elecciones, todos los partidos se movilizaron. De una parte, el bloque del Frente Popular activó su agitación hasta el paroxismo. En la alianza habían entrado todas las fuerzas de la izquierda, en una coalición que iba desde la Unión Republicana, de Martínez Barrio –el grupo más moderado, pero mediatizado por sus compromisos masónicos– y de la Izquierda Republicana, de don Manuel Azaña, hasta el Partido Comunista. Sólo los anarquistas quedaban fuera del Frente Popular, a semejanza de lo que le ocurría a la Falange respecto del Bloque Nacional.

¿Qué impulsos movían a uno y otro bando?

Los acontecimientos mismos lo evidenciarían. Pero el impulso que los guiaba está resumido en estas palabras de Dolores Ibárruri, «la Pasionaria»:

«Pronto llegará el día en que podamos vengar a los muertos de Asturias. Aplicaremos entonces el terror más severo y exterminaremos a la clase burguesa.»

Frente a esta amenaza, que no tiene nada de electoral, Gil Robles, desde su inmenso retrato de propaganda colocado en la Puerta del Sol, aún confía en glorias parlamentarias con su grito: «¡A por los trescientos!»

Sólo un hombre mantiene con dignidad y con acierto sus convicciones de siempre: José Antonio.

En «Arriba» del 26 de diciembre había dicho:

«Sólo algún que otro intelectual, como Jiménez de Asúa, que es un caso de sectarismo patológico, podrá vivir en el Partido Socialista. Largo Caballero será pronto su dictador omnímodo y sabrá llenar de rabia las almas de los obreros, de las juventudes, de los maestros elementales que educan a los niños en las escuelas. No habrá cuartel, ni puntos de contacto, ni tolerancia, ni convivencia. Pero, en cambio, nadie podrá fingir que se engaña frente al socialismo: lo tendremos sin máscaras, con su verdadero rostro al aire.»

Y ante la actitud de las derechas, glosa con ironía, el 2 de enero de 1936:

«Las derechas es poco probable que triunfen. Contra lo que ocurre con las izquierdas, donde la masa revienta de ímpetu y empuja a los conductores en tal forma que éstos casi tienen bastante con dejarse llevar, entre las derechas son los jefes los que, extenuándose en un derroche de dinero y de energías, andan espoleando a una masa medio desilusionada»...

El día 3 de enero, el diario «ABC», que quizá presiente el fracaso derechista y que, en cualquier caso, advierte el escaso ímpetu de sus masas ante el asalto de la izquierda, publica un artículo de don Manuel Bueno en el que, por una vez, no se valora la cantidad sino la calidad de la Falange, si bien pensando en ella como fuerza de choque:

«Ignoro si en las previsiones tácticas del Estado Mayor que dirigen los caudillos de las fuerzas coaligadas va a entrar el bizarro elemento juvenil que sigue a José Antonio Primo de Rivera. Sería una grave omisión prescindir de ese mocerío disciplinado y entusiasta, que tan frecuentes pruebas viene dando de su acrisolado patriotismo. Las perspectivas electorales se presentan con un tan dramático carácter belicoso, que todas las precauciones que se adopten para vencer el ímpetu rojo serán escasas. Los contingentes de Falange Española no tienen, por el número, la importancia de los que integran Acción Popular, pero cada uno de sus miembros vale, por su desinterés y arrojo, como cinco. Esto no puede ser puesto en duda.»

(Manuel Bueno. Diario «ABC», 3 de enero de 1936. Reproducido por Víctor Fragoso del Toro en artículo publicado en «Amanecer», de Zaragoza, el 14 de febrero de 1974. Página 4.)

Entre el espíritu de revancha de unos y el temor de los otros, la Falange va a fijar su postura ante las elecciones.

El 6 de enero, festividad de los Santos Reyes, José Antonio dirige una circular a todos los Jefes Territoriales y Provinciales de la Falange Española de las J.O.N.S. Es un largo análisis de situación, consecuencia de la consulta que la Jefatura Nacional había dirigido a la Junta Política el 24 de diciembre. La Junta Política emite un dictamen en el que se considera que «una inhibición electoral o la adopción de una actitud de independencia absoluta»... «sobre ser inconveniente para la Falange»... «al no llevar al Parlamento representación alguna, carece de razón de ser desde el momento en que el frente de izquierdas se ha de componer de fuerzas heterogéneas»... «pero todas encaminadas al logro de una revolución marxista y antinacional, aspiración que justifica la entrada de Falange en el frente de signo contrario».

Queda claro, en estas apreciaciones de la Junta Política, pese a los condicionamientos lógicos que establece para el caso de aparición de la Falange en un frente de tendencia nacional y antimarxista, que ésta estaba decidida a romper «su altivo aislacionismo», impuesto por el punto 27 de su norma programática.

Pero cuando se iniciaron conversaciones exploratorias para conseguir la proporción de escaños imprescindible a que aspiraba Falange, las derechas se cerraron en banda y dejaron a José Antonio y sus seguidores en la más completa intemperie. El Bloque

Nacional, aliado al fin con la C.E.D.A., se convertiría en el Frente Nacional Antirrevolucionario. Nada, pues, tan congruente, como dejar fuera del bloque antirrevolucionario a la Falange. Tal exclusión determinaría en José Antonio la pérdida de su acta de diputado y, consiguientemente, su encarcelamiento y su muerte. Pero dado el desarrollo que seguirían los acontecimientos, el acta de diputado sería bien poca cosa a la hora de esperar en ella alguna garantía.

Consciente de que «en unas semanas puede iniciarse un auge insólito o una terrible temporada de depresión para nuestro Movimiento», José Antonio reclama de los militantes, desde las páginas de «Arriba», «la completa confianza» y les pide que «monte cada cual una guardia interior en estos días contra la inclinación al desaliento», en la seguridad de que al confiar en la lealtad de la jefatura, «una temporada peligrosa y oscura desembocará, si los seguís sin titubeo, en un ancho período de esplendor para la Falange, a la que no sujetará ninguna ligadura, ni disminuirá ningún compromiso, ni entorpecerá ninguna confusión, para manifestarse limpia, libre y entera en el cumplimiento de su destino.»

Así será, en efecto. Fracasada toda posibilidad de entendimiento electoral, Falange decide acudir a los comicios de febrero, en orgullosa independencia. Van a ser días febriles, acosados por el tiempo y las dificultades. José Antonio saltará de un lado a otro de la geografía, velará por la disciplina del Movimiento, cuidará que los ardorosos e ingenuos militantes no caigan en la tentación permanente con que los acosan las derechas, lanzará circulares e instrucciones a los mandos territoriales y provinciales, redactará manifiestos y hojas volantes y cuidará contactos imprescindibles con quienes están resueltos a acudir a la última «ratio» para impedir la desmembración nacional y el marxismo.

Así, habla en Avila el día 11 de enero; en Cáceres, el 19, y el 26 en Zaragoza. Y ese mismo día, después de agotador viaje, expone uno de sus discursos más audaces y revolucionarios en el teatro Pereda, de Santander. Desde la capital de la Montaña sigue a Oviedo y desde allí, salta a Jaén.

En la ciudad de Santa Teresa, explica: «En la propaganda electoral, no hacen los partidos llamados de orden otra cosa que presentar a los ojos de los españoles el fantasma del comunismo. Nosotros somos también anticomunistas, pero no porque nos arredre la transformación de un orden económico en que hay tantos desheredados, sino porque el comunismo es la negación del sentido occidental, cristiano y español de la existencia.» Y culmina, después de exponer los males de España: «Para hacer una España donde no acontezcan estas cosas queremos nuestra revolución nacional, no para perpetuar contra la amenaza comunista una vida mediocre.»

En Cáceres, más extensamente, desmenuza el fracaso cedista del bienio estúpido y reclama:

«Queremos el orgullo recobrado de una Patria descargada de chafarrinones zarzueleros: exacta, emprendedora, armoniosa, indivisible; unidad de destino superior a las pugnas entre los partidos, los individuos, las clases y las tierras distintas»... «La gran tarea de nuestra generación consiste en desmontar el sistema capitalista, cuyas últimas consecuencias fatales son la acumulación del capital en grandes empresas y la proletarización de las masas.»

En Zaragoza, José Antonio rinde cuentas sobre la proximidad de la contienda electoral y dice:

«Nosotros no podemos desentendernos de esa lucha, porque la Falange, como todo movimiento que aspira a triunfar, no puede eludir los combates en ningún terreno; ha de ir ganando, paso a paso, todas las posiciones»...

Es aquí, en la capital de Aragón, en la que tan pujante es el sindicalismo anarquista, donde José Antonio manifiesta hacer suya una teoría económica de Marx que ha escandalizado y escandaliza todavía, a no pocos sectores conservadores y reaccionarios. Dice así José Antonio:

«En el orden sindical, nosotros aspiramos a que la plusvalía, como dijo Marx, sea para los productores, para los directores y para los obreros.»

El discurso que pronuncia en Santander tiene también acento económico y social:

«Falange sabe que no le es lícito estar ausente de la contienda electoral, como de ninguna coyuntura. La lucha va a plantearse entre dos grandes fuerzas: la de la civilización occidental, cristiana, y un sentimiento ruso, asiático, que insiste en venir a desplazarla»...

«Falange irá sola donde debe ir... Falange quiere desarticular el régimen capitalista para que sus beneficios queden en favor de los productores, con objeto de que éstos, además, no tengan que acudir al banquero, sino que ellos mismos, en virtud de la organización nacionalsindicalista, puedan suministrarse gratuitamente los signos de crédito»...

«Si la Falange llega al Poder, a los quince días será nacionalizado el servicio de crédito, acometiéndose inmediatamente el problema agrario»...

Termina vibrante: «Daremos a España justicia. El que ejerce el Poder por audacia o por vanidad no puede ser rígido. Son débiles y crueles. El Estado interino, flojo, es siempre débil y cruel. La España del pan para el obrero y la justicia para todos sí que merece todos los sacrificios. Con diputados, sin diputados o contra los diputados, la tendremos.»

Juan Velarde Fuertes, a quien ya he citado anteriormente, ha enjuiciado críticamente la postura económica de José Antonio, aplicándola dos tipos de baremos: el social y el económico. Bajo esa doble óptica, Velarde afirma, basándose, además, en tendencias doctrinales de sociólogos y economistas españoles y extranjeros, que «en conjunto esta política anticapitalista de José Antonio es totalmente análoga a la que intentan hoy día numerosos tratadistas de política económica».

Y al analizar la exigencia que hace José Antonio de la nacionalización de la Banca, poniéndola como condición «sine qua non» para sentirse falangista, concluye también Velarde Fuertes, con la autoridad que respalda su condición de investigador y catedrático de Economía:

«Como resumen, puede afirmarse que la nacionalización del servicio de crédito cae dentro de la ortodoxia falangista y de la ortodoxia económica. La única razón de que no sea conveniente implantarla se encuentra en motivos de momento, pero que no repercuten nada en la tendencia general en pro de la estatificación.»

El 7 de octubre de 1972, a propósito de la publicación de los resultados económicos de la Organización Sindical Española, traducidos en un gasto total de 10.140 millones de pesetas y un superávit de 317 millones, publiqué en el diario «El Alcázar», dirigido por mí, un artículo titulado «Razones para una Banca Sindical» que causó cierto revuelo en los ámbitos oficiales y fue objeto de atención y debate en un Consejo de Ministros.

El texto era largo y atendía a varios frentes de inquietud económica, social y política, que sería excesivo reproducir aquí. Sí me parece oportuno, no obstante, exponer que, en resumen, su tesis esencial era esta:

a) La potencia económica sindical y, consecuentemente, su influencia social y política, nacía de la vigencia de una unidad sindical que es meta y objetivo en las aspiraciones de todos los movimientos sindicales del mundo occidental.

b) Que tal potencia económica debía utilizarse en desplegar una estrategia común a obreros y empresarios, cara a la futura integración española en el Mercado Común.

c) Que la necesaria reforma estructural y tecnológica de la empresa debía contemplar, igualmente, el establecimiento de nuevas bases jurídicas, económicas y sociales en la relación capital-trabajo, para que, con provecho de una mayor y eficaz producción de bienes económicos, los elementos humanos que forman el factor trabajo participasen en la responsabilidad de la gestión, de la propiedad y de los beneficios, en justo equilibrio con el capital.

d) Para establecer las condiciones financieras más convenientes, debía crearse una Banca Sindical que administrase y movilizase los grandes recursos sindicales y de Mutualidades Laborales en favor de que, de acuerdo con el pensamiento de José Antonio, los Sindicatos contasen con sus propios medios de crédito.

e) Quienes sistemáticamente se oponían —y oponen— a la aplicación del punto 14 de la norma programática de Falange: «Defendemos la tendencia a la nacionalización del servicio de Banca» ¿qué argumentos de razón podrán enarbolar para resistirse a la creación de una Banca Sindical?

f) Y, finalmente, en apoyo del anterior argumento, se volvía a preguntar: «¿Hay algo más razonable que el que los Sindicatos, a través de su propia Banca, aspiren a administrar financieramente tanto sus fondos patrimoniales —que ascienden a cerca de 58.000 millones de pesetas— como el caudal inmenso que suponen los fondos de la Seguridad Social, producto del común ahorro social de empresarios y trabajadores encuadrados en los Sindicatos?»

«Parece evidente —concluía el artículo— que los mentores de la "libre" competencia, protestantes sistemáticos del intervencionismo estatal, nada tendrán que argumentar, sin caer en flagrante contradicción, contra la aspiración sindical de participar también, en libre competencia, *como elemento de equilibrio y con finalidad socio-económica en la gestión del negocio crediticio.»*

Naturalmente, después del revuelo que el artículo armó, y que venía a apoyar, indirectamente, una proposición hecha por el Consejo Nacional de Trabajadores, la cosa quedó en nada. Y como se ha visto tras el advenimiento de la democracia, la disolución de la Organización Sindical y la vuelta al sindicalismo clasista y atomizado, aleja, al menos de momento, la posibilidad de combatir el alto grado de monopolio ejercido por las empresas bancarias en la economía nacional, según denuncia reiterada y sistemática de brillantes economistas, entre otros, el propio Juan Velarde.

Para abundar en la universalidad de la tesis expuesta por José Antonio con admirable oportunidad, acompaña unas notas marginales en las que la idea de nacionalización bancaria aparece defendida por Tautcher, Perón, Cavour, el reverendo Bruno Ibeas y Lenin. Resulta ilustrativo reproducir lo que estos dos personajes, tan opuestos, afirman sobre el tema:

Lenin dice:

«Hablar de una reglamentación de la vida económica y eludir el problema de la nacionalización de los Bancos significa una de dos cosas: o hacer gala de una total ignorancia o engañar al "pueblo sencillo" con frases altisonantes y promesas charlatanescas que de antemano se sabe que no se han de cumplir.»

Y el padre Ibeas, por su parte, postula:

«Se hace, por eso, absolutamente necesario la creación de un monopolio estatal que acabe para siempre la preponderancia financiera de los grandes Bancos.»

Un gran acontecimiento, superior incluso a los del cine Madrid, va a protagonizar la Falange al comenzar el mes de febrero. En forma prácticamente simultánea, los cines Padilla y Europa, de Madrid, van a ser escenario de uno de los mítines más impresionantes vividos por la Falange. El cine Padilla estaba ubicado en pleno barrio de Salamanca, en el solar que hoy ocupan las instalaciones del Instituto Nacional de Industria, y era un cine popular y de gran aforo, en el que se habían celebrado ya diversos actos de propaganda política no falangista. Y el cine Europa, enclavado en plena barriada del Estrecho, a mitad de camino entre Cuatro Caminos y Tetuán, había sido, apenas hacía un mes, ágora de una concentración del Frente Popular en la que Largo Caballero había dicho:

«Iremos todos juntos a presentar la batalla al enemigo... Vamos a la lucha en coalición con los republicanos con un programa que no nos satisface... Los problemas sociales no pueden ser resueltos en los regímenes capitalistas... Tenemos la obligación de ir decididamente a la lucha. No desmayéis porque en el programa electoral pactado con fuerzas afines no veais puntos esenciales... La clase trabajadora sabrá aprovechar el momento más oportuno para imponer la victoria»...

Un mitin en el cine Europa representaba en este clima de lucha de 1936, un desafío a los marxistas. Y como tal se planteó. La Falange, que contaba en sus filas con elementos proletarios de primer rango no sólo no tiene miedo físico a medir su fuerza de choque con socialistas y comunistas, sino que no tiene miedo, tampoco —y esto es lo más importante— a retarle en el campo de la confrontación ideológica revolucionaria.

En el cine Padilla hace acto de presencia José Antonio solamente para explicar y pedir benevolencia por hablar a todos desde el cine Europa, merced a un sistema de altavoces, previamente conectado, en donde la técnica se aplica, acaso por vez primera, en circuito cerrado radiofónico que fue una audaz innovación en los usos de la propaganda política de entonces. En el cine Europa, después de hablar Fernández Cuesta, Rafael Sánchez Mazas y Julio Ruiz de Alda, José Antonio desarrolla, si no el último de sus discursos, sí el más relevante de su campaña electoral.

La importancia del discurso del Jefe de la Falange en el cine Europa es clave en la comprensión del proceso evolutivo que ha seguido el pensamiento de José Antonio desde los ya lejanos días de 1933. No sólo por la claridad de visión de que hace gala acerca del signo que van a tomar los acontecimientos inmediatos, sino porque en él formula precisiones que concretan y completan el perfil de su pensamiento político, haciendo inviable su alineación con género alguno de pretensión reaccionaria.

«Si la revolución socialista no fuera otra cosa que la implantación de un nuevo orden en lo económico, no nos asustaríamos. Lo que pasa es que la revolución socialista es algo mucho más profundo. Es el triunfo de un sentido materialista de la vida y de la Historia; es la sustitución violenta de la religión por la irreligiosidad; la sustitución de la Patria por la clase cerrada y rencorosa; la agrupación de los hombres por clases dentro de la Patria común a todos ellos; es la sustitución de la libertad individual por la sujeción férrea de un Estado que no sólo regula nuestro trabajo, como un hormiguero, sino que regula también, implacablemente, nuestro descanso. Es todo esto.»

De hasta qué punto asiste una razón moral a José Antonio; de qué modo coincide su apreciación política con consideraciones espirituales de la más profunda raíz cristiana, puede servir como muestra este comentario extraído por Juan Velarde de un artículo publicado en «L'Osservatore Romano»:

«Si nos fundamos en esta justa doctrina de destino universal veremos cómo el comunismo –considerado únicamente como sistema económico, con exclusión de su filosofía– está menos distante de la moral cristiana que el capitalismo. Sólo es más opuesto por el hecho de proclamar y profesar el ateísmo, factor que, incrustado, por decirlo así, en la doctrina comunista, prostituye y modifica el origen y el contenido económico de su pensamiento y de su función histórica, de evidente influencia en la humanidad, sean cuales fueren sus intrínsecos errores.»

¿Se comprende así que José Antonio insista en decir que «si la revolución socialista no fuera otra cosa que la implantación de un nuevo orden en lo económico, no nos asustaríamos»? ¿Se comprende su reiteración en señalar la justicia del nacimiento del socialismo? ¿Se comprende su insistencia en la necesidad de desmontar el régimen capitalista que conduce inexorablemente al marxismo? ¿Se comprende que sea partidario de un sistema sindicalista de participación y no solamente reivindicativo?

Difícilmente se puede ser más explícito en una circunstancia tan dramática, como lo es José Antonio en el cine Europa, cuando el serlo conllevará irremediablemente la retirada de no pocos votos:

«El capitalismo liberal desemboca, necesariamente, en el comunismo. No hay más que una manera, profunda y sincera, de evitar que el comunismo llegue: tener el valor de desmontar el capitalismo, desmontarlo por aquellos mismos a quienes favorece, si es que de veras quieren evitar que la revolución comunista se lleve por delante los valores religiosos, espirituales y nacionales de la tradición. Si lo quieren, que nos ayuden a desmontar el capitalismo, a implantar el orden nuevo.

»Esto no es sólo una tarea económica; esto es una alta tarea moral. Hay que devolver a los hombres su contenido económico para que vuelvan a llenarse de sustancia sus unidades morales, su familia, su gremio, su Municipio; hay que hacer que la vida humana se haga otra vez apretada y segura, como fue en otros tiempos; y para esta gran tarea económica y moral, para esta gran tarea, en España estamos en las mejores condiciones»... «La nación que da la primera con las palabras de los nuevos tiempos es la que se coloca a la cabeza del mundo. He aquí por dónde, si queremos, podemos hacer que a la cabeza del mundo se coloque otra vez nuestra España. ¡Y decidme si eso no vale más que ganar unas elecciones, que salvarnos momentáneamente del miedo!»...

«... Ahora, mucho "no pasarán", "Moscú no pasará", "el separatismo no pasará". Cuando hubo que decir en la calle que no pasarían, cuando para que no pasaran tuvieron que encontrarse con pechos humanos, resultó que esos pechos llevaban siempre flechas rojas bordadas sobre las camisas azules.»

«Y por último, ¿qué se creen que es la revolución, qué se creen que es el comunismo estos que dicen que acudamos todos a votar sus candidaturas para que el comunismo no pase? ¿Quiénes les han dicho que la revolución se gana con candidaturas? Aunque triunfaran en España todas las candidaturas socialistas, vosotros, padres españoles, a cuyas hijas van a decir que el pudor es un prejuicio burgués; vosotros, militares españoles, a quienes van a decir que la Patria no existe, que vais a ver a vuestros soldados en indisciplina; vosotros, religiosos católicos españoles, que vais a ver convertidas las iglesias en museos de los sin Dios; vosotros, ¿acataríais el resultado electoral? Pues la Falange tampoco; la Falange no acataría el resultado electoral. Votad sin temor; no os asustéis de esos augurios. Si el resultado de los escrutinios es contrario, peligrosamente contrario a los eternos destinos de España, la Falange relegará con sus fuerzas las actas de escrutinio al último lugar del menosprecio. Si, triunfantes o vencidos, quieren otra vez los enemigos de España, los representantes de un sentido material que a España contradice, asaltar el Poder, entonces otra vez la Falange, sin fanfarronadas, pero sin desmayo, estaría en su puesto como hace dos años, como hace un año, como ayer, como siempre.»

No es difícil imaginar cómo cayó aquel discurso, cuyo final contempló el entusiasmo de la multitud de asistentes a los dos cines, saludando brazo en alto y cantando, por vez primera, el «Cara al Sol», himno que, calle de Bravo Murillo abajo, en manifestación, entonarían los falangistas del cine Europa como un desafío en uno de los barrios de Madrid más dominados por socialistas y comunistas.

La versión más completa sobre el nacimiento del himno de la Falange la proporciona Francisco Bravo en su libro «José Antonio: el hombre, el jefe, el camarada».

Desde los primeros tiempos, tanto jonsistas como falangistas expresaron su fervor a través de diversos himnos y canciones, cuyas letras reflejaban, lógicamente, sus ilusiones e ideales. Quizás el himno más antiguo de todos es el titulado «Juventudes de vida española», correspondiente a las J.O.N.S., en el que se condensa la fuerza que impulsaba el corazón de aquellas ardorosas juventudes. En sus estrofas hay una decidida crítica del mundo que les había tocado vivir y un radical rechazo de cuanto había llevado a España al hundimiento y la decadencia. Quizá las más expresivas sean estas:

...«Juventudes de vida española
y de muerte española, también,
ha llegado otra vez la fortuna
de arriesgarse a morir o vencer.
Contra el mundo cobarde y avaro,
sin Justicia, belleza ni Dios,
impongamos nosotros la garra
del Imperio solar español.
No más Reyes de estirpe extranjera
ni más hombres sin pan que comer
el trabajo será para todos
un derecho más bien que un deber»...

Por otra parte, conforme crecía el movimiento falangista se fueron adaptando diversas letras a conocidas y populares músicas de himnos y canciones, generalmente fascistas y alemanas.

Pero, como cuenta Francisco Bravo, había muchas canciones pero faltaba «el himno». Este sería, para siempre, el «Cara al Sol» que es por la belleza de sus estrofas, cargadas de fe, de amor y de esperanza, un canto a la resurrección de España.

Francisco Bravo cuenta así su génesis:

«El himno de Falange nació el 3 de diciembre de 1935, en la Cueva del Orkompon, bar vasco de la calle de Miguel Moya, en Madrid. La música (de Juan Tellería) ya estaba compuesta precisamente. La letra, es decir, las estrofas aladas que tantos camaradas cantaron después, frente al riesgo y a la muerte, la hicieron José Antonio, José María Alfaro, Agustín de Foxá, Mourlane Michelena y Dionisio Ridruejo. Guardaban la puerta, para que los poetas no desertasen, dos hombres de guerra: Agustín Aznar y Luis Aguilar. Hizo de crítico Rafael Sánchez Mazas.

La decisión de José Antonio se produjo en casa de Marichu de la Mora, al día siguiente del estreno en la capital de España de la famosa película ''La Bandera'', estando allí Sánchez Mazas, Ridruejo y Alfaro.

''Os espero mañana por la noche en la Cueva del Or-kompon. Irá el músico. Si falta alguno, mandaré que se le administre ricino.''

Y, efectivamente, los ya nombrados, obedientes siempre a José Antonio, se pusieron a la obra.»

Según explica Bravo, la aportación del equipo de poetas fue así:

«Los autores de la primera estrofa fueron Foxá, José Antonio y Alfaro; la segunda estrofa se debe a Foxá, quien aportó también los versos que enlazan las cuatro estrofas de la canción; los dos primeros versos de la tercera estrofa son de Ridruejo, y los otros dos versos, fueron los primeros compuestos por José Antonio. Los versos finales son de Alfaro, de Mourlane, y, como remate, los dos últimos versos, otra vez de Alfaro.

Por tanto, la estructura del himno se debería así a los siguientes poetas:

Foxá, José Antonio y Alfaro	*''Cara al sol, con la camisa nueva que tú bordaste en rojo ayer me hallará la muerte si me lleva y no te vuelvo a ver''.*
Foxá	*''Formaré junto a los compañeros que hacen guardia sobre los luceros impasible el ademán y están presentes en nuestro afán''.*
Foxá	*''Si te dicen que caí me fui al puesto que tengo allí''.*
Ridruejo	*''Volverán banderas victoriosas al paso alegre de la paz''.*
José Antonio	*''Traerán prendidas cinco rosas las flechas de mi haz''.*
Alfaro	*''Volverá a reír la primavera''.*
Pedro Mourlane	*''Que por cielo, tierra y mar se espera''.*
Alfaro	*''¡Arriba escuadras a vencer! Que en España empieza a amanecer''. »*

(Francisco Bravo. «José Antonio: el hombre, el jefe, el camarada», páginas 171 a 178. Ediciones Españolas, 1939.)

Tras el éxito arrollador del doble mitin madrileño, José Antonio se entrega a un fatigoso periplo que le traslada a Sanlúcar de Barrameda, Chipiona y Rota, con regreso a Madrid, desde donde va a Cáceres, Logrosán y Trujillo, y tras dar un salto de quinientos kilómetros, a Gijón. En el gran puerto asturiano, José Antonio se alberga en casa de Cangas, jefe local de la Falange, y en el mitin que se celebra manifiesta su esperanza en que «llegando el momento, hasta los entusiastas muchachos revolucionarios de izquierda vendrán a nutrir sus filas para salvar a España, guiados por la Falange». Desde Gijón, ya de regreso a Madrid, José Antonio aún se detiene en Medina del Campo, en donde la Falange celebraría su último mitin electoral.

En el mitin de Medina del Campo hablaron Onésimo Redondo y José Antonio. No hay referencia de lo dicho, pero es presumible que fuese muy similar a lo expuesto en Gijón. Víctor Fragoso del Toro, en su artículo citado, cuenta una expresiva anécdota, que confirma en cierto modo la certeza del vaticinio hecho en Gijón acerca de la incorporación de jóvenes revolucionarios de izquierda.

« —Oiga, nosotros no tenemos entrada, ¿podríamos entrar?

Quien así se dirigió a mí formaba parte de un grupo de individuos numeroso y compacto, que acababa de presentarse en el zaguán del teatro. El aspecto de cuantos componían el grupo era nada sospechoso, y sus intenciones fáciles de prever. Decimos que no eran sospechosos porque todos ellos mostraban signos externos que les identificaban plenamente: emblemas con la hoz y el martillo o estrellas rojas en la solapa, ejemplares del diario comunista ''Mundo Obrero'' asomando por los bolsillos...

—Esperen un momento, que voy a consultarlo, contesté.

Penetré en el vestíbulo y expuse el caso a Girón. Este, sin el menor recelo, más bien con alegría, respondió:

—Que entren. Les conviene oírlo.

Y allá fueron. En masa, atropelladamente, como lanzándose al asalto de una trinchera, ganaron la escalera para situarse en la entrada general, única localidad que se encontraba vacía.

... Uno de mis camaradas, refiriéndose a los inesperados ''espectadores'' que acababan de llegar, respondió:

—¡Mi madre, la que se va a armar!

... Finalizó el acto. Los guardias civiles que se hallaban apostados en los alrededores del teatro, mosquetón en mano, parecían convencidos de que a la salida se producirían colisiones sangrientas. Era una mezcla muy ''explosiva'' de hombres jóvenes la que allí dentro había. Por eso se mostraron sorprendidos y extrañados al ver salir juntos, revueltos, mezclados —yo diría que hermanados— a los que vestían la camisa azul y a los que ostentaban símbolos marxistas. Rodeando —unos y otros— a José Antonio y Onésimo.»

(Víctor Fragoso del Toro. «Amanecer», de Zaragoza, página 4. Artículo titulado: «El mitin falangista de Medina». 14 de febrero de 1974.)

El 16 de febrero se celebraron las elecciones en toda España y marcaron el triunfo del Frente Popular. Es algo que Falange había previsto. Como ocurriera en 1931 con las elecciones municipales, las autoridades, conforme iban conociendo los resultados de los comicios fueron abandonando sus puestos. Así pasó en varias provincias con los gobernadores civiles y así ocurrió, con idéntica precipitación, en el seno del Gobierno. Confirmado el triunfo de la izquierda, Portela Valladares siente un pánico enfermizo. Socialistas y comunistas organizan manifestaciones en la mañana del día 17 e intentan asaltar la cárcel Modelo para liberar a los presos, pero la fuerza pública dispara y se registra un muerto y cinco heridos. Los manifestantes llegan hasta la Puerta del Sol con intención de penetrar en el edificio de Gobernación. Dentro, Portela se agita nervioso. Ha convocado a José Antonio y, cuando éste acude le amenaza: «Le hago responsable de cualquier violencia que ocurra en la calle.»

Su sectarismo masónico no daba para más.

Aterrado por los desmanes que empiezan a producirse y, sobre todo, por el «nerviosismo» que se refleja en los centros dirigentes de los partidos derrotados y en los cuarteles, Portela exige al Presidente de la República que le releve del Poder. Alcalá Zamora le pide que continúe hasta que se formen las nuevas Cortes. Pero Portela forcejea:

«No conviene prolongar esta situación. Se está creando un ambiente peligroso, y cuando se empieza a decir que el perro rabia, concluye por rabiar.»

Don Niceto suplica. Y el Vizconde consorte —Vizconde «a la Federica» le llamaba todo el mundillo político— grita desencajado al Jefe del Estado:

«El ejercicio de las funciones de Presidente del Consejo de Ministros es voluntario. no obligatorio.»

En la noche del 18, Portela Valladares se entrevista en su despacho con Diego Martínez Barrio, su «hermano» en la Masonería, para pedirle que interceda cerca de Azaña y de don Niceto Alcalá Zamora.

«No debo seguir aquí ni un momento más. Háganse ustedes cargo rápidamente del Poder, porque ya no puedo responder de nada.»

José María Gil Robles confiaría a Stanley G. Payne que, ante los resultados de las elecciones y la amenaza frentepopulista, instó a Franco a que declarase la ley marcial, a lo que el entonces Jefe del Estado Mayor Central se negó.

Esta declaración no coincide con otros testimonios. Ricardo de la Cierva, en su obra tantas veces citada, dice: «Lo característico del episodio militar de febrero se resume en dos circunstancias: los generales prescinden casi por completo de la colaboración del señor Gil Robles, y la dirección efectiva pasa esta vez, junto con la iniciativa de las intervenciones, al General Francisco Franco, a quien el Jefe del Gobierno, Portela, había mantenido en la jefatura del Estado Mayor Central.»

«Franco está a punto de conseguir la declaración del estado de guerra, pero la indecisión de Portela y el veto presidencial abortan el intento. Goded fracasa en sus arengas a la oficialidad del cuartel de la Montaña. Tras el fracaso se reúne con el General Fanjul y el Inspector General Rodríguez del Barrio, quienes por consejo de Franco sondean a las guarniciones, con resultado negativo. Fracasa también Gil Robles en una visita al presidente dimisionario Portela, decidido a entregar el Poder al Frente Popular, sin atenerse a plazos ni reglamentos. Los generales no se arriesgaron a dar el paso definitivo, y tal vez fue la indiferencia y la disciplina de los institutos armados la causa principal de su abstención.»

En su libro de memorias, titulado «Mi vida junto a Franco», el Teniente General Franco Salgado-Araujo confirma lo dicho por Ricardo de la Cierva, y aporta un dato interesante: en Valencia sí fue establecido el «estado de guerra» con todos los formalismos del caso, aunque, posteriormente, «por orden del Ministro del Ejército, General Molero, se volvió a la normalidad y las tropas se retiraban a sus cuarteles». El episodio acaso sugiera al lector una cierta semejanza con lo ocurrido en la noche del 23 F., también en Valencia. La diferencia radica en que, en 1936, tras la vuelta de los soldados a los cuarteles, no fue procesado ninguno de los mandos de la guarnición.

Asimismo, Franco-Salgado comenta: «Al llegar a Madrid, en la mañana del día 18, me dirigí directamente desde la estación al Ministerio de la Guerra. Saludé a Franco, que estaba tranquilo. Me refirió todo lo ocurrido durante mi ausencia y su visita al Ministro del Ejército, señor Molero, el domingo por la tarde, a quien le rogó que en vista de las amenazas de la izquierda y ante las alteraciones del orden en varios sitios de España, se debía declarar el estado de guerra en toda la nación. El ministro le contestó que sin la autorización del Presidente del Gobierno él no daría dicha orden. Para llegar al Jefe del Gobierno tuvo Franco que valerse de un íntimo amigo de los del ex ministro don Natalio Rivas. Esta entrevista se celebró al día siguiente. Al exponerle sus deseos, le contestó Portela que esta medida sería la revolución. Franco le manifestó que si se confirmaban sus temores, estando declarado el estado de guerra habría una fuerza para combatir y vencer para que eso no suceda. Si no se hacía eso, la revolución tendría probabilidades de triunfar. El Vizconde de Brías le dice que ''ya es viejo'' y que no tendría fuerzas para luchar. Siguieron forcejeando el presidente y Franco, pero se veía que el primero tenía ya tomada de antemano una decisión negativa. Al despedirse el vizconde dijo ''que lo consultaría con la almohada''.

También visitó Franco al Director General de la Guardia Civil, señor Núñez de Prado. ''Franco no sacó nada en limpio. Por lo visto los dos tenían cargos elevados en la masonería y carecían de libertad de decisión. Además, el Presidente de la República se opuso a ello y fue quien dio la orden de que se levantase el estado de guerra en los sitios en que se había declarado por orden del Ministro del Ejército, General Molero''.»

(Francisco Franco Salgado-Araujo. «Mi vida junto a Franco», páginas 129 y 130. Editorial Planeta, 1977.)

El día 19, declarada la crisis gubernamental, Alcalá Zamora encargó a Manuel Azaña la formación de un gobierno de Frente Popular.

Todo parecía retornar al 14 de abril de 1931. Incluso los personajes de la farsa. Todo, menos el clima de la calle en donde las masas, calientes después de semanas de agitación y de consignas revolucionarias, y seguras de sí mismas, habían sustituido el grito de «¡Viva la República!» por el de «¡Viva Rusia!», y el Himno de Riego, por la «Internacional».

De la gran fachada de la Puerta del Sol había caído, medio destrozado por la multitud, medio desmontado por los bomberos, el gran retrato del ídolo cedista con su ensoberbecido «slogan»: «Estos son mis poderes.» Pero el ridículo político a que le había arrastrado su egolatría ha trascendido a la Historia. De aquella pretensión: «El Jefe no se equivoca nunca», había pasado a ser «el Jefe que se equivocó».

Cuando después de la entrevista con Portela, José Antonio sale de Gobernación, es interrogado por los periodistas; y la prensa recoge estas impresiones:

«Ha sucedido lo que yo esperaba y lo que no podía menos de suceder después de los dos años de política lamentable que han venido realizando los gobiernos anteriores. Lo único que me extraña es que hayan suprimido ese magnífico cartel que tanto decoraba la Puerta del Sol. Lo han debido dejar y declararlo monumento nacional.»

Se reflejaba la fina ironía de José Antonio. «La Voz», sin embargo, añadió por su cuenta: «Ha debido estar fijo tres días más para que hubiera servido de escarmiento y vergüenza de España, y lo hubieran quemado las multitudes.»

Este mismo periódico publicaba al día siguiente una matización de José Antonio, no menos irónica que su declaración:

«Ya que "La Voz" tiene la amabilidad de referirse anoche a unas palabras mías, le agradeceré me permita precisar con unas pocas más el matiz de lo que dije: Al hablar del enorme retrato del señor Gil Robles en la Puerta del Sol, lo hice con un ligero tono irónico, incompatible con la extensión de deseos de incendio y ejemplaridad multitudinaria. Los que me conocen saben que soy poco inclinado a las invitaciones demasiado solemnes. Aparte de que, en este caso, el tema de la conversación (aquel triste biombo con la cara del que fue "a por los trescientos") no era como para invocar la cólera del Cielo, ni siquiera la de las turbas. ¿No le parece?»

III PARTE

PERSECUCION Y MUERTE

Desde el Frente Popular a la tumba de Alicante

57. Victoria frentepopulista

El triunfo del Frente Popular, pese a la obtención de una mayoría de votos derechistas –algo semejante a lo que aconteció en abril de 1931 con los monárquicos– situó a éstas en minoría de escaños en la composición parlamentaria. Su exceso de confianza, la suficiencia y optimismo de sus predicciones y, sobre todo, el menosprecio de sus adversarios confundiendo los deseos y la propaganda con la realidad, provocaron el derrumbe moral en los partidos de «orden». Las noticias llegadas de provincias y las propias manifestaciones de «entusiasmo frentepopulista» que se produjeron en la capital de España y en otras grandes ciudades como Barcelona y Valencia, no contribuían en nada a levantar el decaído ánimo de los derechistas. Cundió una corriente de pánico superior a la experimentada por el mismo Presidente del Gobierno, Portela Valladares, y este clima acrecentó la sensación de victoria entre el proletariado socialista y comunista.

Un testigo de aquellas jornadas, aunque dudosamente imparcial, el embajador norteamericano, Claude G. Bowers, cuenta en sus memorias «Misión en España»:

«Las reuniones de sociedad fueron canceladas. El Cardenal Tedeschini me telefoneó aplazando la comida, que no había de tener lugar nunca. Gran parte de la nobleza pensó instantáneamente en que habría lucha, como sucedió cuando la caída de la Monarquía. Al día siguiente de las elecciones sólo era posible reservar billete en los trenes para varios días después. Juan March no continuó en sus quehaceres, sino que volvió grupas y huyó. El hotel Rock, en Gibraltar, estaba atestado de nobles y aristócratas españoles, y el órgano monárquico, "ABC", los atacaba duramente acusándoles de falta de patriotismo y de valor. Aquel día el Duque de Montellano vino a verme, sereno y exento de temor. Un amigo le había telefoneado preguntándole qué pensaba hacer con sus hijos, y le contestó que aquel día los tenía a su lado, pero que al día siguiente los mandaría fuera.»

Aunque la observación de Bowers es bastante expresiva de las reacciones habidas tras el triunfo electoral del Frente izquierdista, su relato merece algunas precisiones. El Cardenal Tedeschini, a quien cita, era Nuncio de Su Santidad y había intrigado desde la nunciatura en favor de Gil Robles y su política durante el bienio en que la C.E.D.A. compartió el poder con los radicales.

Respecto al temor manifestado, según Bowers, por la nobleza, yerra el embajador al referirse a una supuesta lucha «como sucedió cuando la caída de la Monarquía», porque, como es sabido, el tránsito de la Monarquía a la República se efectuó sin que se produjera el menor incidente grave y, menos aún, ningún género de lucha. Sí acierta en cambio el embajador norteamericano cuando se refiere a March. El banquero y financiero mallorquín, tal como cuenta su biógrafo Ramón Garriga, «no esperó conocer los resultados concretos de las elecciones; el mismo día 16, por la tarde, se dirigió al extranjero. Se había presentado en Baleares y ganado, naturalmente; sería diputado en las Cortes del Frente Popular. Pero él sabía perfectamente que si esa vez caía en manos del azañismo, difícilmente tendría una solución su problema». Como es sabido, Jaime Carner, que fue Ministro de Hacienda en el Gobierno de Azaña, había dicho en una ocasión: «O la República destruye a Juan March, o Juan March destruirá la República.» Efectivamente, al financiar el Alzamiento en sus primeros pasos, desde el flete del avión «Dragón Rapide» que transportó a Franco desde Canarias a Tetuán, hasta los primeros suministros de armamento, Juan March destruyó la República.

En cuanto a los ataques de «ABC», no estaban respaldados por el ejemplo. Como hemos visto, Juan Ignacio Luca de Tena, su director, ha confesado en su libro «Mis amigos muertos»: «A las pocas semanas de posesionarse del Poder el Frente Popular, le volvieron a meter en la cárcel (a José Antonio) con todos los directivos de la Falange. A mí no me apeteció que me volvieran a encerrar por tercera vez en cinco años y, de polizón, en un aeroplano extranjero, huí a Francia, donde ya había instalado a mi familia.»

Cierto es que las elecciones habían sido a Cortes. E igualmente verdad es que el Gobierno presidido por Azaña sólo integraba en el Gabinete personajes moderados alineados en un republicanismo burgués nada amenazador en su apariencia. Pero en el recuerdo de los dirigentes de la derecha y de no pocos de sus partidarios más destacados quemaban como un cauterio las amenazas de los máximos representantes de la izquierda.

Largo Caballero, que jugaba ya su papel de «Lenin español», había prometido:

«Si algún día varían las cosas, que las derechas no pidan benevolencia a los trabajadores. No volveremos a guardar las vidas de nuestros enemigos, como se hizo el 14 de abril... Si aquéllas no se dejan vencer en las urnas, tendremos que vencerlas por otros medios hasta conseguir que la roja bandera del socialismo ondee en el edificio que vosotros queráis.» Y había remachado sin tapujos:

«Si ganan las derechas, tendremos que ir a la guerra civil.»

Por su parte, Maurín había hablado así a sus seguidores de Tarragona:

«Si los republicanos, después del triunfo, fueran un estorbo, los comunistas pasarán por encima para implantar la revolución social.»

Frente a este clarísimo planteamiento que no emboza con prejuicios electorales ni democráticos su decisión de ir a la revolución, de no tener benevolencia, de ir a la guerra civil, si lo estimaban necesario, las derechas habían confiado su problemático triunfo a los resultados de la elección que suponían habría de ser abrumadora dado el poder carismático del «jefe». Ensoberbecido, Gil Robles había exclamado el 9 de febrero en el curso de uno de sus espejismos de masas:

«Me siento orgulloso del espectáculo. ¿Quién, de derecha o de izquierda, se puede enfrentar con Acción Popular?... Yo dije al marcharme del Ministerio de la Guerra que nosotros volveríamos a los puestos que ocupábamos. Ese momento está muy cerca. Vamos a exigir el Poder... Vamos hacia el triunfo arrollador y aplastante. Hemos sufrido mucho, pero nada nos altera. Acción Popular no va a tener enemigos ya, porque todos caerán delante de ella.»

No le acompañaba a José María Gil Robles el don profético. Tampoco le asistió cuando desplegó toda su capacidad de intriga para tratar de derribar el régimen de

Franco, participando en todas las conjuras; aliándose con Prieto y los socialistas y monárquicos; y participando, finalmente, en el «contubernio» de Munich.

Serrano Suñer cuenta en sus «Memorias» una curiosa entrevista que refleja la enorme soberbia de Gil Robles, incapaz de reconocer un solo error en su desdichada conducta. De ella es autor el escritor Baltasar Porcel y fue publicada en la revista «Destino».

«Estábamos los dos solos y todo iba dedicado a mí —dice Porcel con asombro—. Le pregunté entonces qué haría, qué propugnaría de ofrecérsele de nuevo las fervorosas posibilidades parlamentarias que tanto usó durante la II República Española; lo mismo que hice y propugné entonces, respondió tajante Gil Robles.» «Y entonces —concluye Porcel— yo me levanté y con indiscutible cortesía le deseé los buenos días.»

(Ramón Serrano Suñer. «Memorias», página 35. Editorial Planeta, 1977.)

Objetivamente, hay que constatar que el único político español de aquel tiempo que había predicho con seguridad rotunda el triunfo izquierdista había sido José Antonio. Cuatro meses antes de las elecciones había conjeturado:

«Será inútil buscar precedentes de una torpeza mayor que la lucida por las derechas españolas... Azaña está a la vista... Azaña volverá a tener en sus manos la ocasión cesárea de realizar aun contra los gritos de la masa, el destino revolucionario que le habrá elegido dos veces.»

Por eso mismo, la única fuerza política que encajó con naturalidad el triunfo de la coalición frentepopulista fue la Falange. La Junta Política había sopesado, en profundidad, los acontecimientos que lógicamente derivarían de cada uno de los resultados electorales. Y como su jefe nacional tenía la certeza del triunfo izquierdista y éste se produjo, no hubo dificultad en prever sus consecuencias y tomar las medidas preventivas oportunas.

La primera de ellas fue enviar una circular a todas las jefaturas territoriales, provinciales y locales, en la que el Jefe Nacional declaraba:

«El resultado de la contienda electoral no debe, ni mucho menos, desalentarnos. La Falange luchaba, simplemente, como ya sabéis todos, para aprovechar la magnífica ocasión de propaganda y ejercicios que se le ofrecía. No esperaba obtener puesto alguno... pero le urgía señalar con una clara actitud de independencia su falta de todo compromiso, y aun de toda semejanza, con los partidos de derecha. Esta finalidad ha sido conseguida con creces... hemos podido afirmar, con más limpidez que nunca, la línea inconfundible, nacionalsindicalista, anticapitalista y revolucionaria de nuestro Movimiento... Las derechas, como tales, no pueden llevar a cabo ninguna obra nacional, porque se obstinan en oponerse a toda reforma económica, y con singular empeño a la reforma agraria... En cambio, las izquierdas, hoy reinstaladas en el Poder, cuentan con mucho mayor desembarazo para acometer reformas audaces. Sólo falta saber si sabran afirmar enérgicamente su carácter nacional o si se zafarán a tiempo de las mediatizaciones marxistas y separatistas... Son muchas las dificultades y, por consecuencia, los riesgos de fracaso; pero mientras las fuerzas gobernantes no defrauden el margen de confianza que puede depositarse en ellas, no hay razón alguna para que la Falange se deje ganar por el descontento»...

Como se puede apreciar, la actitud de la Falange no puede ser más serena ni más ecuánime. No obstante, en previsión de un fenómeno que José Antonio percibe como inmediato, alerta a los mandos del Movimiento con instrucciones bien precisas y una advertencia general que dice:

«Una de las consecuencias más previsibles de la nueva situación política es la llegada en masa a nuestras filas de personas procedentes de otros partidos, señaladamente de los de derecha. Este incremento, por una parte apetecible, nos pone en peligro de deformación si permitimos que los nuevos núcleos formados en doctrina y estilo bien diferentes a los nuestros, aneguen nuestros cuadros. Todos los jefes territoriales, provinciales y de las J.O.N.S. cuidarán, ahora más que nunca, de mantener la línea ideológica y política del Movimiento, *en forma de impedir a todo trance su confusión con los grupos de derecha.*

»Para precisión del criterio contenido en los anteriores párrafos, se formulan las siguientes instrucciones concretas:

1.ª Los jefes cuidarán de que por nadie se adopte actitud alguna de hostilidad hacia el nuevo Gobierno ni de solidaridad con las fuerzas derechistas derrotadas. Nuestros centros seguirán presentando el aspecto sereno y alegre de los días normales.

2.ª Nuestros militantes desoirán terminantemente todo requerimiento para tomar parte en conspiraciones, proyectos de golpe de Estado, alianzas de fuerzas de "orden" y demás cosas de análoga naturaleza.

3.ª Se evitará todo incidente, para lo cual nuestros militantes se abstendrán en estos días de toda exhibición innecesaria. Ninguno deberá considerarse obligado a hacer frente a manifestaciones extremistas. Claro está que si alguna de éstas intentara el asalto a nuestros centros o la agresión a nuestros camaradas, unos y otros estarían en la obligación estricta de defenderse con la eficacia y energía que exige el honor de la Falange.

4.ª A los que soliciten el ingreso en nuestras filas y se hallen en situación económica acomodada, se les deberá exigir una cuota de incorporación no inferior a quince pesetas; y

5.ª De ninguna manera se conferirán puestos de mando a los afiliados de nuevo ingreso, en tanto no lleven, por lo menos, cuatro meses en la Falange y hayan acreditado suficientemente completa compenetración con su estilo y doctrina.»

Esta preocupación de José Antonio por mantener la pureza de la Falange no era ociosa. El riesgo mayor para el Movimiento –aún inmaduro– residía en aquellos momentos de apasionamiento en la *deformación de sus ideas y de su estilo.* Este había de ser uno de los motivos de desasosiego de José Antonio cuando, ya encarcelado, piensa si sus camaradas estarán bien o mal dirigidos y si su ímpetu joven será aprovechado para otros fines distintos a los que quiere para la Falange. Esta dolorosa sospecha –que los acontecimientos confirmarían años más tarde– la expresa incluso en su testamento, y le acompaña, mitigada sólo por una leve esperanza, hasta el momento de su muerte.

Efectivamente, tal como prevé, numerosos muchachos procedentes principalmente de las J.A.P. solicitaron el ingreso en la Falange. Algunos se integraron plenamente, compenetrándose con sus directrices doctrinales, su voluntad revolucionaria y sus normas de conducta. Otros, especialmente después del encarcelamiento de los principales mandos falangistas y la desaparición de éstos, llegaron a influir negativamente desde puestos de mando sobre grupos alejados del más directo control de la Vieja Guardia falangista.

En cuanto a la prevención manifestada por José Antonio acerca de «conspiraciones, proyectos de golpe de Estado y alianzas de fuerzas de orden» estaba totalmente justificada.

En marzo de 1934, un grupo de monárquicos de las dos ramas dinásticas, integradas en el T.Y.R.E. (Tradicionalistas y Renovación Española) habían firmado un pacto con el Fascismo italiano, después de una serie de entrevistas celebradas en Roma con Longo, Italo Balbo y el mismo Mussolini. En virtud de este pacto, el Duce se comprometió a una ayuda financiera en material militar y un apoyo inmediato de millón y medio de pesetas en metálico, que se hicieron efectivas.

Al mismo tiempo, conspiraban en el Ejército, en acciones superpuestas: un grupo numeroso de oficiales de la Unión Militar Española (U.M.E.), en el que estaban integrados militares falangistas con los que José Antonio se relacionaba a través del Coronel Tarduchi, después de que la Junta Política reunida en Gredos decidiera establecer contacto; y una junta de generales animada por el inquieto Goded. Esta junta había previsto un golpe militar para la semana siguiente a las elecciones, por lo que no le faltaban razones a Portela Valladares para sentirse alarmado por el «nerviosismo» que había apreciado en los cuarteles y que le llevó a su precipitada dimisión.

Estaban, además, los contactos de José Antonio con Sanjurjo y con Franco. Con el primero –desterrado en Lisboa– las relaciones eran excelentes y afectuosas. Respecto a Franco, la cuestión no está tan clara. Se habían conocido los dos en la boda de Ramón Serrano Suñer con Zita Polo Martínez Valdés, hermana de la mujer de Franco, ceremonia en la que ambos habían sido testigos. Y es conocido que José Antonio envió a Franco una carta en vísperas del golpe socialista de octubre del 34, lo que demuestra una actitud de confianza y reconocimiento de la valía y prestigio del general. Quizá fuese ese sentimiento el que le llevó a José Antonio a solicitar una entrevista personal con Franco en vísperas de las elecciones de febrero, encuentro que se celebró, por mediación de Serrano Suñer, en el domicilio del padre de éste, calle de Ayala, de Madrid.

Fue, al parecer, una conversación no demasiado grata, pues mientras José Antonio manifestó abiertamente su idea de que el Ejército actuase quirúrgicamente, cortando de raíz la amenaza revolucionaria antes de que obtuviese el respaldo electoral, Franco estuvo evasivo y cauteloso, aunque, más tarde, quedase establecido un enlace permanente a través de Juan Yagüe, y, en el caso de las elecciones de Cuenca, con nueva intervención de Serrano Suñer.

> *«Me encargué de organizar el encuentro que se celebró en la calle de Ayala en casa de mi padre y mis hermanos. Fue una entrevista pesada y para mí incómoda. Franco estuvo evasivo, divagatorio y todavía cauteloso. Habló largamente; poco de la situación de España, de la suya y de la disposición del Ejército, y mucho de anécdotas y circunstancias del comandante y del teniente coronel tal, de Valcárcel, Angelito Sanz Vinajeras, ''el Rubito'', Bañares, etcétera..., o del general cual, y luego también de cuestiones de armamento disertando con interminable amplitud sobre las propiedades de un tipo de cañón (creo recordar que francés) y que a su juicio debería de adoptarse aquí. José Antonio quedó muy decepcionado y apenas cerrada la puerta del piso tras la salida de Franco (habíamos tomado la elemental precaución de que entraran y salieran por separado) se deshizo en sarcasmos hasta el punto de dejarme a mí mismo molesto, pues al fin y al cabo era yo quien los había recibido en mi casa. ''Mi padre —comentó José Antonio— con todos sus defectos, con su desorientación política, era otra cosa. Tenía humanidad, decisión y nobleza. Pero estas gentes''...»*
>
> (Ramón Serrano Suñer. «Memorias», página 56. Editorial Planeta, 1977.)

No obstante las observaciones de Serrano, ya hemos visto que Franco acudió al Ministro del Ejército y al Presidente del Gobierno instándoles a la declaración del estado de guerra, apenas se supieron los resultados electorales. Resulta arriesgado conjeturar si le movió o no a ello el recuerdo de la conversación con José Antonio.

Por uno u otro motivo, lo cierto es que José Antonio tuvo en aquellos días un sereno distanciamiento de todo complot improvisado —y en esta actitud coincidía con Franco—, al tiempo que exigía igual conducta a todos sus militantes. Este talante de serenidad queda reflejado tanto en las instrucciones circuladas a las jefaturas territoriales como en el artículo de José Antonio aparecido en el número 33 de «Arriba», fecha 23 de febrero, bajo el título «Aquí está Azaña»:

«Sucedió lo que tenía que suceder... Azaña vive su segunda ocasión. Menos fresca que el 14 de abril, le rodea, sin embargo, una caudalosa esperanza popular. Por otra parte, le cercan dos terribles riesgos: el separatismo y el marxismo. La operación, infinitamente delicada, que Azaña tiene que realizar es esta: ganarse una ancha base nacional, no separatista ni marxista, que le permita en un instante emanciparse de los que hoy, apoyándole, le mediatizan. Es decir: convertirse de caudillo de una facción, injusta como todas las facciones, en el Jefe del Gobierno de España. Esto no quiere decir —¡Dios le libre!— que se convierta en un gobernante conservador: España tiene su revolución pendiente y hay que llevarla a cabo. Pero hay que llevarla a cabo —aquí está el punto decisivo— con el alma ofrecida por entero al destino total de España, no al rencor de ninguna bandería. Si las condiciones de Azaña, que tantas veces antes de ahora hemos calificado de excepcionales, saben dibujar así las características de su gobierno, quizá le aguarde un puesto envidiable en la historia de nuestos días... Nuestra posición en la lucha electoral no da motivos para felicitarnos una y mil veces. Nos hemos salvado a cuerpo limpio del derrumbamiento del barracón derechista. Hemos ido solos a la lucha. Ya se sabe que en régimen electoral mayoritario sólo hay puesto para dos candidaturas; la tercera tiene por inevitable destino el ser laminada. No aspirábamos, pues, y varias veces lo dijimos, a ganar puestos, sino a señalar nuestra posición una vez más. Las derechas casi amenazaron de excomunión a quien nos votara...

»Con todo, lo de los votos es para nosotros lo de menos. Lo importante es esto: España ya no puede eludir el cumplimiento de su revolución nacional. ¿La hará Azaña? ¡Ah, si la hiciera!... Y si no la hace, si se echan encima el furor marxista, desbordando a Azaña, o la recaída en la esterilidad derechoide, entonces ya no habrá más que una solución: la nuestra. Habrá sonado, redonda, gloriosa, madura, la hora de la Falange nacionalsindicalista.»

Pero las esperanzas de José Antonio en un Azaña indesbordable por la presión marxista quedaron pronto defraudadas si es que existían. El día 21 de febrero celebra el Gabinete azañista su primer Consejo de Ministros, presidido por Alcalá Zamora como Jefe de Estado. En él se decide el traslado del jefe del Estado Mayor Central, General Francisco Franco, a la comandancia general de Canarias, y el del Inspector General de la Tercera Inspección del Ejército, General Goded, a la comandancia militar de Baleares. Azaña sentencia: «Los peligrosos deben estar lejos, para librarles de toda tentación.»

La cauta estrategia del Jefe del Gobierno se rompe en la tercera disposición acordada en Consejo. Llevado del temor que siente hacia la potencialidad del Ejército destacado en Africa, Azaña traslada al General Mola desde la zona norte de Marruecos a la capital navarra.

Inconscientemente va a facilitar así los planes conspiratorios. Mola, situado en región tan propicia, se convertirá en el «director» de los planes de alzamiento militar y contará así, en el sosiego de la plaza militar navarra, con tiempo y facilidades para el contacto y la organización en la Península.

Ese mismo día, el Gobierno concede amnistía a los penados y encausados por delitos políticos y sociales, lo que da salida a una riada de presos por los sucesos de octubre y otros que lo eran por delitos comunes.

Antes de marchar a Canarias, Franco se entrevista con Azaña, como Jefe del Gobierno, y es recibido en audiencia por Alcalá Zamora, como Presidente de la República. La conversación con Azaña es sesgada.

Según cuenta Hugh Thomas, Franco dijo:

«Se equivoca al enviarme fuera. En Madrid hubiera podido ser más útil al Ejército y a la paz de España.»

A lo que le replicó Azaña:

«No me atemorizan los acontecimientos. Yo estaba enterado del alzamiento de Sanjurjo, y pude haberlo evitado. Pero preferí dejarlo fracasar.»

¿Estaba enterado Azaña de los planes conspiratorios de la Junta de Generales y de la reunión celebrada el día 8 de marzo en Madrid, a la que Franco asistió?

> *«En los días en que tardamos en incorporarnos a Canarias, el General Franco celebró entrevistas con el General Varela y otros compañeros suyos. También otra en casa del Teniente Coronel Delgado Brakembury a la que acudieron los Generales Orgaz, Villegas, Fanjul, Rodríguez del Barrio, Saliquet, García de la Herrán, Varela, Mola y González Carrasco, y algún que otro que siento no recordar en este momento. Allí se acordó iniciar los preparativos de un movimiento nacional en el caso de que la República siguiera orientada hacia la revolución y el comunismo. Se hizo un recuento de las fuerzas y medios con los que se podía contar y se dieron las instrucciones para mantener el enlace entre los elementos directivos del proyectado movimiento.»*
>
> (Francisco Franco Salgado-Araujo. «Mi vida junto a Franco», página 132. Editorial Planeta, 1977.)

En su diálogo con el Presidente de la República, don Niceto Alcalá Zamora, Franco le advierte de los peligros de una revolución marxista.

Y el Presidente, confiado, le dice:

«Váyase tranquilo, general. Váyase tranquilo. En España no habrá comunismo.»

«De lo que estoy seguro y puedo responder —le replica Franco— es de que, cualesquiera que sean las contingencias que se produzcan aquí, donde yo esté no habrá comunismo.»

El diálogo ha sido tirante en los dos casos.

Y el nexo de disciplina ha quedado prácticamente roto. A partir de aquel momento, Franco ha decidido estar al tanto de los preparativos de un alzamiento militar, estableciendo los enlaces necesarios.

El día 27 de febrero, ocho días después de haber publicado «Arriba» el artículo de José Antonio sobre Azaña, el Gobierno decide la clausura de todos los centros de la Falange. También, el día 5 de marzo, coincidiendo con la publicación del número 34 del semanario, se suspende por orden gubernamental la publicación de «Arriba». En ese número aparecen dos artículos, ambos de José Antonio. Uno es sobre Cataluña y alerta sobre el inminente peligro del separatismo que renace. El otro se titula «Por mal camino» y representa una crítica a la acción del Gobierno, que ha reanudado la satisfacción de sus viejos rencores con detenciones, registros domiciliarios, cierre de los centros falangistas, pese a que funcionan dentro de la ley, así como la masiva despedida de los obreros legalmente colocados a raíz de la huelga general que desembocó en los sucesos de octubre.

58. José Antonio, encarcelado

Nueve días después, exactamente el 14 de marzo, José Antonio y todos los miembros de la Junta Política que pudieron ser aprehendidos, pasan a los calabozos de la Dirección General de Seguridad, en la calle de Víctor Hugo, detenidos bajo la acusación de haber quebrantado los sellos gubernativos con que había sido clausurado el centro de Falange.

Era una excusa fútil, pero suficiente para retener al único hombre que, en aquellos momentos en que se desbordaba la marea marxista, estaba en condiciones de movilizar el entusiasmo y la eficacia de una gran parte de la juventud con sentido nacional. Por tanto, resultaba imprescindible eliminarle.

Al tratar este capítulo, se equivoca doblemente Hugh Thomas, cuando fija la fecha de detención en el 15 de marzo y cuando afirma que fue «como consecuencia de haber colocado una bomba un falangista en el domicilio de Largo Caballero».

Y parece que yerra el citado embajador norteamericano, Claude G. Bowers, al dar como cierta una supuesta conversación previa entre Azaña y José Antonio, en la que el Jefe del Gobierno habría aconsejado al de la Falange que abandonara el país, bajo algún pretexto, hasta que los ánimos se apaciguaran.

Raimundo Fernández Cuesta, en carta dirigida a Ximénez de Sandoval, niega rotundamente que tal entrevista se verificase y la califica de leyenda. Por su parte, el autor de la «Biografía apasionada de José Antonio» sostiene que, cuando ya estaba preso José Antonio, y durante una de sus visitas a la cárcel, le preguntó si había sido verdad aquella conversación, a lo que recibió esta respuesta evasiva: «¿Hubiera sido una cosa extraordinaria?»

Fuese verdad o no, el rumor tomó tal cuerpo, que Bowers lo recoge en su libro, y el diario lisboeta «O'Seculo», lo publicó el 21 de noviembre de 1936, cuando ya había sido fusilado el Fundador de la Falange. Por su parte, el 29 de marzo de 1947, «El Español» —que dirigía Juan Aparicio— publicó un relato omnicomprensivo que recogía la supuesta entrevista con Azaña y las peripecias de la detención e interrogatorios a que fue sometido José Antonio por el Director General de Seguridad, Alonso Mallol.

Según esta versión, Azaña hubiera recibido a José Antonio en el Ministerio de la Gobernación hacia el mediodía del día 13 y la conversación habría discurrido así:

«Le he mandado llamar —comenzó diciendo Azaña— porque hay en ciertos medios el decidido propósito de eliminarle»...

»Usted, señor presidente —hubiera respondido José Antonio en primera persona— es quien ha de procurar por mi seguridad personal, que es la de usted mismo, porque yo, a mi vez, le aviso que existen personas para quienes su cabeza de usted responde de la mía.»

Pese a tal testimonio periodístico, que narra la entrevista como si hubiera sido escrita por José Antonio, entiendo que la verdad está en lo que afirma Raimundo Fernández Cuesta. Además de que en tal narración se comete el error de bulto de considerar a Azaña Presidente de la República, cuando en aquellas fechas sólo lo era del Gobierno, error que de ninguna manera hubiera cometido José Antonio, si hubiera sido suyo el relato.

De ahí, que haya que admitir como cierto que no hubo tal entrevista, aunque sí es probable que la mutua advertencia se verificase a través de emisarios. José Antonio ni afirmó ni negó la posibilidad a Ximénez de Sandoval. Pero Azaña tampoco hace mención de ella en sus memorias, cosa que sin duda hubiera hecho de haber sido cierto el suceso.

En su libro «Los procesos de José Antonio», Agustín del Río Cisneros y Enrique Pavón Pereyra recogen el relato de «El Español» como testimonio documental en uno de los apéndices. Creo que es un error que debería haberse corregido en ediciones posteriores, pues introduce en la historia de la Falange y en la biografía de José Antonio un documento dudoso cuando menos –seguramente falso–, que contribuye más a la mitificación deformante que a la verdad histórica.

Hugh Thomas y Ximénez de Sandoval sí garantizan, en cambio, la certeza de que igual proposición le fue hecha a José Antonio por Eduardo Aunós, que había sido ministro con don Miguel Primo de Rivera. A la insinuación de Aunós, que le aconsejaba marchar a Portugal, contestó José Antonio:

«Ni pensarlo. La Falange no es un partido de conspiradores al viejo estilo, con sus dirigentes en el extranjero.»

Era un gesto gallardo, muy propio de su temperamento.

La detención de José Antonio fue noticia sonada que corrió en Madrid como un reguero de pólvora, provocando una oleada de solidaridad que se haría tangible en multitud de visitas tan pronto como fue trasladado a la cárcel Modelo, ya que la incomunicación a que fue sometido en los calabozos de la Dirección General de Seguridad sólo fue rota por abogados como don Antonio Goicoechea, Salgado y Melquíades Alvarez, quien era entonces decano del Colegio de Abogados de Madrid, así como por los diputados Calvo Sotelo, Gamazo y algunos otros.

Con evidente gracia, Ximénez de Sandoval describe en su libro los detalles de los interrogatorios a que fue sometido en la Dirección General de Seguridad, en un intento por hacerle declarar quién había roto los sellos puestos en el centro clausurado. Según esta versión, al cuarto interrogatorio, hecho personalmente por el Director General Alonso Mallol, y en un momento ya de irritación, José Antonio habría contestado:

«Lo sé y se lo voy a decir. Pero necesito más gentes como testigos de mi declaración.»

Cuando el despacho se puebla de funcionarios, Alonso Mallol dice:

«El señor Primo de Rivera quiere hacer una declaración importante y desea el mayor número posible de testigos. Todos ustedes van a serlo.»

Y cuando el director general repite la pregunta, a instancias del detenido, éste, imperturbable, contesta:

«Los sellos que la llamada autoridad de la República ordenó poner en el centro de la Falange Española de las J.O.N.S., arbitrariamente clausurada, los quebrantó el señor Director General de Seguridad de la República con sus cuernos.»

Pálido, Mallol no reacciona. Y con un hilo de voz invoca:

«Señores son ustedes testigos de que el señor Primo de Rivera ha desacatado a la autoridad y ha menospreciado a la República. Pueden retirarse. Y ustedes, conduzcan al detenido al calabozo.»

Aunque el suceso resulta jocoso, parece que la realidad lo fue menos. Tal interrogatorio no se produjo. Durante su estancia en los sótanos de Seguridad, José Antonio recibió la visita, ya citada, de don Antonio Goicoechea y fue a este dirigente monárquico a quien confió lo de los cuernos de Mallol. Alguno de los vigilantes oyó la referencia y fue con la información al director, iniciándosele a José Antonio un proceso por esta causa.

De que fue cierta la alusión no cabe la menor duda, porque se verificó el proceso y durante el juicio se defendió José Antonio ante el Tribunal de Urgencia haciendo uso de toda clase de citas eruditas, religiosas, históricas y mitológicas, que demostraban que aquella expresión no podía ser injuriosa, porque los cuernos eran signo de poder y sólo en sentido ditirámbico había aludido al Director General de Seguridad. En la búsqueda de citas le ayudaron sus camaradas encarcelados con verdadera fruición.

Los asistentes a la vista, que fue pública no podían contener la risa, y a duras penas los propios magistrados. Lo que no impidió que le sentenciaran a dos meses y un día de cárcel, contra la que recurrió ante el Supremo, que anularía lo decidido, en vista sustanciada el 7 de mayo. Cuando el veredicto del Tribunal de Urgencia fue leído, Dolores Primo de Rivera, prima de José Antonio y futura esposa de Agustín Aznar, se levantó e insultó a los magistrados que componían la sala. Fue detenida, encarcelada, procesada y absuelta. «Se armó un cisco morrocotudo», confesó José Antonio, quien días después gozaba recordando la humorada de su defensa.

La misma noche de su detención, José Antonio redactó un manifiesto en el que dice:

«Como anunció la Falange antes de las elecciones, la lucha ya no está planteada entre derechas e izquierdas turnantes... Hoy están frente a frente dos concepciones totales del mundo; cualquiera que venza interrumpirá definitivamente el turno acostumbrado; o vence la concepción espiritual, occidental, cristiana, española de la existencia, con cuanto supone de servicio y sacrificio, pero con todo lo que concede de dignidad individual y de decoro patrio, o vence la concepción materialista rusa de la existencia, que, sobre someter a los españoles al yugo feroz de un ejército rojo y de una implacable Policía, disgregará a España en repúblicas locales –Cataluña, Vasconia, Galicia– mediatizadas por Rusia.»

«Rusia, a través del Partido Comunista, que rige con sus consignas y con su oro, ha sido la verdadera promotora del Frente Popular español. Rusia ha ganado las elecciones. Sus diputados son sólo quince, pero los gritos, los saludos, las manifestaciones callejeras, los colores y distintivos predominantes son típicamente comunistas»...

Continúa el manifiesto con un análisis de la labor del Gobierno, que en un mes escaso de vida arroja un balance estremecedor de despido de obreros, vejaciones ciudadanas, desastre económico y desorden público, y termina diciendo:

«... En la propaganda electoral se dijo que la Falange no aceptaría, aunque pareciera sancionarlo el sufragio, el triunfo de lo que representa la destrucción de España. Ahora que eso ha triunfado, ahora que está el Poder en las manos ineptas de unos cuantos enfermos, capaces, por rencor, de entregar la Patria entera a la disolución y a las llamas, la Falange cumple su promesa y os convoca a todos –estudiantes, intelectuales, obreros, militares, españoles– para una empresa peligrosa y gozosa de reconquista. ¡Arriba España!»

El original de este manifiesto se filtró desde los calabozos a través de uno de los visitantes, fue impreso y repartido profusamente por Madrid y algunas provincias.

Y como consecuencia, le fue incoado a José Antonio un sumario por «violación de la Ley de Imprenta». Condenado a dos meses y un día de arresto mayor, y apelada la sentencia, la Sala Segunda del Tribunal Supremo revocó el fallo estimando el recurso de José Antonio y declarándole absuelto. Ocurría esto el 19 de mayo. Pero para evitar la libertad del Jefe de la Falange, ya se había urdido, por aquel entonces, un nuevo proceso que le mantenía a José Antonio encarcelado.

Trasladado a la cárcel Modelo el día 16 de marzo, ocupa José Antonio la misma celda que había albergado a Largo Caballero. Allí, adaptado al régimen penitenciario, organiza la vida de sus camaradas de cautiverio. Hacen deporte, preferentemente fútbol y ajedrez; reciben numerosas visitas y mantienen reuniones y seminarios de estudio.

En respuesta a una nota oficiosa difundida desde la Dirección General de Seguridad, publica el diario «La Epoca» una nota enviada por José Antonio el 19 de marzo:

«Como la noticia de haber sido suspendido el funcionamiento de Falange Española pudiera llevar el desaliento a los militantes mal informados, el jefe nacional y miembros de la Junta Política, presos en la cárcel de Madrid, les hacen saber por medio de la presente nota:

Primero. Que esa suspensión es sólo una medida provisional adoptada por el juez instructor y quedará sin efecto tan pronto como la Audiencia de Madrid, en el juicio oral que se verá en breve, sentencie como es de justicia y de toda probabilidad el carácter legal de la asociación.

Segundo. Que los afiliados de todas partes deben mantenerse serenos y confiados en la Justicia.»

Como consecuencia del encarcelamiento de los miembros de la Junta Política —entre ellos Fernández Cuesta—, el jefe nacional del S.E.U., Alejandro Salazar, ocupó interinamente la Secretaría General lanzando dos circulares, si bien José Antonio, desde la cárcel, seguía siendo el cerebro motor del Movimiento. La Modelo madrileña se convierte así en cuartel general al que acuden no sólo los militantes en busca de información y normas, sino los más variados personajes de la política española, hasta el punto de que, por no recibir a uno de ellos que le era nada grato, José Antonio, con su especial sentido del humor, dice al camarada que le anuncia la inapetecida visita:

«Dile que no estoy.»

59. La Falange, en la clandestinidad

El día 20, envía desde la cárcel una circular reservada para los mandos, en la que ordena:

«Primero.—Se procederá a la organización clandestina, conforme el sistema celular, de la Falange.

Segundo.—La sustitución inmediata de los jefes presos, apelando a la base, conforme al sistema de renovación de las J.O.N.S.

Tercero.—La revisión, uno por uno, de los elementos y la movilización de toda la Falange.

Cuarto.—El encuadramiento por distritos, zonas, sectores, localidades y J.O.N.S.

Quinto.—La reorganización de la primera línea.

Sexto.—La incorporación del S.E.U. a la Milicia y su encuadramiento en la primera línea.

Séptimo.—Pasar a la ofensiva.

Octavo.—Procurar armas y medios de transporte.»

Con los primeros días de abril va a producirse el anunciado asalto de los socialistas al Poder. Habían quedado constituidas las Cortes el día 3. Y el 7, la mayoría socialista presenta una moción proponiendo el examen de la necesidad de la segunda disolución de las Cortes, que conllevaba, en caso de opinión desfavorable de la mayoría, la destitución del Presidente de la República.

Tal moción deja anonadado al viejo don Niceto. Como estaba previsto, la votación es mayoritariamente adversa al Jefe del Estado, que es víctima de la conspiración socialista y de la Constitución que él mismo había patrocinado. Le sustituye, a título provisional, Diego Martínez Barrio, que fue el personaje que más altos cargos ejerció en la República, siempre a título provisional.

«Había sido un terrible error destituir a don Niceto. Un error explicable por la actitud del mismo frente al Gobierno, pero funesto y suicida para la República»...

(Claudio Sánchez Albornoz. «Anecdotario político», página 190. Editorial Planeta.)

El día 14 de abril, con ocasión de la conmemoración republicana y durante el desfile organizado ante el Presidente interino, con asistencia del Gobierno y del Cuerpo Diplomático, estalla una traca detrás de la tribuna presidencial y cunde el pánico. Cuando se repone el orden y se recupera la calma, al desfilar la Guardia Civil, los grupos socialistas que flanquean el paseo de Recoletos abuchean e insultan a la Benemérita. Y cuando sale en defensa del Instituto un alférez, es muerto a tiros allí mismo.

Aquel incidente sería fuente de toda una cadena de sucesos violentos. Durante el entierro del Alférez Reyes, desde el cuartel de la Guardia Civil situado en los altos del Hipódromo —hoy zona del Museo de Ciencias Naturales— hasta el cementerio de la Almudena, se producen frecuentes y cruentos tiroteos. Acompañan al cadáver, que va en hombros de sus compañeros, numerosos militares y civiles. En diversos lugares del trayecto la comitiva, acosada a tiros, ha de depositar en tierra el féretro y contestar, pistola en mano, a las agresiones.

En una de esas refriegas, cae muerto Andrés Sáenz de Heredia, primo de José Antonio, que acompaña a la comitiva fúnebre. Cuando el féretro y sus acompañantes llegan a la plaza de Manuel Becerra, una compañía de Guardias de Asalto obliga a disolverse a los manifestantes, que allí se habían despedido del duelo. Como consecuencia de la acción de las fuerzas gubernativas, vuelven a producirse altercados violentos. El Teniente Castillo, que manda una de las secciones de Asalto, y que es de filiación socialista, instructor militar de sus Juventudes, descerraja un tiro a quemarropa sobre un joven tradicionalista llamado Llaguno, que queda malherido. Y en el tiroteo cae muerto el falangista Manuel Rodríguez Gimeno.

El clima de guerra civil es ya en la calle algo más que una mera expresión literaria. El enfrentamiento entre españoles se percibe como un proceso irreversible en el que convergen pasiones políticas de incomprensión interior, pero también una abierta confabulación exterior en la que juegan papel importante los agentes de la Internacional Comunista.

Hugh Thomas, nada dudoso de su proclividad por la izquierda, registra que desde el triunfo del Frente Popular pasaron por España Primakiov, Neumann, Lunacharski, «Ventura», Mamoviov, Ziurochov, Thorez, Erno Gerö, Ilya Ehremburg y una larga relación que alcanza la cifra de hasta sesenta y tres personas ligadas al Komintern. Y el mismo autor recoge el testimonio de Araquistain, cuñado de Alvarez del Vayo, quien aseguraba haber visto numerosas veces a Vittorio Codovila en casa de Alvarez del Vayo.

En tanto la calle vive un permanente estado de tensión, el Parlamento reanuda sus sesiones el mismo día en que se entierra al Alférez Reyes. En la sesión de apertura, Azaña, que se perfila como futuro Presidente de la República, pronuncia un discurso contemporizador que replica Calvo Sotelo con un balance expresivo de desórdenes, asaltos e incendios. Refuerza esta intervención José María Gil Robles y se desencadena una oleada de violentas interpelaciones, en las que se entrecruzan veladas amenazas de muerte.

¿Cabía aún una mínima posibilidad de superar aquel espíritu de odio? Apresado en el cepo de la cárcel, José Antonio mantiene vivos los contactos con sus camaradas y con diversas personalidades políticas que acuden a verle.

Con premeditado cálculo, amparándose en recursos leguleyos, las autoridades frentepopulistas han tejido en su torno una tupida red procesal, cuya única finalidad es mantenerle encarcelado, sin posibilidades físicas de ponerse al frente de sus seguidores. Todavía no se han sustanciado los recursos ante el Tribunal Supremo sobre las respectivas sentencias del Tribunal de Urgencia, cuando José Antonio tiene que ocuparse —muy seriamente— del más importante proceso a que se le somete, a él y a los miembros de la Junta Política, en aquellos días: el incoado por supuesta asociación ilegal. Iniciado el 17 de marzo, tiene lugar la vista oral en la cárcel Modelo, ante el Tribunal de Urgencia allí constituido el 30 de abril.

Del desarrollo y peculiaridades del juicio quedan dos reseñas. Una, redactada por el mismo José Antonio, fue publicada en «No Importa» el 20 de mayo. La otra, corresponde al diario bilbaíno «La Gaceta del Norte» del 1 de mayo, y en ella se recogen literalmente los interrogatorios de procesados y testigos, así como la sentencia absolutoria del Tribunal. Contra esta sentencia interpuso recurso el ministerio fiscal, por supuesto «quebrantamiento de forma». Pero la Sala II del Tribunal Supremo confirmó la legalidad de la Falange en su sentencia, después de la vista celebrada el 5 de junio, y para la cual se trasladó custodiado a José Antonio hasta el Palacio de Justicia.

Hay que resaltar que el testimonio de «La Gaceta del Norte» tiene un valor excepcional, ya que fue el único periódico que difundió los pormenores del juicio y el resultado absolutorio. La censura del Gobierno había prohibido la publicación de la sentencia e, inexplicablemente, la reseña pasó los controles en Bilbao, sin que fuese recogida la tirada del periódico. Al cerco legal que van cerrando en torno a José Antonio, los dirigentes frentepopulistas suman la coacción de un cerco de silencio con el que tratan de ocultar la legalidad de la Falange. Tal cerco todavía encuentra eco en la pluma de comentaristas e historiadores. Payne, que conoce el tema, alude a los cuatro procesos incoados al Jefe Nacional de la Falange, sin citar para nada las sentencias absolutorias del Tribunal Supremo y mucho menos aún, a la que confirmaba la legalidad de la Falange. Por el contrario, Payne se hace eco de las declaraciones de Casares Quiroga en las Cortes, quien declaró que «la Falange ilegal es el principal enemigo del Gobierno». Tampoco Thomas hace la menor alusión al tema, pese a que en uno y en otro trascienda, involuntariamente, una corriente de simpatía hacia el Fundador y Jefe falangista.

Aquel día 30 de abril, en que el Tribunal de Urgencia sentencia la legalidad falangista, el Gobierno trama otro proceso, esta vez por supuesta tenencia ilícita de armas, «descubiertas» tres días antes en el domicilio particular de José Antonio, en la calle de Serrano. Como reconoce Payne, «no se trata más que de un pretexto legal para retenerle en la cárcel». El Gobierno del Frente Popular estaba decidido a todo con tal de que no obtuviera la libertad. Y así, ejerce fuertes presiones sobre el Presidente de la Audiencia Territorial de Madrid, en forma que el 22 de mayo se produce el cambio de los magistrados que intervienen en la causa, y cuando la nueva Sala actúa el 28 de mayo, sin haber participado en ninguna prueba, sentencia conforme a los deseos explícitos del Gobierno condenando a José Antonio a cinco meses de cárcel. Tan injusta decisión encrespa el ánimo de José Antonio quien, indignado, increpa a los jueces llamándoles farsantes y prevaricadores, en medio de un escándalo mayúsculo en el que la actitud de José Antonio es apoyada por el público asistente a la vista y hasta por los propios guardias que se resisten a despejar la sala. José Antonio, que se ha rasgado la toga y ha pisoteado el birrete de abogado como protesta por la injusticia, se niega a firmar el acta. Se produce entonces un nuevo incidente. El oficial del Juzgado, en funciones de secretario, comenta:

«Tan chulo como su padre.»

Y ante la ofensa, José Antonio le zarandea tirándole de un empujón al suelo. Instantes después, el sujeto lanza un tintero contra la cabeza de José Antonio, produciéndole una herida en la frente.

Como consecuencia del altercado con los jueces y de su pelea con el oficial judicial, se abren otros dos procesos a José Antonio, que nada van a añadir ni a restar en la maraña judicial que ha marcado inexorablemente el destino de aquel hombre que sólo alcanzaría su liberación con la muerte.

60. Las elecciones en Cuenca

Marcado por el Gobierno como víctima propiciatoria, es lógico que tampoco tuviera éxito el intento de lograr para él un acta de diputado por la provincia de Cuenca, al convocarse de nuevo elecciones por anulación de las efectuadas el 16 de febrero. Un triunfo electoral hubiera supuesto la inmunidad parlamentaria y, con ella, la libertad inmediata. Pero el Frente Popular no estaba dispuesto a consentirlo. De otra parte, con la perspectiva que proporcionan los años transcurridos y el conocimiento de los sucesos, no puede decirse tampoco que le hubiera servido para mucho su condición de parlamentario. ¿Acaso le sirvió a Calvo Sotelo? ¿O a Melquíades Alvarez? ¿O a Salazar Alonso? ¿O a Rico Avello? ¿O a tantos honorables antiguos miembros del Parlamento español asesinados en una fría madrugada cualquiera, en los patios de la cárcel, en la Casa de Campo, en la Pradera de San Isidro, en Paracuellos o en la cuneta de una carretera poco frecuentada de los alrededores de Madrid o de otro rincón de España?

Con ocasión de las elecciones en Cuenca, las vidas de Franco y de José Antonio vuelven a cruzarse, una vez más, a través de la candidatura de coalición en la que, inicialmente, ambos figuran.

Hasta un tiempo relativamente reciente, este capítulo ha permanecido un tanto confuso, sin que la investigación histórica aportase suficiente luz y concreción.

Stanley G. Payne, en su libro sobre la Falange, monta una compleja trama de intrigas en base a testimonios de dudosa veracidad. Su narración resulta contradictoria y enrevesada. Señala que ha obtenido sus referencias de una conversación sostenida en 1958 con Eugenio Vegas Latapié, quien, a su vez, basa su testimonio en una confidencia de José María Gil Robles.

Apoyado en plataforma tan endeble, Payne hace su versión. Según ésta, «Franco se había negado a vincularse estrechamente a ninguna de las numerosas conspiraciones de guarnición preparadas por la U.M.E. y por otros generales. Ahora deseaba reforzar su posición, ocupando un puesto en la vida política civil, para esperar el curso de los acontecimientos». Añade Payne que José Antonio no permitió que su nombre apareciese en una candidatura en la que figuraban Franco y otros derechistas. Y habría enviado a su hermano Miguel «a visitar a Gil Robles en su despacho, amenazándole con publicar una circular de la Falange en la que se le atacaría violentamente si no obligaba a Franco a retirarse»... «Serrano Suñer —concluye Payne— que era cuñado de Franco, voló a Tenerife para aconsejar a éste que retirase su candidatura. Franco, ante una oposición tan amplia, cedió y se retiró de la contienda.»

Demasiado complejo e increíble. Los casi treinta años que han transcurrido desde que apareció el libro de Payne hasta hoy han permitido acumular datos más fidedignos y directos, a través de las sucesivas memorias de Eugenio Vegas Latapié —a quien cita Payne— y de Ramón Serrano Suñer. Ambos cuentan el episodio y dan su versión. La de Vegas, arrastra la carga de resentimiento que tiene la fuente en la que basa su referencia: el testimonio de Gil Robles, doblemente beligerante contra Franco y contra José Antonio, además de impenitente mixtificador de la realidad, a causa de su soberbia.

> *«José Antonio Primo de Rivera se encontraba encarcelado por un asunto insignificante. Sobre él pesaba un procesamiento por tenencia ilícita de armas, y cuando perdió la inmunidad parlamentaria, el Gobierno resucitó el expediente y decidió encarcelarlo. Se daba por descontada su vuelta al Parlamento, puesto que las izquierdas apenas habían tenido votos en Cuenca.*
>
> *Cuando estaban preparándose las elecciones, Serrano Suñer acudió a ver a Gil Robles, para decirle que su cuñado Francisco Franco, destinado en Canarias, quería ser diputado y preguntarle si sería posible incluirle en la lista de Cuenca. Gil Robles le contestó que en el acto retiraba al candidato de la C.E.D.A. y que, en su lugar, iría Franco.*
>
> *Difundida la noticia, Fernando Primo de Rivera hizo saber a Gil Robles, de parte de su hermano, que si se mantenía el nombre de Franco en la candidatura él se retiraba, pues no quería en modo alguno ir con un general que aspiraba a la inmunidad parlamentaria para preparar un golpe de Estado. Ante el veto de José Antonio, según me dijo Gil Robles, Franco desistió de ser diputado.»*
>
> (Eugenio Vegas Latapié. «Memorias políticas», página 290. Editorial Planeta, 1983.)

La versión de Serrano merece credibilidad por dos causas fundamentales: por un lado es quien recibió la queja de labios de José Antonio; y es, también, quien transmite a Franco, que era su cuñado, la petición de que se retire. Podría añadirse otra tercera razón, si hacemos caso de lo que cuenta Gil Robles a través de Vegas: que de ser cierta esa versión, también fue Serrano el que habría transmitido al jefe de la C.E.D.A. el deseo de Franco de ser diputado.

> *«Las cosas ocurrieron así: la Falange, como es sabido, había sido excluida de la alianza derechista que presentaba sus candidaturas en las elecciones de febrero de 1936. Las candidaturas de Falange, que entonces no contaba con masas, fracasaron y José Antonio quedó sin investidura parlamentaria lo que, aparte de ser injusto, era sumamente peligroso para él en aquellas circunstancias, cuando ya*

estaba procesado y en prisión. Los estados mayores de la derecha recapacitaron sobre aquella situación y se acordó proponer a José Antonio como candidato para la segunda vuelta electoral (o elección parcial) que debía celebrarse en la circunscripción de Cuenca. Pero, deseosos de una mayor espectacularidad, se decidió unir en la misma candidatura el nombre de Franco y el de José Antonio. Con razón a éste le parecieron muy desafortunadas la ocurrencia y la combinación, no sólo por la idea que él tenía sobre la ineficacia de la presencia de Franco en las Cortes, falto, a su juicio, de toda capacidad oratoria y polémica, sino también porque la unión de los dos nombres en la misma candidatura le parecía una provocación excesiva al Gobierno, con lo que el triunfo electoral iba a resultar imposible. Un día me pidió que fuera a visitarle a la cárcel Modelo donde se encontraba y así me lo manifestó sin rodeos rogándome que interviniera para conseguir cerca de Franco su exclusión de la misma. ''Lo suyo no es eso —recuerdo casi literalmente sus palabras— y puesto que se piensa en algo más terminante que una ofensiva parlamentaria, que se quede él en su terreno dejándome a mí éste en el que ya estoy probado.'' Mientras José Antonio razonaba su punto de vista dirigiéndolo a mí con afectuosa serenidad, su hermano Fernando —hombre inteligente, serio, y su principal apoyo según varias veces me contó— que se encontraba junto a él detrás de la reja del locutorio, apostilló con indignación y amarga ironía: ''Sí, aquí y para asegurar el triunfo de José Antonio no faltaba más que incluir el nombre de Franco y, además, el del cardenal Segura.''

Los dirigentes de Acción Popular comprendieron y aceptaron las razones de José Antonio y éste, haciéndose cargo de que habiendo dado ya Franco su aprobación para figurar en la candidatura el intento de su exclusión podía desairarle, me pidió que fuera yo personalmente a gestionar su renuncia voluntaria y con este fin me desplacé a Canarias»...

«Aunque la cuestión era delicada y difícil de plantear lo hice de la única manera posible: con claridad y también con afectuosa sinceridad, arguyendo que, aparte de la razón de prudencia que se imponía y de la mayor necesidad que José Antonio tenía para alcanzar un acta de diputado en el Congreso con las inmunidades consiguientes, a él —a Franco— no le haría provecho ni prestigio entrar en un juego para el que no estaba especialmente destinado, ya que la dialéctica del soldado se acomodaría difícilmente a las sutilezas y malicias del escarceo parlamentario y tendría que soportar, además, las desconsideraciones que allí eran habituales y, posiblemente, el fracaso si en sus intervenciones le envolvían algunos de los formidables parlamentarios del frente adversario con su indudablemente superior entrenamiento. Lo suyo no era eso y con las mismas palabras de José Antonio le argumenté que ''si se pensaba en algo más terminante que una ofensiva parlamentaria, lo más discreto sería que se quedara en su terreno y dejara a José Antonio este otro en el que estaba bien probado''. Con toda probabilidad estas consideraciones no dejaron de hacerle mella y la idea de verse desairado —como habría ocurrido— en un terreno que no era el suyo, le persuadió. Al principio de la conversación escuchó con algún nerviosismo y desagrado, pero la verdad es que no tardó en rendirse con naturalidad y creo que sin reservas.»

(Ramón Serrano Suñer. «Memorias», páginas 56 y 58. Editorial Planeta, 1977.)

Contrastados estos testimonios, creo no haber errado en exceso, al componer una hipótesis lógica en la primera edición de estos apuntes. Como dije entonces, la supuesta amenaza de José Antonio a Gil Robles, de publicar una circular en la que se le atacaría violentamente, resulta absolutamente pueril. ¿Para qué? ¿Acaso el sarcasmo de José Antonio, hecho público en comentarios de prensa, no compendiaba todo el desprecio de la Falange por el ridículo papel que Gil Robles había hecho en las elecciones febrerinas? Por otra parte, Gil Robles se atribuye un ascendiente sobre Franco que ya no tenía.

La realidad, por el contrario, parece mucho más sencilla y seguramente es suma de las diversas porciones de verdad que cada uno aporta. Como Payne reconoce, la aparición del nombre de Franco en la candidatura levantó, rápidamente, una oleada de oposición en los partidos de izquierda. También molestó a José Antonio en términos que Serrano Suñer concreta y que transmitió a Franco. De modo que éste, decidido sin duda a dar un paso adelante en la trama del alzamiento –aunque aún se mostrase remiso e indefinido– cedió a la petición de José Antonio y se retiró, seguro de que no le convenía llamar sobre él ningún género de atención especial que pudiera provocar desconfianza en el Gobierno.

De otra parte, las instrucciones del Gobierno eran estrictas en cuanto a no permitir nombres nuevos en la candidatura, pese a lo cual, Antonio Goicoechea, Manuel Casanova y Modesto Gosálvez mantuvieron el nombre de José Antonio, según nota dada a conocer a la opinión pública. El hecho de que el Fundador y Jefe Nacional de la Falange estuviera encarcelado prestaba al gesto una dimensión reparadora, pues fue responsabilidad de las derechas que perdiera la inmunidad parlamentaria y con ella la libertad, al no darle entrada en la coalición electoral del Frente Nacional en febrero.

> *«Planteado el problema de la eliminación de nombres, cada uno de los elegidos se prestó voluntaria y generosamente a hacer el sacrificio del suyo y a apoyar desinteresadamente y con ardimiento la candidatura que se formara. Decidido que los designados representasen en lo posible el equilibrio entre las diferentes fuerzas políticas de derecha, no pudieron los directores de la lucha sustraerse al empeño hidalgo y al clamor vehemente que desde todos los ámbitos de la provincia solicitaban la inclusión del nombre de José Antonio Primo de Rivera.*
>
> *Formada definitivamente la candidatura con su nombre, el del General Franco, el de Goicoechea y el de un representante de Acción Popular, nuevamente nos obliga a modificar el acuerdo de la Junta provincial del Censo, que acordó que al repetir esta elección como segunda vuelta de la del 16 de febrero, niega a Franco y a José Antonio Primo de Rivera su derecho a proclamarse candidatos. No sólo en señal de protesta enérgica contra este acuerdo inadmisible, sino como muestra de solidaridad obligada con el injustamente perseguido, nosotros, que renunciamos forzadamente a luchar en compañía del ilustre General Franco, mantenemos a todo trance la candidatura de José Antonio Primo de Rivera, en espera de que en las Cortes no habrá de prevalecer, ante nuestra manifiesta y resuelta voluntad, el propósito de descontar sus votos, atropellar su derecho y mantenerlo en prisión. La candidatura ha quedado constituida por José Antonio Primo de Rivera, don Antonio Goicoechea, don Manuel Casanova y don Modesto Gosálvez.»*
>
> (Diario «ABC». 30 de abril de 1936.)

Mientras tanto, la popularidad de José Antonio crece extraordinariamente.

Por aquellos días en los que, tras la jugada de Prieto en el Parlamento, don Niceto Alcalá Zamora se ve forzado a dejar la Presidencia de la República, por haber disuelto dos veces el Parlamento, y cuando aún no había sido elegido Azaña para la jefatura del Estado, el diario «Ya» realizó una encuesta entre sus lectores sobre quién era el personaje político que consideraban más apto para ocupar la Presidencia. Las respuestas fueron sorprendentemente expresivas: José Antonio figuraba en cabeza con 38.496 votos, seguido de Calvo Sotelo, con 29.522; Gil Robles, con 29.201; Alejandro Lerroux, con 27.624; el General Sanjurjo, con 25.874; Alfonso de Borbón (Alfonso XIII), con 25.638; Antonio Royo Villanova, con 23.887; Severiano Martínez Anido, con 20.176; Juan de Borbón (Conde de Barcelona), con 18.502, y José Ortega y Gasset, con 16.875.

El muestreo no tiene, lógicamente, más valor sociológico que el de servir de exponente de la popularidad de los personajes votados entre los lectores de «Ya», y en este sentido no admite extrapolación ninguna, aunque resulte significativo.

Con ocasión de las elecciones en Cuenca convocadas para el día 3 de mayo, va a manifestarse un curioso fenómeno de aparente comprensión a tres bandas entre José Antonio y Prieto, y Prieto y Franco.

El día 1 de mayo, Fiesta del Trabajo, el líder socialista se traslada a Cuenca y pronuncia un discurso electoral en el que se aprecian acentos seguramente sinceros de objetividad, moderación y patriotismo, al tiempo que una referencia directa a Franco, en la que se mezclan sutilmente elogio y advertencia, y que viene a evidenciar que la retirada de Franco fue prudente y acertada. Prieto habla de la inquietud militar y al citar a Franco dice: «Llega a la fórmula suprema del valor; es el hombre sereno en la lucha»... «por su juventud, por sus dotes, por la red de sus amistades en el Ejército, es hombre que en un momento dado puede acaudillar con el máximo de probabilidades, todas las que se derivan de su prestigio personal, un movimiento de este género»... No andaba descaminado el juicio de don Inda, en el que se refleja también la satisfacción y sosiego que produjo en la izquierda la retirada de su nombre en la candidatura.

El discurso de Prieto, por quien José Antonio sentía una clara corriente de simpatía y al que deseaba atraérselo a un entendimiento con la Falange, semejante al apetecido con el sindicalismo cenetista, inspiró al Jefe falangista un artículo titulado «Prieto se acerca a la Falange», que se publicó el 23 de mayo en el periódico «Aquí estamos» editado clandestinamente en Mallorca. En él, después de explayarse con una crítica sarcástica del resultado electoral en Cuenca –donde triunfó la candidatura de José Antonio, pese a los desmanes de las huestes socialistas de Prieto que robaron actas, destruyeron urnas y asaltaron colegios electorales– José Antonio dice:

«Primero, derrotados; luego, perseguidos; al fin, según dicen, disueltos. No somos nadie ni importamos nada»... «Desde que se afirma que hemos dejado de existir no hay un solo aspecto de la vida española que no esté teñido con nuestra presencia. No hablo ya del fascismo o del antifascismo. Hablo específicamente, del ideario y del vocabulario de la Falange»...

«... En este momento no hay un solo político español que no haya adoptado, más o menos declaradamente, puntos y perfiles de nuestro vocabulario.

El último neófito ha sido de marca mayor: don Indalecio Prieto. El primero de mayo se fue a Cuenca y pronunció un discurso. ¿Estaría, quizá, más presente la Falange en el ánimo del señor Prieto por hablar en acto donde se preparaba el gatuperio electoral de que he sido víctima? Tal vez pasara esto; lo cierto es que el discurso del tribuno socialista se pudo pronunciar, casi desde la cruz a la fecha, en un mitin de Falange Española. Algunos párrafos, párrafos enteros, me han oreado el espíritu como encuentros felices con viejos amigos que uno había dejado de ver... «Es un deleite comprobar cómo frases casi textuales nuestras y, sobre todo, pensamientos característicos, han sido trasplantados al discurso del orador de Cuenca, así como cuando exclamaba, refiriéndose a Extremadura: "Dije en aquella tierra, de donde salieron en gran número los hombres que, en una de las más bellas aventuras históricas, cruzaron el Océano... Que nosotros, los españoles... teníamos que poner el ímpetu desbordante del genio español al servicio... de una conquista a realizar. ¿Cuál? Conquistar a España, conquistarnos a nosotros mismos". O cuando se rinde ante lo espiritual. "El hombre ha venido a la vida no como una bestia. Se nos dice desde diversos puntos de vista religiosos, pero todos con razón, que el hombre es superior al animal". ... O cuando proclama: "A medida que la vida pasa por mí... me siento cada vez más profundamente español. Siento a España dentro de mi corazón y la llevo hasta el tuétano mismo de mis huesos"... "Así os habla quien se siente cada vez más español, y unido por vínculos que no se romperán más que por la muerte, si es verdad que la muerte los rompe, a sus hermanos de España, quiere verlos libres y dignos".

»¿Qué lenguaje es éste? ¿Qué tiene esto que ver con el marxismo, con el materialismo histórico, con Amsterdam ni con Moscú? Esto es preconizar, exactamente, la revolución nacional. La de Falange. Y hasta con la cruda descalificación de la España caduca que la Falange fulminó muchas veces. Ya lo dije en el cine Madrid, el 19 de mayo de 1935: "El patriotismo nuestro también ha llegado por el camino de la crítica. A nosotros no nos emociona nada esa patriotería zarzuelera que se regodea con las mediocridades, con las mezquindades presentes de España y con las interpretaciones gruesas de su pasado. Nosotros amamos a España porque no nos gusta. Los que aman a su Patria porque les gusta la aman con voluntad de contacto; la aman física, sensualmente. Nosotros la amamos con voluntad de perfección. No a esta ruina, a esta decadencia de nuestra España física de ahora, sino a la eterna, inconmovible metafísica de España".

»Prieto ha dicho: "Nadie reniega de España ni tiene por qué renegar de ella. No; lo que hacemos cuando construimos estas agrupaciones políticas es renegar de una España como la simbolizada en Paredes". "No somos, pues, la antipatria; somos la Patria, con devoción enorme para las esencias de la Patria misma".

»La Falange no existe –termina diciendo José Antonio en su artículo–. La Falange no tiene la menor importancia. Eso dicen. Pero ya nuestras palabras están en el aire y en la tierra. Y nosotros en el patio de la cárcel, sonreímos bajo el sol. Bajo este sol de primavera en que tantos brotes apuntan.»

En 1938, libre ya de responsabilidades de gobierno, Prieto escribió un artículo en el que decía: «No es ahora propósito mío analizar si son reales o aparentes las coincidencias apuntadas por el Fundador de Falange»... «Lo nacional ha sido siempre musa de mi propaganda y de mi conducta, de todos mis actos»... «Acaso en España no hemos confrontado con serenidad las respectivas ideologías para descubrir las coincidencias, que quizá fueran fundamentales, y medir las divergencias, probablemente secundarias, a fin de apreciar si éstas valían la pena de ventilarlas en el campo de batalla.» Y comentando, en mayo de 1947, el proyecto de manifiesto redactado por José Antonio en la cárcel de Alicante, Prieto diría: «Primo de Rivera coincidió con mi discurso de Cuenca; yo coincido con el pensamiento que apunta al final del boceto de manifiesto, como salida única: "Arranque de una época de reconstrucción política y económica nacional sin persecuciones, sin ánimo de represalia, que haga de España un país tranquilo, libre y atareado".»

61. «Rusia, sí; España, no»

Pero aquellos propósitos que meses más tarde manifestaría José Antonio en la soledad de su encierro alicantino, como el deseo que comparte Prieto, no formaban parte de los planes marxistas. El 1 de mayo, mientras Prieto hablaba con acento patriótico en Cuenca, las Juventudes Socialistas Unificadas, dirigidas por Santiago Carrillo, desfilaban militarmente por el paseo de la Castellana, de Madrid, reclamando en sus canciones:

«La cabeza de Gil Robles
de Gil Robles la cabeza»
...
«Rusia, sí
España, no»
...
«No queremos catecismo,
queremos comunismo»
...

El ambiente prerrevolucionario ha alcanzado su máximo clímax. Y el día 4 de mayo, empiezan a arder, por mano de agitadores comunistas, numerosas iglesias, conventos y colegios religiosos madrileños, produciéndose en toda la capital una serie de desmanes singularmente violentos. Ese mismo día, José Antonio, desde la cárcel Modelo, lanza una hoja manifiesto titulada «Carta a los militares de España», que alcanzaría rápida difusión en las salas de banderas de los cuarteles de todo el país. Su texto había obtenido la aceptación favorable del General Mola, con quien José Antonio había tomado ya contacto. El espectáculo del primero de mayo, ampliamente difundido en la prensa con profusión de fotos, junto a la actitud beligerante del Gobierno falseando las actas electorales de Cuenca, y del Parlamento, rechazando el voto particular de Ramón Serrano Suñer demostrativo, con datos numéricos fehacientes, del triunfo de José Antonio en Cuenca —quien había obtenido 47.782 votos, es decir, 530 más que su compañero de candidatura, señor Casanova, pese a lo cual, por conveniencia gubernamental éste fue proclamado Diputado— decidieron al Jefe de la Falange a sumarse activamente a los preparativos del golpe militar.

> *«De las comisiones parlamentarias, era la ''Comisión de actas'' —de la que yo formé parte durante las dos legislaturas— la primera que entraba en actividad. Prieto era en aquella ocasión su presidente y nos propuso dar, sin discusión, su conformidad a que se aprobaran algunas actas discutidas, entre otras una de Zaragoza, que nos interesaba, a cambio de que diéramos nuestra conformidad para anular, también sin más, las de Granada y Cuenca principalmente, a lo que nos opusimos. Yo estudié con rigor, minuciosamente, el expediente electoral y demostré, ante la ''Comisión de actas'', y en mi discurso ante la Cámara —en pugna con el diputado Rufilanchas y con alguna interrupción de Prieto—, con la fuerza incontestable de los números que José Antonio había triunfado.»*
>
> (Ramón Serrano Suñer. «Memorias», página 116. Editorial Planeta, 1977.)

El 10 de mayo, en el Palacio de Cristal del Parque del Retiro, se celebró la elección de Presidente de la República. Los compromisarios allí reunidos, mayoritariamente socialistas, se decidieron por Azaña, en una hábil maniobra destinada a alejar del control del Gobierno al político republicano. Elevado a la dignidad de Jefe de Estado, don Manuel Azaña inicia un dorado cautiverio, no por brillante, menos cierto. «Soy un prisionero» se quejaría después en sus «Cuadernos de la Pobleta».

Pasados tres días, Santiago Casares Quiroga, «un señorito de La Coruña», como despectivamente le califica Calvo Sotelo, forma Gobierno. Su beligerante política contra la Falange ya ha quedado descrita al reproducir una cita de Payne. Para Casares, «la Falange es el principal enemigo del Gobierno». En realidad, ese sentimiento era recíproco.

Pero el Gobierno republicano y burgués que forma Casares, no es más que una tapadera vieja en una olla a presión. La elección del Presidente de la República ha mostrado las hondas disensiones internas que vive el P.S.O.E., escindido claramente en dos tendencias rivales: la revolucionaria de Largo Caballero, halagado en su pretendido papel de «Lenin español», a quien siguen incitando los jóvenes comunistas de Santiago Carrillo disfrazados todavía de Juventudes Socialistas Unificadas; y la facción moderada de Indalecio Prieto, apoyada por el prestigio de Julián Besteiro. Bajo la bóveda de cristal del Palacio del Retiro, en donde ha tenido lugar la elección del Presidente de la República, dos periodistas, representantes de cada una de esas facciones, Araquistain y Zugazagoitia, van a dirimir sus diferencias de criterio a bofetadas.

Pocos días después, el 24 de mayo, Francisco Largo Caballero ruge en Cádiz: «Cuando el Frente Popular se derrumbe, como se derrumbará sin duda, el triunfo del proletariado será indiscutible. Entonces implantaremos la dictadura del proletariado, lo que no quiere decir la represión del proletariado, sino de las clases capitalistas y burguesas.»

Según recoge Joaquín Arrarás en su «Historia de la Cruzada Española», el 16 de mayo habíase celebrado en Valencia una reunión de agentes del Komintern con el objetivo de coordinar la acción de la III Internacional en Francia y en España.

Y también Manuel Aznar, en su «Historia militar de la guerra de España», páginas 26, 27, 28 y 29, incluye «Ordenes y Consignas» que, como plan de operaciones, fueron repartidas en todas las células comunistas de España el día 6 de junio.

Razonablemente, Hugh Thomas asegura, con toda seriedad, que ha llegado a la conclusión de que los tres documentos que se dice fueron encontrados en cuatro lugares distintos después del comienzo de la guerra civil y en los que se trazaban planes para realizar un golpe de estado social-comunista apoyándose en un simulado alzamiento de las derechas, no son falsificaciones.

En dichos documentos se establecía, entre otros planes de acción paramilitar y subversiva, la promoción de Largo Caballero, sus partidarios y los comunistas, como un «soviet», entre el 11 de mayo y el 29 de junio.

Contrariamente, sin explicar por qué –como si el golpismo socialista-comunista fuese nuevo– Ricardo de la Cierva rechaza la autenticidad de los documentos. Ahora bien, lo que no ofrece duda, lo que cobra un sentido inequívoco e irrefutable, es el tono amenazador y revanchista de que hacen gala los más influyentes líderes revolucionarios izquierdistas, desde Largo Caballero, que aventaja a todos, hasta Dolores Ibárruri y José Díaz. Ante esta oleada de violencia, otra media España se preparaba para la réplica, mientras el Gobierno de Casares incrementaba sus persecuciones y redadas masivas de opositores.

Como terceros en discordia, en este dividido mapa político de España, aparecen los anarquistas, quienes, también a mediados de mayo habían celebrado su congreso anual en Zaragoza resolviendo satisfactoriamente sus viejas querellas entre faístas y «treintistas», aunque una de sus principales figuras, Angel Pestaña, al frente del Partido Sindicalista, figurase ya en los cuadros secretos de la Falange.

La actitud antigubernamental de la C.N.T. merece destacarse como nota de color en el mosaico políticosocial del año 1936.

En el congreso de Zaragoza, los anarquistas decidieron continuar sus huelgas relámpago, alguna de las cuales, concretamente la de la construcción, se prolongó hasta el mes de agosto provocando un colapso en el sector. También acordaron incrementar su lucha contra el Gobierno burgués de Casares Quiroga y la U.G.T. socialista, su «eterno rival».

En los primeros días de junio, el Gobierno, al que alarma el continuo peregrinaje político que conduce a los más significados líderes de la oposición hacia la cárcel Modelo, de Madrid, para visitar a José Antonio, dispone la dispersión de los mandos falangistas que han convertido la prisión en activo cuartel general político. Esta operación dispersiva se realiza el día 5 de junio.

Por la mañana, José Antonio es trasladado a las Salesas para informar ante el Tribunal Supremo en el recurso de casación interpuesto por el fiscal contra la sentencia absolutoria del Tribunal de Urgencia que había declarado la legalidad de la Falange, y, por lo tanto, la improcedencia del encarcelamiento de José Antonio y de los demás miembros de la Junta Política.

La noticia ha corrido rápidamente por aquel Madrid de la primavera trágica. La expectación es extraordinaria. A ella ha contribuido también el despliegue extraordinario de fuerzas de orden público que ocupan militarmente los alrededores del Palacio de Justicia. Comienza el juicio y el informe del fiscal dura diez minutos. La intervención de José Antonio es aún mucho más breve, pero concisa y convincente. El público escucha en tensión y cuando la vista termina, rodea enfervorizado a José Antonio, quien permanece unos minutos en diálogo con sus compañeros de profesión en la biblioteca del Colegio de Abogados. Tres días después, el Tribunal Supremo sentencia confirmando el veredicto del Tribunal de Urgencia y declarando legítima dentro del marco constitucional –conforme a los artículos 34 y 35 de la Constitución y de la Ley de Asociaciones entonces vigente– la entera y estricta doctrina de la Falange Española de las J.O.N.S. La sentencia, que ofrece un interés jurídico e histórico de primer rango, la incluimos íntegramente en el apéndice documental.

Aunque este fallo del Tribunal Supremo no se conoció hasta tres días más tarde, el Gobierno, a la vista del desarrollo del juicio, intuyó el resultado. La confirmación de la legalidad de la Falange le ponía en difícil situación. Pero, contra todo derecho, en oposición a la decisión del más alto Tribunal de Justicia de la nación, el Gobierno decide retener a José Antonio alejándole, a él y a otros mandos de la Falange, del centro neurálgico en que Madrid se encuentra. La maniobra de dispersión la va a ejecutar el Gobierno esa misma noche. ¿Le mueve el deseo de mantener desconectados entre sí y respecto de sus lógicos enlaces a los mandos de la Falange, ante la perspectiva de un movimiento insurreccional? ¿Conoce los planes revolucionarios del extremismo social-comunista y teme que se produzca un asalto a la cárcel y la matanza consiguiente, como habría de ocurrir unos meses después? Resulta difícil inclinarse por uno cualquiera de los supuestos. Cuando en agosto de 1936, las masas marxistas asaltan la Modelo y asesinan a multitud de presos –entre otros, Melquíades Alvarez, Fernando Primo de Rivera, Albiñana y Julio Ruiz de Alda– el Presidente de la República, don Manuel Azaña, confiesa a Ossorio y Gallardo que «ha librado a José Antonio del asesinato que tramaban ciertos obcecados».

62. Traslado a la cárcel de Alicante

La orden de traslado es comunicada a José Antonio durante la noche. Lo hace el propio director de la prisión, señor Elorza, quien no aclara las razones del cambio. Cuando José Antonio vuelve a su galería, grita a sus camaradas la noticia. El traslado es antirreglamentario. El está sometido todavía a otros dos procesos por desacato y depende de la Audiencia Provincial de Madrid. El director de la cárcel y los oficiales de prisiones que le siguen tratan de calmarle. José Antonio se vuelve y les acusa:

«¡Me sacan de aquí para asesinarme. Les conozco muy bien!»

Los guardianes se abalanzan sobre él y temerosos de una reacción violenta, le esposan y encierran en la celda. En la galería de políticos, los falangistas organizan un escándalo terrible. Elorza consulta con el Director General de Seguridad, Alonso Mallol, quien insiste en la orden del traslado y envía guardias de asalto para la custodia, al mando de un comisario de Policía, llamado Lino, hombre de confianza del Frente Popular. Mientras,

José Antonio escribe precipitadamente a su hermano Fernando, a quien encarga la lugartenencia de la Falange y pasa el mensaje a través de Martín Gozalo, un oficial de prisiones secretamente afiliado al Movimiento.

Pasado el toque de silencio, vuelve el director, en medio de los gritos de protesta de los presos. Lleva una fuerte escolta. Insiste en que se prepare para el traslado. José Antonio le echa de la celda llamándole caimán y se niega a salir:

«No me voy más que con la Guardia Civil, atado y esposado. A mí no me aplican la ley de fugas. Y si no es así, no salgo.»

A los pocos minutos llegan a la Modelo varios automóviles del Ministerio de la Gobernación con agentes de Policía. El ambiente crece en tensión. José Antonio, acompañado de su hermano Miguel —que había sido encarcelado el día 30 de abril después de unos enfrentamientos en Cuenca, donde actuó de interventor en las elecciones del 3 de mayo— es obligado a salir de la celda, con un simple hatillo, sin que le permitan recoger sus papeles y libros. Por todo peculio los dos hermanos llevan tres tarjetas de economato carcelario de cinco pesetas. Martín Gozalo les ofrece dinero, que no aceptan. Y escoltados por dos policías y el comisario Lino ocupan el coche que les traslada de prisión. Sólo entonces conocen que su destino es Alicante. Es tarde para comunicárselo a los camaradas que, tensos y emocionados, despiden desde sus celdas a su Jefe cantando el «Cara al Sol».

En una entrevista publicada el 20 de noviembre de 1961, en el diario «Informaciones», de Madrid, Miguel Primo de Rivera, hermano de José Antonio, contaba el intento de fuga que José Antonio trama durante el viaje. El trayecto es largo y la carretera, hoy espléndida, resultaba entonces estrecha y bacheada.

«En el automóvil en que se nos trasladó a Alicante desde la cárcel Modelo, de Madrid, José Antonio no sólo intentó, sino que consiguió convencer a los dos policías que nos acompañaban, de que nos ayudasen a cambiar el rumbo de la expedición para ir a la frontera portuguesa en lugar de ir a Alicante. Pero estos dos timoratos agentes que nos custodiaban dijeron que colaborarían de buen grado a la proyectada operación siempre y cuando el comisario y el chófer, que iban en la delantera del coche, separados e incomunicados de nosotros, accediesen a ello. Tanto el comisario como el chófer eran hombres de la máxima confianza de Alonso Mallol, el entonces Director General de Seguridad, y nosotros, que lo sabíamos, comprendimos que jamás accederían a nuestra proyectada fuga y, a pesar de la conveniente argumentación de José Antonio, aquellos dos insensatos funcionarios se negaron a colaborar en la forma que nosotros queríamos y así se malogró el aventurado proyecto.»

No era la primera vez que José Antonio, seguro de que pese al fallo de los Tribunales no alcanzaría la libertad, pensaba en la evasión. José María Alfaro, íntimo amigo y colaborador del Jefe Nacional de la Falange, había proyectado una fuga rocambolesca. Se trataba de concertar una entrevista entre José Antonio y una mujer, en el despacho del director de la cárcel. Allí se efectuaría el cambio de ropa y José Antonio, disfrazado, podría salir del recinto carcelario. Además de elemental, el plan no parecía muy gallardo, y José Antonio, con buen sentido, lo rechazó.

Curiosamente, el proyecto desechado resultó eficaz en el caso de Ramón Serrano Suñer. Estaba hospitalizado, en calidad de preso, en la «Clínica España», en donde urdió un plan de fuga para refugiarse en una Embajada, precisamente, disfrazado de mujer. El plan, por absurdo que parezca, dio resultado. Serrano lo cuenta minuciosamente en sus memorias. Leámosle:

... «Así, hecho un verdadero adefesio, con mi burdo disfraz de mujer, un minuto después salía del brazo del señor Schlosser. Era el momento decisivo: pasar junto a

la sala de espera del primer piso, donde permanecían los guardianes. Había de hacerlo necesariamente por delante de ellos, junto a ellos. Yo sabía que lo importante era tener la fuerza de voluntad y la serenidad suficientes para no mirar a los guardias, para no atraer su atención. El hecho es que me dominé y pasamos»...

(Ramón Serrano Suñer. «Memorias», página 148. Editorial Planeta, 1977.)

Ximénez de Sandoval, en la segunda edición de su biografía, cuenta que para el 24 de julio estaba preparado otro intento de evasión. Ese día tenía que informar José Antonio ante el Supremo, en un recurso de casación de tipo civil. Sus pasantes Manuel Sarrión y Rafael Garcerán, de acuerdo con el camarada Canalda, habían preparado la fuga. Debía realizarse por el Colegio de Abogados y José Antonio saldría disfrazado de fontanero. Se disponía de un mono de trabajo, una boina, una maleta de herramientas, una llave falsa y un coche que esperaría en la calle con Fernando Primo de Rivera al volante. Se dudó si sería mejor que saliese con gafas negras o con unas anchas cejas postizas. Se prepararon las dos cosas. Las cejas postizas las proporcionó Luis Bolarque de una peluquería de teatros. Ocioso es decir que los acontecimientos que se iniciaron el 18 de julio impidieron poner en práctica este plan, que hubiera podido realizarse perfectamente, en cambio, el mismo día del traslado a Alicante, durante el período de descanso que siguió a la vista en el Supremo. Pero el destino de José Antonio ya estaba trazado por la Providencia y caminaba, paso a paso, hacia su desenlace.

En la mañana del 6 de junio, José Antonio y su hermano Miguel hacen su entrada en la cárcel alicantina, en la que ocupan dos celdas contiguas. El régimen carcelario es duro y han de convivir con los presos comunes que les son hostiles. En la cárcel, José Antonio adapta su vida disciplinada a la norma estricta del reglamento penitenciario. El mismo cuenta en uno de sus escritos, el 27 de junio:

«Hemos implantado nuestras costumbres (gimnasia, ducha, etcétera), y no lo pasamos nada mal. Leemos, escribimos y una hora al día nos asomamos a una jaula para recibir los saludos de los camaradas de toda la región y alimentar, por otra parte, la curiosidad de no pocos ciudadanos tranquilos, en cuya vida sin altibajos constituye considerable aliciente el ver a dos hombres en una jaula.»

La noticia del traslado de José Antonio circuló rápidamente por toda España. El mismo día 6 de junio en que los dos hermanos ingresaban en la prisión alicantina, salía a la calle el segundo número de «No Importa». En él se daba la noticia, aunque aún se desconocía el punto de destino; decía la nota:

«Ya lo sabéis, camaradas todos de la Falange: nuestro Jefe Nacional ya no se encuentra en la cárcel de Madrid y a estas horas ignoramos dónde se halla. Que la noticia llegue hasta el último rincón de España y que la persecución que sufre nuestro Jefe nos sirva de estímulo para mantener más viva y arraigada la fe inquebrantable que en él hemos depositado.»

Parejamente, «No Importa» publica un artículo de José Antonio. En él trasluce la convicción de que en España se han cerrado todas las puertas para una convivencia pacífica y ordenada. Bajo el título de «Justificación de la violencia», José Antonio escribe:

«En medio de la mediocridad nacional, la Falange irrumpe como un fenómeno desconocido hasta ahora. No por originalidad –con ser mucha– de su programa, sino porque es el único movimiento que no se limita a agrupar a sus partidarios por la vaga coincidencia en su programa, sino que trata de formarlos por entero, de infundirles, religiosamente, una moral, un estilo, una conducta...

»En las horas aparentemente tranquilas esta actitud profunda, religiosa de la Falange mereció la pálida sonrisa de los cautos. Las pobres derechas españolas creyeron concluir con la Falange por dos caminos: el del silencio y el de la falsificación; ocultando nuestras luchas –¡muertos fraternos de la Falange, a los que la Prensa «patriótica» no dedicó una línea!– y recordando nuestra exterioridad, a la que imaginaban vinculado el éxito. Las izquierdas, más avisadas, señalaron desde el comienzo nuestro peligro y nos declararon la guerra; una guerra infame, que tenía por arma el asesinato.

»Así, entre el crimen y la envidia, hemos vivido tres años que parecen una existencia. Años fecundos, germinales, que nos han adiestrado para la lucha de ahora. Y para la decisiva que se prepara.

»Porque es indecente querer narcotizar a un pueblo con el señuelo de las soluciones pacíficas. **Ya no hay soluciones pacíficas.** La guerra está declarada y ha sido el Gobierno el primero en proclamarse beligerante. No ha triunfado un partido más en el terreno pacífico de la democracia; ha triunfado la revolución de octubre: la revolución separatista de Barcelona y la comunista de Asturias; la que asesinó al capitán Suárez por mano del traidor Pérez Farrás y la que incendió la Universidad de Oviedo. Ha triunfado el octubre sangriento y repulsivo de 1934, que ahora se ensalza a los cuatro vientos, mientras que se persigue a los que en octubre defendieron abnegadamente al Estado español. Estamos en guerra. Por eso el Gobierno beligerante se preocupa poco de los ficheros cedistas y de la prensa conservadora; lo que absorbe su atención es el preparativo de la victoria completa. El Gobierno no pierde su tiempo en matar moscas; se da prisa por aniquilar todo aquello que pueda constituir una defensa de la civilización española y de la permanencia histórica de la Patria: el Ejército, la Armada, la Guardia Civil... y la Falange.

»No somos, pues, nosotros quienes han elegido la violencia. Es la ley de guerra la que la impone. Los asesinatos, los incendios, las tropelías, no partieron de nosotros. Ahora, eso sí –y en ello estriba nuestra gloria–, nuestro empuje combatiente, nuestra santa violencia, fue el primer dique con que tropezó la violencia criminal de los hombres de octubre...

»¡Bien haya esta violencia, esta guerra, en la que no sólo defendemos la existencia de la Falange, ganada a precio de las mejores vidas, sino la existencia misma de España, asaltada por sus enemigos! Seguid luchando, camaradas, solos o acompañados. Apretad vuestras filas, aguzad vuestros métodos. Mañana, cuando amanezcan más claros días, tocarán a la Falange los laureles frescos de la primacía en esta santa cruzada de violencias.»

Los primeros días de junio ya son febriles en los cuarteles generales de la doble conspiración. Son para los marxistas días de expectación. Está en marcha la organización de la Olimpíada de Barcelona, réplica comunista a la Olimpíada de Berlín, organizada por el Comité Internacional de los Juegos Olímpicos. Y está en marcha, también, la formación de las milicias que han de constituir el «ejército rojo» propugnado por Largo Caballero con palabras que no ofrecen duda:

«Un ejército –afirma– con tres finalidades concretas, que serán: *sostener la guerra civil* que desencadenará la instauración de la dictadura del proletariado; *realizar la unificación de éste por el exterminio de los núcleos obreros* que se nieguen a aceptarla, y defender de fronteras afuera, si hace falta, nuestros principios, no por patriotería, como la clase burguesa. Porque no hay que olvidar que el acto de fuerza por el cual se puede conquistar el Poder es el procedimiento, el paso indispensable para hacer la revolución social.»

Frente a proyectos tan claros de subversión marxista, los proyectos de insurrección militar siguen en marcha con la máxima aceleración posible.

Mola distribuye el 5 de junio un documento bajo el título de «El Directorio y su obra inicial» que ofrece un indudable interés político respecto de las intenciones que guiaban a los militares a la sublevación. El Directorio militar estaría integrado por un presidente y cuatro vocales militares, y las primeras disposiciones a adoptar por el Directorio quedaban enumeradas así: «Suspensión de la Constitución de 1931. Defensa de la dictadura republicana. Separación de la Iglesia y el Estado, libertad de cultos y respeto a todas las religiones.» El documento, según consigna Ricardo de la Cierva en su «Historia ilustrada de la guerra civil española», termina diciendo: «El Directorio se comprometerá durante su gestión a no cambiar el régimen republicano, mantener en todo las reivindicaciones obreras legalmente logradas, reforzar el principio de la autoridad y los órganos de la defensa del Estado, dotar convenientemente al Ejército y la Marina para que tanto uno como otra sean suficientes, creación de milicias nacionales, organizar la instrucción premilitar desde la escuela y adoptar cuantas medidas estime necesarias para crear un Estado fuerte y disciplinado.»

Resultan interesantes estas aspiraciones, tremendamente genéricas e insuficientes, para comprender las serias dudas que José Antonio albergó hasta el último momento respecto a unirse o no al movimiento militar.

La pretensión de establecer una dictadura republicana, en aquellos agitados meses de 1936, no figuraba solamente en los planes militares de Mola para el alzamiento. También en los círculos gubernamentales más conservadores, y en otros sectores no contaminados por la demagogia caballerista, se pensaba en aquellos días, y era objeto de debate serio, la posibilidad de dar salida al caos político y social y al desorden público, con el establecimiento de un régimen de excepción autoritario. Así lo refleja en su «Anecdotario político» nada menos que don Claudio Sánchez Albornoz.

La propuesta la hizo Giral, días antes de la elección de Azaña como Presidente de la República y se produjo, según don Claudio, en los siguientes términos:

«... el régimen no puede subsistir si no restauramos el orden público y restablecemos la paz civil. Es una hora de duros sacrificios. Será quizá demasiado llegar a la dictadura republicana para salvar a las instituciones y sus bases esenciales: la libertad y la democracia. Creo que el asunto es grave. Solicito que cada uno de nosotros asuma hoy su responsabilidad exponiendo su opinión sobre el problema.»

«Me adherí en el acto a su juicio sobre la hora histórica y reconocí la urgencia de una medida drástica para salvar la República. Fueron opinando todos los presentes y por unanimidad, repito, por unanimidad —incluso Azaña opinó como todos— se acordó que tras la elección del mismo como Presidente se procediera con urgencia a adoptar las medidas propuestas por Giral.»

(Claudio Sánchez Albornoz. «Anecdotario político», página 196. Editorial Planeta, 1972.)

63. Instrucciones de José Antonio

A lo largo de este inquieto mes de junio, Mola, en su calidad de «director», redondea los planes de sublevación, mantiene activas gestiones y contactos con mandos militares y jefes políticos y decide poner en marcha una serie de directivas estratégicas respecto a la Marina y el Ejército de Marruecos. Como remarca Ricardo de la Cierva: «En estas instrucciones se hace por primera vez mención casi expresa de la participación del

General Francisco Franco en los planes generales de la sublevación». Las instrucciones llevan fecha 24 de junio.

Fechada el día anterior, 23 de junio, el General Franco, comandante militar de Canarias, ha enviado una histórica carta al Presidente del Gobierno y Ministro de la Guerra, Santiago Casares Quiroga. En ella vierte leales consideraciones y advertencias sobre el efecto que producen las arbitrariedades cometidas en relación con ascensos y destinos, así como el dolor por los ataques y sanciones gravísimas impuestos a los militares incursos en los sucesos de Alcalá de Henares, víctimas de las provocaciones y agresiones de grupos marxistas, y obligados a un cambio apresurado e injusto de guarnición.

«Respetado señor Ministro:

Es tan grave el estado de inquietud que en el ánimo de la oficialidad parecen producir las últimas medidas militares, que contraería una grave responsabilidad y faltaría a la lealtad debida si no le hiciese presentes mis impresiones sobre el momento castrense y los peligros que para la disciplina del Ejército tienen la falta de interior satisfacción y el estado de inquietud moral y material que se percibe, sin palmaria exteriorización, en los Cuerpos de Oficiales y Suboficiales. Las recientes disposiciones que reintegran al Ejército a los jefes y oficiales sentenciados en Cataluña, y la más moderna de destinos, antes de antigüedad y hoy dejados al arbitrio ministerial, que desde el movimiento militar de junio del 17 no se habían alterado, así como los recientes relevos, han despertado la inquietud de la gran mayoría del Ejército. Las noticias de los incidentes de Alcalá de Henares, con sus antecedentes de provocaciones y agresiones por parte de elementos extremistas, concatenados con el cambio de guarniciones, que produce, sin duda, un movimiento de disgustos, desgraciada y torpemente exteriorizado en momentos de ofuscación, que, interpretado en forma de delito colectivo, tuvo gravísimas consecuencias para los jefes y oficiales que en tales hechos participaron, han ocasionado dolor y sentimiento en la colectividad militar. Todo esto, excelentísimo señor, pone aparentemente de manifiesto la información deficiente que acaso en este aspecto debe llegar a V.E., o el desconocimiento que los elementos colaboradores militares pueden tener de los problemas íntimos y morales de la colectividad militar. No quisiera que esta carta pudiese menoscabar el buen nombre que posean quienes en el orden militar le informen o aconsejen, que pueden pecar por ignorancia; pero sí me permito asegurar, con la responsabilidad de mi empleo y la seriedad de mi historia, que las disposiciones publicadas permiten apreciar que los informes que las motivaron se apartan de la realidad y son algunas veces contrarias a los intereses patrios, presentando al Ejército bajo vuestra vista con unas características y vicios alejados de la realidad. Han sido recientemente apartados de sus mandos y destinos jefes, en su mayoría, de una historia brillante y de elevado concepto en el Ejército, otorgándose sus puestos, así como aquellos de mayor distinción y confianza, a quienes, en general, están calificados por el noventa por ciento de sus compañeros como más pobres en virtudes. No sienten ni son más leales a las instituciones los que se acercan a adularlas y a cobrar la cuenta de serviles colaboraciones, pues los mismos se destacaron en los años pasados con Dictadura y Monarquía. Faltan a la verdad quienes le presentan al Ejército como desafecto a la República; le engañan quienes simulan complots a la medida de sus turbias pasiones; prestan un desdichado servicio a la Patria quienes disfracen la inquietud, dignidad y patriotismo de la oficialidad, haciéndoles parecer como símbolos de conspiración y desafecto. De la falta de ecuanimidad y justicia de los poderes públicos en la administración del Ejército en el año 1917, surgieron las Juntas Militares de Defensa. Hoy pudiera decirse virtualmente, en un plano anímico, que las Juntas Militares están hechas. Los escritos que clandestinamente aparecen con las iniciales de U.M.E. y U.M.R. son síntomas fehacientes de su existencia y heraldo de futuras luchas civiles si no se atiende a evitarlo, cosa que considero fácil con medidas de consideración, ecuanimidad y justicia. Aquel movimiento de indisciplina colectiva de 1917, motivado en gran parte por el favori-

tismo y arbitrariedad en la cuestión de destinos, fue producido en condiciones semejantes, aunque en peor grado son las que hoy se sienten en los Cuerpos del Ejército. No le oculto a V.E. el peligro que encierra este estado de conciencia colectivo en los momentos presentes, en que se unen las inquietudes profesionales con aquellas otras de todo buen español ante los graves problemas de la Patria.

Apartado muchas millas de la Península, no dejan de llegar hasta aquí noticias, por distintos conductos, que acusan que este estado que aquí se aprecia existe igualmente, tal vez en mayor grado, en las guarniciones peninsulares e, incluso, entre las fuerzas militares de orden público.

Conocedor de la disciplina, a cuyo estudio me he dedicado muchos años, puedo asegurarle que es tal el espíritu de justicia que impera en los cuadros militares, que cualquier medida de violencia no justificada produce efectos contraproducentes en la masa general de las colectividades al sentirse a merced de actuaciones anónimas y de calumniosas delaciones.

Considero un deber hacerle llegar a su conocimiento lo que creo de una gravedad grande para la disciplina militar, que V.E. puede fácilmente comprobar si personalmente se informa de aquellos generales y jefes de Cuerpo que, exentos de pasiones políticas, vivan en contacto y se preocupen de los problemas íntimos y del sentir de sus subordinados.

Muy atentamente le saluda, afftmo. y subordinado, Francisco Franco.»

(Carta del comandante general de Canarias, General de División Francisco Franco, al Ministro de la Guerra y Presidente del Consejo de Ministros, Francisco Casares Quiroga. 23 de junio de 1936.)

¿Cabe advertencia más delicada?

Engreído y fanático, Casares Quiroga no se dignó tomar en cuenta la carta de Franco.

Desde Alicante, José Antonio envía el día 24 una circular en la que advierte a sus camaradas:

«Ha llegado a conocimiento del Jefe Nacional la pluralidad de maquinaciones en favor de más o menos confusos movimientos subversivos que están desarrollándose en diversas provincias de España»... «Algunos, llevados de un exceso de celo o de una peligrosa ingenuidad, se han precipitado a dibujar planos de actuación local y a comprometer la participación de los camaradas en determinados planes políticos.

Las más de las veces, tal actitud de los camaradas de provincias se ha basado en la fe que les merecía la condición militar de quienes les invitaban a la conspiración. Esto exige poner las cosas un poco en claro. El respeto y el fervor de la Falange hacia el Ejército están proclamados con tal reiteración, que no necesitan ahora de ponderaciones... Pero la admiración y estimación profunda por el Ejército como órgano esencial de la Patria no implica la conformidad con cada uno de los pensamientos, palabras y proyectos que cada militar o grupo de militares pueda profesar, preferir o acariciar. Especialmente en política, la Falange –que detesta la adulación porque la considera como un último menosprecio para el adulado– no se considera menos preparada que el promedio de los militares. La formación política de los militares suele estar llena de la más noble ingenuidad. El apartamiento que el Ejército se ha impuesto a sí mismo de la política ha llegado a colocar a los militares, generalmente, en un estado de indefensión dialéctica contra los charlatanes y los trepadores de los partidos...

»De aquí que los proyectos políticos de los militares (salvo, naturalmente, los que se elaboran por una minoría muy preparada que en el Ejército existe), no suelen estar adornados por el acierto...

»... La participación de la Falange en uno de esos proyectos prematuros y candorosos constituiría una gravísima responsabilidad y arrastraría su total desaparición, aun en el caso de triunfo. Por este motivo: porque casi todos los que cuentan con la Falange para tal género de empresas la consideran no como un cuerpo total de doctrina, ni como una fuerza en camino para asumir por entero la dirección del Estado, sino como un elemento auxiliar de choque, como una especie de fuerza de asalto, de milicia juvenil, destinada el día de mañana a desfilar ante los fantasmones encaramados en el Poder.

»Consideren todos los camaradas hasta qué punto es ofensivo para la Falange el que se la proponga tomar parte como comparsa en un movimiento que no va a conducir a la implantación del Estado nacionalsindicalista, al alborear de la inmensa tarea de reconstrucción patria bosquejada en nuestros 27 puntos, sino a reinstaurar una mediocridad burguesa conservadora (de la que España ha conocido tan largas muestras), orlada, para mayor escarnio, con el acompañamiento coreográfico de nuestras camisas azules.

»Como de seguro tal perspectiva no halaga a ningún buen militante, se previene a todos por esta circular, de manera terminante y conminatoria, lo siguiente:

1.–Todo jefe, cualquiera que sea en jerarquía, a quien un elemento militar o civil invite a tomar parte en conspiración, levantamiento o cosa análoga, se limitará a responder: "Que no puede tomar parte en nada, ni permitir que sus camaradas la tomen, sin orden expresa del mando central, y que, por consiguiente, si los órganos supremos de dirección del movimiento a que se les invita tienen interés en contar con la Falange, deben proponérselo directamente al Jefe Nacional y entenderse precisamente con él o con la persona que él de modo expreso designe".

2.–Cualquier jefe, sea la que sea su jerarquía, que concierte pactos locales con elementos militares o civiles, sin orden expresa del Jefe Nacional, será fulminantemente expulsado de la Falange, y su expulsión se divulgará por todos los medios disponibles.

3.–Como el Jefe Nacional quiere tener por sí mismo la seguridad del cumplimiento de la presente orden, encarga a todos los jefes territoriales y provinciales que, con la máxima premura, le escriban a la Prisión Provincial de Alicante, donde se encuentra, comunicándole su perfecto acatamiento a lo que dispone esta circular y dándole relación detallada de los pueblos a cuyas J.O.N.S. se ha transmitido. Los jefes territoriales y provinciales, al dirigir tales cartas al Jefe Nacional, no firmarán con sus nombres, sino sólo con el de su provincia o provincias respectivas.

4.–La demora de más de cinco días en el cumplimiento de estas instrucciones, contados desde la fecha en que cada cual la reciba, será considerada como falta grave contra los deberes de cooperación al Movimiento.»

Como puede apreciarse, preocupa a José Antonio, obsesivamente, el que el impulso generoso y el entusiasmo juvenil de sus huestes sea empleado por los grupos políticos reaccionarios que, desde su derrota electoral en el mes de febrero, intrigaban abiertamente en procura de que la sublevación militar se canalizase hacia la defensa de sus intereses partidistas.

Es advertencia reiterativa ésta que hace a sus camaradas.

El 1 de julio, el General Mola dicta un Informe reservado que se distribuye entre los elementos militares comprometidos con el Alzamiento y en el que, junto a ciertas críticas al insuficiente grado de entusiasmo que percibe, se hace eco indudable de la Circular de José Antonio, con quien el acuerdo ya es absoluto. Así puede leerse en el apartado 2.° del Informe reservado de Mola:

«2.° —Oficiosidades de ciertos elementos, sin otra representación que la suya personal, han hecho que haya tenido que dictar el Director de cierta fuerza combativa una orden terminante para que sus afiliados sólo se entiendan con quienes deben entenderse. Hoy, como no podía menos de suceder, la inteligencia es absoluta.»

(B. Félix Maíz. «Mola, aquel hombre», página 224. Editorial Planeta, 1976.)

Como respuesta a un cuestionario presentado por el periodista Ramón Blardony, José Antonio hace el día 16 de junio una serie de precisiones, de interés documental y político. Puntualiza el número de militantes que aproximadamente están afiliados a Falange: 150.000 ; de los que, entre 10.000 y 15.000, son de reciente procedencia de Acción Popular. Unos dos mil afiliados permanecían encarcelados, sin haber sido procesados, salvo cuarenta, y algunos después de que los jueces han mandado ponerles en libertad. Cuarenta y ocho camaradas han muerto por la Falange y quinientos han resultado heridos en diversas acciones. Madrid, Asturias, Santander y Valladolid son las provincias en donde hay mayor número de afiliados. Falange ha llegado a posiciones doctrinales de viva originalidad: «Así, en lo nacional, concibe a España como unidad de destino, compatible con las variedades regionales, pero determinante de una política que, al tener por primer deber la conservación de esa unidad, se sobrepone a las opiniones de partidos y clases. En lo económico, Falange tiende al sindicalismo total; esto es, a que la plusvalía de la producción quede enteramente en poder del Sindicato orgánico, vertical, de productores, al que su propia fuerza económica procuraría el crédito necesario para producir, sin necesidad de alquilarlo –caro– a la Banca. Quizás estas líneas económicas tengan más parecido con el programa alemán que con el italiano. Pero, en cambio, Falange no es ni puede ser racista. Los obreros conocen el nacionalsindicalismo sólo a través de las versiones de sus enemigos. Por eso creen que es un instrumento del capitalismo, cuando precisamente una de sus razones de existencia es el propósito de desmontarlo... Donde Falange logrará más pronto avivar las corrientes de simpatía es en las filas del viejo sindicalismo revolucionario español.»

Es palmario el interés documental en orden a las cifras de afiliados que proporciona José Antonio, así como detalles sobre el alcance de la persecución gubernamental y la impresionante nómina de caídos y heridos, tan sólo en tres años de existencia de la organización. También resulta interesante, ideológicamente, porque el apartado final, sintetizador del pensamiento político y económico social de la Falange, expresa dos principios básicos de la organización sindicalista de la Falange: la adjudicación de la plusvalía de la producción al sindicato de trabajadores, y la posesión, por parte del Sindicato orgánico, vertical, de su propio sistema crediticio.

Estas afirmaciones explican la fuerte oposición que los grupos de presión económica y financiera mantuvieron durante el régimen de Franco, contra la iniciativa de creación de una Banca Sindical expuesta por el Consejo Nacional de Trabajadores. Y la apresurada solicitud con que, una vez muerto Franco, favorecieron el desmontaje del sindicalismo vertical y ofrecieron créditos y ayudas, algunas a fondo perdido, a las centrales sindicales clasistas que rompieron la unidad sindical para situarse en la obediencia sumisa a los partidos políticos, igualmente financiados por entidades bancarias y empresas multinacionales de todo tipo. El movimiento obrero y sindical ha recibido así un golpe del que tardará muchos años en reponerse y ha retrocedido medio siglo en sus planteamientos reivindicativos, haciendo regresar la práctica del sindicalismo a su prehistoria.

Por el contrario, el futuro de la Falange reside, en los albores del año 2000, en el mantenimiento y desarrollo de sus esenciales principios doctrinales: Valoración de la libertad y dignidad del hombre; afirmación de la Patria como unidad de destino común; y organización sindical de la economía conforme a los criterios tan meridianamente expuestos por José Antonio.

A la circular «urgente» del 24 de junio, ha precedido en la reiteración de los peligros de una conspiración prematura e incontrolada, una sonada advertencia publicada en el número 3 de «No Importa», que lleva fecha de 20 de junio. Se titula: «Vista a la derecha» y lleva como subtítulo «Aviso a los "madrugadores": la Falange no es una fuerza cipaya». Entre otras cosas, previene:

«Por la izquierda se nos asesina (o a veces se intenta asesinarnos, porque no somos mancos, a Dios gracias). El Gobierno del Frente Popular nos asfixia (o intenta asfixiarnos, porque se ve de lo que le sirven sus precauciones). Pero –¡cuidado, camaradas!– no está en la izquierda todo el peligro. Hay –¡aún!– en las derechas, gentes a quienes por lo visto no merecen respeto nuestro medio centenar largo de caídos, nuestros miles de presos, nuestros trabajos en la adversidad, nuestros esfuerzos por tallar una conciencia española cristiana y exacta.

»Esas gentes, de las que no podemos escribir sin cólera y asco, todavía suponen que la misión de la Falange es poner a sus órdenes ingenuos combatientes...

»¿Pero qué supone esa gentuza? ¿Que la Falange es una carnicería donde se adquieren al peso tantos o cuantos hombres? ¿Suponen que cada grupo local de la Falange es una tropa de alquiler a disposición de las empresas?

»La Falange es una e indivisible milicia y partido. Su brío combatiente es inseparable de su fe política. Cada militante en la Falange está dispuesto a dar su vida por ella, por la España que ella entiende y quiere, pero no por ninguna otra cosa.

»Vamos a ver si nos enteramos:

»Entre la turbia, vieja, caduca, despreciable política española, hay un tipo que se suele dar con bastante frecuencia: el del "madrugador". Este tipo procura llegar cuando las brevas están en sazón –las brevas cultivadas con el esfuerzo y el sacrificio de otros– y cosecharlas bonitamente.

»Nunca veréis al "madrugador" en los días difíciles. Jamás se arriesgará a pisar el umbral de su Patria en tiempos de persecución sin una inmunidad parlamentaria que le escude. Jamás saldrá a la calle con menos de tres o cuatro policías a su zaga. Su cuerpo no conocerá las cárceles ni las privaciones.

»Pero –eso sí– si otros, a precio de las mejores vidas –¡muertos paternos de la Falange!– logran hacer respetable una idea o una conducta, entonces el "madrugador" no tendrá escrúpulo en falsificarla. Así, en nuestros días, cuando la Falange a los tres años de esfuerzo recoge los primeros laureles públicos –¡cuán costosamente regados con sangre!–, el "madrugador" saldrá diciendo: "¡Pero si lo que piensa la Falange es lo que yo pienso! ¡Si yo también quiero un Estado corporativo y totalitario! Incluso no tengo inconveniente en proclamarme "fascista".

»Algunos ingenuos camaradas hasta agradecerían esta repentina incorporación. Creerán que la Falange ha adquirido un refuerzo valioso. Pero lo que quiere el "madrugador" es suplantar a nuestro Movimiento, aprovechar su auge y su dificultad de propaganda, encaramarse en él y llegar arriba antes de que salgan de la cárcel nuestros presos y de la incomunicación nuestras organizaciones. En una palabra: madrugar...

»No seremos ni vanguardia, ni fuerza de choque, ni inestimable auxiliar de ningún movimiento confusamente reaccionario. Mejor queremos la clara pugna de ahora que la modorra de un conservatismo grueso y alicorto, renacido en provecho de unos ambiciosos "madrugadores". Somos –se ha dicho muchas veces– no vanguardia, sino ejército entero, al único servicio de nuestra propia bandera.

»Aspiramos a ser un pueblo en marcha tras de una voz de mando. Una voz que se nos haya hecho familiar en las horas de peregrinación. No creemos en una receta o en una colección de recetas que cualquiera puede preparar. Creemos en una mente y en un brazo.

»Para que esa mente y ese brazo nos gobiernen lucharemos todos hasta el final. Para que un "madrugador" se adelante y nos diga: "¿Pero no les da a ustedes lo mismo? ¡Si yo también soy totalitario!". Para eso, no; ni un minuto.

»Y sería inútil el madrugón. Aunque el "madrugador" triunfara le serviría de poco su triunfo. La Falange, con lo que tiene de ímpetu juvenil, de acervo intelectual, de brío militante, se le volvería de espaldas. Veríamos entonces quién daba calor a esos "fascistas rellenos de viento".

»Nosotros, para ver pasar sus cadáveres, no tendríamos más que sentarnos a la puerta de nuestra casa bajo las estrellas.»

Releído este artículo con la perspectiva de casi cincuenta años, brota a los labios un regusto amargo. En él se denuncia más una actitud que a un hombre. El hombre era, sin duda, Calvo Sotelo. Su muerte violenta, veintitrés días después de escrito este artículo, provocaría en José Antonio una contrita e indignada reacción que conllevaría dos reparaciones inmediatas: una, dar orden a sus camaradas de Madrid de que acompañasen hasta el cementerio los restos del dirigente derechista, rindiéndole homenaje de respeto que se materializó también en una esquela y una dura nota condenatoria destinadas al número 4 de «No Importa»; y segunda, el envío de una sentida carta de pésame a los familiares del difunto. En el alma noble y cristiana de José Antonio se abriría, sin duda, una herida de arrepentimiento por la dureza empleada, en lo que afectaba al hombre.

Durante su encierro en Alicante, José Antonio mantiene un alto ritmo de entrevistas con falangistas de la provincia y con los enlaces encargados de mantener vivos y ágiles los contactos con Mola y, según Payne, con el dirigente carlista Fal Conde, con quien había llegado a un acuerdo inicial. Pero eran precisamente los carlistas, principalmente a causa de la bandera a utilizar, y la composición del futuro Directorio, quienes no acababan de ponerse de acuerdo con el General Mola, razón por la que habría de demorarse la fecha del alzamiento. Hasta la prisión provincial acuden frecuentemente Fernando Primo de Rivera, el hermano menor de José Antonio y lugarteniente de éste, que por su condición de antiguo oficial aviador mantenía eficaz enlace con los grupos militares, aunque manifestase su desencanto por la desorganización de éstos en Madrid; también Ramón Serrano Suñer, que hacía de enlace con Franco; y José Finat, Garcerán y Aznar, que mantienen el contacto con Pamplona.

El 29 de junio, José Antonio dirige dos circulares. Una a la primera línea de Madrid, y la otra a todas las jefaturas territoriales y provinciales. En la primera envía un saludo a sus camaradas madrileños, con palabras de afecto al tiempo que les alienta para las horas que se acercan, en los siguientes términos:

«Podéis estar seguros de que no se pierde un día, ni un minuto en el camino de nuestro deber. Aun en las horas que parecen tranquilas maquino sin descanso el destino de nuestro próximo triunfo. No lo olvidéis, camaradas de Madrid, en la hora de ocio forzado que acaso os traigan algunos días, no caigáis en la tentación de emplearos en otra cosa que el adiestramiento para una misión no lejana y decisiva...»

Para esa fecha, está fijada ya la del 10 de julio como día del alzamiento, de acuerdo con el General Mola.

La segunda circular, dirigida a los mandos orgánicos, bajo el epígrafe de «reservadísimo», se dan instrucciones concretas para el alzamiento. Ordena:

«Como continuación a la circular del 24 del corriente, se previene a los jefes territoriales y provinciales las condiciones en que podrán concertar pactos para un posible alzamiento inmediato contra el Gobierno actual.

1.—Cada jefe territorial o provincial se entenderá *exclusivamente* con el jefe superior del movimiento militar en el territorio o provincia, y no con ninguna otra persona. Este jefe superior se dará a conocer al jefe territorial o provincial con la palabra "Covadonga" que habrá de pronunciar al principio de la primera entrevista que celebren.

2.—La Falange intervendrá en el movimiento formando sus unidades propias, con sus mandos naturales y sus distintivos (camisas, emblemas y banderas).

3.—Si el jefe territorial o provincial y el del movimiento militar lo estimaran, de acuerdo, indispensable, parte de la fuerza de la Falange, que no podrá pasar nunca de la tercera parte de los militantes de primera línea, podrá ser puesta a disposición de los jefes militares para engrosar las unidades a sus órdenes. Las otras dos terceras partes se atendrán escrupulosamente a lo establecido en la instrucción anterior.

4.—El jefe territorial o provincial concertará con el jefe militar todo lo relativo al armamento largo de la fuerza de la Falange. Para esto se señalará con precisión el lugar a que debe dirigirse cada centuria, falange y escuadra, en un momento dado, para recibir el armamento.

5.—El jefe militar deberá prometer al de la Falange en el territorio o provincia que no serán entregados a persona alguna los mandos civiles del territorio o provincia hasta tres días, por lo menos, después de triunfante el movimiento, y que durante ese plazo retendrán el mando civil las autoridades militares.

6.—Desde el mismo instante en que reciba estas instrucciones, cada jefe territorial o provincial dará órdenes precisas a todas las jefaturas locales para que mantengan enlace constante, al objeto de poder disponer, en plazo de cuatro horas, de todas sus fuerzas de primera línea. También darán las órdenes necesarias para que los diferentes núcleos locales se concentren inmediatamente sobre sitios determinados, para constituir agrupaciones de una falange por lo menos (tres escuadras).

7.—De no ser renovadas por nueva orden expresa, las presentes instrucciones quedarán completamente sin efecto el día 10 de julio, a las doce del día.»

Según registra Payne en su obra, sin aportar más prueba o aclaración, «el 9 de julio José Antonio prolongó la validez de sus instrucciones hasta la media noche del 20 de julio». El día 6, en Alcañiz, la Policía había detenido a José Sainz, jefe provincial de Toledo y con él, a Jesús Muro Sevilla, que lo era de Zaragoza, a quienes, al parecer, habían encontrado esta circular. Como consecuencia, fuera cierto o no el hallazgo documental, Mola aplazó la fecha del alzamiento. Acaso influyera en el ánimo del General «director» su difícil diálogo con los mandos carlistas, que aún no habían decidido su apoyo al alzamiento militar.

José María Iribarren confirma la primera fecha prevista para el alzamiento y la interceptación por la Policía de las normas y consigna instruidas a los falangistas:

«Apenas entrado julio, los jefes de Falange Española de Navarra recibieron órdenes de la jefatura nacional para ponerse en relación con Mola, ya que el movimiento iba a estallar el 10 de julio. Los falangistas se entrevistaron con el enlace del general, Capitán Vicario, que era afiliado de Falange. La contraseña convenida para conocerse con los emisarios de Mola era la palabra ''Covadonga''. Pero como por entonces fue descubierta por la Policía zaragozana, se cambió por la de ''Granada''. Posteriormente la Falange recibió orden de estar preparada para el día 14, fecha fijada por el general.»

(José María Iribarren. «El general Mola», página 102. Editorial Bullón, 1963.)

* * *

Por su parte, Félix Maíz, se refiere a las difíciles negociaciones de Mola con los carlistas en los siguientes términos:

«En la conversación Mola-José Luis Zamanillo el día 11 de junio saltó a primer plano el deseo expresado por el representante carlista de conocer el futuro político para después del alzamiento. ¿Es que el carlismo presuponía el triunfo? El Director de la conjura militar creía en él, pero a costa de un enorme sacrificio. Sin embargo, había normas, aunque éstas no atasen. En el programa militar y en el carlista había muchas coincidencias; por ejemplo: disolución de todos los partidos políticos, proposiciones referentes a unidad, justicia, enseñanza... etcétera; pero en una, al parecer esencial para el arranque de la dirección política, la diferencia era muy notable.

Decía la norma militar: se constituirá una Junta compuesta de un presidente y cuatro vocales militares para las dependencias de Guerra, Marina, Gobernación y Comunicaciones.

Decía la norma carlista: la suprema dirección política corresponderá a un Directorio compuesto por un presidente militar y dos consejeros designados previamente por la Comunión Tradicionalista.

No hubo avenencia. No podía haberla en aquella primera reunión. Tampoco la habría cinco días después, en Irache, entre Mola y Fal Conde. Y continuaría la cosa sin solución en la segunda entrevista Mola-Zamanillo el día 1 de julio en Echauri. El acuerdo vendría catorce días después de esta entrevista.»

(Félix Maíz. «Mola, aquel hombre», páginas 188 y 189. Editorial Planeta, 1976.)

En la noche del 10, una escuadra de jóvenes falangistas asalta Unión Radio de Valencia y leen la siguiente proclama:

«¡Aquí Unión Radio de Valencia! En estos momentos, Falange Española ocupa militarmente el estudio de Unión Radio. ¡Arriba el corazón! Dentro de unos días saldrá a la calle la revolución nacionalsindicalista. Aprovechamos este servicio para saludar a todos los españoles y particularmente a todos nuestros camaradas.» Se cumplía así la promesa hecha a José Antonio por el jefe provincial, Enrique Esteve, durante su visita en la cárcel. Mientras se resuelve el regateo de órdenes y contraórdenes entre los jefes carlistas y Mola, dos episodios sangrientos consecutivos, y respectivamente desencadenantes, van a estremecer a España y van a servir a los remisos como impulso para su definitiva decisión.

64. Asesinatos del Teniente Castillo y Calvo Sotelo

El domingo, día 12, el Teniente José Castillo, de la Guardia de Asalto, conocido por su filiación y militancia socialista, y que se había distinguido durante el entierro del Alférez Reyes disolviendo la manifestación patriótica en la plaza de Manuel Becerra, donde personalmente hirió gravemente de un tiro disparado a quemarropa al estudiante tradicionalista Llaguno —a quien entonces se dio por muerto—, es abatido de varios disparos de pistola en la calle de Augusto Figueroa esquina a la de Fuencarral. Su cadáver es exhibido esa misma tarde en la Dirección General de Seguridad en donde se instala el túmulo. Desfilan ante él sus compañeros del cuartel de Pontejos, correligionarios en el marxismo, y una numerosa representación de los partidos de izquierda, que claman venganza.

Casi a la misma hora en que Castillo se desangraba en el centro de Madrid, a casi mil kilómetros de distancia, en el Llano Amarillo de Ketama, el Ejército de Africa consumaba sus maniobras de verano y desfilaba, nervioso y aguerrido, ante el Alto Comisario y los observadores militares extranjeros. En plena comida, y aun antes de que ésta comenzase, los oficiales del Tercio y de Regulares, reclaman jocosamente, a voz en grito: **¡Cafe! ¡café! ¡café!**

Es una exclamación que no cesa, que llama la atención del Alto Comisario y provoca la sonrisa de Yagüe que conoce su dinámico significado político: «¡Camaradas, Arriba Falange Española!»

Allí, entre los altos cedros de los montes de Ketama corre la consigna definitiva del Alzamiento: «El diecisiete a las diecisiete». La moneda ya está en el aire. En el aire estaba también, desde el día anterior en que había salido del aeropuerto londinense de Croydon, el «Dragon Rapide» que habría de trasladar a Franco desde Canarias hasta Marruecos, donde debe ponerse al frente del Ejército español de guarnición en el Protectorado. Los planes, establecidos desde tiempo atrás, se cumplían con relativa puntualidad, porque el «Dragon Rapide», que pilotaba Bebb y a cuyo bordo viajaban el periodista Luis Bolín y el Marqués de Mérito junto a un grupo de amigos –el británico Pollard y dos jóvenes inglesas, Dorothy Watson y Diana, esta última hija del propio Pollard– había llegado el día 12 a Casablanca, en vez del 11, como estaba previsto, con lo que estuvo a punto de provocar un nuevo aplazamiento.

El clamor de venganza expresado por los compañeros del Teniente Castillo iba a saciarse esa misma noche. En la madrugada del lunes, día 13, una camioneta de la Guardia de Asalto, la número 17, llega hasta el domicilio del diputado Calvo Sotelo, con un pequeño grupo de guardias y paisanos. Les manda el capitán de la Guardia Civil Fernando Condés, que viste de paisano, y forman la expedición el teniente de Asalto Máximo Moreno, varios guardias de uniforme y un pistolero comunista llamado Victoriano Cuenca. Después de un forcejeo dialéctico con Calvo Sotelo y un sumario registro, le obligan a salir de su casa para someterle a un interrogatorio –dicen– en la Dirección General de Seguridad. Calvo Sotelo, que desconfía, cede al fin, ante la seguridad que le ofrece el capitán de la Guardia Civil. Y cuando la camioneta circula velozmente hacia la calle de Alcalá, Cuenca, que se ha situado a espaldas del diputado derechista, le descerraja dos tiros en la nuca. Calvo Sotelo muere instantáneamente. La camioneta cambia entonces de rumbo y se dirige al cementerio del Este, donde los asesinos arrojan el cadáver. La amenaza de muerte hecha por Casares Quiroga en el Congreso se ha cumplido. Esa misma mañana, cuando se le identifica, un estremecimiento de indignación y temor sobrecoge a la opinión pública. No hay ya posibilidad de tregua. Y quienes albergaban alguna duda saben a qué atenerse.

Cuatro años después, Julián Zugazagoitia dejaría escrita la impresión que sintió cuando conoció la muerte de Calvo Sotelo. Las palabras del director de «El Socialista» valen por todo un diagnóstico histórico:

«Ese atentado es la guerra», exclamó.

Y se apresuró a comunicárselo por teléfono a Prieto, que descansaba cerca de Bilbao.

Durante muchos años, sectores reaccionarios predominantemente monárquicos han mantenido el equívoco de que el Alzamiento del 18 de julio se produjo como consecuencia del asesinato de Calvo Sotelo. Existe tal acumulación de pruebas históricas que lo desmienten, que difícilmente alguien se atreverá hoy a sostener tan peregrina tesis. El Alzamiento estaba en marcha desde mucho antes. Las fuerzas militares y políticas comprometidas –incluidos los monárquicos– habían recibido ya consignas explícitas y órdenes terminantes. El propio Franco esperaba la llegada de un avión para trasladarse a Marruecos, y el avión, fletado por Bolín –corresponsal de «ABC» en Londres– por orden de su director, Juan Ignacio Luca de Tena, con apoyo económico de Juan March, rendía etapa en Casablanca el mismo día en que Calvo Sotelo era asesinado.

La muerte de Calvo Sotelo, que fue sin duda un reactivo nacional, solamente decidió al único grupo político importante, en hombres y en moral de combate, que discutía aún su participación: los tradicionalistas, que al conocer el asesinato de Calvo Sotelo despejan todas sus dudas. El día 15, don Javier de Borbón-Parma da la orden de movilización. Las fuerzas contendientes empiezan a alinearse en orden de combate.

También en José Antonio provoca una fuerte reacción la muerte de Calvo Sotelo. A las decisiones de aplazar la publicación de «No Importa» para insertar en él una esquela y una nota de dura condena por el crimen cometido, y a la correspondencia enviada a los familiares de la víctima, José Antonio suma una impresión pesimista. Su hermano Miguel la ha registrado con fidelidad:

«José Antonio comprendió con disgusto que la guerra civil era un hecho inevitable e inminente. Y digo con disgusto, porque mi hermano sabía que algunos meses más tarde, dos o tres meses más tarde, la posición de la Falange en toda España sería infinitamente más fuerte, pues era una realidad que, ante la feroz y desintegradora política del Frente Popular, toda la parte sana de España, en la que estaba incluida lo mejor del Ejército, vendría a nuestras filas.»

Esa contrariedad y disgusto ante el inevitable enfrentamiento civil y las múltiples dudas que asaltaban su espíritu en cuanto al futuro destino que depararía a la Falange el hipotético triunfo de la sublevación, no sólo se refleja en los escritos publicados sino, también, en la amistosa carta que dirige a Ramiro Ledesma –de la que he dado referencia anteriormente– y la destinada a Miguel Maura, antiguo Ministro de la Gobernación en el primer gabinete de la II República. Este había publicado una serie de artículos en «El Sol», defendiendo la tesis de una Dictadura nacional republicana, que, en cierto modo, coincidía en paralelo con el proyecto de Mola.

La carta de José Antonio a Maura está fechada el 28 de junio y es singularmente expresiva de su estado de ánimo, pero, también, de su pensamiento, opuesto siempre a toda dictadura, sobre la que objeta afectuosamente a Maura.

«Prisión provincial
Alicante, 28 junio 1936
Querido Miguel:

He leído tus artículos con el interés que su contenido merece, aparte del que les da tu firma, y hasta he creído del caso formular a ellos algunas afectuosas objeciones. Con este propósito mandé a ''Informaciones'' un artículo titulado por mí ''El ruido y el estilo'', que Víctor de la Serna se aprestó amablemente a acoger y vino a destacar con llamativos subtítulos. Este trabajo (que creo conocerás, porque me han prometido mandarme la galerada) fue tachado de arriba a abajo por la censura de la inmunda chusma que nos gobierna. Igual suerte hubiera corrido si tratara de la Osa Mayor. Yo ya no tengo derecho ni a firmar en los periódicos: estoy proscrito de la vida civil. Bueno; esto es un incidente. Ya veremos quién ríe el último.

Ahora bien, entre la falta de publicidad del artículo y lo que el artículo no decía, queda en tu favor un saldo de gratitud mía por las palabras de generoso elogio que dedicabas a mis camaradas de la Falange. Lástima que no amplíes tu generosidad hasta entender lo que había de clarividencia histórica y política —quizás inexplicada, como todo lo de tipo religioso— en aquellas gloriosas muertes prematuras. Entonces verías que si la bravura de miles de muchachos que yo no he dado a luz, que ya existían al fundarse la Falange, se ha visto expresada en la Falange hasta el punto de arrastrar al ofrecimiento de la propia vida, es porque en ella está la verdad:

la de los principios permanentes y la de las mejores calidades entrañables españolas.

Tú, ahora, después de los extravíos que tienes la nobleza de confesar y que se avaloran en ti —ya te lo dije otra vez— en el sacrificio de las cosas más costosas (familia, amigos de siempre, medio social...) andas barruntando la verdad en nuevas pesquisas. Lástima que aún no te atrevas a llamarla por su nombre. Cuando analices en frío esto de la ''dictadura nacional republicana'' verás que lo de republicana, *si quiere decir algo más que* no monárquica *(nota negativa en que todos ahora, menos los insensatos, tienen que estar conformes), ha de aludir a un* contenido institucional *incompatible con la idea de dictadura. De ahí que para salvar la contradicción tendrás que concluir aspirando a un régimen autoritario nacional capaz de hacer (¿recuerdas?) la revolución desde arriba, que es la única manera decente de hacer revolución. ¿Y a qué otra cosa aspiramos nosotros?*

Pero ya verás: ya verás cómo la terrible incultura, o mejor como la pereza mental de nuestro pueblo (en todas sus capas) acaba por darnos o un ensayo de bolchevismo cruel y sucio o una representación flatulenta de patriotería alicorta a cargo de algún figurón de la derecha. Que Dios nos libre de lo uno y de lo otro.

Recibe el afecto de tu buen amigo
José Antonio Primo de Rivera.»

(Carta autógrafa de José Antonio a Miguel Maura.) (Fotocopia del autor.)

Por su parte, Giménez Caballero recibió, fechada el día 12, otra carta de José Antonio en la que manifestaba parecidos temores:

«Estoy ya en contacto con cuanto puede haber en España, en este momento, de eficaz. Hasta tal punto, que sin la Falange no se podría hacer nada en este momento, como no fuera un ciempiés sin salida... Una de las cosas terribles sería la "dictadura nacional republicana"... Otra experiencia falsa que temo es la de la implantación por vía violenta de un falso fascismo conservador, sin valentía revolucionaria ni sangre joven»...

En su libro «Proceso a una guerra», Pedro Pascual incluye una entrevista con Ricardo de la Cierva que tiene valor testimonial. Porque reconoce, con nobleza que le honra, errores cometidos en su enfoque histórico y valorativo de la Falange, en gran parte por apresuramiento. Y, además, porque declaraba, en 1974, que se había venido manteniendo una cortina de silencio interesado, desde el año treinta y tres y desde el treinta y cuatro, y con diversas modificaciones de las fuerzas que mueven la cortina. Decía: «Las fuerzas que en diversas épocas han intentado desvirtuar la acción inicial de la Falange, la acción posterior de la Falange, son siempre fuerzas reaccionarias.»

Tras la muerte de Calvo Sotelo, los acontecimientos se suceden en torbellino. Una fuerza telúrica los empuja irrefrenable. En el turbión van a desaparecer dos oportunidades de liberación para José Antonio. Una, la más próxima, el traslado desde Alicante a la cárcel de Burgos, solicitado por Ramón Serrano Suñer a instancia de José Antonio y al que había accedido, al parecer, Diego Martínez Barrio. Otra, el proyectado plan de fuga previsto para el día 24 de julio, fecha en la que José Antonio tenía pendiente un informe ante el Tribunal Supremo, en una causa civil.

Ocioso es decir que la iniciación del alzamiento militar y la subsiguiente incomunicación a que fueron sometidos los dos hermanos presos, quebró toda posibilidad de actuación forense de José Antonio, salvo la de su propia defensa y la de sus hermanos ante el Tribunal Popular de Alicante.

Todavía en vísperas del Alzamiento, exactamente el 16 de julio, estaba previsto otro plan. Se contaba con el piquete del Arma de Infantería que hacía guardia en la prisión y era mandado por el Sargento Barricarte, falangista, a quien apoyaría el Teniente Enrique Robles, de la Guardia de Asalto, igualmente perteneciente a la Falange alicantina. Este esperaría fuera de la prisión con una camioneta en marcha y la protección de una escuadra de la primera línea que a tal fin estaba dispuesta.

Se habían facilitado dos pistolas a los prisioneros y con algunas complicidades interiores se esperaba que pudieran llegar hasta el rastrillo y la puerta exterior. Una vez fuera, los fugitivos y sus libertadores contaban con dos opciones. Una, dirigirse al cabo San Antonio, donde les aguardaría una embarcación que les conduciría a Orán. La otra, marchar hasta el aeródromo de Altea, situado a unos cinco kilómetros de distancia, comúnmente utilizado por la compañía aérea «Latecoere», donde una avioneta pilotada por Pombo trasladaría a José Antonio hasta Madrid. El proyecto, que no llegó siquiera a intentarse, aunque las pistolas les fueron pasadas con éxito a los presos, debió parecerle tan viable a José Antonio, que ese mismo día 16 salía de Alicante un mensaje cifrado remitido a Fernández Cuesta, en el que comunicaba a sus fieles que le esperasen en Madrid donde se uniría a las fuerzas de la capital, después de aterrizar en un campo de fortuna en la zona de la Ciudad Universitaria.

A lo largo de esos días se idearon otros diversos planes, siempre de ámbito provincial, ninguno de los cuales resultó posible. El sacrificio masivo de los falangistas de la Vega Baja y la extraordinaria aventura personal vivida por Agustín Aznar, fueron los dos intentos más serios y que más cerca tuvieron la oportunidad de alcanzar su objetivo.

El día 16 de julio, José Antonio despacha instrucciones para los falangistas de Alcoy, quienes las reciben, según Luis Romero, a través de las mujeres de la familia Primo de Rivera, temporalmente residentes en Alicante.

Pocas semanas después del traslado de José Antonio y Miguel a la prisión alicantina, habían llegado a la ciudad su hermana Carmen, la tía «Ma» y Margarita Larios, esposa de Miguel. Les acompañaba Pilar Millán Astray, hermana del fundador de la Legión y amiga de la familia. El grupo femenino se instaló en el Hotel Victoria. Desde su arribada a la ciudad, acudían diariamente a la prisión para llevar consuelo y cariño a los dos cautivos. Y es de suponer que, en algún caso, especialmente Margot, actuasen de enlaces entre el Jefe falangista y sus seguidores.

65. El Alzamiento, en marcha

El día 17, cuando Melilla ha ganado ya el título de «Adelantada» en el Alzamiento, data José Antonio su último manifiesto. Según Ricardo de la Cierva, es uno de los dos documentos enigma que despiertan la desconfianza de algunos historiadores. Tal sería el caso de Manuel Aznar y de Stanley G. Payne, quienes lo rechazan abiertamente. En él, José Antonio demuestra desde el primer párrafo que conoce perfectamente la noticia del Alzamiento, aunque pudiera ocurrir también que el manifiesto estuviese redactado y presto para lanzarlo apenas se confirmase la orden de sublevación.

Sea como fuere, sabemos con certeza que cuando el Conde de Mayalde, enlace del Jefe Nacional de la Falange –del que ha recibido instrucciones el día 15– llega a Pamplona el 16 para urgir a Mola que dicte la orden de comenzar, el general le indica que se ha cruzado en el camino con un emisario que lleva instrucciones precisas para el levantamiento en la región valenciana.

¿Obtuvo José Antonio esa información y se apresuró a lanzar el manifiesto preparado?

Pese a la desconfianza expresada sobre la autenticidad del documento, lo cierto es que existe. No sólo lo cita y transcribe Francisco Bravo en su obra «José Antonio: el hombre, el jefe, el camarada», sino que persona de tanta solvencia moral como don Mariano García, a quien José Antonio trataba con especial respeto, ha hecho referencia a este manifiesto que no pudo distribuirse ante el desencadenamiento de la sublevación.

«Un grupo de españoles, soldados unos y otros hombres civiles, que no quiere asistir a la total disolución de la Patria, se alza hoy contra el Gobierno traidor, inepto, cruel e injusto que la conduce a la ruina.

Llevamos soportando cinco meses de oprobio. Una especie de banda facciosa se ha adueñado del Poder. Desde su advenimiento no hay hora tranquila, ni hogar respetable, ni trabajo seguro, ni vida resguardada. Mientras una colección de energúmenos vocifera —incapaz de trabajar— en el Congreso, las casas son profanadas por la Policía (cuando no incendiadas por las turbas), las iglesias entregadas al saqueo, las gentes de bien encarceladas a capricho, por tiempo ilimitado; la ley usa dos pesos desiguales: uno para los del Frente Popular, otro para quienes no militan en él; el Ejército, la Armada, la Policía son minados por agentes de Moscú, enemigos jurados de la civilización española; una Prensa indigna envenena la conciencia popular y cultiva todas las peores pasiones, desde el odio hasta el impudor; no hay pueblo ni casa que no se halle convertido en un infierno de rencores; se estimulan los movimientos separatistas; aumenta el hambre; y por si algo faltara para que el espectáculo alcanzase su última calidad tenebrosa, unos agentes del Gobierno han asesinado en Madrid a un ilustre español, confiado al honor y a la función pública de quienes le conducían. La canallesca ferocidad de esta última hazaña no halla par en la Europa moderna y admite el cotejo con las más negras páginas de la Checa rusa.

Este es el espectáculo de nuestra Patria en la hora justa en que las circunstancias del mundo la llaman a cumplir otra vez un gran destino. Los valores fundamentales de la civilización española recobran, tras siglos de eclipse, su autoridad antigua. Mientras otros pueblos que pusieron su fe en un ficticio progreso material ven por minutos declinar su estrella, ante nuestra vieja España misionera y militar, labradora y marinera, se abren caminos esplendorosos. De nosotros los españoles depende que los recorramos. De que estemos unidos y en paz, con nuestras almas y nuestros cuerpos tensos en el esfuerzo común de hacer una gran Patria. Una gran Patria para todos, no para un grupo de privilegiados. Una Patria grande, unida, libre, respetada y próspera. Para luchar por ella rompemos hoy abiertamente contra las fuerzas enemigas que la tienen secuestrada. Nuestra rebeldía es un acto de servicio a la causa española.

Si aspirásemos a reemplazar un partido por otro, una tiranía por otra, nos faltaría el valor —prenda de almas limpias— para lanzarnos al riesgo de esta decisión suprema. No habría tampoco entre nosotros hombres que visten uniformes gloriosos del Ejército, de la Marina, de la Aviación, de la Guardia Civil. Ellos saben que sus armas no pueden emplearse al servicio de un bando, sino al de la permanencia de España, que es lo que está en peligro. Nuestro triunfo no será el de un grupo reaccionario, ni representará para el pueblo la pérdida de ninguna ventaja. Al contrario: nuestra obra será una obra nacional, que sabrá elevar las condiciones de vida del pueblo —verdaderamente espantosas en algunas regiones— y le hará participar en el orgullo de un gran destino recobrado.

¡Trabajadores, labradores, intelectuales, soldados, marinos, guardianes de nuestra Patria: Sacudid la resignación ante el cuadro de su hundimiento y venid con nosotros por España una, grande y libre! ¡Que Dios nos ayude! ¡Arriba España!

Alicante, 17 de julio de 1936. José Antonio Primo de Rivera.»

Como es de imaginar, el día 17 es jornada de agitado nerviosismo para José Antonio. En Alcoy, las fuerzas se han acuartelado y con ellos, los falangistas de la ciudad. Y en la capital alicantina, Antonio Maciá, hermano del jefe provincial de la Falange, recibe de José Antonio órdenes concretas que traslada a los Tenientes Lupiánez y Pascual, en el cuartel de Benalúa, donde se confabula un nuevo intento de liberación que Maciá pone en marcha de inmediato. Es la heroica intentona de los falangistas de Callosa del Segura, de Tafal, Orihuela y Crevillente.

Se habían concentrado éstos en la finca «La Torreta», el día 18. Y en la madrugada del 19, marchan armados en dirección a la capital. Ocupan dos camiones precedidos por un automóvil en el que viajan Vicente Manresa, como conductor; Antonio Maciá, Francisco Alonso y Pelayo Zaragoza. El destino de la expedición es llegar al cuartel de Benalúa, donde recibirían armas largas, y desde allí marcharían a la prisión para liberar al Jefe Nacional. Pero la Providencia se les va a mostrar adversa. Uno de los camiones llega al Barranco de las Ovejas, en las inmediaciones de la ciudad, y allí acampan en tanto los ocupantes del automóvil entran en Alicante. El segundo camión sufre una avería que les retrasa. Hacia las seis de la tarde, llega al Gobierno Civil noticia de la presencia falangista y un grupo de guardias de asalto, mandado por el Capitán Rubio Funes, perteneciente a la U.M.R., marcha a su encuentro. Después de intenso tiroteo, en el que mueren tres falangistas y cuatro resultan heridos, los cincuenta y dos supervivientes se rinden ante la superioridad numérica y de potencia de fuego de los de Asalto. Cincuenta de ellos: 25 de Callosa, 10 de Tafal y 15 de Orihuela, entre los que se encuentran los heridos en la refriega, son fusilados el 12 de septiembre. Los ocupantes del segundo camión, al conocer lo ocurrido a sus camaradas, optan por dispersarse. En la sala de banderas del cuartel de Benalúa hacen acto de presencia los falangistas crevillentinos Antonio Quesada, Antonio Asencio y Manuel Llebrés para comunicar que treinta hombres esperan órdenes para incorporarse a la rebelión. Pero el oficial de servicio les invita seriamente a que se alejen del cuartel.

La causa del Alzamiento está definitivamente perdida: Cuando la noticia se filtra al interior de la cárcel, en donde ya se ha sometido a José Antonio y a su hermano a un duro régimen de incomunicación con el exterior, el Jefe Nacional de la Falange comenta:

«Aldave se ha rajado.»

Y acierta plenamente.

En la tarde del día 20, el Presidente de las Cortes, Diego Martínez Barrio, mantiene una entrevista con el General García Aldave, quien se muestra sumiso y vacilante.

—¿Puedo contar con usted? —le pregunta Martínez Barrio.

—Sí, desde luego... Ya sabe usted que soy republicano.

Y añade más adelante:

—Yo no haré nada en contra de la República; pero si los jefes y oficiales se manifiestan contra el Gobierno, correré su suerte. Lealmente le anuncio que nunca me pondré frente a mis hermanos de armas.

En la angustia de la incomunicación y la duda que le invade, José Antonio confía a su hermano:

«Creo que estamos en el fondo de un saco del que sospecho no salimos.»

Y en una ocasión, ante el fracaso del golpe y la inexorabilidad de la guerra, ya indetenible, comentó:

«Todas las guerras son, en principio, una barbarie, y una guerra civil, además de una barbarie, es una ordinariez, porque el pueblo que tiene que lanzarse a ella pone de manifiesto que ha malogrado una de las gracias más grandes recibidas por la humanidad del Todopoderoso: la inteligencia y un lenguaje común para entenderse.»

A partir del fracaso del Alzamiento en Alicante, la vida de José Antonio permanece aislada en el recinto carcelario. Las noticias que de ella se conocen han llegado a través de la confidencia de su hermano Miguel o de los testimonios contenidos en los legajos del juicio al que se le sometió por rebelión militar y que sería causa de su condena a muerte.

Pero son muchos los puntos que permanecen oscuros. Una sola cosa parece deducirse de los testimonios existentes: José Antonio ha abandonado ya toda confianza en su rescate. De los acontecimientos no conoce más que falsas informaciones que le proporciona Abundio Gil, uno de los oficiales de Prisiones que en noviembre aparecerá también sometido a proceso.

En la zozobra de su aislamiento, José Antonio no pierde su calma y trata de analizar, con la máxima objetividad posible la situación en que se encuentra España. El drama de la guerra civil parece irreversible. La lucha se ha endurecido, pero aún se vislumbra, más en el deseo que en la realidad, una posibilidad de concordia. Desde Francia, José Antonio recibe cartas de Santiago Alba y de Miguel Maura, que le sugieren haga sondeos para una mediación en el conflicto. Y José Antonio lo intenta. Desde el 22 de julio era Presidente delegado de la Junta del Gobierno con jurisdicción en Valencia, Castellón, Alicante, Cuenca, Albacete y Murcia, Diego Martínez Barrio, a quien el día 6 de agosto dirige José Antonio una propuesta para establecer el inmediato cese de hostilidades. En ella esboza un juicio crítico de la situación cuyo borrador, junto a todos sus papeles y documentos, pasa a manos de Indalecio Prieto después del fusilamiento de José Antonio.

> *«Cuando se fusiló a Primo de Rivera, el Comandante Militar de Alicante, Coronel Sicardo, se hizo cargo de cuantos efectos había en la celda del ejecutado y me los mandó. Estaban contenidos en una maleta, figurando entre ellos varias prendas de ropa interior, un mono, unas gafas, recortes de periódicos y bastantes manuscritos, incluido el testamento del que remití copia a los albaceas, Raimundo Fernández Cuesta y Ramón Serrano Suñer»...*
>
> (Indalecio Prieto. «Convulsiones de España». Tomo I. Página 130. Ediciones Oasis. Méjico, 1967.)

Y aunque la carta a Martínez Barrio no obtiene respuesta escrita, Martín Echevarría, Secretario de la Junta y Subsecretario de Agricultura, visita personalmente a José Antonio en la cárcel y mantiene con él una entrevista de carácter oficioso en la que el Fundador de la Falange reitera lo expuesto a Martínez Barrio y se ofrece «para volar a Burgos como mediador, dejando a sus familiares en Alicante como rehenes». Transmitida la propuesta al Gobierno de Madrid, éste la rechazó.

Pero la actitud de José Antonio, en línea con su inequívoca conducta de siempre, impresiona y genera una inevitable corriente de respeto. Sólo el Partido Comunista permanece insensible.

Cuando el 2 de agosto se amotinan los presos comunes contra los hermanos Primo de Rivera, llegan al Gobernador Civil de Alicante rumores de que van a ser asesinados. Se pretende sacarles de la prisión bajo el pretexto de conducirles a Cartagena, para, a mitad del camino, pasarles por las armas. Azaña y Giral tratan de impedirlo, pero el gobernador alicantino no responde del llamado Comité de Orden Público. Se acude entonces a Indalecio Prieto, quien apela al sindicalista Antonio Cañizares, «para ahorrar a la República semejante bochorno». «Cañizares —contaría en 1942 Indalecio Prieto— echando sobre los componentes del Comité toda la fuerza de su limpia historia política y sindical, logró persuadirles de que no debían interponerse en la acción de la Justicia.» «Si no la vida de José Antonio Primo de Rivera, ejecutado luego en cumplimiento de fallo legal, se salvó la de su hermano Miguel y la de su cuñada Margot.»

El testimonio de Prieto está corroborado por Agustín Mora, quien habló personalmente con Alonso Mallol –que era alicantino– y con Giral. También Azaña confirma el testimonio de Prieto. En su libro «Cuaderno de la Pobleta» dice: «Los recuerdos se enredan como cerezas. Haré punto con el siguiente. Cuando Ossorio supo, porque yo se lo conté, mi intervención personal para librar a Primo de Rivera del asesinato que iban a perpetrar algunos fanáticos en Alicante, se quedó callado. ¡Cómo! ¿Le parece que he hecho mal? ¿Me he excedido? No sé, no sé»...

Lorenzo Carbonell, además de Antonio Cañizares, interviene para poner coto al propósito. Según recoge Vicente Ramos en una obra documentadísima, titulada «La guerra civil, 1936-1939 en la provincia de Alicante», que es una minuciosa recopilación de toda clase de datos, hecha con la paciencia y la fidelidad de un notario, «Carbonell –que era alcalde de la ciudad– encargó tal misión al abogado Antonio Ramos, quien llegó a la cárcel, cuando estaban a punto de sacar a los citados presos con el fin mencionado.»

¿Qué especial magnetismo irradiaba la personalidad de José Antonio para movilizar a tales personajes, por otra parte duros adversarios políticos?

Irremediablemente tarde, las más destacadas figuras de la República habían comprendido el horror de la lucha desencadenada. Conforme ésta acentuara sus perfiles cruentos, más clara aparecería la actitud política y moral de José Antonio.

66. Intentos de rescate

El 16 de agosto, se verifica el hallazgo de las dos pistolas escondidas y se abre un proceso por posesión ilegal de armas. Es tema que después se aireará en el juicio definitivo ante el Tribunal Popular.

Hasta septiembre no se inicia desde la zona nacional intento alguno para liberar a José Antonio. Dentro de la elementalidad de su organización política, la Junta de Defensa Nacional ha logrado coordinar un esquema suficiente para atender, a un mismo tiempo, al esfuerzo de guerra y a la estructuración de la autoridad interna en el territorio sobre el que ejerce su jurisdicción. El espectacular avance de las columnas del Sur ha ensanchado las perspectivas. Se han unido ya las provincias extremeñas y en las Cancillerías europeas empiezan a considerar, calculadamente, cuáles son las posibilidades de éxito de los «nacionalistas».

Este episodio de los intentos de rescate de José Antonio ha sido descrito numerosas veces. Lo han hecho sus protagonistas, en diversas versiones que coinciden en lo fundamental, pero que dejan entrever lagunas documentales no demasiado claras. Y han recogido su testimonio los historiadores. El paso de los años ha sumado a las manifestaciones personales el peso de documentos oficiales, especialmente extranjeros, algunos de los cuales tuvieron incluso carácter reservado.

Durante mucho tiempo se alentó en zona nacional la leyenda de un José Antonio superviviente, refugiado en los más diversos lugares. Eran bulos que alentaban la esperanza en «el Ausente» de los que creían en su jefatura y en su doctrina y combatían heroicamente en los campos de batalla. Pero la certeza de su muerte era conocida por las autoridades del Estado y por los mandos militares y de la Falange.

«El falangismo no se había sobrepuesto de la pérdida de José Antonio, su jefe; y se puede decir sin exageración que él era la Falange. José Antonio desapareció cuando enormemente extendida la Falange por la guerra, quedaba ésta en los mayores desamparo e incertidumbre. Prueba de lo que digo fue el desarrollo del mito del ''Ausente'' pues, sabiéndose incapaces de llenar el hueco dejado por aquél, los falangistas se resistían a aceptar el hecho de su muerte y se autoengañaban con toda sinceridad imaginando que el juicio y fusilamiento de Alicante habían sido pura simulación para satisfacer a los exaltados pero que la verdad sería que José Antonio estaría guardado como rehén en cualquier lugar ignorado»...

(Ramón Serrano Suñer. Prólogo al libro «Memorias inéditas de José Antonio», novela de Carlos Rojas.)

Por otra parte, es seguro que Franco tuvo noticia inmediata del fusilamiento de José Antonio. Así lo indica su primo Franco Salgado-Araujo:

«La triste noticia del fusilamiento del Fundador de Falange Española, José Antonio Primo de Rivera, a las 6,20 de la mañana del 20 de noviembre de 1936 en la cárcel de Alicante, afectó muchísimo a Franco y a todos los que componíamos su Cuartel General.»

(Francisco Franco Salgado-Araujo. «Mi vida junto a Franco», página 215. Editorial Planeta, 1977.)

También se alentó, con intención que se supone, la infamia de que José Antonio no salvó la vida por desinterés o dejación de los responsables de la España nacional. No es cierto. Quienes podían oponerse al propósito de liberación alentados por sus bajas pasiones partidistas, todavía no significaban nada en la España nacional y permanecían en su mayoría en el extranjero. Los resentimientos que pudieran albergar contra José Antonio ciertos sectores de la derecha eran impotentes, por aquel tiempo, para maquinar ninguna intriga contra los proyectos de liberación. Por otra parte, el dolor de la persecución y de la guerra, purificó, con contrición sincera, muchos espíritus; lealmente, algunos de los que años atrás habían abandonado la Falange espectacularmente y muchos de los que la habían combatido desde la derecha, se acogieron a sus filas. Y aunque, tras la Victoria, renacieran en ellos los brotes de un egoísmo reaccionario y conservador, en aquellos iniciales meses de la lucha civil, su decisión fue, sin duda, sincera.

Es difícil, pero no imposible, entre la nebulosa de testimonios personales —en algún caso expuestos con cultivo de un protagonismo excesivo o dudoso— y las evidencias documentales, reconstruir una narración casi exhaustiva de los intentos de liberación.

Los hubo de diversa naturaleza. Se intentó, en primer lugar, el canje. Era procedimiento usual que contaba, en el Gobierno de la República, con un ministro, Giral, especialmente dedicado a este menester. El azar, más que la previsión organizativa, determinó la línea de división entre las dos zonas contendientes. Provincias que los sublevados daban como seguras, quedaron inmersas en la marea roja. Y provincias en las que se desconfiaba del éxito, quedaron por entero dentro del foco del Alzamiento. Así, también en zona nacional permanecían encarcelados o retenidos personajes valiosos por su significación política o por su parentesco con quienes ocupaban los escalones de mando del Gobierno republicano.

De ahí que el canje de prisioneros, entre una y otra zona llegase a ser habitual, sobre todo durante finales de 1936 y el año 1937.

Se intentó también el soborno, combinado con la audacia de un golpe de mano. Fue el procedimiento que tuvo más cerca la posibilidad de conseguir el éxito.

Y se intentó, a nivel oficioso y por la vía de numerosas amistades, en emocionante movimiento de solidaridad humana, la mediación internacional para que se respetase la vida del cautivo en Alicante.

Todo fue en vano.

El principal intento de canje afectaba directamente al Presidente del Gobierno y Ministro de la Guerra, Francisco Largo Caballero.

Cuando el Regimiento de Transmisiones de El Pardo se subleva y, en caravana de camiones, marcha hacia Segovia para unirse con las fuerzas nacionales, lleva como rehén a un hijo de Largo Caballero, que hacía su servicio militar en aquella unidad.

Largo Caballero ha alcanzado el 5 de septiembre de 1936 la Jefatura del Gobierno y ostenta, igualmente, el Ministerio de la Guerra. Su hijo está preso en Sevilla, en la celda 44, galería central de la cárcel provincial, custodiado por falangistas.

Eugenio Montes, a quien José Antonio rindiera cumplido homenaje como intelectual, ha iniciado en París unas premiosas negociaciones y contactos con personajes políticos del exilio, de amplio historial liberal o republicano, para que influyan cerca del Gobierno de Madrid. En la capital francesa, Eugenio Montes sugiere el canje, al tiempo que Mauricio Carlavilla consigue del muchacho una carta para su padre, instándole en igual sentido. El asunto se trata en Consejo de Ministros a propuesta de Giral. Hay diversidad de opiniones. Largo Caballero calla dignamente. Rodolfo Llopis critica a Giral a quien imputa incompetencia en este tipo de canjes que no han servido, en algunos casos, para nada útil a la República. Y el Gabinete, después de escuchar a Francisco Largo Caballero: «No me obliguen ustedes a asumir el papel de Guzmán el Bueno», se opone a la transacción, a excepción de Julián Zugazagoitia, quien como Prieto, siente por el Jefe de la Falange una profunda simpatía, pues le considera, junto a su jefe, «el único hombre con capacidad y emoción para concluir la guerra en un arreglo».

Este fracasado canje va a tener un epílogo feliz para el joven José Largo, quien salvaría la vida por mediación de otro intercambio. No así para José Antonio.

La vía del canje de rehenes se intenta una vez más a pesar del antecedente. Lo intenta Ramón Casaña, jefe territorial de la Falange en Marruecos. Estaban detenidas en la Comandancia General de Melilla, bajo la responsabilidad del Coronel Juan Bautista Sánchez, la esposa y las hijas del General Miaja, el que había de ser alma militar de la defensa de Madrid. Casaña, que conoce las gestiones que desde Orán está haciendo otro hijo de Miaja, cambia de alojamiento a las detenidas y les pone una guardia falangista, al tiempo que se traslada a Sevilla y se entrevista, sucesivamente, con Pilar Primo de Rivera y Agustín Aznar, quienes dan el visto bueno al plan. Consistía éste en hacer llegar a Orán una propuesta fijada en los siguientes tres puntos:

1.–Canje de las detenidas y vigiladas, por José Antonio y toda su familia.

2.–Durante su vida, Miaja recibiría el doble de la paga de general, asegurada por un depósito en un banco extranjero.

3.–Si Miaja quería incorporarse al ejército nacional, José Antonio le apoyaría.

Desafortunadamente, la persona que tenía que transmitir el mensaje a Orán no obtuvo el salvoconducto necesario. Algún tiempo después, las mujeres de la familia Miaja obtenían el canje por el tradicionalista Joaquín Bau, que en el régimen de Franco llegó a ocupar la Presidencia del Consejo de Estado.

Las ideas de soborno, combinado, en unos casos, con canje y en el resto con la audacia de sendos golpes de mano, fueron puestas en práctica también por aquellas fechas.

Intercede Miguel Maura desde Francia y a través de Sánchez Román y de Eugenio Montes, Indalecio Prieto hace llegar a Burgos la propuesta de cambiar a José Antonio por treinta presos en manos nacionales y la suma de seis millones de pesetas. La noticia llega a la capital castellana el 1 de octubre, fecha en que Franco ha sido investido como Jefe del Estado y Generalísimo de los Ejércitos. Hedilla comunica al Caudillo la proposición de Prieto y Franco la acepta, con la anuencia de Mola y Queipo de Llano. Pero tampoco se consuma el canje, porque Prieto –que en sus recuerdos sobre José Antonio no hace ninguna mención a estas negociaciones, pese a su buena memoria y a haber hecho hincapié en su gestión para impedir el «paseo» de José Antonio en el mes de agosto–, confiesa no poder arrancar al preso de las garras de la F.A.I.

Fracasadas las tentativas de canje, se pone la esperanza en el soborno y el golpe de mano. Se sabe que Alicante es un portillo por el que evacuan las diversas embajadas representadas ante el Gobierno de Madrid a súbditos en peligro. El puerto alicantino es, por eso, en los primeros meses de la guerra, uno de los más frecuentados por barcos de todas las nacionalidades. Aprovechando esta circunstancia, unas veces con permisos oficiales del Gobierno madrileño, otras con documentación falsa, a veces con pasaporte ficticio, numerosos españoles han logrado evadirse de la zona roja a través de Alicante. Este trasiego de navíos y súbditos extranjeros hace de la capital levantina un punto permeable a cualquier penetración. Hay también confidencia de que determinados personajes locales han aceptado soborno para conceder salida a algunos perseguidos. Y tal acumulación de datos anima a intentar un plan activo de rescate.

Consistiría éste en la formación de un grupo, mandado por Agustín Aznar e integrado por Rafael Garcerán, Carlos María Rodríguez de Valcárcel, Guillermo Aznar, José María Díaz Aguado, Serafín Olano, Alberto Aníbal, Fernando Alzaga, Menéndez y Miguel Primo de Rivera y Cobo de Guzmán. Hombres curtidos en la lucha y dispuestos a todo.

Con la colaboración de la Marina alemana, la expedición embarca en el cazatorpedos «Iltis» que llega a Alicante el 15 de septiembre. Llevan a bordo una caja con un millón de pesetas que les han sido facilitadas por Queipo de Llano, de los fondos del Banco de España en Sevilla, con autorización y conocimiento de Franco, que aún no es Jefe del Estado. En Alicante, el encargado de la Embajada alemana, H. H. H. Völckers, sube a bordo y arrebata los pasaportes germanos tras de los que escondían su personalidad Alzaga y Agustín Aznar. Se produce un incidente, pero el embajador en funciones no depone su enérgica actitud.

«Después de nuestra desencantadora conversación con el encargado de Negocios –ha contado Agustín Aznar– tuve ocasión de hablar con Von Knoblock, cónsul alemán, que me pareció una persona fenomenal. Comprendió, en seguida, la nobleza de nuestro propósito. Y me dijo: "Si usted se atreve, le bajo al puerto". Yo no lo dudé ni un solo minuto. Tenía veinticuatro años y no me asustaba meterme de lleno, indefenso y sin documentación alguna, en medio del infierno rojo. El mismo Von Knoblock me recomendó al dueño de una heladería italiana, para que me alojase. Sus últimas palabras fueron: "Bueno, amigo: usted viva su vida. No nos comprometa a nada".»

El intento va a seguir la trayectoria de una novela de aventuras. Al día siguiente, Aznar se entrevista de nuevo con Von Knoblock, que le informa de un personaje sobornable. Quizá fuese el mismo Cañizares a quien acudió Prieto para salvar la vida de José Antonio.

Agustín Aznar va a visitarle a su propia casa y de entrada, le dice: «Sé que ha dejado escapar a un capitán de artillería previa la entrega de cincuenta mil duros»... El tipo palidece, pero no reacciona. Aznar se lanza directo a su objetivo. Le ofrece seis millones —aunque sólo dispone de uno—, sacar a su familia de Alicante y a él con José Antonio, así como el puesto que quisiera al otro lado, además del agradecimiento de cientos de miles de falangistas. Confiesa el interlocutor que le es imposible conseguir tal propósito. Que él salvó la vida de José Antonio y que, desde entonces, para sacar a José Antonio de la cárcel era menester autorización de Martínez Barrio, y la presencia del gobernador civil y personajes diversos del Comité de Orden Público, además de que la celda está custodiada, permanentemente, por dos milicianos de la F.A.I.

Ante esta contrariedad, Von Knoblock acude a otro personaje, Jefe del Comité de Salud Pública, a quien apodan «Vaselina». Lleva diez mil pesetas como señal y, después de un escarceo dialéctico aborda el tema derechamente. Le ofrece un millón y el individuo vacila: «Es difícil, pero puede intentarse. Primo de Rivera no es un enemigo del pueblo.» Pero las gestiones del «Vaselina» no se concretan en nada.

Entretanto, Aznar insiste con Cañizares. Inquiere si hay posibilidades de alguna complicidad interior. Parecen posibles en algún oficial de prisiones. Pero las laboriosas negociaciones, ampliadas a otras conversaciones con el abogado de la C.N.T. Antón Carratalá, sólo consiguen de éste la promesa de que la C.N.T. protegerá la vida de José Antonio, en caso de realizarse el desembarco y golpe de mano que Agustín Aznar proyecta.

Pero el destino va a cortar el hilo de la trama. En la calle, Aznar se cruza con un capitán de Asalto, viejo conocido de las luchas en Madrid, pues era el militante de la F.U.E. que quedó herido en el cuello cuando el asalto a la Facultad de Medicina de San Carlos.

Ambos quedan sorprendidos. Aznar reacciona llevándose la mano al bolsillo, como si portara una pistola. El otro, precavido, pasa de largo, pero denuncia la presencia de Aznar a la Policía.

Poco después, varios agentes le detienen en un restaurante, de donde se fuga a través de la ventana del servicio. Se refugia en el Hotel Victoria, sede de la Embajada alemana, donde el encargado de Negocios insiste en ponerle de patitas en la calle con frase desabrida:

«¡Echelo! —dice a Von Knoblock— y que lo maten los rojos.»

Se consulta al Almirante Carls, jefe de la flota alemana en el Mediterráneo. Y la respuesta es taxativa: Debe abandonar la Embajada y embarcar en el «Iltis», lo que hace Aznar disfrazado de teniente de navío germano. Desde el «Iltis» el comando falangista transborda al «Graaf Von Spee».

El 24 de septiembre, Von Knoblock sufre un atentado y recibe orden de las autoridades alicantinas de abandonar el territorio republicano. El 4 de octubre embarca camino de Sevilla, donde emprendería nuevo intento.

Otro tanto hace Aznar. A finales de septiembre, después de una entrevista con Franco en Badajoz, proyecta un golpe de mano. Franco aprueba la idea y comienza en Sevilla el entrenamiento de cincuenta falangistas, entre los que se encuentra Paulino Uzcudun, campeón español de los pesos pesados y popularísimo falangista. Pero el proyecto se abandona después de unos días, pues ha llegado a conocimiento del servicio de información republicano a causa de la falta de discreción con que se llevaba el asunto.

Respecto a la falta de sigilo con que se efectuaba el entrenamiento del comando, puedo aportar una curiosa anécdota, suficientemente expresiva. Me la contó José Antonio

Girón, que también formaba parte del grupo y que, como es sabido, alcanzó en el régimen de Franco el cargo de Ministro de Trabajo, en donde desarrolló la más gigantesca labor social y de previsión que se conoce en nuestra historia, sin que ni siquiera la acción depredadora de los gobiernos reaccionarios de U.C.D. y del P.S.O.E. haya sido capaz de aniquilarla.

En aquellos días, estaba tomando café en la calle de Sierpes, uno de los rincones más populares de la capital sevillana, habitual mentidero de la ciudad, cuando se le acercó un «limpiabotas» ofreciéndole sus servicios. Girón aceptó y cuál no sería su sorpresa cuando el «limpia» le comentó entre admirativo e interrogante:

«¡Qué, camarada! ¿También eres tú de los que vais a liberar a José Antonio?»

Como es lógico, «secreto» que conocían hasta los limpiabotas de Sevilla, no podía permanecer ajeno a la información republicana.

El último intento, también por la vía del soborno, lo propone Von Knoblock cuando Franco es ya Generalísimo de la España nacional. Mantiene el súbdito alemán una entrevista con Franco en Salamanca, en la que le acompaña Sancho Dávila, y desgrana su idea. Una vez más, es aceptada. Forman la nueva expedición: Knoblock, Pedro Gamero del Castillo –jefe de los Estudiantes Católicos sevillanos, unido ya a Falange–, Gabriel Ravelló y, otra vez, Agustín Aznar. Viajan a bordo del buque-cisterna alemán «Hansa» y llevan consigo varios millones de pesetas que esperan ofrecer como soborno al gobernador civil, señor Sánchez Limón, cuando éste suba a bordo a cumplimentar al comandante del buque, según es costumbre. En Alicante, esperan la llegada del Almirante Carls, que navega a bordo del «Deutschland». Este cita a los conjurados para el rescate y avala la entrevista entre Ravelló y el gobernador civil alicantino. Se opone, duramente, el primer secretario de la Embajada, Schwendemann, que representa a Völckers, el encargado de Negocios. Habla de otro plan urdido por ellos, pero es una excusa. Los comisionados se avienen a esperar ocho días, hasta ver si marcha la supuesta negociación. Pero cumplido ese plazo, nada hay en concreto. Y cuando intentan reunirse los tres enviados nacionales con el gobernador republicano, a bordo del «Sillacs», aparece Völckers con órdenes sumamente precisas del director del Departamento Político del Ministerio de Asuntos Exteriores nazi, regido por Von Neurath, y niega el permiso.

Cuando, fracasado el plan, Von Knoblock regresa a Algeciras a finales de octubre, se encuentra en tierra con Willy Köhn, Oficial de las S.S., jefe del Partido Nazi en España y futuro consejero de Von Fauppel, el primer embajador alemán en la España nacional; es un encuentro desagradable. Köhn increpa a Von Knoblock, le prohíbe que use camisa azul, le censura sus gestiones y le dice:

«¿Qué tenemos que ver nosotros con ese hijo de un general?»

La suerte está echada. Los intentos por vía de canje han fracasado. Los planeados por el camino expeditivo del soborno y del golpe de mano, también. El destino ha querido que permanezca prisionero «en medio de una región que a tal fin se mantuvo sumisa», como manifestaría el mismo José Antonio durante su proceso, aunque luego rectificara, generosamente, en el testamento. Acaso, no sin razón, Abad de Santillán mantenía en 1970 ante el periodista Ramón Garriga:

«De haber estado prisionero en algún lugar de Cataluña, José Antonio Primo de Rivera no habría sido fusilado, pues lo hubiéramos evitado nosotros.»

Carlos Rojas, profesor emérito, recoge testimonio aún más radical del director de «Solidaridad Obrera», órgano anarquista barcelonés:

«Yo era partidario, y otros compartían mi opinión, de llevarlo a la frontera pirenaica y dejarlo en libertad para que entrara en Francia sin condiciones ni pactos.»

Pero José Antonio no está en Cataluña, sino en Alicante. Y aunque custodiado por hombres de la F.A.I., el control lo ejerce directamente el Gobierno, presionado por los consejeros comunistas.

En el calendario se cuentan ya los fríos días de noviembre. Han quedado atrás las asombrosas jornadas de la defensa y liberación del Alcázar de Toledo, que asombrarían al mundo e impresionarían a Europa. El papel de Guzmán el Bueno, que Largo Caballero no quiso asumir, lo ha repetido con cristiano estoicismo el heroico Coronel Moscardó. Y por las trochas de la Casa de Campo y las vaguadas de la Ciudad Universitaria y del Parque del Oeste, las vanguardias nacionales han trepado hasta el Hospital Clínico y las tapias de la cárcel Modelo.

Allí, a las puertas de Madrid, las Brigadas Internacionales y las fuerzas republicanas que comanda Miaja, han frenado su avance. La capital, fortificada, resiste el empuje de las diezmadas tropas africanas de Yagüe, insuficientes para la penetración y para el cerco, que han llegado al umbral mismo de la capital tras una agotadora e impresionante marcha de cientos de kilómetros y sangrientas y extenuadoras batallas.

La inminencia de su llegada ha contagiado el pánico. El Partido Comunista, según testimonio de uno de sus máximos dirigentes, Enrique Castro Delgado, fundador del V Regimiento, ha puesto en marcha hace meses un régimen de terror para acabar con la «quinta columna», en el que colaboran activamente los socialistas.

> *«La Nelken, lideresa máxima sin impulso popular, habría de dejar sin resistencia el paso libre a la ascensión de ''La Pasionaria''. Pero, conocedora del nihilismo, del socialismo revolucionario de izquierda ruso y del espartaquismo alemán, hizo un esfuerzo por parecerse a Spiridinova, Peroskaia y Luxemburgo, equivocando el camino al tomar el de la acción terrorista irresponsable, que empezó, según me contara ella misma, en la matanza de los derechistas detenidos en la cárcel Modelo de Madrid y prosiguió, en aquellas noches de espanto, luchando a su manera contra el bandolerismo sangriento de la quinta columna»...*
>
> (Juan García Oliver. «El eco de los pasos», página 311. Editorial Ruedo Ibérico, 1978.)

Y el Gobierno huye a Valencia, al tiempo que Azaña se instala en Barcelona.

Desde el 14 de octubre, está en Alicante Federico Enjuto, magistrado del Tribunal Supremo, designado Juez del sumario abierto a José Antonio, a su hermano Miguel y a Margarita Larios, bajo acusación de rebelión militar. Se inicia el procedimiento el día 10 de noviembre, con aplicación del Código de Justicia Militar, pero se comete la anomalía de integrar el Tribunal Popular con un Jurado tipo de «Salud Pública» compuesto por militantes de las agrupaciones políticas del Frente Popular.

José Antonio es consciente de la farsa legal, pero fiel a su ejecutoria, es respetuoso con la composición del Tribunal, cuya autoridad acata como legítima resultante del proceso revolucionario.

Sólo tiene palabras sarcásticas y desabridas para el Juez Enjuto. Cuando éste le comunica el auto de procesamiento, el día 13 de noviembre, le inquieta y afrenta con esta pregunta:

«¿No le da a usted vergüenza vestir toga y peinar canas para prestarse a esta inicua inmundicia?»

Entretanto, amigos y adversarios, comienzan una campaña para llamar a la conciencia internacional y tratar de evitar la tragedia.

La lenta pero constante labor de Eugenio Montes en París, empieza a tener fruto. También se ejercen presiones sobre el Foreing Office británico. Y a lo largo de toda Hispanoamérica se moviliza una corriente de simpatía humanitaria hacia el Jefe de la Falange. La Princesa Bibesco, hija del ex jefe del Gobierno británico, Herbert Asquith, gestiona cerca de Azaña, de quien es amiga, la salvación de José Antonio. Pero el Presidente de la República se declara impotente. El éxodo desde Madrid ha hundido su soberbia política. El mismo se siente prisionero.

«Desde el 18 de julio –dice– soy un valor político amortizado. Desde noviembre de 1936, un Presidente desposeído.»

En París, Montes se entrevista con Sánchez Román, con Santiago Alba, con Maura y con don José Ortega y Gasset, quien ha salido de España el 2 de septiembre, precisamente a través del puerto de Alicante. También Joaquín Chapaprieta, el ex Ministro de Hacienda, se suma al clamor de la general intercesión. Alba comunica con León Blum, presidente del Gobierno francés del Frente Popular. Y otro tanto hace Chapaprieta.

Desde Buenos Aires, el presidente del PEN club, escritor Carlos Ibarguren, escribe a su ministro de Asuntos Exteriores para que gestione la preservación de la vida de José Antonio, miembro del PEN club de Madrid, que presidía Azorín. Argumenta el escritor platense con nobles palabras:

«Este pedido de clemencia es ajeno en absoluto a toda tendencia de opinión política y responde, no sólo a razones de humanidad, sino también porque la posible víctima es un alto espíritu que honra la cultura hispana.»

El drama de José Antonio ha trascendido al mundo a través de la entrevista con Jay Allen, periodista norteamericano que fue la última persona que le visitó, hacia el 20 de octubre, y que fue publicada en el londinense «New Chronicle» el 24 de dicho mes.

Desde Argentina, llega también el apoyo fraterno del Presidente de la República, Ramón Castillo, que ordena gestiones a su Embajador, que está por aquellas fechas en San Juan de Luz. También el Embajador británico telegrafía a su Gobierno para que intervenga. No es la única presión que se ejerce sobre el Foreing Office ni sobre el número 10 de Downing Street. La Princesa Bibesco moviliza sus amistades familiares y los lazos de relación política de su padre, Lord Asquith, para forzar esa mediación humanitaria.

Y hasta el viejo Conde de Romanones, a petición de su nieto político, el Conde de Mayalde, gestiona el indulto cerca de sus amigos León Blum e Ivon Delbos, ministro éste de Asuntos Exteriores de Francia.

Confían los que interceden, en la especial sensibilidad del Gobierno republicano ante las oscilaciones de la opinión pública europea, especialmente de Francia e Inglaterra.

Pero cuando las peticiones de clemencia se cursan, ya es demasiado tarde.

En San Juan de Luz, Romanones recibe el 21 de noviembre un telegrama de Ivon Delbos en el que le comunica:

«En el acto de recibir su telegrama, en unión del Presidente del Consejo, me dirigí al Gobierno de Madrid pidiéndole con apremio que la sentencia contra Primo de Rivera no se ejecutara. Se me contestó que, por desgracia, llegábamos tarde, pues Primo de Rivera había sido fusilado aquella misma mañana.»

Y aquel día, en la misma ciudad vascofrancesa, el Embajador argentino declara:

«Hace dos días telegrafié a mi Gobierno, poniendo en su conocimiento que me hallaba empeñado en hacer todas las gestiones posibles para salvar la vida de Primo de Rivera y evitar así que tomasen represalias. Mi colega, Sir Henry Chilton, telegrafió al mismo tiempo al Foreing Office, en Londres, pidiendo que interviniese enérgicamente con igual propósito humanitario. Y tengo entendido que de Londres se hizo todo lo posible para salvar la vida del jefe fascista. El Cuerpo Diplomático residente aquí se esfuerza en todas las formas imaginables por servir la causa de la humanidad en España. Es que comprende perfectamente que tales ejecuciones sólo pueden empeorar las condiciones existentes en España llena ya de tribulaciones.»

Mientras en el mundo se libra esta batalla perdida contra el tiempo, y las cancillerías europeas y americanas se movilizan buscando la salvación de la vida de José Antonio, solamente dos naciones: Italia y Alemania, permanecen al margen.

Contra la leyenda de amistad levantada por la propaganda en momentos de grave confusión internacional, los documentos secretos del Ministerio de Asuntos Exteriores de la Alemania nazi –que se transcriben en el apéndice– han demostrado que ni la Cancillería del Reich hitleriana, ni el Partido Nacionalsocialista alemán, apoyaban para nada a la Falange. Y se puede afirmar, sin injusticia histórica, que las instrucciones concretas cursadas por el Ministerio de Asuntos Exteriores alemán, como respuesta a la consulta del encargado de Negocios y embajador en funciones, Völckers, al desentenderse de los propósitos de rescate planeados por Von Knoblock, constituyeron el portazo diplomático y político que más directamente influyó en la inexorabilidad de la muerte de José Antonio.

¿Era la represalia del Partido Nazi por las duras críticas ejercidas por José Antonio, la más reciente en su entrevista con Ramón Blardony, en la que insistiera: «Falange no es ni puede ser racista»?

En cuanto al Gobierno fascista italiano, no existen ni referencias de gestión alguna. Cierto que, directamente, difícilmente hubiera podido acceder al Gobierno republicano ni a los partidos que lo integraban. Pero acaso no hubiera sido difícil para Roma usar como intermediarios a países entonces amigos, como los Estados Unidos de Norteamérica, donde la emigración italiana tanto pesaba en la política. El viaje de Italo Balbo había demostrado que U.S.A. no era insensible a la sugestión política de la Italia de Mussolini. Pero los pactos del Partido Fascista con los políticos españoles, no habían sido suscritos con José Antonio ni con la Falange sino con los partidos del Bloque Nacional. Concretamente con los carlistas y Renovación Española. Basta conocer este solo detalle, expuesto incluso por sus protagonistas españoles, para saber de qué lado se inclinaba la naturaleza y simpatía «fascista» de los grupos y partidos políticos actuantes en la agitada España de los años treinta.

67. El último proceso. Condena a muerte y ejecución

Tomás López Zafra, Secretario del Tribunal, escribió el 20 de noviembre de 1948, en el diario «Arriba», un largo relato en el que aportaba nuevos detalles acerca del proceso. En él desmiente la mediación de Indalecio Prieto y contradice la buena disposición de los anarquistas. Su narración es interesante:

«Comparecimos en la capital levantina –donde ya estaba constituido el Gobierno– el Juez Enjuto Ferrán, el fiscal Vidal Gil Tirado y el secretario, autor de este artículo. Nos recibió el Gobierno, representado por el "ministro de Justicia", García Oliver, y el subsecretario, Sánchez Roca, haciéndose objeto al Juzgado de duras recriminaciones por la lentitud en su proceder, lo que había dado lugar a protestas y reclamaciones de las organizaciones frentepopulistas, añadiendo García Oliver, con el asentimiento de su "subsecretario", que no se explicaba la demora en la terminación del sumario, pues bien se sabía la sentencia: la muerte para José Antonio y cualquier pena para su hermano Miguel y la esposa de éste, Margot Larios, también detenida. Concluida esta conferencia, que se celebró en el Hotel Inglés, Enjuto acudió al lugar del comedor donde se encontraba Indalecio Prieto, en cuyo conocimiento puso cuanto acababa de ocurrir, órdenes que éste ratificó, hasta tal punto que después de la cena, y en las primeras horas de la madrugada, emprendimos el regreso a Alicante.»

Eduardo Alvarez Puga hace referencia a estas presiones, que Carlos Rojas recoge también, imputando a Alvarez Puga no aportar fuentes. Las fuentes son, como se comprueba, el relato de López Zafra. Pero López Zafra testimonia en 1948, en circunstancia política difícil, propicia a la manipulación y la insinceridad. ¿Trataba de congraciarse López Zafra con el Gobierno nacional o es auténticamente veraz? He aquí un punto más de contradicción difícilmente clarificable. Para aumentar la perplejidad, Francisco Largo Caballero, en su libro «Mis recuerdos», no excluye a García Oliver cuando expresa la indignación del gabinete republicano, al conocer el fusilamiento de José Antonio, antes de que el Gobierno, supuestamente, pudiese aprobarlo o no.

Al día siguiente del acuerdo de procesamiento, se concede a José Antonio el derecho a su autodefensa y a que asuma, también, la defensa de su hermano y cuñada.

El día 16, a las diez y media de la mañana comienza en la Sala de la Audiencia, habilitada en la Prisión Provincial, la primera sesión del proceso. José Antonio ha dispuesto de tres horas y media para preparar su defensa. Ximénez de Sandoval exagera cuando dice: «Se le dio una hora de plazo para estudiar los autos. Le sobrarían cincuenta minutos, pues nada nuevo podía descubrir en las acusaciones.»

Hay expectación en el numerosísimo público que asiste a la vista. El Secretario lee las conclusiones provisionales del Ministerio Fiscal, y seguidamente Fiscal y abogados defensores –José Antonio y Campos Carratalá, quien actúa en favor de los oficiales de prisiones juzgados y del director de la prisión, don Teodorico Serna– añaden sus respectivas pruebas al sumario, que el Jurado popular y el Tribunal admiten. Se efectúan, a continuación, los correspondientes interrogatorios: durante la mañana, los de José Antonio, Miguel y Margot; y durante la tarde, a partir de las cuatro en que se reanuda la sesión, los de los oficiales de prisiones, Abundio Gil Cañaveras, Samuel Andani Boluda, Joaquín Samper, Manuel Molina y Francisco Perea.

El día 17 va a ser el decisivo en el proceso. En él, el Fiscal eleva a definitivas sus conclusiones y otro tanto hace José Antonio. En la quinta conclusión, José Antonio señala que «procede la libre absolución de los tres procesados. En último extremo, que sólo se recoge hipotéticamente, podría imponerse a José Antonio Primo de Rivera la pena de prisión mayor en su grado mínimo». El Fiscal ha retirado ya las acusaciones contra los oficiales de prisiones y se desentiende del ex director Teodorico Serna, que para esa fecha ya había muerto asesinado en Madrid. Y cuando informa oralmente, lo hace embarulladamente, hasta el punto de obligar al Presidente a llamarle la atención.

Por contraste, el informe de José Antonio estremece al auditorio por su serenidad y su rigor, no sólo expositivo y forense, sino, fundamentalmente, político. Hay en la personalidad del acusado una magnética capacidad suasoria que atrae insensiblemente al auditorio, hasta el punto de que, cuando José Antonio rompe su exposición diciendo: «Y no quisiera molestar más»... dos miembros del Jurado, Moreno Peláez y Domenech, pertenecientes a Izquierda Republicana y al Partido Comunista, respectivamente, le animan a que continúe diciendo: «Puede la defensa seguir hablando el tiempo que quiera.»

Cuando José Antonio acaba su informe –que se incluye íntegro en el apéndice– un silencio impresionante se ha apoderado de la sala. A las siete y cuarenta y cinco de la noche, el Tribunal de Derecho se retira a deliberar y redactar las preguntas que han de ser objeto del veredicto. A las diez y treinta de la noche, casi tres horas más tarde, el Presidente del Tribunal lee las veintiséis preguntas que forman el pliego. Seguidamente, el Jurado se retira a deliberar. A la una y media de la madrugada del que ya es día 18, vuelven para aclarar una contradicción entre dos de las preguntas, y a las dos y media, después de cuatro horas de deliberación, el Jurado entrega su veredicto. Los acusados son invitados a abandonar la sala, si lo desean, pero permanecen en ella para escuchar la sentencia.

José Antonio advierte «el gravísimo error que padece la contestación dada por el Jurado a la pregunta duodécima» y señala, haciendo alusión al contenido sumarial, que, contrariamente a la respuesta dada, él no recibió ninguna visita el 19 de julio. Y añade: «De ser tenido en cuenta por el Tribunal sería suficiente para librarme de la pena capital solicitada por el señor Fiscal.» Y, además, sugiere al Jurado que «tiene la facultad de adoptar el acuerdo de solicitar la conmutación de la pena».

Pero el fallo es decisivo. El Tribunal condena a José Antonio a la pena de muerte; a Miguel, a reclusión perpetua, que no podrá exceder de treinta años; y a Margot, a seis años y un día de prisión mayor. El Jurado se opone a la revisión de la causa y a la conmutación de la pena capital, solicitada por José Antonio, y la vista termina al filo de las tres de la madrugada.

¿Qué ha ocurrido durante la larga deliberación del Jurado? ¿Por qué tanta demora en la formulación del veredicto? Parece que hubo serias diferencias de criterio y algunas dudas, sustanciadas mediante consultas a los respectivos partidos de los que forman parte los miembros del Jurado. Un comunista, Marcelino Garrofé, miembro del Jurado, testificaría años después: «Entre los del Jurado circuló en seguida esta frase: "¡No podemos seguir así! ¡Estamos haciendo el ridículo! La sala, el Jurado, el Fiscal, todos actuábamos apabullados. Antón y Millá, después de escucharme, se limitó a decir: "Es una orden del partido, y sea como sea hay que cumplirla, y cuanto antes". Los miembros del Comité Provincial de Alicante me enseñaron la comunicación del buró comunista, en la cual se traslada una orden del Presidium "de eliminar a la cabeza visible del Alzamiento".»

Según Ximénez de Sandoval, la reunión del Jurado tuvo acentos borrascosos por producirse un empate de votos, y sería el comunista Domenech –que Ximénez de Sandoval identifica como socialista, dependiente de la ferretería Panadés y Chorro, de la capital alicantina– quien finalmente impondría el veredicto de culpabilidad pistola en mano, en medio de un escándalo inenarrable. No es verosímil, sin embargo, esta versión. Supónese que los miembros del Jurado, durante la vista, no llevarían armas encima, especialmente teniendo en cuenta el empeño que existía en dar apariencia de formalidad jurídica al desarrollo del proceso.

Existe un expresivo y patético documento que recoge fielmente la emoción de la sesión final, la serenidad de José Antonio y la corriente de simpatía generada por el condenado con su gallarda actitud. Se trata de una referencia publicada en el periódico «El Día», de Alicante, el 18 de noviembre. Bajo el título «La justicia popular», «Impresiones de una sesión histórica», dice así:

«Ajeno al hervidero de tanta gente heterogénea amontonada en la sala, José A. Primo de Rivera lee, durante un paréntesis de descanso del Tribunal, la copia de las conclusiones definitivas del Fiscal. No parpadea. Lee como si se tratara en aquellos pliegos de una cosa banal que no le afectara. Ni el más ligero rictus; ni una mueca; ni el menor gesto alteran su rostro sereno. Lee, lee con avidez, con atención concentrada sin que el zumbido incesante del local le distraiga un instante.

Aquellos papeles no son más que la solicitud terrible del Fiscal de un castigo severísimo para el que los lee. Para él y para sus hermanos sentados más allá, con las manos cogidas, bisbisando un tierno diálogo inacabable que fisgan los guardias que los cercan.

Luego, apenas reanudada la sesión, es ya el Fiscal quien lee aquellos pliegos monorrítmicamente, sin altibajos ni matices.

Primo de Rivera oye la cantinela como quien oye llover; no parece que aquello, todo aquello tan espeluznante, rece con él. Mientras lee el Fiscal, él lee, escribe, ordena papeles... Todo sin la menor afectación, sin nerviosismo.

Margarita Larios está pendiente de la lectura y de los ojos de su esposo, Miguel, que atiende, perplejo, a la lectura que debe parecerle eterna.

Lee, lee el Fiscal, ante la emoción del público y la atención del Jurado.

José Antonio sólo levanta la cabeza de sus papeles, cuando, retirada la acusación contra los oficiales de prisiones, los ve partir libremente entre el clamor aprobatorio del público.

Pero sólo dura un leve momento esa actitud con la que no expresa sorpresa, sino, quizá, vaga esperanza.

Inmediatamente comienza a leer reposada, tranquilamente sus propias conclusiones definitivas que el público escucha con intensa atención.

Informa el Fiscal. Es el suyo un informe difícil. Acumula cargos y más cargos deduciéndolos de las pruebas aportadas.

Margot se lleva su breve pañolito a los ojos que se llenan de lágrimas.

Miguel escucha pero no mira al Fiscal: sus ojos están pendientes del rostro de su hermano en el que escruta ávidamente un gesto alentador o un rasgo de derrumbamiento. Pero José Antonio sigue siendo una esfinge que sólo se anima cuando le toca el turno de hablar en su defensa y en la de los otros dos procesados.

Su informe es rectilíneo y claro. Gesto, voz y palabra se funden en una obra maestra de oratoria forense *que el público escucha con recogimiento, atención y evidentes muestras de interés.*

Los periodistas se acercaron al defensor de sí mismo y de sus hermanos. Eran periodistas de izquierdas y dialogaron brevemente del curso de los debates y de política.

—Ya habrán visto —dijo— que no nos separan abismos ideológicos. Si los hombres nos conociéramos y nos habláramos, esos abismos que creemos ver apreciaríamos que no son más que pequeños valles.

Luego ha venido la tortura para todos —público y procesados— de la deliberación del jurado que ha durado horas y horas de incertidumbre.

Al fin, la sentencia.

Una sentencia ecléctica en la que el Jurado ha clasificado la responsabilidad según la jerarquía de los procesados.

Y aquí quebró la serenidad de José Antonio Primo de Rivera ante la vista de su hermano Miguel y de su cuñada.

Sus nervios se rompieron.

La escena surgida la supondrá el que leyere.

Su emoción, su patetismo alcanzaron a todos.»

Evidente resulta, a la vista de este testimonio periodístico, el patetismo final. De esa emoción que quiebra su ánimo sereno, se recupera prontamente José Antonio. Aún va a intentar un último esfuerzo por salvar la vida. Aquella misma noche, envía un telegrama urgente dirigido al Presidente del Consejo de Ministros, que es Largo Caballero: «Ruégole compruebe Gobierno patente error gravísima contestación duodécima mi veredicto. Stop. Folio 68 sumario prueba documentalmente no tuve visita alguna diecinueve de julio.–Muy agradecido.–Primo de Rivera.»

Paralelamente, sin que se conozca la causa que lo impulsa, el gobernador civil de Alicante, que ahora es el comunista Jesús Monzón, manda una breve encuesta a los partidos políticos y agrupaciones sindicales sobre si «interesa la ejecución inmediata de la pena» o «el aplazamiento de dicha pena hasta el momento oportuno». En las instrucciones que dicta al remitir el cuestionario, Monzón especifica que debe ser contestado con toda urgencia antes del mediodía del 19.

El Tribunal Popular remite el testimonio de la sentencia al Ministerio de la Guerra –regido por el Presidente, Largo Caballero– para informe del Asesor Jurídico, Emilio Valldecabres.

Han llegado también hasta el Gobierno los telegramas cursados por las mujeres de la familia Primo de Rivera, presas en el Reformatorio de Adultos, que interceden en favor de la conmutación de la pena de muerte impuesta a José Antonio. Ninguna de las gestiones va a tener éxito. En sus memorias, Largo Caballero aduce que el Gobierno no pudo decidir por haber sido fusilado el reo sin que mediara consentimiento. Pero esa confirmación de pena la hace Emilio Valldecabres, el asesor del Ministerio de la Guerra, a las órdenes del Presidente del Gobierno. Por otra parte, Juan García Oliver, entonces Ministro de Justicia, da una versión contraria a la de Largo Caballero.

> *«Cuando llegó a la consideración del Consejo de Ministros la causa de José Antonio Primo de Rivera y la pena de muerte que le impuso el Tribunal Popular de Alicante, como de costumbre, Largo Caballero, con la gravedad del caso, nos dijo: ''Quedan ustedes enterados. Si hay alguna objeción, háganla ahora.'' Se produjo un silencio de plomo.*
>
> *—Entonces damos el ''enterado'' —concluyó Largo Caballero.*
>
> *—Espere un momento, por favor. Yo también estoy de acuerdo en que se envíe el ''enterado'' y sea ejecutado ese señor. Sin embargo, quisiera sugerir la conveniencia de demorar la ejecución, en espera de que pueda surgir la posibilidad de canjearlo por el hijo de Largo Caballero...*
>
> *—¡Perdone, señor Esplá, que le interrumpa! En este momento, el Consejo de Ministros no está considerando lo que pueda ocurrirle a mi hijo. Si alguna vez, ésta es mi opinión, llegamos a establecer el canje de presos, será cuando el Gobierno lo considere pertinente, lo acuerde y se aplique a todos. En mi calidad de Jefe del Gobierno, les pregunto: ¿Alguna objeción a que se envíe el ''enterado'' al Tribunal de Alicante?*
>
> *Ante el reiterado silencio de todo el Gobierno, afirmó:*
>
> *—Será enviado el ''enterado''.»*
>
> (Juan García Oliver. «El eco de los pasos», págs. 342 y 343. Editorial Ruedo Ibérico, 1978.)

Y en la tarde del día 19, el Gobernador Civil, Jesús Monzón, sin esperar la recepción de las respuestas a su encuesta, da el visto bueno a un oficio de la Comisión de Orden Público que preside un tal R. Llopis –que no es Rodolfo Llopis– en el que se dice textualmente:

«Sírvase entregar a las fuerzas encargadas de ejecutar la sentencia de muerte a los detenidos José Antonio Primo de Rivera, Ezequiel Mira Iniesta, Luis Segura Baus, Vicente Muñoz Navarro, Luis López López.

Alicante, 19 de noviembre de 1936.

Por la Comisión: R. Llopis.

V.° B.° el Gobernador Civil.»

Carlos Rojas considera a Monzón y Llopis doblegados por «evidentes urgencias de los partidos y organizaciones políticas». Pero ya hemos visto que tales organizaciones y sindicatos no han podido responder aún a la encuesta de Monzón. ¿Cómo explicar esta contradicción? ¿Presionaría, una vez más, el Partido Comunista, en cuya disciplina militaba Monzón? ¿Bastaría a éste el informe de Valldecabres, confirmatorio de la sentencia?

Acerca de la personalidad de Jesús Monzón, cuenta Rafael García Serrano, que en su juventud se repartió con él el primer premio de un concurso convocado por la Hermandad del Arbol y del Paisaje, de Navarra:

«Jesús Monzón y yo nos fuimos a celebrar el premio con un generoso aperitivo, en el curso del cual descubrimos que nuestra vocación literaria seguía distintos caminos ideológicos. El me preguntó:

—¿Qué eres?

—Falangista. ¿Y tú?

—Comunista.

...

»En el juego dialéctico frente a Jesús Monzón yo llevaba las de perder, porque él era mayor que yo, inteligente y abogado en ejercicio, aunque me defendí y aún ataqué con más ingenio que preparación. A poco sería Jesús el jefe del P.C. en Navarra y como tal se presentó en la candidatura del Frente Popular, aunque no consiguió salir diputado. Fue en las elecciones del 36 cuando el Bloque de derechas copó todas las actas de la provincia. Dirigió personalmente el asalto a la Diputación Foral que los rojillos efectuaron después de los comicios de febrero. Buena se armó...

»... Jesús fue personaje importante en zona roja y en el P.C. Ocupó el Gobierno Civil de Alicante poco después del fusilamiento de José Antonio.

»... Después de la guerra, Jesús Monzón, exiliado, pasó clandestinamente a España como jefe del P.C. Se dice que Carrillo lo entregó prácticamente a nuestra Policía, por considerarle quemado. Fue condenado por los Tribunales y sufrió prisión largo tiempo. Su hermano también, al concluir la guerra, pero cuando quedó en libertad hizo una gran carrera como ingeniero en una empresa navarra...

... Jesús Monzón debió ser indultado porque muchos años después me enteré de que vivía en Méjico y allí mantenía relaciones de negocio y personales con un gran amigo mío mallorquín, Tomeu Buades. Por éste supe que Monzón aún recordaba aquel premio compartido y nuestro aperitivo de triunfadores. Retornó finalmente a España y murió de cáncer antes de que se cumpliese mi deseo de charlar con él, cuestión que ya había arreglado nuestro común amigo. Aparte del natural interés humano, me apremiaba la curiosidad de preguntarle por cuanto supiera sobre el proceso y fusilamiento de José Antonio, porque yo suponía que habría tenido fácil acceso desde su puesto de poncio alicantino, tanto a la tradición oral como a los documentos del caso»...

(Rafael García Serrano. «La gran esperanza», páginas 136, 138 y 139. Editorial Planeta. Premio Espejo de España 1983.)

Como hemos podido comprobar por todo cuanto llevo narrado respecto a quien firmó la orden de ejecución, en su condición de Gobernador Civil de Alicante, es evidente que la Providencia quiso ahorrar a Rafael García Serrano el sofocón que hubiera sido para él comprobar que su amigo Monzón fue el responsable directo e inmediato del fusilamiento de José Antonio. Porque, evidentemente, yerra García Serrano cuando supone a Monzón Gobernador de Alicante «poco después del fusilamiento de José Antonio». El error resulta inconcebible, ya que el dato figuraba en las primeras ediciones de estos apuntes datados en 1974. ¡Naturalmente que Monzón había tenido fácil acceso «a la tradición oral como a los documentos del caso» ¡Lo sabía todo! ¡El era la «tradición» del caso!

Por otra parte, Manuel Tagüeña cuenta que Vicente Uribe le aseguró tajantemente en Belgrado, «que por orden del Partido, León Trilla había sido ejecutado en una calle de Madrid, y que Jesús Monzón escapó a la misma suerte al ser detenido por la Policía».

(Manuel Tagüeña Lacorte. «Testimonio de dos guerras», página 345. Editorial Planeta, 1978.)

Stanley G. Payne asegura que «el propio Consejo de Ministros se reunió para estudiar el recurso. Entre los miembros del Gobierno no había unanimidad y algunos se oponían firmemente a la ejecución del Jefe de la Falange. Pero como ocurría a menudo bajo la República española, las autoridades perdieron demasiado tiempo en sus deliberaciones. Según Largo Caballero, Jefe del Gobierno, todavía no se había llegado a una decisión final cuando se recibió la noticia de que el Gobernador de Alicante ya había hecho cumplir la sentencia.» En igual sentido que Payne y en base al mismo testimonio de Largo Caballero, se manifiesta Carlos Rojas.

Por el contrario, José María Mancisidor, en su obra «Frente a frente» —en la que se reproducen los textos taquigráficos del proceso y una abundante documentación esencial para el estudio de este pasaje histórico— afirma con rotundidad que el Ministro de la Guerra, Francisco Largo Caballero, puso a continuación del informe de Valldecabres: «Conforme con cuanto se propone y procédase a su ejecución.» Y a continuación: «Al Presidente Tribunal Especial Popular de Alicante.—A los efectos decreto dos de junio de 1931, el Gobierno enterado de haberle sido impuesta la pena de muerte a José Antonio Primo de Rivera y Sáenz de Heredia.—Transmítase.—Rubricado.»

Como puede apreciarse, la versión que da Mancisidor es coincidente, en lo fundamental, con el testimonio del entonces Ministro de Justicia, Juan García Oliver.

La tragedia, en cualquier supuesto, se acerca ya a su desenlace. José Antonio, tras de escuchar la sentencia y pasado el pasajero quebranto de ánimo, manifiesta su alegría por haber salvado a sus hermanos.

Y vuelto a su encierro, solicita la triple gracia de un confesor, un notario y la posibilidad de despedirse de sus familiares. Se le concede lo que solicita, después de que el director del establecimiento penitenciario se dirigiera al Gobernador Civil dándole a conocer el deseo del sentenciado.

«La respuesta, rubricada por un miembro de la Sección de Justicia Popular del Comité Popular Provincial de Defensa de Alicante, estuvo pronta: ''Autorizamos al director de la Prisión Provincial para que elija un sacerdote que confiese al condenado José Antonio Primo de Rivera, teniendo entendido que la confesión ha de durar, como máximo, una hora''.

»Puesto en conocimiento del Fundador el texto del oficio mencionado, éste rogó al director designara al sacerdote don José Planelles, recluso también, y cuyas virtudes le eran conocidas, para escuchar su confesión.

»No hubo el menor inconveniente por parte de éste, sobreponiéndose a la emoción, al riesgo que entrañaba el motivo de la demanda, se personó, solícito, en la celda del sentenciado cuya puerta permaneció abierta, y, tomando asiento en la banqueta allí existente, en tanto que el penitente permanecía arrodillado a sus plantas, escuchó conmovido la relación de sus pecados.

»Consta documentalmente que la confesión de José Antonio duró cuarenta minutos y fue presenciada por el director de la prisión a discreta distancia. Una vez finada, mosén Planelles extendió sobre la cabeza del pecador arrodillado a sus plantas, el consuelo de sus bendiciones. Fundieron después sus inquietudes en apretado abrazo, y el sacerdote retornó a su celda.»

(José Rico de Estasen. Artículo publicado en el diario «El Alcázar» el día 20 de noviembre de 1972.)

Cuando su tía «Ma» le pregunta cómo es que está seguro de que era un sacerdote, le contesta ingeniosamente: «Es que se lo pregunté en latín.»

El testamento lo extiende ante el Notario Señor Castaño, pero no puede protocolizarse por impedirlo las autoridades del Gobierno de Valencia, que se apoderan de las cuartillas manuscritas haciéndolas desaparecer.

La despedida de sus familiares tiene acentos de emoción que trasciende de los recuerdos escritos por sus hermanos Miguel y Carmen.

Cuenta ésta que hacia las nueve de la noche del día 19 de noviembre, fueron requeridas ella, tía «Ma» y Margot, para trasladarse a la prisión provincial a fin de despedirse de José Antonio. José Antonio acude a la entrevista escoltado por dos milicianos armados que le custodian. Abraza a sus familiares sonriente. El relato de Carmen prosigue:

«Yo, entonces, no pude dominarme más, y loca, entre el esfuerzo que venía haciendo y la emoción enorme, rompí a llorar. El me besó con toda su alma, mientras me decía:

—No llores, Carmen, todavía hay esperanzas...

—No es posible, José —le dije yo—, no es posible que puedan hacer eso contigo.

—Es lo natural, han sido tantos los de la Falange que han caído ya, que yo, que soy el Jefe de ellos es natural que caiga también. Pero aún hay esperanzas; tengo tres probabilidades contra siete..., pero puede ser...

Y vuelto al director que nos acompañaba, le preguntó:

—¿Es que me las trae usted porque me han negado el indulto? Esto me hace pensar que es así.

—No —le dijo categóricamente el director—; aún no ha llegado la confirmación de la sentencia.

»Cambió en seguida de conversación y entonces nos preguntó por Fernando. Nosotras no sabíamos que había muerto. Fernando había dicho que estaba en Sevilla, se lo dijimos a él así.

“Se ha salvado —repitió— entonces soy yo solo”. Esto lo decía con la inmensa alegría de pensar que sólo era él quien debía morir.»

El destino, sin embargo, fue mucho más cruel. El asalto de las milicias madrileñas a la cárcel Modelo, de Madrid, el día 23 de agosto, había consumado la muerte de Fernando —detenido el mismo día del asesinato de Calvo Sotelo—, de Julio Ruiz de Alda y otros muchos camaradas y amigos. Ramiro Ledesma, a quien escribiera en la primera quincena de julio, había caído, también, el 29 de octubre, a la puerta misma de la cárcel de Las Ventas, cuando en gesto de valor se arrojó contra uno de los milicianos que preparaban la saca. Manuel Mateo, el fiel organizador de los sindicatos, había caído en manos de sus viejos compañeros comunistas y, al igual que Enrique Matorras, había sido eliminado por ellos, según testimonio de Enrique Castro Delgado. La lista era ya interminable. Hasta Onésimo, que salvara la vida al ser liberado de la cárcel de Avila, y organizó en Valladolid las columnas falangistas hacia el Alto del León, ofreció su holocausto en el pequeño pueblo de Labajos, en una emboscada de una columna de anarquistas madrileños filtrados al otro lado de la sierra. Dijérase que la Providencia hubiera preparado para todos los fundadores de la Falange Española de las J.O.N.S. una misma palma de martirio.

La entrevista de José Antonio con sus familiares se prolonga aún unos minutos. Carmen, que conserva un Crucifijo, regalo de Pío XI, se lo da a José Antonio y le dice:

–Sólo con mirarlo tiene indulgencia plenaria a la hora de la muerte... te lo traigo por si acaso...

Lo coge inmediatamente y lo enseña a los milicianos que le custodian: «Es sólo un crucifijo lo que me ha dado.» Y añade, dirigiéndose a su hermana:

–Me alegro mucho porque no tenía.

A los veinte minutos, el director de la cárcel les indica que finalicen la entrevista.

–¿Volverán otra vez si la sentencia no se cumple inmediatamente, verdad, director? –inquiere aún José Antonio.

Pero aquel va a ser su último encuentro.

Por su parte, Miguel Primo de Rivera, ha narrado también, extensamente, en diversas ocasiones, sus últimas horas en la cárcel cerca de su hermano.

Después de conocida la sentencia, separan a los hermanos. José Antonio le da a Miguel una palmada en el hombro y le dice:

–Adiós, Miguel.

–Adiós –responde éste.

El 19 por la mañana, uno de los oficiales de Prisiones lleva a Miguel una escudilla con un pedazo de carne asada y una nota escrita.

–Te traigo esto de parte de tu hermano.

–¿Dónde está?

–Está en la segunda a la izquierda, en la galería baja. El también me ha preguntado dónde estabas tú...

«Tomé lo que me entregaba –cuenta Miguel–. Leí el papel, en el que José Antonio había escrito: "Te mando la mitad de este raro alimento que me han dado para almorzar (llevábamos mucho tiempo sin probar la carne). Debe ser uno de los privilegios que tenemos los condenados a muerte".

–Dígale que esta carne tiene un aspecto estupendo..., que muchas gracias... y que no se preocupe de nada, que todo saldrá bien»...

Los hermanos van a encontrarse aún, en dos fugaces ocasiones. Una, durante un breve paseo carcelario. Hay entre ellos un abrazo prolongado y entrañable. Hablan del testamento ológrafo –que José Antonio ha vuelto a redactar y es el conocido–; de la Falange; del inevitable desenlace.

Miguel intenta infundirle confianza en el posible indulto. José Antonio le desengaña, y sonriente, dice a su hermano:

–Tú sabes que no. Además, lo que yo necesito es morir con dignidad. Ayúdame a ello.

A las seis de la madrugada del día 20, despiertan a Miguel.

–Tu hermano quiere verte antes de morir. Puedes ir a su celda –le dicen los guardianes.

Allí le encuentra Miguel, acompañado del director, Sampere Payá. También contemplan la impresionante escena algunos milicianos de la F.A.I. A Miguel le invade la emoción. Uno de los milicianos apura: «Aligerar, que sólo tenéis quince minutos.» José Antonio dice a su hermano: «Help me to die brave» («Ayúdame a morir dignamente»).

Miguel le responde: «José Antonio, ruega por nosotros.»

Se separan los hermanos. Miguel es devuelto a su celda. José Antonio, que viste un gabán gris, largo, sobre un mono azul con cremallera, y calza alpargatas, es escoltado por los milicianos hacia el patio número cinco, el de la enfermería, donde va a ser fusilado. Antes se despide del director Sampere: «Si algo malo he hecho o le he molestado, perdóneme.» Todavía, camino de la muerte, trata de dialogar con sus guardianes:

—¿Verdad que vosotros no queréis que yo muera? ¿Quién ha podido deciros que yo soy vuestro adversario? Quien os lo haya dicho no tiene razón para afirmarlo. Mi sueño es el de la Patria, el pan y la justicia para todos los españoles, pero preferentemente, para los que no pueden congraciarse con la Patria, porque carecen de pan y de justicia. Cuando se va a morir no se miente y yo os digo, antes de que me rompáis el pecho con las balas de vuestros fusiles, que no he sido nunca vuestro enemigo. ¿Por qué vais a querer que yo muera?

Pero el patético monólogo, que impresiona a los milicianos, no obtiene respuesta. En el patio, espera el piquete de guardias de asalto, que manda el Alférez Juan José González Vázquez. José Antonio se une a los otros cuatro condenados, que van a ser ejecutados con él. Antes, da su abrigo al miliciano Toscano, a quien dice:

—A mí no me servirá de nada.

Y pide:

—Cuando todo concluya, limpiad bien el patio para que mi hermano Miguel no se vea obligado a pisar mi sangre.

Eran las seis y media de la mañana del día 20. A la primera descarga del piquete, José Antonio cae muerto. Momentos después le dan el tiro de gracia. El médico forense, don José Aznar Esteruelas, confirma el fallecimiento y certifica la muerte, aunque no se conserva el documento.

Esa misma mañana, el periódico alicantino «El Día», publica en portada, a toda página, con gruesos caracteres tipográficos:

«Esta mañana fue fusilado José Antonio Primo de Rivera.»

Según Largo Caballero, la noticia es comunicada al Gobierno de Valencia, cuando aún delibera sobre la sentencia.

Los cuerpos de los ajusticiados son trasladados en ambulancia hasta el cementerio de Alicante. Allí, el conserje impide el robo del crucifijo que José Antonio aprieta en su mano crispada por la muerte. Y se lo prende al pecho tras arrebatárselo a un miliciano que se había apoderado de él. El sepulturero, Tomás Santonja Ruiz, y el conserje del cementerio proceden al enterramiento en una gran fosa común, directamente en tierra. El primero en recibir sepultura es José Antonio. Sobre él los otros cuatro compañeros de martirio. Más tarde, otros diez fusilados más. Sobre los cuerpos se echan unos treinta centímetros de tierra. En el libro de registros del cementerio se le inscribe en el folio 76 del libro IV: «Número 22.450.—Fosa número 5, fila novena, cuartel número 12.»

Las tardías gestiones realizadas por el Gobierno del Frente Popular francés, no llegan a tiempo. Romanones recibe el mensaje de Delbos el día 21. Y a instancias del Foreing Office, que pide una evidencia de la muerte, dada la inexistencia de documento escrito, un funcionario de la Embajada inglesa acude con el Juez Federico Enjuto hasta el cementerio, donde se procede a la exhumación del cadáver y a su identificación.

Como contraste con el último deseo manifestado por José Antonio en su testamento: «Ojalá fuera la mía la última sangre española que se vertiera en discordias civiles. Ojalá encontrara, ya en paz el pueblo español, tan rico en buenas calidades entrañables, la patria, el pan y la justicia», el Juez Enjuto, comentando el episodio en casa de Juan Ramón Jiménez, en Puerto Rico, establecería este cruel epitafio:

«José Antonio fue enterrado de bruces y con la cabeza hacia abajo "para que si resucitaba no pudiera ir hacia arriba".»

INDICE ONOMASTICO

A

B

C

CH

D

H

I

J

N

Q

R

S

APENDICE DOCUMENTAL

Documento 1

Genealogía rioplatense de los Marqueses de Estella, Duques de Primo de Rivera y Condes del Castillo de la Mota

(Elaborado por el Instituto «Juan Manuel de Rosas» de Investigaciones Históricas, de Buenos Aires)

El Fundador y primer jefe nacional de Falange Española, José Antonio Primo de Rivera y Sáenz de Heredia –Marqués de Estella, Duque de Primo de Rivera, dos veces Grande de España–, y sus hermanos Miguel, Carmen, Pilar –Condesa del Castillo de la Mota y delegada nacional de la Sección Femenina–, Angela y Fernando –mártir por Dios y por España, asesinado por los rojos en la cárcel Modelo madrileña– llevan en su sangre ilustre una elevada proporción de ascendencia americana: muchas generaciones de criollos descendientes de conquistadores y –por dos antepasadas– sangre pura de indios guaraníes, raza bravía y guerrera, que, aún hoy, es la base demográfica del Paraguay, gran parte del Brasil y nordeste de la Argentina. Sus antepasados criollos, por línea paterna, nacieron y murieron durante siglos en el Río de la Plata (sobre todo en la actual Argentina), y, por línea materna (Ramírez de Arellano), en la isla de Cuba.

Por obvias razones de especialización, posibilidad de acceso a archivos y repositorios documentales, etcétera, nos limitaremos a detallar la genealogía rioplatense (originada en el Paraguay y casi enteramente argentina) de esta ilustre familia hispánica, limitándonos a someras referencias sobre ascendientes y descendientes habidos en otras regiones de nuestro Imperio, cuyo estudio corresponde a investigadores cubanos y peninsulares.

La ascendencia criolla de los Duques de Primo de Rivera arranca en el Río de la Plata con dos de las hijas del conquistador, fundador y gobernador Irala –Isabel y Ursula– nacidas, al igual que sus hermanos, de uniones patriarcales de su padre español con indias guaraníes, cuya legitimación solicitó éste por carta dirigida al rey y emperador Carlos I y V, fechada en Asunción del Paraguay el 2 de julio de 1556. La conquista de esta parte de América se caracterizó por la inmediata fusión de españoles e indígenas, iniciada por el adelantado don Juan de Ayolas, al casarse con la hija de un cacique, continuada por Irala, sus capitanes y soldados, que produjo la súbita mestización de esta inmensa región, afianzó la alianza (que ya era, según la documentaron, «de cuñados») con la nación de los «carios» y posibilitó las operaciones militares combinadas

contra los «agaces» y «guaycurúes». Las virtudes guerreras de hispanos y guaraníes produjeron una comunidad nacional netamente espartana –el Paraguay–, luego encuadrada militarmente en las Misiones Jesuíticas, que siguió probando su carácter invencible en reiteradas guerras contra «bandeirantes» portugueses, contra la Triple Alianza de Argentina, Brasil y Uruguay y –en este siglo– en la guerra del Chaco contra Bolivia (cuyo final celebró José Antonio en el número 14 de «Arriba», del 24-7-1935); además, su vivaz inteligencia y su esmeradísima formación, debida a los misioneros jesuitas, han producido las más refinadas muestras de cultura poscolombina con músicas dulcísimas, productos artesanales admirables y verdaderas reliquias arquitectónicas en piedra tallada.

Dado que la genealogía joseantoniana rioplatense comienza con dos de las hijas de Irala, iniciaremos su relación a partir de los padres de éste, colocando letras como sufijos a la numeración de generaciones cuando éstas se bifurcan.

I. Martín Pérez de Irala

Casó con **Marina de Albisúa y Toledo,** vecinos de la villa de Vergara, donde fue escribano real. Sus «Informaciones de nobleza y limpieza de sangre de la familia y apellido antiquísimo de la Casa y Torre Solariega y de Armería de Irala Yuso, sita en la villa de Anzuola» (Guipúzcoa), se encuentran en la biblioteca del Marqués del Real Socorro, en España. Fueron sus hijos:

1) Marina Martínez de Irala y Albisúa, casada con Juan Martínez de Marutegui, contador mayor de S.M. en Navarra, con sucesión.

2) María Martínez de Irala y Albisúa, casada con Juan Martínez de Arguizain, señor de la Torre de Arguizain. De este matrimonio descienden los Eulate, Azcona, Condes del Valle y Láriz, Marqueses de Murúa, etcétera.

3) Gracia Martínez de Irala, casada con Pedro de Zabala, sin sucesión.

4) Dominga Martínez de Irala, casada con Pedro de Arizmendi.

5) **Domingo Martínez de Irala** (sigue en II).

II. Domingo Martínez de Irala y Albisúa

Nació en la villa de Vergara hacia 1506. Heredó un mayorazgo instituido por su padre y vendió todos sus bienes a su cuñado Juan Martínez de Marutegui antes de partir para América, alistado en Sevilla (23-VI-1535) con la expedición de Pedro de Mendoza, que zarpó dos meses después de Sanlúcar de Barrameda. Asistió con éste a la primera fundación de Buenos Aires, el 2 de febrero de 1536, y participó en su defensa hasta septiembre de 1541 en que (muertos ya Mendoza y su segundo, Ayolas) él la despobló llevando a sus habitantes al fuerte de la Asunción, sobre el río Paraguay (establecido en 1537). Allí fundó la ciudad, actual capital del Paraguay (llamada por Giménez Caballero «el Corazón de América»), organizó su cabildo, estableció encomiendas de indios y levantó un censo. En 1542, siendo teniente gobernador del Río de la Plata y caudillo de los «viejos conquistadores» e indígenas, chocó con el nuevo gobernador y adelantado, Alvar Núñez de Vera Cabeza de Vaca, y su «gente nueva». Cabeza de Vaca fue depuesto por la población asunceña, e Irala fue designado gobernador por sus oficiales, siendo confirmado en el cargo por real cédula diez años después, hecho político único en la conquista del Nuevo Mundo. Habiendo tenido los conquistadores abundante descendencia surgieron cruentas rivalidades políticas, que, por mediación de religiosos y personas sensatas, terminaron al pactarse la que llamaron «cadena del amor», por la cual los capitanes rebeldes acordaron casarse con hijas de Irala, cesando los tumultos y constituyéndose, entre otros, dos matrimonios ascendientes de los Primo de Rivera. Irala falleció el 3 de octubre de 1556, en la capital que él fundó, a los cincuenta años de edad y con veinte de permanencia en el Río de la Plata. Fue el indiscutido conquistador y pacificador del Paraguay, explorador de la actual provincia de Buenos Aires, expedicionario al Alto Perú y al Guayrá (Brasil).

Extraemos su descendencia de su testamento (números y paréntesis nuestros) donde instituye por herederos de sus escasas riquezas y abundantes deudas a sus hijos, declarando por tales: «a...

...1) Don Diego Núñez de Irala (poblador de Santa Cruz de la Sierra, en el Alto Perú, actual Bolivia).

2) Don Antonio de Irala.

3) Don Martín de Irala (poblador de Santa Fe de la Vera Cruz, actual capital de provincia en la Argentina).

4) Doña Ginebra Núñez de Irala (casada con el capitán Pedro de Segura), mis hijos y de María, mi criada, hija de Pedro de Mendoza, indio principal que fue de esta tierra, y...

5) Doña Marina de Irala (casada con el capitán Francisco Ortiz de Vergara, teniente gobernador y tesorero real), hija de Juana, mi criada, y

6) Doña **Isabel de Irala** (sigue en III b.), hija de **Agueda,** mi criada, y

7) Doña **Ursula de Irala** (sigue en III a.), hija de **Leonor,** mi criada, y

8) Doña Ana (sin datos de filiación, casada con Juan Fernández), y

9) Doña María, hija de Beatriz, criada de Diego de Villalpando, y por ser como yo los tengo y declaro por mis hijas e hijos, y por tales..., a los cuales se les ha dado sus dotes conforme a lo que he podido...»

Nada describe mejor la significación de Irala para ese microcosmos paraguayo aislado del resto del mundo que la crónica de nuestro primer historiador Ruy Díaz de Guzmán (hijo de Ursula Irala, antepasada de los Primo de Rivera, ver III a.) al relatar su muerte: «Tanto sentimiento, grandes y pequeños, que parecía que todo el pueblo se hundía, porque además de que los españoles clamaban, los indios naturales hacían lo mismo y decían a voces: "Ya se nos ha muerto nuestro amado padre, y así quedamos todos huérfanos..." Fue enterrado en la iglesia mayor, asistiendo "todas las cofradías de la ciudad, émulos y contrarios con candelas encendidas".»

III a. Ursula de Irala

Nació en Asunción del Paraguay, hija del fundador y de doña **Leonor,** india guaraní. Casó con **Alonso Riquelme de Guzmán,** alguacil mayor del Río de la Plata y gobernador de Ciudad Real en el Guayrá (actual Brasil), nacido en Jerez de la Frontera por 1523 y venido con su tío, el adelantado Alvar Núñez de Vera Cabeza de Vaca. Don Alonso era hijo de **Ruy Díaz de Guzmán** y de **Violante Ponce de León,** hija ésta de **Eutropo Ponce de León** y de **Catalina de Vera,** todos jerezanos como él. Fueron padres, entre otros, de Diego Ponce de León, Ruy Díaz de Guzmán (el primer historiador del Río de la Plata) y de:

IV a. Catalina de Vera y Guzmán

Nacida en el Paraguay, casó con el escribano **Jerónimo López de Alanis,** quien se adueñó del mando de una tropa que conquistó el norte argentino, desde Jujuy a Santiago del Estero. Fueron padres de:

V a. Rodrigo Ponce de León

Nacido en Asunción del Paraguay, teniente gobernador de Concepción del Bermejo (Argentina) y luego rico propietario y alcalde de Buenos Aires, casó en 1635 con **Isabel de Naharro Humanes,** hija de **Cristóbal Naharro,** nacido en Antequera (España) por 1556, poblador en la segunda fundación de Buenos Aires, y de **Isabel Humanes Molina,** nacida en Morón de la

Frontera (Sevilla) y también pobladora de Buenos Aires. Fueron padres de:

VI a. María Ponce de León y Naharro

Casó en Buenos Aires el 26-V-1654 con **Agustín de Labayen,** bautizado en San Sebastián el 8-XI-1605, hijo de **Juan de Labayen** y de **Quiteria de Hormaechea y Plazaola,** contador, juez y oficial real en Buenos Aires. Fueron padres de:

VII a. Juana de Labayen y Ponce de León

Casó en Buenos Aires el 9-XII-1681 con el capitán **Gaspar de Avellaneda,** bautizado en Sopuerta el 11-I-1654, hijo de **Jerónimo de Avellaneda** y de **María Ruiz de Gaona,** vecinos de Sopuerta, capitán de Infantería del Real Presidio en 1668, alcalde y regidor perpetuo del Cabildo de Buenos Aires, tesorero de la Santa Cruzada y hermano de caridad de San Miguel. Su chozno, doctor Nicolás Avellaneda, fue presidente de la nación Argentina; padres de:

VIII a. Agustina de Avellaneda y Labayen

Bautizada en Buenos Aires el 28-VIII-1684, casada el 12-VIII-1704 con **Antonio de Larrazábal y Basualdo,** nacido y bautizado en Portugalete el 14-II-1678, hijo de **Juan Miguel de Larrazábal e Ibarguren** y de **María Antonia de Basualdo y Moreno de Tejada,** de rancia estirpe vizcaína, regidor, alcalde, alférez real, maestre de campo general y teniente gobernador de Buenos Aires, donde murió el 10-XI-1756. Fueron padres de:

IX a. Marcos José de Larrazábal y Avellaneda

Bautizado en Buenos Aires el 25-VI-1710, capitán de la guarnición del fuerte local, pasó a España, donde ascendió a coronel y volvió como gobernador del Paraguay, caballero de la Real Orden de Santiago, alférez real de Buenos Aires, donde casó el 29-X-1750 con **Josefa Leocadia de la Quintana y Riglos,** también descendiente de Irala por otra hija de éste (ver X b.), a partir de la cual seguiremos la genealogía de ambas ramas reunidas.

Por ello, suspenderemos momentáneamente la enumeración del linaje de doña Leonor y su hija Ursula de Irala para **insertar** la línea de doña Agueda y su hija:

III b. Isabel de Irala

Nació en Asunción del Paraguay, hija del fundador y de doña **Agueda,** india guaraní. Casó primero con el capitán y gobernador Gonzalo de Mendoza (hijo del Conde de Castrojeriz, designado por Irala para sucederlo como gobernador), y de ellos nació el capitán Hernando de Mendoza. Viuda, casó en segundas nupcias con el capitán **Pedro de la Puente Hurtado,** vizcaíno, nacido antes de 1527, quien vino al Perú con el capitán Nufrio (o Nuflo) de Chaves, y fue, en Asunción del Paraguay, alguacil mayor (1561-62-65-66), alcalde de Hermandad (1571-72), alcalde mayor de la ciudad (1596 y 99) y procurador general del Río de la Plata (1599). Fueron padres de:

IV b. Pedro Hurtado de Mendoza e Irala

Nació en 1564, en Asunción del Paraguay, de donde fue hidalgo y vecino cabildante. Vecino fundador de la ciudad de Concepción del Bermejo (Argentina). Luego pasó al Guayrá (Brasil) con su primo Ruy Díaz de Guzmán e Irala, para trasladar la Villa Rica del Espíritu Santo; lo acompañó en la conquista de los Nuarás y en la fundación de Santiago de Jerez. Fue capitán, justicia y alcalde mayor del gobernador Ramírez de Velasco, alcalde ordinario de Su Majestad y teniente gobernador varias veces. Casó en 1588 con **María Ortiz de Ribera,** quien se supone nieta del conquistador Ruy Díaz Melgarejo (nacido en Sevilla por 1519), veterano de Italia y

Francia, venido con la expedición de Cabeza de Vaca. Fueron padres de:

V b. Francisca Hurtado de Mendoza y Ortiz de Ribera

Casada en Buenos Aires (actual Argentina) el 14-V-1614 con el capitán **Jerónimo de Medrano,** escribano público y de cabildo, juez de bienes de difuntos (nombrado por el virrey del Perú, Marqués de Monteclaros el 22-III-1613) y alcalde ordinario de la ciudad de la Santísima Trinidad y Puerto de Santa María de los Buenos Aires en 1624. Fueron padres de:

VI b. Leocadia Hurtado de Mendoza y Medrano

Casó en Buenos Aires el 8-II-1642 con **Pedro de Izarra y Gaete,** nacido en Buenos Aires el 2-VIII-1624, vecino feudatario de la ciudad, sargento mayor, alcalde primer voto en 1659 y alférez real, dueño de estancias en el pago de la Magdalena (zona costera al sur de La Plata). Doña Leocadia testó en Buenos Aires, ya viuda, el 14-VII-1672.

Don Pedro fue hijo del general **Gaspar de Gaete,** nacido en Trujillo, sargento y alférez, en la campaña de Flandes, llegado a Buenos Aires por 1613, vecino feudatario, capitán de Infantería, sargento mayor, alcalde de primer voto en 1637, alférez real, tesorero, juez oficial de la Real Hacienda, procurador, teniente general de gobernador y justicia mayor en 1638, dueño de varias estancias; testó en Buenos Aires el 22-III-1647; éste era hijo de don **Francisco de Gaete Cervantes** y doña **Francisca Jiménez Gudelo,** naturales de Trujillo. Casó en Buenos Aires el 8-XII-1616 con **Polonia de Izarra y Astor,** hija ésta del capitán **Pedro de Izarra,** nacido en Asunción hacia 1555, venido con Juan de Garay para la segunda fundación de Buenos Aires el 11-VI-1580, encomendero, dueño de varias estancias en los pagos de la Magdalena y de los Montes Grandes (hoy San Isidro), casado en Buenos Aires con **Polonia de Astor,** fallecida ésta bajo disposición testamentaria el 20-XI-1664.

Fue hija de los primeros:

VII b. Francisca de Gaete y Hurtado de Mendoza

Nació en Buenos Aires el 24-II-1649. Casó en Buenos Aires el 29-VI-1680 con el capitán **Pascual de Torres Salazar y Rodríguez de las Varillas,** alcalde de segundo voto en 1706 y procurador general en 1707, nacido en Salamanca de los hijosdalgo **Francisco de Torres Salazar** y de **María Antonia Rodríguez de las Varillas.** Fueron sus hijos, entre otros:

VIII b. María Leocadia de Torres y Gaete

Bautizada en Buenos Aires el 24-II-1688. Casó en Buenos Aires el 3-X-1709 con **Miguel de Riglos y Labastida,** nacido en Tudela (Navarra) por 1649, quien fue funcionario militar, comerciante y hacendado en el Río de la Plata. Murió Leocadia en Torres bajo disposición testamentaria el 30-X-1710, en Buenos Aires, y fue su única hija:

IX b. Leocadia Francisca Xaviera de Riglos y Torres Gaete

Bautizada en Buenos Aires el 29-VI-1710, abadesa de la Orden Franciscana en 1739. Antes casó en San Isidro (provincia de Buenos Aires) el 29-I-1729 con el coronel **Nicolás de la Quintana y Echeverría,** nacido en Bilbao el 24-IX-1693, familiar del Santo Oficio de la Inquisición, alcalde, regidor y veedor del Real Presidio en la ciudad de Buenos Aires, descendiente de los señores de la Torre de Quintana en Beci, encartaciones de Vizcaya, hijo de **Simón de la Quintana y Mendieta** y **María de Eche-**

verría y Larrea. Los primeros fueron padres, entre otros, de:

X b. Josefa Leocadia de la Quintana y Riglos

Bautizada en Buenos Aires el 8-XI-1730, y casada aquí el 29-X-1750 con **Marcos José de Larrazábal y Avellaneda** (también descendiente de Irala, por otra hija de éste, ver IX a), reuniéndose así ambos linajes (el de Isabel con el de Ursula) en su hija:

XI. Juana María de Larrazábal y de la Quintana

Nació en Buenos Aires el 15-VII-1763, donde casó el 25-IV-1782 con el teniente coronel don **Rafael de Sobre-Monte Núñez Castillo Angulo Bullón Ramírez de Arellano,** III Marqués de Sobre-Monte, veterano de Cartagena de Indias, Ceuta, Puerto Rico; gobernador-intendente de Córdoba del Tucumán (Argentina) desde 1781; luego, IX virrey del Río de la Plata (Argentina, Bolivia, Paraguay, Uruguay, norte de Chile y sudoeste del Brasil) de 1804 a 1807; inspector general de Infantería en España y de Tropas Veteranas y Milicias en estas provincias; fundador de varias importantes ciudades cordobesas; nacido en Sevilla el 27-XI-1745, y fallecido allí el 14-I-1827, ya viudo, y habiendo contraído segundas nupcias; era hijo de **Raimundo de Sobre-Monte** el II marqués, caballero de la Orden de Carlos III y oidor de la Audiencia de Sevilla, y de **María Angela Núñez Angulo y Ramírez de Arellano,** emparentada con la familia materna de la abuela cubana de José Antonio, doña Angela Suárez de Argudín y Ramírez de Arellano, apellido este último que se expandió por América en el siglo XV a partir de don Alonso (descubridor y conquistador de Colombia), don Alfonso o Ildefonso (a) «Diego» (explorador del estrecho de Magallanes), y el capitán Gabriel Ramírez de Arellano (encomendero en el Perú y tronco de esos apellidos en Chile y Ecuador), familias que produjeron dos generales mejicanos (Domingo y Manuel), un famoso abogado y escritor filipino (Emilio), etcétera.

De ese primer matrimonio de Sobre-Monte en la Argentina nació:

XII. Juana de Sobre-Monte y Larrazábal

Nacida en Córdoba de la Nueva Andalucía (capital de Córdoba del Tucumán Argentina) el 17-VIII-1789, casada en Buenos Aires el 11-XI-1809 con el entonces capitán de Fragata de la Real Armada don **José Primo de Rivera y Ortiz de Pinedo,** nacido en Algeciras en 1777, Cruz de San Fernando por su actuación en Madrid el 2 de mayo de 1808, enviado al Río de la Plata en 1809; defendió Montevideo (Uruguay) hasta 1815, jefe de Escuadra en 1836, presidente del Almirantazgo en 1837, ministro de Marina e interino de Hacienda, luego teniente general, comandante general de La Habana (Cuba) y capitán general de Cádiz, fallecido en Sevilla en 1853. Caballero Gran Cruz de Carlos III y poseedor de multitud de condecoraciones. Fueron bisabuelos del Fundador de Falange, abuelos del Dictador y padres de:

XIII. Miguel Primo de Rivera y Sobre-Monte

Nacido en Sevilla, coronel de los Reales Ejércitos, labrador propietario, hermano del capitán general don Fernando, I Marqués de Estella, casado con doña **Inés Orbaneja y Grandellana,** nacida en Jerez de la Frontera, hija de **Sebastián Orbaneja** e **Inés Grandellana,** también jerezanos.

XIV. Miguel Primo de Rivera y Orbaneja, II Marqués de Estella, Grande de España

Nacido en Jerez de la Frontera el 8-I-1870, Cruz de San Fernando por su actuación en Melilla, veterano de Cuba y Filipinas, donde fue ayudante del capitán general; gobernador militar de Cádiz, capitán general de Valencia, de Madrid y de Cataluña, erigido Dictador de España bajo Su Majestad Alfonso XIII, a petición de sus pares y con clamoroso apoyo popular; vencedor y pacificador de Marruecos; traicionado y exiliado, murió en París (Francia) el 16-III-1930. En 1902 casó en Madrid con **Casilda Sáenz de Heredia y Suárez de Argudín,** natural de San Sebastián, y fallecida en Madrid el 9-VI-1908; hija de **Gregorio Sáenz de Heredia y Tejada,** natural de Alfaro (Logroño) y magistrado en Cuba y Puerto Rico, Caballero de la Orden de Santiago, y de **Angela Suárez de Argudín y Ramírez de Arellano,** nacida en La Habana (Cuba), de linajuda familia antillana y fallecida en Madrid en 1906; por los Ramírez de Arellano, rama materna de los Pedroso, estaba vinculada por la sangre con los siguientes títulos **cubanos:** Marqueses de Casa Montalvo y de Du-Quesne; Condes de Casa Barreto, de Casa Lombillo, de Casa Pedroso y Garro y de Santovenia, además de las otras ramas de ese apellido castellano asentadas en otras regiones del Imperio (citadas en XI); probablemente tuvo parentesco con Juan de Tejada, gobernador y capitán general de Cuba en el primer siglo de la conquista, que erigió muchas fortificaciones en la América Central, incluyendo al castillo del Morro, en La Habana. Fueron sus seis hijos:

1) **José Antonio,** III Marqués de Estella, I Duque de Primo de Rivera (concluye en XV c).

2) **Miguel,** IV Marqués de Estella, II Duque de Primo de Rivera (concluye en XV d).

3) **Carmen** (sigue en XV e).

4) **Pilar,** I Condesa del Castillo de la Mota (sigue en XV f).

5) **Angela** (concluye en XV g), y

6) **Fernando** (sigue en XV h).

XV c. José Antonio María Miguel Gregorio Primo de Rivera y Sáenz de Heredia, III Marqués de Estella, I Duque de Primo de Rivera, dos veces Grande de España

Nació en Madrid, el 24-IV-1903. Alférez de complemento de Caballería, abogado brillantísimo y gentilhombre de Cámara de Su Majestad y, luego, diputado a Cortes. Pensador y político, creador e impulsor de la mayor revolución producida en el campo del Derecho Público en el mundo hispánico. Con vocación de afianzar una efectiva justicia social y hacer la unidad, grandeza y libertad de la Hispanidad, fundó la Falange Española el 29-X-1933, fusionándola con las preexistentes Juntas de Ofensiva Nacional-Sindicalista, siendo el primer jefe nacional de Falange Española de las J.O.N.S. y jefe nacional de la Primera Línea, puesto de combate, en el que cayó asesinado (bajo formas del proceso legal), al ser fusilado por la República soviética en la cárcel de Alicante el 20-XI-1936. Previamente, en 1934, había dirigido un llamamiento al General Francisco Franco, quien habría de encabezar el Movimiento Nacional como Jefe del Estado y Generalísimo de los Ejércitos de Tierra, Mar y Aire, con el título de Caudillo de España, y quien habría de sucederlo como Jefe Nacional de Falange, al unificarse con la Comunión Tradicionalista en plena Guerra de Liberación (1936-39). Al finalizar la cruzada, sus restos fueron trasladados al Real Monasterio de El Escorial y, en 1959, a la monumental basílica del Valle de los Caídos. Son innumerables los homenajes y honores que se le han rendido en toda España, dándole su nombre a la calle principal de cada población española, encabezando la lista de caídos en cada iglesia mayor y denominando Academias de Mandos, Colegios Mayores, etcétera. Su doctrina nacional-sindicalista ha producido la constitución del moderno Reino de España, ha formado a varias generaciones de españoles y ha influido como ninguna otra en los movimientos similares que existen en América. El ejemplo de su vida y de sus ideales imprimió carácter a la nueva España, nacida de las ruinas dejadas por el liberalismo y el marxismo que asolaron la Madre Patria; la lección de su muerte heroica confirma su casta de guerreros hispanos, criollos y guaraníes a la que hizo honor. A diferencia de sus antepasados y hermanos, no tuvo condecoraciones en vida: el 20-XI-1940 se le otorgó la Palma de Oro de Falange, el más alto reconocimiento español a una muerte heroica. Falleció soltero y le sucedió en sus títulos su hermano:

XV d. Miguel Primo de Rivera y Sáenz de Heredia, IV Marqués de Estella y II Duque de Primo de Rivera, dos veces Grande de España

Nació en Madrid el 11-VII-1904, donde falleció el 8-V-1964. Fue licenciado en Derecho, revistó en Artillería y fue fiel seguidor de su hermano, fundando la Falange en Jerez de la Frontera, ascendido a jefe de la Primera Línea Local, preso y juzgado con él en un simulacro de tribunal, condenado a prisión con su mujer, **Margarita Larios,** con quien casó en 1935, canjeados por los rojos a instancias del Gobierno británico por otro prisionero; luego de la Cruzada fue gobernador civil de Madrid, Ministro de Agricultura (1941-45), alcalde de Jerez de la Frontera, embajador ante Saint James (1951) y procurador en Cortes.

XV e. Carmen Primo de Rivera y Sáenz de Heredia

Nació en Madrid en 1905 y –durante la Dictadura de su padre y, luego, como militante de Falange– pasó por todas las vicisitudes que le tocó sufrir a su ilustre familia. Acompañó a su padre en su exilio, cumplió riesgosas misiones como militante falangista, aunque no ostentó mando alguno, padeciendo prisión como sus hermanos, tía, primos y cuñadas.

XV f. Pilar Primo de Rivera y Sáenz de Heredia, I Condesa del Castillo de la Mota, Grande de España

Nació en Madrid en 1907. Creadora y única jefe de la Sección Femenina de Falange Española de las J.O.N.S., cuyo cargo actual se denomina delegada nacional de la Sección Femenina del Movimiento Nacional, puesto de combate antes y durante la Guerra de Liberación y responsable de la formación de varias generaciones de niñas y mujeres españolas, lo que equivale a la más decisiva influencia en el carácter de los hogares de España. Sufrió cárcel, amenazas oficiales y persecución por parte de la República marxista, y luego organizó el Auxilio Azul, el Servicio Social obligatorio y la innumerable cantidad de instituciones femeninas que pueblan toda España. Es autora de la «Historia de la Sección Femenina» y entre los honores alcanzados posee la Y de Oro de Falange y el título condal del castillo natal de Isabel la Católica, en Medina del Campo. Es la máxima personalidad femenina de la España contemporánea.

XV g. Angela Primo de Rivera y Sáenz de Heredia

Hermana melliza de la anterior, falleció en 1913, a los seis años de edad.

XV h. Fernando Primo de Rivera y Sáenz de Heredia

Nació en Madrid el 1-VI-1908. Militar, aviador, médico, político y mártir por Dios y por España. Número uno de ingreso y egreso de la Academia de Caballería y de la Escuela de Aviación, abandonó la carrera militar para no servir a quienes destruían la Madre Patria, completando la licenciatura en Medicina en dos años. Colaboró con sus hermanos en Falange, quedando a cargo del mando desde la cárcel Modelo madrileña cuando el jefe nacional fue trasladado a la cárcel de Alicante, lugares donde ambos serían asesinados por los rojos; él, en la masacre del 22-VIII-1936, junto a prominentes figuras de la vida española. De su matrimonio con **Rosario Urquijo** nació, entre otros, el sucesor de los títulos familiares:

XVI. Miguel Primo de Rivera y Urquijo, V Marqués de Estella, III Duque de Primo de Rivera, dos veces Grande de España

De las generaciones anteriores a José Antonio y Pilar Primo de Rivera, por línea paterna, hay once generaciones criollas hasta Isabel de Irala (diez hasta su media hermana Ursula), y sólo dos generaciones puramente peninsulares, sin contar los miles de generaciones indias anteriores a las madres de ambas, que se remontan a la primera aparición del hombre en América; por línea materna hay sólo una generación totalmente peninsular, comenzando con la abuela materna su ascendencia antillana. Aparte de las indiscutibles razones morales, filosóficas y geopolíticas en que se apoya la doctrina de Falange, sus fundadores han sentido en lo más añejo y entrañable de su sangre la vocación insoslayable de restaurar el Imperio de nuestros mayores.

Carlos María JAUREGUI RUEDA
Presidente
Adolfo Miguel MUSCHIETTI MOLINA
Secretario general

(Publicado por el diario «El Alcázar», 23-XI-73)

Documento 2

Discurso de la fundación de Falange Española

Pronunciado por José Antonio en el teatro de la Comedia, de Madrid, el día 29 de octubre de 1933.

Nada de un párrafo de gracias. Escuetamente, gracias, como corresponde al laconismo militar de nuestro estilo.

Cuando, en marzo de 1762, un hombre nefasto, que se llamaba Juan Jacobo Rousseau, publicó «El contrato social», dejó de ser la verdad política una entidad permanente. Antes, en otras épocas más profundas, los Estados, que eran ejecutores de misiones históricas, tenían inscritas sobre sus frentes, y aun sobre los astros, la justicia y la verdad. Juan Jacobo Rousseau vino a decirnos que la justicia y la verdad no eran categorías permanentes de razón, sino que eran, en cada instante, decisiones de voluntad.

Juan Jacobo Rousseau suponía que el conjunto de los que vivimos un pueblo tiene un alma superior, de jerarquía diferente a cada una de nuestras almas, y que *ese yo* superior está dotado de una voluntad infalible, capaz de definir en cada instante lo justo y lo injusto, el bien y el mal. Y como esa voluntad colectiva, esa voluntad soberana sólo se expresa por medio del sufragio —conjetura de los más que triunfa sobre la de los menos en la adivinación de la voluntad superior—, venía a resultar que el sufragio, esa farsa de las papeletas entradas en una urna de cristal, tenía la virtud de decirnos en cada instante si Dios existía o no existía, si la verdad era la verdad o no era la verdad, si la patria debía permanecer o si era mejor que, en un momento, se suicidase.

Como el Estado liberal fue un servidor de esa doctrina, vino a constituirse, no ya en el ejecutor resuelto de los destinos patrios, sino en el espectador de las luchas electorales. Para el Estado liberal sólo era lo importante que en las mesas de votación hubiera sentados un determinado número de señores; que las elecciones empezaran a las ocho y acabaran a las cuatro; que no se rompieran las urnas. Cuando el ser rotas es el más noble destino de todas las urnas. Después, a respetar tranquilamente lo que de las urnas saliera, como si a él no le importase nada. Es decir, que los gobernantes liberales no creían ni siquiera en su misión propia; no creían que ellos mismos estuviesen allí cumpliendo un respetable deber, sino que todo el que pensara lo contrario y se propusiera asaltar el Estado, por las buenas o por las malas, tenía igual derecho a decirlo y a intentarlo que los guardianes del Estado mismo a defenderlo.

De ahí vino el sistema democrático, que es, en primer lugar, el más ruinoso sistema de derroche de energías. Un hombre dotado para la altísima función de gobernar, que es, tal vez, la más noble de las funciones humanas, tenía que dedicar el ochenta, el noventa o el noventa y cinco por ciento de su energía a sustanciar reclamaciones formularias, a hacer propaganda electoral, a dormitar en los escaños del Congreso, a adular a los electores, a aguantar sus impertinencias, porque de los electores iba a recibir el Poder; a soportar humillaciones y vejámenes de los que, precisamente por la función casi divina de gobernar, estaban llamados a obedecerle, y si, después de todo eso, le quedaba un sobrante de algunas horas en la madrugada o de algunos minutos robados a un descanso intranquilo, en ese mínimo sobrante es cuando el hombre dotado para gobernar podía pensar seriamente en las funciones sustantivas de gobierno.

Vino después la pérdida de la unidad espiritual de los pueblos, porque como el sistema funcionaba sobre el logro de las mayorías, todo aquel que aspiraba a ganar el sistema tenía que procurarse la mayoría de los sufragios. Y tenía que procurárselos robándolos, si era preciso, a los otros partidos, y para ello no tenía que vacilar en calumniarlos, en verter sobre ellos las peores injurias, en faltar deliberadamente a la verdad, en no desperdiciar un solo resorte de mentira y de envilecimiento. Y así, siendo la fraternidad uno de los postulados que el Estado liberal nos mostraba en su frontispicio, no hubo nunca situación de vida colectiva donde los hombres injuriados, enemigos unos de otros, se sintieran menos hermanos que en la vida turbulenta y desagradable del Estado liberal.

Y, por último, el Estado liberal vino a depararnos la esclavitud económica, porque a los obreros, con trágico sarcasmo, se les decía: «Sois libres de trabajar lo que queráis; nadie puede compeleros a que aceptéis unas y otras condiciones; ahora bien: como nosotros somos los ricos, os ofrecemos las condiciones que nos parecen; vosotros, ciudadanos libres, si no queréis, no estáis obligados a aceptarlas; pero vosotros, ciudadanos pobres, si no aceptáis las condiciones que nosotros os impongamos, moriréis de hambre, rodeados de la máxima dignidad liberal.» Y así veríais cómo en los países donde se ha llegado a tener Parlamentos más brillantes e instituciones democráticas más finas, no teníais más que separaros unos cientos de metros de los barrios lujosos para encontraros con tugurios infectos donde vivían hacinados los obreros y sus familias, en un límite de decoro casi infrahumano. Y os encontraríais trabajadores de los campos que de sol a sol se doblaban sobre la tierra, abrasadas las costillas, y que ganaban en todo el año, gracias al libre juego de la economía liberal, setenta u ochenta jornales de tres pesetas.

Por eso tuvo que nacer, y fue justo su nacimiento (nosotros no recatamos ninguna verdad), el socialismo. Los obreros tuvieron que defenderse contra aquel sistema, que sólo les daba promesas de derechos, pero no se cuidaba de proporcionarles una vida justa.

Ahora que el socialismo, que fue una reacción legítima contra aquella esclavitud liberal, vino a descarriarse, porque dio, primero, en la interpretación materialista de la vida y de la Historia; segundo, en un sentido de represalia; tercero, en una proclamación del dogma de la lucha de clases.

El socialismo, sobre todo el socialismo que construyeron, impasibles en la frialdad de sus gabinetes, los apóstoles socialistas, en quienes creen los pobres obreros, y que ya nos ha descubierto tal como eran Alfonso García Valdecasas; el socialismo así entendido no ve en la Historia sino un juego de resortes económicos; lo espiritual se suprime; la religión es un opio del pueblo; la patria es un mito para explotar a los desgraciados. Todo eso dice el socialismo. No hay más que producción, organización económica. Así es que los obreros tienen que estrujar bien sus almas para que no quede dentro de ellas la menor gota de espiritualidad.

No aspira el socialismo a restablecer una justicia social rota por el mal funcionamiento de los Estados liberales, sino que aspira a la represalia; aspira a llegar en la injusticia a tantos grados más allá cuantos más acá llegaran en la injusticia los sistemas liberales.

Por último, el socialismo proclama el dogma monstruoso de la lucha de clases; proclama el dogma de que las luchas entre las clases son indispensables, y se producen, naturalmente, en la vida, porque no puede haber nunca nada que las aplaque. Y el socialismo, que vino a ser una crítica justa del liberalismo económico, nos trajo, por otro camino, lo mismo que el liberalismo económico: la disgregación, el odio, la separación, el olvido de todo vínculo de hermandad y de solidaridad entre los hombres.

Así resulta que cuando nosotros, los hombres de nuestra generación, abrimos los ojos, nos encontramos con un mundo en ruina moral, un mundo escindido en toda suerte de diferencias; y por lo que nos toca de cerca, nos encontramos en una España en ruina moral, una España dividida por todos los odios y por todas las pugnas. Y así, nosotros hemos tenido que llorar en el fondo de nuestra alma cuando recorríamos los pueblos de esa España maravillosa, esos pueblos en donde todavía, bajo la capa más humilde, se descubren gentes dotadas de una elegancia rústica que no tienen un gesto excesivo ni una palabra ociosa, gentes que viven sobre una tierra seca en apariencia, con sequedad exterior, pero que nos asombra con la fecundidad que estalla en el triunfo de los pámpanos y los trigos. Cuando recorríamos esas tierras y veíamos esas gentes y las sabíamos turturadas por pequeños caciques, olvidadas por todos los grupos, divididas, envenenadas por predicaciones tortuosas, teníamos que pensar de todo ese pueblo lo que él mismo contaba del Cid al verle errar por campos de Castilla, desterrado de Burgos:

¡Dios, qué buen vasallo si oviera buen señor!

Eso venimos a encontrar nosotros en el movimiento que empieza en ese día; ese legítimo soñar de España; pero un señor como el de San Francisco de Borja, un señor que no se nos muera. Y para que no se nos muera, ha de ser un señor que no sea, al propio tiempo, esclavo de un interés de grupo ni de un interés de clase.

El movimiento de hoy, que no es de partido, sino que es un movimiento, casi podríamos decir un antipartido, sépase desde ahora, no es de derechas ni de izquierdas. Porque, en el fondo, la derecha es la aspiración a mantener una organización económica, aunque sea injusta, y la izquierda es, en el fondo, el deseo de subvertir una organización económica, aunque al subvertirla se arrastren muchas cosas buenas. Luego, esto se decora en unos y otros con una serie de consideraciones espirituales. Sepan todos los que nos escuchan de buena fe que estas consideraciones espirituales caben todas en nuestro movimiento; pero que nuestro movimiento por nada muda sus destinos al interés de grupo o al interés de clase que anida bajo la división superficial de derechas e izquierdas.

La patria es una unidad total, en que se integran todos los individuos y todas las clases; la patria no puede estar en manos de la clase más fuerte ni del partido mejor organizado. La patria es una síntesis trascendente, una síntesis indivisible, con fines propios que cumplir; y nosotros lo que queremos es que el movimiento de este día, y el Estado que cree, sea el instrumento eficaz, autoritario, al servicio de una unidad indiscutible, de esa unidad permanente, de esa unidad irrevocable que se llama patria.

Y con eso ya tenemos todo el motor de nuestros actos futuros y de nuestra conducta presente, porque nosotros seríamos un partido más si viniéramos a enunciar un programa de soluciones concretas. Tales programas tienen la ventaja de que nunca se cumplen. En cambio, cuando se tiene un sentido permanente ante la Historia y ante la vida, ese propio sentido nos da las soluciones ante lo concreto, como el amor nos dice en qué caso debemos reñir y en qué caso nos debemos abrazar, sin que un verdadero amor tenga hecho un mínimo programa de abrazos y de riñas.

He aquí lo que exige nuestro sentido total de la patria y del Estado que ha de servirla.

Que todos los pueblos de España, por diversos que sean, se sientan armonizados en una irrevocable unidad de destino.

Que desaparezcan los partidos políticos. Nadie ha nacido nunca miembro de un partido político: en cambio, nacemos todos miembros de una familia: somos todos vecinos de un municipio: nos afanamos todos en el ejercicio de un trabajo. Pues si esas son nuestras unidades naturales, si la familia y el municipio y la corporación es en lo que de veras vivimos, ¿para qué necesitamos el instrumento intermediario y pernicioso de los partidos políticos, que, para unirnos en grupos artificiales, empiezan por desunirnos en nuestras realidades auténticas?

Queremos menos palabrería liberal y más respeto a la libertad profunda del hombre. Porque sólo se respeta la libertad del hombre cuando se le estima, como nosotros le estimamos, portador de valores eternos; cuando se le estima envoltura corporal de un alma que es capaz de condenarse y de salvarse. Sólo cuando al hombre se le considera así se puede decir que se respeta de veras su libertad, y más todavía si esa libertad se conjuga, como nosotros pretendemos, en un sistema de autoridad, de jerarquía y de orden.

Queremos que todos se sientan miembros de una comunidad seria y completa; es decir, que las funciones a realizar son muchas: unos, con el trabajo manual; otros, con el trabajo del espíritu; algunos, con un magisterio de costumbres y refinamientos. Pero que en una comunidad tal como la que nosotros apetecemos, sépase desde ahora, no debe haber convidados ni debe haber zánganos.

Queremos que no se canten derechos individuales de los que no pueden cumplirse nunca en casa de los famélicos, sino que se dé a todo hombre, a todo miembro de la comunidad política, por el hecho de serlo, la manera de ganarse con su trabajo una vida humana, justa y digna.

Queremos que el espíritu religioso, clave de los mejores arcos de nuestra historia, sea respetado y amparado como merece, sin que por eso el Estado se inmiscuya en funciones que no le son propias, ni comparta —como lo hacía, tal vez por otros intereses que los de la verdadera religión— funciones que sí le corresponde realizar por sí mismo.

Queremos que España recobre resueltamente el sentido universal de su cultura y de su historia.

Y queremos, por último, que si esto ha de lograrse en algún caso por la violencia, no nos detengamos ante la violencia. Porque, ¿quién ha dicho —al hablar de «todo menos la violencia»— que la suprema jerarquía de los valores morales reside en la amabilidad? ¿Quién ha dicho que cuando insultan nuestros sentimientos, antes que reaccionar como hombres, estamos obligados a ser amables? Bien está, sí, la dialéctica como primer instrumento de comunicación. Pero no hay más dialéctica admisible que la dialéctica de los puños y de las pistolas cuando se ofende a la justicia o a la patria.

Esto es lo que pensamos nosotros del Estado futuro que hemos de afanarnos en edificar.

Pero nuestro movimiento no estaría del todo entendido si se creyera que es una manera de pensar tan sólo; no es una manera de pensar: es una manera de ser. No debemos proponernos sólo la construcción, la arquitectura política. Tenemos que adoptar, ante la vida entera, en cada uno de nuestros actos, una actitud humana, profunda y completa. Esta actitud es el espíritu de servicio y de sacrificio, el sentido ascético y militar de la vida. Así, pues, no imagine nadie que aquí se recluta para ofrecer prebendas; no imagine nadie que aquí nos reunimos para defender privilegios. Yo quisiera que este micrófono que tengo delante llevara mi voz hasta los últimos rincones de los hogares obreros, para decirles: sí, nosotros llevamos corbata; sí, de nosotros podéis decir que somos señoritos. Pero traemos el espíritu de lucha precisamente por aquello que no nos interesa como señoritos; venimos a luchar porque a muchos de nuestras clases se les impongan sacrificios duros y justos, y venimos a luchar porque un Estado totalitario alcance con sus bienes lo mismo a los poderosos que a los humildes. Y así somos, porque así lo fueron siempre en la Historia los señoritos de España. Así lograron alcanzar la jerarquía verdadera de señores, porque en tierras lejanas, y en nuestra Patria misma, supieron arrostrar la muerte y cargar con las misiones más duras, por aquello que, precisamente, como a tales señoritos, no les importaba nada.

Yo creo que está alzada la bandera. Ahora vamos a defenderla alegremente, poéticamente. Porque hay algunos que, frente a la marcha de la revolución, creen que para aunar voluntades conviene ofrecer las soluciones más tibias; creen que se debe ocultar en la propaganda todo lo que pueda despertar una emoción o señalar una actitud enérgica y extrema. ¡Qué equivocación! A los pueblos no los han movido nunca más que los poetas, y ¡ay del que no sepa levantar, frente a la poesía que destruye, la poesía que promete!

En un movimiento poético, nosotros levantaremos este fervoroso afán de España; nosotros nos sacrificaremos; nosotros renunciaremos, y de nosotros será el triunfo, triunfo que —¿para qué os lo voy a decir?— no vamos a lograr en las elecciones próximas. En estas elecciones votad lo que os parezca menos malo. Pero no saldrá de ahí nuestra España, ni está ahí nuestro marco. Eso es una atmósfera turbia, ya cansada, como de taberna al final de una noche crapulosa. No está ahí nuestro sitio. Yo creo, sí, que soy candidato; pero lo soy sin fe y sin respeto. Y esto lo digo ahora, cuando ello puede hacer que se me retraigan todos los votos. No me importa nada. Nosotros no vamos a ir a disputar a los habituales los restos desabridos de un banquete sucio. Nuestro sitio está fuera, aunque tal vez transitemos, de paso, por el otro. Nuestro sitio está al aire libre, bajo la noche clara, arma al brazo, y en lo alto, las estrellas. Que sigan los demás con sus festines. Nosotros, fuera, en vigilancia tensa, fervorosa y segura, ya presentimos el amanecer en la alegría de nuestras entrañas.

Documento 3

Discurso de proclamación de Falange Española de las J.O.N.S.

Pronunciado por José Antonio en el teatro Calderón, de Valladolid, el día 4 de marzo de 1934.

Aquí no puede haber aplausos ni vivas para Fulano ni para Mengano. Aquí nadie es nadie, sino una pieza, un soldado en esta obra, que es la obra nuestra y de España.

Puedo asegurar al que me dé otro viva que no se lo agradezco nada. Nosotros no sólo no hemos venido a que nos aplaudan, sino que casi os diría que no hemos venido a enseñaros. Hemos venido a aprender.

Tenemos mucho que aprender de esta tierra y de este cielo de Castilla los que vivimos a menudo apartados de ellos. Esta tierra de Castilla, que es la tierra sin galas ni pormenores; la tierra absoluta, la tierra que no es el color local, ni el río, ni el lindero, ni el altozano. La tierra que no es, ni mucho menos, el agregado de unas cuantas fincas, ni el soporte de unos intereses agrarios para regateados en asambleas, sino que es la tierra: la tierra como depositaria de valores eternos, la austeridad en la conducta, el sentido religioso en la vida, el habla y el silencio, la solidaridad entre los antepasados y los descendientes.

Y sobre esta tierra absoluta, el cielo absoluto.

El cielo tan azul, tan sin celajes, tan sin reflejos, verdosos de frondas terrenas, que se dijera que es casi blanco de puro azul. Y, así, Castilla, con la tierra absoluta y el cielo absoluto mirándose, no ha sabido nunca ser una comarca; ha tenido que aspirar, siempre, a ser imperio. Castilla no ha podido entender lo local nunca; Castilla sólo ha podido entender lo universal, y, por eso, Castilla se niega a sí misma, no se fija en dónde concluye, tal vez porque no concluye, ni a lo ancho ni a lo alto. Así, Castilla, esta tierra esmaltada de nombres maravillosos –Tordesillas, Medina del Campo, Madrigal de las Altas Torres–, esta tierra de Chancillería, de ferias y castillos, es decir, de justicia, milicia y comercio, nos hace entender cómo fue aquella España que no tenemos ya, y nos aprieta el corazón con la nostalgia de su ausencia.

Porque si nosotros nos hemos lanzado por los campos y por las ciudades de España con mucho trabajo y con algún peligro, que esto no importa, a predicar esta buena nueva, es porque, como os han dicho ya todos los camaradas que hablaron antes que yo, estamos sin España. Tenemos a España partida en tres clases de secesiones: los separatismos locales, la lucha entre los partidos y la división entre las clases.

El separatismo local es signo de decadencia, que surge cabalmente cuando se olvida que una Patria no es aquello inmediato, físico, que podemos percibir hasta en el estado más primitivo de espontaneidad. Que una patria no es el sabor del agua de esta fuente, no es el color de la tierra de estos sotos: que una patria es una misión en la Historia, una misión en lo universal. La vida de todos los pueblos es una lucha trágica entre lo espontáneo y lo histórico. Los pueblos en estado primitivo saben percibir, casi vegetalmente, las características de la tierra. Los pueblos, cuando superan este estado primitivo, saben ya que lo que les configura no son las características terrenas, sino la misión que en lo universal los diferencia de los demás pueblos. Cuando se produce la época de decadencia de ese sentido de la misión universal, empiezan a florecer otra vez los separatismos, empieza otra vez la gente a volverse a su suelo, a su tierra, a su música, a su habla, y otra vez se pone en peligro esta gloriosa integridad, que fue la España de los grandes tiempos.

Pero, además, estamos divididos en partidos políticos. Los partidos están llenos de inmundicias; pero, por encima y por debajo de esas inmundicias, hay una honda explicación de los partidos políticos, que es la que debiera bastar para hacerlos odiosos.

Los partidos políticos nacen el día en que se pierde el sentido de que existe sobre los hombres una verdad, bajo cuyo signo los pueblos y los hombres cumplen su misión en la vida. Estos pueblos y estos hombres, antes de nacer los partidos políticos, sabían que sobre su cabeza estaba la eterna verdad, y, en antítesis con la eterna verdad, la absoluta mentira. Pero llega un momento en que se les dice a los hombres que ni la mentira ni la verdad son categorías absolutas, que todo puede discutirse, que todo puede resolverse por los votos, y entonces se puede decidir a votos si la patria debe seguir unida o debe suicidarse, y hasta si existe o no existe Dios. Los hombres se dividen en bandos, hacen propaganda, se insultan, se agitan y, al fin, un domingo colocan una caja de cristal sobre una mesa y empiezan a echar pedacitos de papel en los cuales se dice si Dios existe o no existe y si la Patria se debe o no se debe suicidar.

Y así se produce eso que culmina en el Congreso de los Diputados.

Yo he venido aquí, entre otras razones, para respirar este ambiente puro, pues tengo en mis pulmones demasiadas miasmas del Congreso de los Diputados. ¡Si vierais vosotros, en esta época de tantas inquietudes, de tantas angustias: si vosotros, los que vivís en el campo, los que labráis el campo, vierais lo que es aquello! ¡Si vieseis en aquellos pasillos los corros formados por lo más conocido y viejo haciendo chistes! ¡Si vierais que el otro día, cuando se discutía si un trozo de España se desmembraba, todo eran discursos de retórica leguleya sobre si el artículo tantos o el artículo cuantos de la Constitución, sobre si el tanto o el cuanto por ciento del plebiscito autorizaba el corte! ¡Y si hubierais visto que cuando un vasco, muy español y muy vasco, enumeraba las glorias españolas de su tierra, hubo un sujeto, sentado en los bancos que respaldaban al Gobierno del señor Lerroux, que se permitió tomar la cosa a broma y agregar, irónicamente, el nombre de Uzcudun a los nombres de Loyola y Elcano!

Y, por si nos faltara algo, ese siglo que nos legó el liberalismo, y con él los partidos del Parlamento, nos dejó también esta herencia de la lucha de clases. Porque el liberalismo económico dijo que todos los hombres estaban en condiciones de trabajar como quisieran: se había terminado la esclavitud; ya a los obreros no se les manejaba a palos; pero como los obreros no tenían para comer sino lo que se les diera, como los obreros estaban desasistidos, inermes frente al poder del capitalismo, era el capitalismo el que señalaba las condiciones y los obreros tenían que aceptar estas condiciones o resignarse a morir de hambre. Así se vio cómo el liberalismo, mientras escribía maravillosas declaraciones de derechos en un papel que apenas leía nadie, entre otras causas, porque al pueblo ni siquiera se le enseñaba a leer; mientras el liberalismo escribía esas declaraciones, nos hizo asistir al espectáculo más inhumano que se haya presenciado nunca: en las mejores ciudades de Europa, en las capitales de Estado con instituciones liberales más finas se hacinaban seres humanos, hermanos nuestros, en casas informes, negras, rojas, horripilantes, aprisionados entre la miseria y la tuberculosis y la anemia de los niños hambrientos, y recibiendo, de cuando en cuando, el sarcasmo de que se les dijera cómo eran libres y, además, soberanos.

Claro está que los obreros tuvieron que resolverse un día contra esa burla, y tuvo que estallar la lucha de clases. La lucha de clases tuvo un móvil justo, y el socialismo tuvo, al principio, una razón justa, y nosotros no tenemos para qué negar esto. Lo que pasa es que el socialismo, en vez de seguir su primera ruta de aspiración a la justicia social entre los hombres, se ha convertido en una pura doctrina de escalofriante frialdad y no piensa, ni poco ni mucho, en la liberación de los obreros. Por ahí andan los obreros orgullosos de sí mismos, diciendo que son marxistas. A Carlos Marx le han dedicado ya muchas calles en muchos pueblos de España; pero Carlos Marx era un judío alemán que desde su gabinete observaba con impasibilidad terrible los más dramáticos acontecimientos de su época. Era un judío alemán que, frente a las factorías inglesas de Manchester, y mientras formulaba leyes implacables sobre la acumulación del capital; mientras formulaba leyes implacables sobre la producción y los intereses de los patronos y de los obreros, escribía cartas a su amigo Federico Engels diciéndole que los obreros eran una plebe y una canalla, de la que no había que ocuparse sino en cuanto sirviera para la comprobación de sus doctrinas.

El socialismo dejó de ser un movimiento de redención de los hombres y pasó a ser, como os digo, una doctrina implacable, y el socialismo, en vez de querer restablecer una justicia, quiso llegar en la injusticia, como represalia, adonde había llegado la injusticia burguesa en su organización. Pero, además, estableció que la lucha de clases no cesaría nunca, y, además, afirmó que la Historia ha de interpretarse materialistamente: es decir, que para explicar la Historia no cuentan sino los fenómenos económicos. Así, cuando el marxismo culmina en una organización como la rusa, se les dice a los niños, desde las escuelas, que la religión es un opio del pueblo; que la patria es una palabra inventada para oprimir, y que hasta el pudor y el amor de los padres a los hijos son prejuicios burgueses que hay que desterrar a todo trance.

El socialismo ha llegado a ser eso. ¿Creéis que si los obreros lo supieran sentirían simpatías por una cosa como esa, tremenda, escalofriante, inhumana, que concibió en su cabeza aquel judío que se llamaba Carlos Marx?

Cuando el mundo estaba así, cuando España estaba así, salimos a la vida de España los que tenemos ahora alrededor de treinta años. Pudo atraernos el aceptar aquel sistema y empujarnos a los corrillos del Congreso, o bien el lanzarnos a excesos que agravaran y envenenaran más todavía a las masas proletarias en su lucha de clases. Eso era muy fácil y, a primera vista, tenía sus ventajas. Cualquiera de nosotros que se hubiera alistado en el Partido Republicano Conservador, en el Partido Radical, en el Liberal Demócrata o en Acción Popular sería fácilmente ministro, porque, como tenemos crisis cada quince días y siempre salen ministros nuevos, hay que preguntarse si es que queda alguien en España que no haya sido ministro todavía.

Pero para nosotros era eso muy poco. Hemos preferido salirnos de ese camino cómodo e irnos, como nos ha dicho nuestro camarada Ledesma, por el camino de la revolución, por el camino de otra revolución, por el camino de la verdadera revolución. Porque todas las revoluciones han sido incompletas hasta ahora, en cuanto ninguna sirvió, juntas, a la idea nacional de la patria y a la idea de la justicia social. Nosotros integramos estas dos cosas: la patria y la justicia social, y, resueltamente, categóricamente, sobre esos dos principios inconmovibles queremos hacer nuestra revolución.

Nos dicen que somos imitadores. Onésimo Redondo ya ha contestado a eso. Nos dicen que somos imitadores porque este movimiento nuestro, este movimiento de vuelta hacia las entrañas genuinas de España, es un movimiento que se ha producido antes en otros sitios. Italia, Alemania se han vuelto hacia sí mismas en una actitud de desesperación para los mitos con que trataron de esterilizarlas; pero porque Italia y Alemania se hayan vuelto hacia sí mismas y se hayan encontrado enteramente a sí mismas, ¿diremos que las imita España al buscarse a sí propia? Estos países dieron la vuelta sobre su propia autenticidad, y al hacerlo nosotros también, la autenticidad que encontraremos será la nuestra, no será la de Alemania ni la de Italia, y, por lo tanto, al reproducir lo hecho por los italianos o los alemanes seremos más españoles que lo hemos sido nunca.

Al camarada Onésimo Redondo yo le diría: No te preocupes mucho porque nos digan que imitamos. Si lográsemos desvanecer esa especie, ya nos inventarían otras. La fuente de la insidia es inagotable. Dejemos que nos digan que imitamos a los fascistas. Después de todo, en el fascismo, como en los movimientos de todas las épocas, hay, por debajo de las características locales, unas constantes, que son patrimonio de todo espíritu humano y que en todas partes son las mismas. Así fue, por ejemplo, el Renacimiento; así fue, si queréis, el endecasílabo: nos trajeron el endecasílabo de Italia, pero, poco después de que nos trajeran de Italia el endecasílabo, cantaban los campos de España, en endecasílabo castellano, Garcilaso y Fray Luis, y ensalzaba Fernando de Herrera al Señor de la llanura del mar, que dio a España la victoria de Lepanto.

También dicen que somos reaccionarios. Unos lo dicen de mala fe, para que los obreros huyan de nosotros y no nos escuchen. Los obreros, a pesar de ello, nos escucharán, y cuando nos escuchen ya no creerán a quienes se lo dijeron, porque, precisamente, cuando se quiere restaurar, como nosotros, la idea de la integridad indestructible de destino, es cuando ya no se puede ser reaccionario. Se es reaccionario, alternativamente, cuando se vive en régimen de pugna; cuando una clase acaba de vencer a otra, y la clase vencida aspira a tomar la represalia; pero nosotros no entramos en este juego de represalias de clase contra clase o de partido contra partido. Nosotros colocamos una norma de todos nuestros hechos por encima de los intereses de los partidos y de las clases. Nosotros colocamos esa norma, y ahí está lo más profundo de nuestro movimiento, en la idea de una total integridad de destino que se llama la Patria. Con ese concepto de la Patria, servida por el instrumento de un Estado fuerte, no dócil a una clase ni a un partido, el interés que triunfa es el de la integración de todos en aquella unidad, no el momentáneo interés de los vencedores. Esto lo sabrán los obreros, y entonces verán que la única solución posible es la nuestra.

Pero otros nos suponen reaccionarios porque tienen la vaga esperanza de que mientras ellos murmuran en los casinos y echan de menos privilegios que en parte se les han venido abajo, nosotros vamos a ser los guardias de asalto de la reacción y vamos a sacarles las castañas del fuego, y vamos a ocuparnos en poner sobre sus sillones a quienes cómodamente nos contemplan. Si eso fuéramos a hacer nosotros, mereceríamos que nos maldijeran los cinco muertos a quienes hemos hecho caer por causa más alta.

Por último, nos dicen que no tenemos programa. ¿Vosotros conocéis alguna cosa seria y profunda que se haya hecho alguna vez con un programa? ¿Cuándo habéis visto vosotros que esas cosas decisivas, que esas cosas eternas, como son el amor, y la vida, y la muerte, se hayan hecho con arreglo a un programa? Lo que hay que tener es un sentido total de lo que se quiere; un sentido total de la patria, de la vida, de la Historia, y ese sentido total, claro en el alma, nos va diciendo en cada coyuntura qué es lo que debemos hacer y lo que debemos preferir. En las mejores épocas no ha habido tantos círculos de estudios, ni tantas estadísticas, ni censos electorales, ni programas. Además, que si tuviéramos programa concreto, seríamos un partido más y nos pareceríamos a nuestras propias caricaturas. Todos saben que mienten cuando dicen de nosotros que somos una copia del fascismo italiano, que no somos católicos y que no somos españoles; pero los mismos que lo dicen se apresuran a ir organizando con la mano izquierda una especie de simulacro de nuestro movimiento. Así, harán un desfile en El Escorial si nosotros lo hacemos en Valladolid. Así, si nosotros hablamos de la España eterna, de la España imperial, ellos también dirán que echan de menos la España grande y el Estado corporativo. Esos movimientos pueden parecerse al nuestro tanto como pueda parecerse un plato de fiambre al plato caliente de la víspera. Porque lo que caracteriza este deseo nuestro, esta empresa nuestra, es la temperatura, es el espíritu. ¿Qué nos importa el Estado corporativo, qué nos importa que se suprima el Parlamento, si esto es para seguir produciendo con otros órganos la misma juventud cauta, pálida, escurridiza y sonriente, incapaz de encenderse por el entusiasmo de la patria, y ni siquiera, digan lo que digan, por el de la religión?

Mucho cuidado con eso del Estado corporativo; mucho cuidado con todas esas cosas frías que os dirán muchos procurando que nos convirtamos en un partido más. Ya nos ha denunciado ese peligro Onésimo Redondo. Nosotros no satisfacemos nuestras aspiraciones configurando de otra manera el Estado. Lo que queremos es devolver a España un optimismo, una fe en sí misma, una línea clara y enérgica de vida común. Por eso, nuestra agrupación no es un partido: es una milicia; por eso, nosotros no estamos aquí para ser diputados, subsecretarios o ministros, sino para cumplir, cada cual en su puesto, la misión que se le ordene, y lo mismo que nosotros cinco estamos ahora detrás de esta mesa, puede llegar un día en que el más humilde de los militantes sea el llamado a mandarnos y nosotros a obedecer. Nosotros no aspiramos a nada. No aspiramos si no es, acaso, a ser los primeros en el peligro. Lo que queremos es que España, otra vez, se vuelva a sí misma y con honor, justicia social, juventud y entusiasmo patrio, diga lo que esta misma ciudad de Valladolid decía en una carta al Emperador Carlos V en 1516:

«Vuestra Alteza debe venir a tomar en la una mano aquel yugo que el católico rey, vuestro abuelo, os dejó, con el cual tantos bravos y soberbios se domaron, y en la otra, las flechas de aquella reina sin par, vuestra abuela doña Isabel, con que puso a los moros tan lejos.»

Pues aquí tenéis, en esta misma ciudad de Valladolid, que así lo pedía, el yugo y las flechas: el yugo de la labor y las flechas del poderío. Así, nosotros, bajo el signo del yugo y las flechas, venimos a decir aquí mismo, en Valladolid:

«¡Castilla, otra vez por España!»

Documento 4

Norma programática de Falange Española de las J.O.N.S.

Nación. Unidad. Imperio

1. Creemos en la suprema realidad de España. Fortalecerla, elevarla y engrandecerla es la apremiante tarea colectiva de todos los españoles. A la realización de esta tarea habrán de plegarse inexorablemente los intereses de los individuos, de los grupos y de las clases.

2. España es una unidad de destino en lo universal. Toda conspiración contra esa unidad es repulsiva. Todo separatismo es un crimen que no perdonaremos.

La Constitución vigente, en cuanto incita a las disgregaciones, atenta contra la unidad de destino de España. Por eso exigimos su anulación fulminante.

3. Tenemos voluntad de Imperio. Afirmamos que la plenitud histórica de España es el Imperio. Reclamamos para España un puesto preeminente en Europa. No soportamos ni el aislamiento internacional ni la mediatización extranjera.

Respecto de los países de Hispanoamérica, tendemos a la unificación de cultura, de intereses económicos y de Poder. España alega su eje espiritual del mundo hispánico como título de preeminencia en las empresas universales.

4. Nuestras Fuerzas Armadas –en la tierra, en el mar y en el aire– habrán de ser tan capaces y numerosas como sea preciso para asegurar a España en todo instante la completa independencia y la jerarquía mundial que le corresponde. Devolveremos al Ejército de Tierra, Mar y Aire toda la dignidad pública que merece y haremos, a su imagen, que un sentido militar de la vida informe toda la existencia española.

5. España volverá a buscar su gloria y su riqueza por las rutas del mar. España ha de aspirar a ser una gran potencia marítima, para el peligro y para el comercio.

Exigimos para la Patria igual jerarquía en las flotas y en los rumbos del aire.

Estado. Individuo. Libertad

6. Nuestro Estado será un instrumento totalitario al servicio de la integridad patria. Todos los españoles participarán en él a través de su función familiar, municipal y sindical. Nadie participará al través de los partidos políticos. Se abolirá implacablemente el sistema de los partidos políticos, con todas sus consecuencias: sufragio inorgánico, representación por bandos en lucha y Parlamento del tipo conocido.

7. La dignidad humana, la integridad del hombre y su libertad son valores eternos e intangibles.

Pero sólo es de veras libre quien forma parte de una nación fuerte y libre.

A nadie le será lícito usar su libertad contra la unión, la fortaleza y la libertad de la Patria. Una disciplina rigurosa impedirá todo intento dirigido a envenenar, a desunir a los españoles o a moverlos contra el destino de la Patria.

8. El Estado nacionalsindicalista permitirá toda iniciativa privada compatible con el interés colectivo, y aun protegerá y estimulará las beneficiosas.

Economía. Trabajo. Lucha de clases

9. Concebimos a España, en lo económico, como un gigantesco sindicato de productores. Organizaremos corporativamente a la sociedad española mediante un sistema de sindicatos verticales por ramas de la producción, al servicio de la integridad económica nacional.

10. Repudiamos el sistema capitalista, que se desentiende de las necesidades populares, deshumaniza la propiedad privada y aglomera a los trabajadores en masas informes, propicias a la miseria y a la desesperación. Nuestro sentido espiritual repudia también el marxismo. Orientaremos el ímpetu de las clases laboriosas, hoy descarriadas por el marxismo, en el sentido de exigir su participación directa en la gran tarea del Estado nacional.

11. El Estado nacionalsindicalista no se inhibirá cruelmente de las luchas económicas entre hombres, ni asistirá impasible a la dominación de la clase más débil por la más fuerte. Nuestro régimen hará radicalmente imposible la lucha de clases, por cuanto todos los que cooperan a la producción constituyen en él una totalidad orgánica.

Reprobamos e impediremos a toda costa los abusos de un interés parcial sobre otro y la anarquía en el régimen del trabajo.

12. La riqueza tiene como primer destino —y así la afirmará nuestro Estado— mejorar las condiciones de vida de cuantos integran el pueblo. No es tolerable que masas enormes vivan miserablemente mientras unos cuantos disfrutan de todos los lujos.

13. El Estado reconocerá la propiedad privada como medio lícito para el cumplimiento de los fines individuales, familiares y sociales, y la protegerá contra los abusos del gran capital financiero, de los especuladores y de los prestamistas.

14. Defendemos la tendencia a la nacionalización del servicio de Banca y, mediante las corporaciones, a la de los grandes servicios públicos.

15. Todos los españoles tienen derecho al trabajo. Las entidades públicas sostendrán necesariamente a quienes se hallan en paro forzoso.

Mientras se llega a la nueva estructura total, mantendremos e intensificaremos todas las ventajas proporcionadas al obrero por las vigentes leyes sociales.

16. Todos los españoles no impedidos tienen el deber del trabajo. El Estado nacionalsindicalista no tributará la menor consideración a los que no cumplen función alguna y aspiran a vivir como convidados a costa del esfuerzo de los demás.

Tierra

17. Hay que elevar a todo trance el nivel de vida del campo, vivero permanente de España. Para ello adquirimos el compromiso de llevar a cabo sin contemplaciones la reforma económica y la reforma social de la agricultura.

18. Enriqueceremos la producción agrícola (reforma económica) por los medios siguientes:

Asegurando a todos los productos de la tierra un precio mínimo remunerador.

Exigiendo que se devuelva al campo, para dotarlo suficientemente, gran parte de lo que hoy absorbe la ciudad en pago de sus servicios intelectuales y comerciales.

Organizando un verdadero Crédito Agrícola, que al prestar dinero al labrador a bajo interés con la garantía de sus bienes y de sus cosechas le redima de la usura y del caciquismo.

Difundiendo la enseñanza agrícola y pecuaria.

Ordenando la dedicación de las tierras por razón de sus condiciones y de la posible colocación de los productos.

Orientando la política arancelaria en sentido protector de la agricultura y de la ganadería.

Acelerando las obras hidráulicas.

Racionalizando las unidades de cultivo, para suprimir tanto los latifundios desperdiciados como los minifundios antieconómicos por su exiguo rendimiento.

19. Organizaremos socialmente la agricultura por los medios siguientes:

Distribuyendo de nuevo la tierra cultivable para instituir la propiedad familiar y estimular enérgicamente la sindicación de labradores.

Redimiendo de la miseria en que viven a las masas humanas que hoy se extenúan en arañar suelos estériles, y que serán trasladadas a las nuevas tierras cultivables.

20. Emprenderemos una campaña infatigable de repoblación ganadera y forestal, sancionando con severas medidas a quienes la entorpezcan e incluso acudiendo a la forzosa movilización temporal de toda la juventud española para esta histórica tarea de reconstruir la riqueza patria.

21. El Estado podrá expropiar sin indemnización las tierras cuya propiedad haya sido adquirida o disfrutada ilegítimamente.

22. Será designio preferente del Estado nacionalsindicalista la reconstrucción de los patrimonios comunales de los pueblos.

Educación nacional. Religión

23. Es misión esencialmente del Estado, mediante una disciplina rigurosa de la educación, conseguir un espíritu nacional fuerte y unido e instalar en el alma de las futuras generaciones la alegría y el orgullo de la Patria.

Todos los hombres recibirán una educación premilitar que les prepare para el honor de incorporarse al Ejército nacional y popular de España.

24. La cultura se organizará en forma que no malogre ningún talento por falta de medios económicos. Todos los que lo merezcan tendrán fácil acceso incluso a los estudios superiores.

25. Nuestro movimiento incorpora el sentido católico —de gloriosa tradición y predominante en España— a la reconstrucción nacional.

La Iglesia y el Estado concordarán sus facultades respectivas, sin que se admita intromisión o actividad alguna que menoscabe la dignidad del Estado o la integridad nacional.

Revolución nacional

26. Falange Española de las J.O.N.S. quiere un orden nuevo, enunciado en los anteriores principios. Para implantarlo, en pugna con las resistencias del orden vigente, aspira a la revolución nacional.

Su estilo preferirá lo directo, ardiente y combativo. La vida es milicia y ha de vivirse con espíritu acendrado de servicio y de sacrificio.

27. Nos afanaremos por triunfar en la lucha con sólo las fuerzas sujetas a nuestra disciplina.

Pactaremos muy poco.

Sólo en el empuje final por la conquista del Estado gestionará el mando las colaboraciones necesarias, siempre que esté asegurado nuestro predominio.

(Redactada en noviembre de 1934.)

José Antonio

Documento 5

Discurso sobre la revolución española

Pronunciado por José Antonio en el cine Madrid, de Madrid, el día 19 de mayo de 1935.

Camaradas: El acto de la Comedia, del que se ha hablado aquí esta mañana varias veces, fue un preludio. Tenía el calor, y todavía, si queréis, la irresponsabilidad de la infancia. Este de hoy es un acto cargado de gravísima responsabilidad; es el acto de rendición de cuentas de una larga jornada de año y medio y principio de una nueva etapa que, ciertamente, terminará con el triunfo definitivo de la Falange Española de las J.O.N.S. en España. Junto a esta piedra milenaria de nuestro camino se nos exige, ya de cara a la Historia, un rigor de precisión y emplazamiento que es el deber mío en esta mañana de hoy, aunque al cumplimiento de ese deber sacrifique alguna brillantez que, acaso, pudiera conseguir, y parte del gratísimo halago del aplauso vuestro.

Nuestro movimiento –y cuando hablo de nuestro movimiento me refiero lo mismo al inicial de Falange Española que al inicial de las J.O.N.S., puesto que ambos están ya irremisiblemente fundidos– empalma, como ha dicho muy bien Onésimo Redondo, con la revolución del 14 de abril. La ocasión de nuestra aparición sobre España fue el 14 de abril de 1931. Esta fecha –todos lo sabéis– ha sido mirada desde muy distintos puntos de vista; ha sido, como todas las fechas históricas, contemplada con bastante torpeza y bastante zafiedad. Nosotros, que estamos tan lejos de los rompedores de escudos en las fachadas como de los que sienten solamente la nostalgia de los rigodones palaciegos, tenemos que valorar, exactamente, de cara, lo repito, a la Historia el sentido el 14 de abril en relación con nuestro movimiento.

El 14 de abril de 1931 –hay que reconocerlo en verdad– no fue derribada la Monarquía española. La Monarquía española había sido el instrumento histórico de ejecución de uno de los más grandes sentidos universales. Había fundado y sostenido un imperio, y lo había fundado y sostenido, cabalmente, por lo que constituía su fundamental virtud: por representar la unidad de mando. Sin la unidad de mando no se va a parte alguna. Pero la Monarquía dejó de ser unidad de mando hacía bastante tiempo. En Felipe III, el Rey ya no mandaba; el

Rey seguía siendo el signo aparente, mas el ejercicio del Poder decayó en manos de validos, en manos de ministros: de Lerma, de Olivares, de Aranda, de Godoy. Cuando llega Carlos IV, la Monarquía ya no es más que un simulacro sin sustancia. La Monarquía, que empezó en los campamentos, se ha recluido en las Cortes; el pueblo español es implacablemente realista; el pueblo español, que exige a sus santos patronos que le traigan lluvia cuando hace falta, y si no se la traen les vuelve de espaldas en el altar; el pueblo español, repito, no entendía este simulacro de la Monarquía sin Poder; por eso, el 14 de abril de 1931 aquel simulacro cayó de su sitio sin que entrase en lucha siquiera un piquete de alabarderos.

Pero, ¿qué advino entonces? Pocas veces habrá habido un instante más propicio para iniciar, concluido uno, un nuevo y gran capítulo de la historia patria. Cabalmente, aquel sentido incruento del 14 de abril, aquello de que se hubiera desprendido una institución sin sangre y sin daño, casi sin duelo, colocaba de cara a una ancha llanura histórica donde galopar. No había que sustanciar resentimientos, no había que ejecutar justicias, no había apenas que enjugar lágrimas. Se abría por delante una clara esperanza para todo un pueblo; vosotros recordáis la alegría del 14 de abril y, seguramente, muchos de vosotros tomasteis parte en aquella alegría. Como todas las alegrías populares, era imprecisa, no percibía su propia explicación; pero tenía debajo, como todos los movimientos populares, muy exactas y muy hondas precisiones. La alegría del 14 de abril, una vez más, era el reencuentro del pueblo español con la vieja nostalgia de su revolución pendiente. El pueblo español necesita su revolución, y creyó que la había conseguido el 14 de abril de 1931; creyó que la había conseguido porque le pareció que esa fecha le prometía sus dos grandes cosas, largamente anheladas: primero, la devolución de un espíritu nacional colectivo; después, la implantación de una base material, humana, de convivencia entre los españoles.

¿Era mucho que se esperase un sentido nacional colectivo de los hombres del 14 de abril? Muchas cosas podrían decirse en contra suya; pero acaso algunas de esas mismas cosas fueran la mejor fianza de su fecundidad. Los hombres del 14 de abril pareció que llegaban de vuelta al patriotismo, y llegaban por el camino mejor: por el amargo camino de la crítica. Esta era su promesa de fecundidad: porque yo os digo que no hay patriotismo fecundo si no llega a través del camino de la crítica. Y os diré que el patriotismo nuestro también ha llegado por el camino de la crítica. A nosotros no nos emociona, ni poco ni mucho, esa patriotería zarzuelera que se regodea con las mediocridades, con las mezquindades presentes de España y con las interpretaciones gruesas del pasado. Nosotros amamos a España porque no nos gusta. Los que aman a su patria porque les gusta, la aman con una voluntad de contacto, la aman física, sensualmente. Nosotros no amamos a esta ruina, a esta decadencia de nuestra España física de ahora. Nosotros amamos a la eterna e inconmovible metafísica de España.

La base de convivencia humana, la base material para el asentamiento del pueblo español también está pendiente desde hace siglos.

El fenómeno de la quiebra del capitalismo es universal. No es ésta la ocasión de que yo hable de él en sus caracteres técnicos. Ya hemos tenido sobre ello otras comunicaciones. Ante otros auditorios, en otras circunstancias, he hablado de esto más por menudo. Hoy, ante todos vosotros, sólo quiero fijar el valor de algunas palabras para que no nos las deformen.

Cuando hablamos del capitalismo —ya lo sabéis todos—, no hablamos de la propiedad. La propiedad privada es lo contrario del capitalismo: la propiedad es la proyección directa del hombre sobre sus cosas; es un atributo elemental humano. El capitalismo ha ido sustituyendo esta propiedad del hombre por la propiedad del capital, del instrumento técnico de dominación económica. El capitalismo, mediante la competencia terrible y desigual del capital grande con la propiedad pequeña, ha ido anulando el artesanado, la pequeña industria, la pequeña agricultura; ha ido colocándolo todo –y va colocándolo cada vez más– en poder de los grandes *trusts*, de los grandes grupos bancarios. El capitalismo reduce, al final, a la misma situación de angustia, a la misma situación infrahumana del hombre desprendido de todos sus atributos, de todo el contenido de su existencia, a los patronos y a los obreros, a los trabajadores y a los empresarios. Y esto sí que quisiera que quedase bien grabado en la mente de todos; es hora ya de que no nos prestemos al equívoco de que se presente a los partidos obreros como partidos antipatronales, o se presente a los grupos patronales como contrarios, como adversarios, en la lucha con los obreros. Los obreros, los empresarios, los técnicos, los organizadores forman la trama total de la producción, y hay un sistema capitalista que con el crédito caro, que con los privilegios abusivos de accionistas y obligacionistas, se lleva, sin trabajar, la mejor parte de la producción, y hunde y empobrece por igual a los patronos, a los empresarios, a los organizadores y a los obreros.

Pensad a lo que ha venido a quedar reducido el hombre europeo por obra del capitalismo. Ya no tiene casa, ya no tiene patrimonio, ya no tiene individualidad, ya no tiene habilidad artesana, ya es un simple número de aglomeraciones. Hay por ahí demagogos de izquierda que hablan contra la propiedad feudal y que dicen que los obreros viven como esclavos. Pues bien: nosotros, que no cultivamos ninguna demagogia, podemos decir que la propiedad feudal era mucho mejor que la propiedad capitalista, y que los obreros están peor que los esclavos. La propiedad feudal imponía al señor, al tiempo que le daba derechos, una serie de cargas; tenía que atender a la defensa y aun a la manutención de sus súbditos. La propiedad capitalista es fría e implacable; en el mejor de los casos, no cobra la renta, pero se desentiende del destino de los sometidos. Y en cuanto a los esclavos, éstos eran un elemento patrimonial en la fortuna del señor; el señor tenía que cuidar de que el esclavo no se le muriese, porque el esclavo le costaba el dinero, como una máquina, como un caballo, mientras que ahora se muere un obrero y saben los grandes señores de la industria capitalista que tienen cientos de miles de famélicos esperando a la puerta para sustituirle

Una figura, en parte torva y en parte atrayente, la figura de Carlos Marx, vaticinó todo este espectáculo, a que estamos asistiendo, de la crisis del capitalismo. Ahora todos nos hablan por ahí de si son marxistas o si son antimarxistas. Yo os pregunto, con ese rigor de examen de conciencia que estoy comunicando a mis palabras: ¿Qué quiere decir el ser antimarxista? ¿Quiere decir que no apetece el cumplimiento de las previsiones de Marx? Entonces estamos todos de acuerdo. ¿Quiere decir que se equivocó Marx en sus previsiones? Entonces los que se equivocan son los que le achacan ese error.

Las previsiones de Marx se vienen cumpliendo más o menos de prisa, pero implacablemente. Se va a la concentración de capitales; se va a la proletarización de las masas, y se va, como final de todo, a la revolución social, que tendrá un durísimo período de dictadura comunista. Y esta dictadura comunista tiene que horrorizarnos a nosotros, europeos, occidentales, cristianos, porque ésta sí que es la terrible negación del hombre; esto sí que es la asunción del hombre en una inmensa masa amorfa, donde se pierde la individualidad, donde se diluye la vestidura corpórea de cada alma individual y eterna. Notad bien que por eso somos antimarxistas; que somos antimarxistas porque nos horroriza, como horroriza a todo occidental, a todo cristiano, a todo europeo, patrono o proletario, esto de ser como un animal inferior en un hormiguero. Y nos horroriza porque sabemos algo de ello por el capitalismo; también el capitalismo es internacional y materialista. Por eso no queremos ni lo uno ni lo otro; por eso queremos evitar –porque creemos en su aserto– el cumplimiento de las profecías de Carlos Marx. Pero lo queremos resueltamente; no lo queremos como esos partidos antimarxistas que andan por ahí y creen que el cumplimiento inexorable de unas leyes económicas e históricas se atenúa diciendo a los obreros unas buenas palabras y mandándoles unos abriguitos de punto para sus niños.

Si se tiene la seria voluntad de impedir que lleguen los resultados previstos en el vaticinio marxista, no hay más remedio que desmontar el armatoste cuyo funcionamiento lleva implacablemente a esas consecuencias; desmontar el armatoste capitalista, que conduce a la revolución social, a la dictadura rusa. Desmontarlo, pero, ¿para sustituirlo con qué?

Mañana, pasado, dentro de cien años nos seguirán diciendo los idiotas: queréis desmontarlo para sustituirlo por otro Estado absorbente, anulador de la individualidad. Para sacar esta consecuencia, ¿íbamos nosotros a tomar el trabajo de perseguir los últimos efectos del capitalismo y del marxismo hasta la anulación del hombre? Si hemos llegado hasta ahí y si queremos evitar eso, la construcción de un orden nuevo la tenemos que empezar por el hombre, por el individuo, como occidentales, como españoles y como cristianos; tenemos que empezar por el hombre y pasar por sus unidades orgánicas, y así subiremos del hombre a la familia, y de la familia al municipio, y, por otra parte, al sindicato, y culminaremos en el Estado, que será la armonía de todo. De tal manera, en esta concepción político-histórico-moral con que nosotros contemplamos el mundo, tenemos implícita la solución económica; desmontaremos el aparato económico de la propiedad capitalista que sorbe todos los beneficios, para sustituirlo por la propiedad individual, por la propiedad familiar, por la propiedad comunal y por la propiedad sindical.

Hacer esto corre prisa en el mundo y, más aún, en España. Corre más prisa en España, porque nuestra situación es, de un lado, peor, y de otro lado, menos grave que la de otros países. El capitalismo, allende las fronteras, tuvo una época heroica, de esplendor; había impulsado con brío gran cantidad de riquezas y de iniciativas; pero el capitalismo español fue raquítico desde sus comienzos; desde sus principios empezó a claudicar con los auxilios estatales, con los auxilios arancelarios. Nuestra economía estaba más depauperada que casi ninguna, nuestro pueblo vivía más miserablemente que casi ninguno. No os tengo que decir nada de esto, después de lo que habéis oído a los camaradas que me han precedido en este sitio. Gran parte de la tierra española, ancha, triste, seca, destartalada, huesuda, como sus pobladores, parece no tener otro destino que el de esperar a que esos huesos de sus habitantes se le entreguen definitivamente en la sepultura.

Este suelo nuestro, en que se pasa del verano al invierno sin otoño ni primavera; este suelo nuestro, con los montes sin árboles, con los pueblos sin agua ni jardines; este suelo inmenso donde hay tanto por hacer y sobre el que se mueren de hambre setecientos mil parados y sus familias, porque no se les da nada en que trabajar; este suelo nuestro, en el que es un conflicto que haya una cosecha buena de trigo, cuando, con ser el pan el único alimento, comen las gentes menos pan que en todo el occidente de Europa; este pueblo nuestro necesitaba que se hiciera la transformación más de prisa que en ninguna parte.

Y hacer esto sería aquí más fácil, porque el capitalismo es en España menos fuerte. Nuestra economía es casi una economía interna; tenemos innumerables cosas que hacer. Con una inteligente reforma agraria, como la que Onésimo Redondo os ha expuesto, y con una reforma crediticia que redimiese a los labradores, a los pequeños industriales, a los pequeños comerciantes de las garras doradas de la usura bancaria, con esas dos cosas habría tarea para lograr, durante cincuenta años, la felicidad del pueblo español.

El recobrar un sentido nacional y el asentar a España sobre una base social más justa eran las dos cosas que implícitamente prometía (así lo entendió el pueblo al llenarse de júbilo) la llamada revolución del 14 de abril. Ahora bien: ¿las ha realizado? ¿Nos ha devuelto el gozoso sentido nacional? ¿Nos ha vuelto a unir en una misión nacional de todos?

¿Para qué he de hablar de lo que nos han dividido, de lo que nos han vejado, de lo que nos han perseguido, de lo que nos han lanzado a los unos contra los otros? Os quiero señalar sólo algunas de las definitivas traiciones contra la nación que debemos a aquellos primeros hombres del 14 de abril. Primero, el Estatuto de Cataluña. Muchos de vosotros conocéis las ideas de Falange sobre este particular. La Falange sabe muy bien que España es varia, y eso no le importa. Justamente por eso ha tenido España, desde sus orígenes, vocación de imperio. España es varia y es plural, pero sus pueblos varios, con sus usos, con sus características, están unidos irrevocablemente en una unidad de destino en lo universal. No importa nada que se aflojen los lazos administrativos, mas con una condición: con la de que aquella tierra, a la que se dé más holgura, tenga tan afianzada en su alma la conciencia de la unidad de destino, que no vaya a usar jamás de esa holgura para conspirar contra aquélla.

Pues bien: la Constitución, con la aquiescencia de los partidos derechistas que nos gobiernan ahora, se ha venido a entender el sentido de que hay que conceder la autonomía a aquellos pueblos que han llegado a su mayor edad, que han llegado a su diferenciación; es decir, que en vez de tomarse precauciones y lanzar sondeos para ver si la unidad no peligra, lo que se hace es dar una autonomía a aquellas regiones donde ha empezado a romperse la unidad, para que acabe de romperse del todo.

Política internacional. En estos días, todos os halláis un poco al corriente de ella, por lo que han dicho los periódicos. España lleva cuatro años haciendo la política internacional francesa, moviéndose en la órbita internacional de Francia. El que España desenvuelva una política internacional de acuerdo con potencias amigas, es cosa que no tiene por qué sorprendernos. Pero en lo internacional las naciones nunca entregan sino a costa de recibir algo, y Francia, cuya política internacional servimos, nos maltrata en los tratados de comercio y nos tiene relegados a un plan inferior en Tánger y negocia a nuestras espaldas el régimen del Mediterráneo, como si en el Mediterráneo no estuviéramos nosotros; es decir, que lo único que nos resarce de servir en el mundo a la política internacional francesa es la vanidad satisfecha de algún pedante ministro o embajador.

Pues, ¿y la política seguida para desarticular —fue otro el verbo empleado—, para desarticular el Ejército, la garantía más fuerte y todavía más sana de todo lo permanente español? Sin embargo, no se sabe por qué designio hubo mucho cuidado en desarticular pronto esta garantía.

Y, por último, la declaración constitucional de que España renuncia a la guerra. ¿Qué quiere decir eso? Si es una simple estupidez, sin nada detrás, allá sus autores. Si se quiere decir que España tiene el propósito de ser neutral en guerras futuras, entonces tenía que haber ido seguida esa declaración de un aumento de fuerzas en la tierra, en el mar y en el aire, porque una nación con todas sus costas abiertas y colocada en uno de los puntos más peligrosos de Europa no puede decidir, ni siquiera acerca de su neutralidad, si no puede hacer que la respeten. Sólo los fuertes pueden ser dignamente neutrales. Yo no sé si los autores de aquella frase querrían imponernos una neutralidad indigna.

¿Y en lo social? ¿Se hizo la reforma agraria? ¿Se hizo la reforma crediticia? Ya sabéis que la reforma agraria que presentaron los hombres del 14 de abril, en vez de ir, como la que nosotros apetecemos, a rellenar de sustancia al hombre, a volver a dotar al hombre de su integridad humana, social, occidental, cristiana, española; en vez de hacer eso, tendió a la colectivización del campo, es decir, a proletarizar también el campo, a convertir a los campesinos en masa gregaria, como los obreros de la ciudad. A eso tendían, y ni siquiera eso han hecho. Esta es la hora en que no han dado apenas un trozo de tierra a los campesinos. De la Ley de Reforma Agraria, lo único que empezaron a cumplir fue un precepto añadido a última hora por un puro propósito de represalia.

Y la reforma financiera, ¿se ha hecho? ¿Han ganado, acaso, con alguna medida sabia los productores, los obreros, los empresarios, los que participan de veras en esta obra total de la producción? Estos han perdido; bien sabéis la época de crisis que aún están viviendo. En cambio, no han disminuido ni las ganancias de las grandes empresas industriales ni las ganancias de los Bancos.

Los hombres del 14 de abril tienen en la Historia la responsabilidad terrible de haber defraudado otra vez la revolución española. Los hombres del 14 de abril no hicieron lo que el 14 de abril prometía, y por eso ya empiezan a desplegarse frente a ellos, frente a su obra, frente al sentido prometedor de su fecha inicial, las fuerzas antiguas. Y aquí sí que me parece que entro en un terreno en que todo vuestro silencio y toda vuestra exactitud para entender van a ser escasos.

Dos órdenes de fuerzas se movilizan contra el sentido revolucionario frustrado el 14 de abril: las fuerzas monárquicas y las derechas afectas al régimen. Fijaos en que ante el problema de la Monarquía nosotros no podemos dejarnos arrastrar un instante ni por la nostalgia ni por el rencor. Nosotros tenemos que colocarnos ante ese problema de la Monarquía con el rigor implacable de quienes asisten a un espectáculo decisivo en el curso de los días que componen la Historia. Nosotros únicamente tenemos que considerar esto: ¿Cayó la Monarquía española, la antigua, la gloriosa Monarquía española, porque había concluido su ciclo, porque había terminado su misión, o ha sido arrojada la Monarquía española cuando aún conservaba su fecundidad para el futuro? Esto es lo que nosotros tenemos que pensar, y sólo así entendemos que puede resolverse el problema de la Monarquía de una manera inteligente.

Pues bien: nosotros —ya me habéis oído desde el principio—, nosotros entendemos, sin sombra de irreverencia, sin sombra de rencor, sin sombra de antipatía, muchos incluso con mil motivos sentimentales de afecto; nosotros entendemos que la Monarquía española cumplió su ciclo, se quedó sin sustancia y se desprendió, como cáscara muerta, el 14 de abril de 1931. Nosotros hacemos constar su caída con toda la emoción que merece, y tenemos sumo respeto para los partidos monárquicos que, creyéndola aún con capacidad de futuro, lanzan a las gentes a su reconquista; pero nosotros, aunque nos pese, aunque se alcen dentro de algunos reservas sentimentales o nostalgias respetables, no podemos lanzar el ímpetu fresco de la juventud que nos sigue para el recobro de una institución que reputamos gloriosamente fenecida.

Esa es una de las alas que se mueven contra la obra y contra el sentido del 14 de abril. La otra de las alas es el populismo. ¿Qué queréis que os diga? Porque en esto sí que ya nos entendemos todos. Yo siento mucha admiración y mucha simpatía hacia el señor Gil-Robles, y siento esa simpatía y esa admiración precisamente por el nervio antipopulista que en él descubro. Yo barrunto que un día el señor Gil-Robles va a romper con su escuela, y me parece que en ese día el señor Gil-Robles prestará buenos servicios a España; pero de la escuela populista, ¿qué queréis esperar vosotros? La escuela populista es como una de esas grandes fábricas alemanas en que se produce el sucedáneo de casi todas las cosas auténticas. Surge en el mundo, por ejemplo, el fenómeno socialista, surge el ímpetu sanguíneo, violento, auténtico, de las masas socialistas; en seguida, la escuela populista, rica en ficheros y en jóvenes cautos, llenos, sí, de prudencia y cortesía, pero que se parecen más que a nada a los formados en la más refinada escuela masónica, produce un sucedáneo del socialismo y organiza una cosa que se llama democracia cristiana: frente a las Casas del Pueblo, Casas del Pueblo; frente a los ficheros, ficheros; frente a las leyes sociales, leyes sociales. Se adiestra en escribir memorias sobre la participación en los beneficios, sobre el retiro obrero, sobre otras mil lindezas. Lo único que pasa es que los obreros auténticos no entran en esas jaulas preciosas del populismo, y las jaulas preciosas no llegan a calentarse nunca. Surge en el mundo el fascismo con su valor de lucha, de alzamiento, de protesta de pueblos oprimidos contra circunstancias adversas y con su cortejo de mártires y con su esperanza de gloria, y en seguida sale el partido populista y se va, supongámoslo para que nadie se dé por aludido, a El Escorial, y organiza un desfile de jóvenes, con banderas, con viajes pagados, con todo lo que se quiera, menos con el valor juvenil revolucionario y fuerte que han tenido las juventudes fascistas. Y no os preocupéis, que si Dios nos da vida, veremos en España una República cedista, con representación personal y con Ley de Prensa, que tendrá los mayores parecidos con todas las Repúblicas laicas del centro de Europa.

Por eso, camaradas, ni estamos en el grupo de reacción monárquica, ni estamos en el grupo de reacción populista. Nosotros, frente a la defraudación del 14 de abril, frente al escamoteo del 14 de abril, no podemos estar en ningún grupo que tenga, más o menos oculto, un propósito reaccionario, un propósito contrarrevolucionario, porque nosotros, precisamente, alegamos contra el 14 de abril no el que fuese violento, no el que fuese incómodo, sino el que fuese estéril, el que frustrase, una vez más, la revolución pendiente española. Y por eso nosotros, contra todas las injurias, contra todas las deformaciones, lo que hacemos es recoger de en medio de la calle, de entre aquellos que lo tuvieron y abandonaron, y aquellos que no lo quieren recoger, el sentido, el espíritu revolucionario español, que, más tarde o más pronto, por las buenas o por las malas, nos devolverá la comunidad de nuestro destino histórico y la justicia social profunda, que nos está haciendo falta. Por eso nuestro régimen, que tendrá de común con todos los regímenes revolucionarios el venir así del descontento, de la protesta, del amor amargo por la patria, será un régimen nacional del todo, sin patrioterías, sin faramallas de decadencia, sino empalmado con la España exacta, difícil y eterna que esconde la vena de la verdadera tradición española; y será social en lo profundo, sin demagogias, porque no harán falta, pero implacablemente anticapitalista, implacablemente anticomunista. Ya veréis cómo rehacemos la dignidad del hombre para sobre ella rehacer la dignidad de todas las instituciones que, juntas, componen la Patria.

Esto es lo que queremos nosotros y esta es la jornada que hoy de nuevo emprendemos. Esta jornada, camaradas, tiene la virtud de ser difícil; nuestra misión es la más difícil; por eso la hemos elegido y por eso es fecunda. Tenemos en contra a todos: a los revolucionarios del 14 de abril, que se obstinan en deformarnos y nos seguirán deformando después de estas palabras bastante claras, porque saben que la exigencia de cuentas que representa nuestra comparecencia ante España es la más fuerte acta de acusación levantada contra ellos, y de otra parte a los contrarrevolucionarios, porque esperaron, al principio, que nosotros viniéramos a ser la avanzada de sus intereses en riesgo, y entonces se ofrecían a protegernos y a asistirnos y hasta a darnos alguna moneda, y ahora se vuelven locos de desesperación al ver que lo que creían la vanguardia se ha convertido en el Ejército entero independiente.

Contra los unos y contra los otros, en la línea constante y verdadera de España, atacados por todos los flancos, sin dinero, sin periódicos (ved la propaganda que se ha hecho de este acto, que congrega a 10.000 camaradas nuestros), asediados, deformados por todas partes, nuestra misión es difícil hasta el milagro: pero nosotros creemos en el milagro; nosotros estamos asistiendo a este milagro de España. ¿Cuántos éramos en 1933? Un puñado, y hoy somos muchedumbre en todas partes. Nosotros nos aventuramos a congregar en cuatro días en este local, que es el más grande de Madrid, a todos los que vienen, incluso a pie, de las provincias más lejanas, para ver el espectáculo de nuestras banderas y los nombres de nuestros muertos. Nosotros hemos elegido, a sabiendas, la vía más dura, y con todas sus dificultades, con todos sus sacrificios, hemos sabido alumbrar –¿qué sé yo si la única?– una de las venas heroicas que aún quedaban bajo la tierra de España. Unas pocas palabras, unos pocos medios exteriores han bastado para que reclamen el primer puesto, en las filas donde se muere, dieciocho camaradas jóvenes, a quienes la vida todo lo prometía. Nosotros, sin medios, con esta pobreza, con estas dificultades, vamos recogiendo cuanto hay de fecundo y de aprovechable en la España nuestra. Y queremos que la dificultad siga hasta el final y después del final; que la vida nos sea difícil antes del triunfo y después del triunfo. Hace unos días recordaba yo ante una concurrencia pequeña un verso romántico: «No quiero el Paraíso, sino el descanso» –decía–. Era un verso romántico, de vuelta a la sensualidad; era una blasfemia, pero una blasfemia montada sobre una antítesis certera: es cierto, el Paraíso no es el descanso. El Paraíso está contra el descanso. En el Paraíso no se puede estar tendido; se está verticalmente, como los ángeles. Pues bien: nosotros, que ya hemos llevado al camino del Paraíso las vidas de nuestros mejores, queremos un Paraíso difícil, erecto, implacable; un Paraíso donde no se descanse nunca y que tenga, junto a las jambas de las puertas, ángeles con espadas.

Documento 6

«Nómina del primer gobierno nacionalsindicalista», proyectado por José Antonio en 1935

Defensa Nacional: Franco.
Estado: Bárcena.
Justicia: Serrano Suñer.
Educación: Aunós. Subsecretario: Valdés.
Economía: Carceller.
Gobernación: Mola.
Seguridad: Vázquez.
Hacienda: Viñuales. Subsecretario: Larraz.
Obras Públicas: Lorenzo Pardo.
Corporaciones: Mateo. Subsecretario: Garcerán.
Comunicaciones: Julio Ruiz de Alda. Subsecretario: José Moreno.
Marruecos y Colonias: Goded.
Sanidad: Nogueras.

(Carlos Rojas. «Diez figuras ante la guerra civil»)

Documento 7

Discurso de clausura del segundo Consejo Nacional

Pronunciado por José Antonio en el cine Madrid, de Madrid, el día 17 de noviembre de 1935.

Estos que veis aquí con camisas azules y cordones rojos y negros son los camaradas que integran el Consejo Nacional. Durante dos días han estado trabajando en abnegado silencio y han conseguido elaborar, con la precisión que es el premio de las tareas en que se pone el alma, declaraciones fundamentales para nuestro movimiento. Esos que casi no veis allá, esos que se pierden en la penumbra del local más grande de Madrid, son todos los que vienen a decirnos, con su presencia y con su asistencia, que creen en el porvenir de nuestras flechas y nuestros yugos y en la eficacia de las verdades que, en silencio abnegado, ha puesto en orden el Consejo.

Felices los que gozamos juntos de esta alta temperatura espiritual. Felices los que tenemos este refugio contra la dispersión y contra la melancolía del ambiente, porque fuera de aquí, en otras partes, en esa especie de gran cinematógrafo nacional, más pequeño que éste y seguramente en vísperas de clausura, que se llama el Congreso de los Diputados, es tal ya la melancolía, es tal ya el tedio que se siente, está ya, después de esa bazofia turbia que acabamos de tragarnos hace unos días, y de la que han tratado de darnos varias raciones más, está ya el ambiente tan muerto, que los que concurrimos a ese ámbito hemos perdido en nuestros estómagos hasta la aptitud para la náusea. Aquello se cae a pedazos, se muere de tristeza, todo es aire de pantano insalubre, todo es barrunto de una muerte próxima y sin gloria. ¿No notáis que se respira una atmósfera semejante a la de aquellos días últimos de 1930, en que ya preveíamos todos la proximidad de una sima? Esto se muere, y se muere después de una vida de esterilidad. Acaso tal muerte constituya una sorpresa para algunos; pero vosotros, los que asististeis al mitin del teatro de la Comedia el 29 de octubre de 1933, oísteis este vaticinio, que para no dejarnos mentir, anda en letras de molde; oísteis el vaticinio que decía: «En estas elecciones, votad lo que os parezca menos malo; pero no saldrá de ahí nuestra España, ni está ahí nuestro marco. Esa es una atmósfera turbia, cansada, como de taberna al final de una noche crapulosa. No está ahí nuestro sitio. Yo creo que soy candidato; pero lo soy sin fe y sin respeto. Y esto lo digo ahora, cuando ello puede hacer que se me retraigan todos los votos. No me importa nada.» Ya veis, después de dos años, que no me equivoqué.

Después de todo, si no ocurriera más que eso, que se acabara ese tinglado cuyo derrumbamiento todos hemos previsto, y hemos apetecido muchos, nosotros no tendríamos nada que hacer ante el espectáculo. Pero no es esto sólo. Es que, en vísperas de hundimiento, tiene que acongojarnos la pregunta: ¿Y qué vendrá después? Este noviembre de 1935, tan semejante al diciembre de 1930, ¿qué es lo que anuncia? ¿La vuelta de las formas caídas? No creo que la espere nadie. ¿La vuelta de Azaña, y digo Azaña para personificar a las izquierdas republicanas? No lo creáis. Azaña tuvo una ocasión ciertamente envidiable; tuvo una ocasión en que se encontraron en sus manos estos dos prodigiosos ingredientes: de una parte, la fe colectiva, abierta, dócil, y un pueblo en trance de alegría; de otra parte, unas nada comunes dotes de político, un extraordinario desdén por el aplauso, una privilegiada precisión dialéctica. Eso tuvo Azaña, y por eso pudo haber trazado las líneas de una gran época histórica. Pero le faltó una cosa esencial: le faltó el alma cálida que percibió Ortega y Gasset en otro hombre de Estado español; le faltó el alma cálida, y en vez de haber aprovechado aquello para infundir un aliento común, una fe colectiva a la España, blanda como la cera, que tenía en las manos, se entretuvo en un diabólico esteticismo, como de tortura asiática; llevó a España casi a la locura, casi a la desesperación, y de esa suerte, España, en vez de aprovechar su coyuntura de alegría, se fue dividiendo, se fue encolerizando, se fue llenando de rencor de unos contra otros. Al fin cayó aquello, y España volvió a sentirse libre como quien sale de una red o de una cárcel.

Azaña no tendría ahora las masas del 14 de abril, las masas ingenuas y alegres del 14 de abril. Si ahora viniera Azaña, sería sobre el lomo de otras masas harto distintas, de las masas torvas, rencorosas, envenenadas por los agentes españoles del bolchevismo ruso. Y contra esas masas, que ya no serían dócil instrumento en las manos de su rector, sino torrente que le desbordase y le sometiera a su arbitrio; contra esas masas, el esteticismo elegante y estéril de Azaña no podría ni poco ni mucho.

No creáis que exagero. La censura y otras instituciones nos permiten vivir rodeados como de un halo color de rosa; pero en algunas provincias españolas no hay censura, y aun donde la hay, todos los domingos se celebran mítines socialistas. Id a ellos; ya veréis cómo vienen de suaves y tolerantes las masas socialistas; puños en alto, aclamaciones a Largo Caballero y a González Peña; glorificación de la tragedia de Asturias, que, para no estar falta de nada repugnante, tuvo hasta el contubernio con el separatismo. Eso todos los domingos, eso en todos los periódicos socialistas y comunistas que se publican en España. Ved este libro: «Octubre». Es un documento oficial que contiene, avaladas por la firma del presidente de las Juventudes Socialistas de España, las conclusiones políticas de la entidad. Y estas conclusiones, que no necesitan comentarios, son simplemente del tenor que sigue: «Por la bolchevización del Partido Socialista.» «Por la transformación de la estructura del partido en un sentido centralista y con un aparato ilegal.» «Por la propaganda antimilitarista.» «Por la derrota de la burguesía y el triunfo de la revolución bajo la forma de la dictadura proletaria.» «Por la reconstrucción del movimiento obrero internacional sobre la base de la revolución rusa.» Esto es lo que se dice en tono oficial por las Juventudes Socialistas, que en la actual disgregación del partido, van ganando cada vez posiciones más fuertes; esto es lo que os espera, burgueses españoles y obreros españoles, si triunfa otra vez, bajo un disfraz u otro, la revolución de nuestros marxistas. Todo esto encierra la amenaza de un sentido asiático, ruso, contradictorio con toda la manera occidental, cristiana y española de entender la existencia.

El movimiento ruso no tiene nada que ver con aquella primavera sentimental de los movimientos obreros; el comunismo ruso viene a implantar la dictadura del proletariado, la dictadura que no ejercerá el proletariado, sino los dirigentes comunistas servidos por un fuerte Ejército rojo; la dictadura que os hará vivir de esta suerte: sin sentimiento religioso, sin emoción de patria, sin libertad individual, sin hogar y sin familia. En Rusia, sabedlo, ya no existe el hogar; quizás otras veces os hayan presentado un aspecto más duro, más sangriento del régimen ruso; pero ved si vosotros, españoles, con alma de hombres libres, soportáis esto: el Estado ruso se afana en proporcionar a los obreros sanatorios donde se curen, granjas donde reposen de sus fatigas; sí, trata de hacerlo y lo hace en algunas ciudades pero les niega aquella libertad que ha de tener todo hombre para elegir su propio reposo. Un obrero como el español no podría irse los domingos con su familia al campo para comerse la merienda en paz y en gracia de Dios, porque el Estado ruso, que lo organiza todo como un hormiguero, les obliga a ir a campos de reposo y a pasar sus vacaciones en tales sitios de esparcimiento. Sólo este horror de que tengamos que comer en los comedores colectivos y no saber lo que es el hogar familiar, sólo este horror de que tengamos que divertirnos técnica y sistemáticamente en lugares en que probablemente no se divierte nadie, sólo este horror, a cualquier burgués español, a cualquier obrero español, le escalofría.

El régimen ruso en España sería un infierno. Pero ya sabéis por Teología que ni siquiera el infierno es el mal absoluto. Del mismo modo, el régimen ruso no es el mal absoluto tampoco: es, si me lo permitís, la versión infernal del afán hacia un mundo mejor. Si se tratara solamente de una extravagancia satánica, del capricho de unos cuantos ideólogos, es cierto que el régimen ruso no llevaría dieciocho años de existencia ni constituiría un grave peligro. Lo que ocurre es que el régimen ruso ha venido a nacer en el instante en que el orden social anterior, el orden liberal capitalista, estaba en los últimos instantes de su crisis y en los primeros de su definitiva descomposición. Ya vosotros sabéis de antiguo cómo distinguimos nosotros entre la propiedad y el capitalismo. Si alguna duda hubiera, las palabras de Raimundo Fernández Cuesta, que eran todas de luz, lo hubieran puesto suficientemente en claro. Yo os invito, para que nunca más pueda jugarse con la ambigüedad de estas palabras, a que me sigáis en el siguiente ejemplo: Imaginad un sitio donde habitualmente se juegue a algún juego difícil. En esta partida se afanan todos, ponen su destreza, su ingenio, su inquietud. Hasta que un día llega uno más cauto que ve la partida y dice: «Perfectamente, aquí unos ganan y otros pierden; pero los que ganan y los que pierden necesitan para ganar o perder esta mesa y estas fichas. Bien; pues yo, por cuatro cuartos, compro la mesa y las fichas, se las alquilo a los que juegan y así gano todas las tardes.» Pues éste, que sin riesgo, sin esfuerzo, sin afán ni destreza, gana con el alquiler de las fichas, éste es el capital financiero. El dinero nace en el instante en que la economía se complica hasta el punto de que no pueden realizarse las operaciones económicas elementales con el trueque directo de productos y servicios. Hace falta un signo común con que todos nos podamos entender, y este signo es el dinero; pero el dinero, en principio, no es más que eso: un denominador común para facilitar las transacciones. Hasta que llegan quienes convierten a ese signo en mercancía para su provecho, quienes, disponiendo de grandes reservas de este signo de crédito, lo alquilan a los que compran y a los que venden. Pero hay otra cosa: como la cantidad de productos que pueden obtenerse, dadas ciertas medidas de primera materia y trabajo, no es susceptible de ampliación; como no es posible para alcanzar aquella cantidad de productos disminuir la primera materia, ¿qué es lo que hace el capitalismo para cobrarse el alquiler de los signos de crédito? Esto: disminuir la retribución, cobrarse a cuenta de la parte que le corresponde a la retribución del trabajo en el valor del producto. Y como en cada vuelta de la corriente económica el capitalismo quita un bocado, la corriente económica va estando cada vez más anémica y los retribuidos por debajo de lo justo van descendiendo de la burguesía acomodada a la burguesía baja, y de la burguesía baja al proletariado, y, por otra parte, se acumula el capital en manos de los capitalistas; y tenemos el fenómeno previsto por Carlos Marx, que desemboca en la revolución rusa.

Así, el sistema capitalista ha hecho que cada hombre vea en los demás hombres un posible rival en las disputas furiosas por el trozo de pan que el capitalismo deja a los obreros, a los empresarios, a los agricultores, a los comerciantes, a todos los que, aunque no lo creáis a primera vista, estáis unidos en el mismo bando de esa terrible lucha económica; a todos los que estáis unidos en el mismo bando, aunque a veces andéis a tiros entre vosotros. El capitalismo hace que cada hombre sea un rival por el trozo de pan. Y el liberalismo, que es el sistema capitalista en su forma política, conduce a este otro resultado: que la colectividad, perdida la fe en un principio superior, en un destino común, se divida enconadamente en explicaciones particulares. Cada uno quiere que la suya valga como explicación absoluta, y los unos se enzarzan con los otros y andan a tiros por lo que llaman ideas políticas. Y así como llegamos a ver en lo económico, en cada mortal, a quien nos disputa el mendrugo, llegamos a ver en lo político, en cada mortal, a quien nos disputa el trozo mínimo de poder, la partícula de poder que nos asignan las constituciones liberales.

He aquí por qué, en lo económico y en lo político, se ha roto la armonía del individuo con la colectividad de que forma parte, se ha roto la armonía del hombre con su contorno, con su patria, para dar al contorno una expresión que ni se estreche hasta el asiento físico, ni se pierda en vaguedades inaprehensibles.

Perdida la armonía del hombre y la patria, del hombre y su contorno, ya está herido de muerte el sistema. Concluye una edad que fue de plenitud y se anuncia una futura Edad Media, una nueva edad ascensional. Pero entre las edades clásicas y las edades medias ha solido interponerse, y éste es el signo de Moscú, una catástrofe, una invasión de los bárbaros.

Pero en las invasiones de los bárbaros se han salvado siempre las larvas de aquellos valores permanentes que ya se contenían en la edad clásica anterior. Los bárbaros hundieron el mundo romano, pero he aquí que con su sangre nueva fecundaron otra vez las ideas del mundo clásico. Así, más tarde, la estructura de la Edad Media y del Renacimiento se asentó sobre líneas espirituales que ya fueron iniciadas en el mundo antiguo.

Pues bien: en la revolución rusa, en la invasión de los bárbaros a que estamos asistiendo, van ya, ocultos y hasta ahora negados, los gérmenes de un orden futuro y mejor. Esa es la labor verdadera que corresponde a España y a nuestra generación: pasar de esta última orilla de un orden económico social que se derrumba a la orilla fresca y prometedora del orden que se adivina; pero saltar de una orilla a otra por un esfuerzo de nuestra voluntad, de nuestro empuje y de nuestra clarividencia; saltar de una orilla a otra sin que nos arrastre el torrente de la invasión de los bárbaros.

Esta pérdida de armonía del hombre con su contorno origina dos actitudes: una, la que dice: «Esto ya no tiene remedio; ha sonado la hora decisiva para el mundo en que nos tocó nacer, y no hay sino resignarse, llevar a sus últimas consecuencias la dispersión, la descomposición.» Es la actitud del anarquismo: se resuelve la desarmonía entre el hombre y la colectividad disolviendo a la colectividad en los individuos: todo se disgrega como un trozo de tela que se desteje. Otra actitud es la heroica: la que, rota la armonía entre el hombre y la colectividad, decide que ésta haga un esfuerzo desesperado para absorber a los individuos que tienden a dispersarse. Estos son los Estados totales, los Estados absolutos.

Yo digo que si la primera de las dos soluciones es disolvente y funesta, la segunda no es definitiva. Su violento esfuerzo puede sostenerse por la tensión genial de unos cuantos hombres, pero en el alma de esos hombres late, de seguro, una vocación de interinidad; esos hombres saben que su actitud se resiste en las horas de tránsito pero que, a la larga, se llegará a formas más maduras en que tampoco se resuelva la disformidad anulando el individuo, sino en que vuelva a hermanarse el individuo con su contorno por la reconstrucción de esos valores orgánicos, libres y eternos, que se llaman el individuo, portador de un alma; la familia, el sindicato, el municipio, unidades naturales de convivencia.

Tal misión es la que ha sido reservada a España y a nuestra generación, y cuando hablo de nuestra generación, ya entenderéis que no aludo a un valor cronológico: eso sería demasiado superficial. La generación es un valor histórico y moral; pertenecemos a la misma generación los que percibimos el sentido trágico de la época en que vivimos, y no sólo aceptamos, sino que recabamos para nosotros la responsabilidad del desenlace. Los octogenarios que se incorporen a esta tarea de responsabilidad y de esfuerzo pertenecen a nuestra generación; aquellos, en cambio, por jóvenes que sean, que se desentiendan del afán colectivo, serán excluidos de nuestra generación como se excluye a los microbios malignos de un organismo sano.

Esta conciencia de la generación está en todos nosotros. Y, sin embargo, andamos ahora partidos en dos bandos, por lo menos...; andan partidos en dos bandos los de fuera de Falange: la izquierda y la derecha.

¿Qué es la juventud de izquierda? Es la que creyó en el 14 de abril de 1931. ¿Qué es la juventud de derecha? Es la que creyó en el 19 de noviembre de 1933. Pero fijaos en que aquella juventud de izquierda fue la primera en declararse defraudada cuando, lo que pudo ser ocasión nacional del 1931, se resolvió en una ocasión rencorosa de represalia zafia, persecutoria y torpe, en que pronto se sobrepuso a la alegría colectiva del 14 de abril el viejo anticlericalismo sectario y pestilente de los Albornoces y de los Domingos. Y la juventud de noviembre de 1933 también llevaba en el alma la convicción de que salía de aquella tortura del primer bienio para entrar, a la carrera, cuesta arriba, en una ocasión nacional y reconstructora; pero a ella también se le ha metido en el alma el desaliento cuando la ocasión revolucionaria de Asturias y Cataluña, en vez de tener el desenlace limpio y tajante que exigían todos, se ha disuelto en trámites y componendas inacabables, y cuando aquellos propósitos de justicia social que se agitaban en la propaganda, han tenido que sacrificarse por necesidades políticas al burdo egoísmo de los caciques que se llaman agrarios.

Desbordando sus rótulos, los muchachos de izquierda y derecha que yo conozco han vibrado juntos siempre que se ha puesto en juego algún ansia profunda y nacional. Yo he visto a los diputados jóvenes de derechas que se sientan cerca de mí, físicamente, en el Parlamento, felicitarme cuando me opuse a aquel monstruoso retroceso de la contrarreforma agraria, y he visto a los jóvenes de izquierdas felicitarme cuando he denunciado en público la inmoralidad y el estrago de cierto partido del régimen. En cuanto llega, así, un trance de prueba nacional o de prueba moral, nos entendemos todos los jóvenes españoles, a quienes nos resultan estrechos los moldes de la izquierda y de la derecha. En la derecha y en la izquierda tuvieron que alistarse los mejores de quienes componen nuestra juventud, unos por reacción contra la insolencia y otros por asco contra la mediocridad; pero al revolverse contra lo uno y contra lo otro, al alistarse por reacción del espíritu bajo las banderas contrarias, tuvieron que someter el alma a una mutilación, resignarse a ver a España sesgada, de costado, con un ojo, como si fueran tuertos de espíritu. En derechas e izquierdas juveniles arde, oculto, el afán por encontrar en los espacios eternos los trozos ausentes de sus almas partidas, por hallar la visión armoniosa y entera de una España que no se ve del todo si se mira de un lado, que sólo se entiende mirando cara a cara, con el alma y los ojos abiertos.

En esta hora solemne me atrevo a formular un vaticinio: la próxima lucha, que acaso no sea electoral, que acaso sea más dramática que las luchas electorales, no se planteará alrededor de los valores caducados que se llaman derecha e izquierda; se planteará entre el frente asiático, torvo, amenazador, de la revolución rusa en su traducción española, y el frente nacional de la generación nuestra en línea de combate.

Ahora, que bajo esta bandera del frente nacional no se podrá meter mercancía de contrabando. Es la palabra demasiado alta para que nadie la tome como apodo. Habrá centinelas a la entrada que registren a los que quieran penetrar para ver si de veras dejaron fuera en el campamento todos los intereses de grupo y de clase; si traen de veras encendida en el alma la dedicación abnegada a esta empresa total, situada sobre la cabeza de todos; si conciben a España como un valor total fuera del cuadro de valores parciales en que se movió la política hasta ahora. Concretamente, los centinelas han de tener consignas que señalen los límites del frente nacional: primero, un límite histórico; nada de propósitos reaccionarios, nada de nostalgias clandestinas, de formas terminadas o de vuelta a sistemas sociales y económicos reprobados. No basta con venir cantando himnos. Estas cosas tienen que haberse dejado sinceramente a la entrada por quienes aspiren a que los centinelas les dejen paso. Segundo, un límite moral. Nosotros no podemos sentirnos solidarios de aquellas gentes que han habituado a sus pulmones y a sus entrañas a vivir en los climas morales donde pueden florecer *estraperlos*. Estos son los linderos infranqueables en lo negativo; esto es lo que excluye...

Pero no basta la exclusión. Hay que proponerse, positivamente, una tarea. La de dar a España estas dos cosas perdidas: primero, una base material de existencia que eleve a los españoles al nivel de seres humanos; segundo, la fe en un destino nacional colectivo y la voluntad resuelta de resurgimiento. Estas dos cosas tienen que ser las que se imponga como tarea el grupo, el frente en línea de combate de nuestra generación. Y hace falta para que nadie se llame a engaño, decir lo que contienen estas dos proposiciones terminantes.

Resurgimiento económico en España. Os decía que el fenómeno del mundo es la agonía del capitalismo. Pues bien: de la agonía del capitalismo no se sale sino por la invasión de los bárbaros o por una urgente desarticulación del propio capitalismo. ¿Qué vamos a elegir si no esta salida? Y en ella hay tres capítulos que exigen tres labores de desarticulación: el capitalismo rural, el capitalismo bancario y el capitalismo industrial. Son los tres muy desigualmente propicios a la desarticulación. El capitalismo rural es bien fácil de desarticular. Fijaos en que me refiero estrictamente a aquello que consiste en facilitar créditos a los labradores, porque éste entra en el capitalismo financiero a que aludiré en seguida, y tampoco a la explotación del campo en forma de gran empresa. El capitalismo rural consiste en que, por virtud de unos ciertos títulos inscritos en el Registro de la Propiedad, ciertas personas que no saben tal vez dónde están sus fincas, que no entienden nada de su labranza, tienen derecho a cobrar una cierta renta a los que están en esas fincas y las cultivan. Esto es sencillísimo de desarticular, y conste que al enunciar el procedimiento de desarticulación no formulo todavía un párrafo programático de la Falange; el procedimiento de desarticulación del capitalismo rural es simplemente este: declarar cancelada la obligación de pagar la renta. Esto podrá ser tremendamente revolucionario, pero, desde luego, no originará el menor trastorno económico; los labradores seguirán cultivando sus tierras, los productos seguirán recogiéndose y todo funcionaría igual.

Le sigue, en el orden de la dificultad ascendente, la desarticulación del capitalismo financiero. Esto es distinto. Tal como está montada la complejidad de la máquina económica, es necesario el crédito; primero, que alguien suministre los signos de créditos admitidos para las transacciones; segundo, que cubra los espacios de tiempo que corren desde que empieza el proceso de la producción hasta que termina. Pero cabe transformación en el sentido de que este manejo de los signos económicos de crédito, en vez de ser negocio particular, de unos cuantos privilegiados, se convierta en misión de la comunidad económica entera, ejercida por su instrumento idóneo, que es el Estado. De modo que al capitalismo financiero se le puede desmontar sustituyéndole por la nacionalización del servicio de crédito.

Queda, por último, el capitalismo industrial. Este es, de momento, el de desmontaje más difícil, porque la industria no cuenta sólo con el capital para fines de crédito, sino que el sistema capitalista se ha infiltrado en la estructura misma de la industria. La industria, de momento, por su inmensa complejidad, por el gran cúmulo de instrumentos que necesita, requiere la existencia de diferentes patrimonios: la constitución de grandes acervos, de disponibilidades económicas sobre la planta jurídica de la sociedad anónima. El capital anónimo viene a ser el titular del negocio que sustituye a los titulares humanos de las antiguas empresas. Si en este instante se desmontase de golpe el capitalismo industrial, no se encontraría, por ahora, expediente eficaz para la constitución de industria, y esto determinaría, de momento, un grave colapso.

Así, pues, en la desarticulación del orden capitalista, lo más fácil es desmontar el capitalismo rural; lo inmediatamente fácil, desmontar o sustituir el capitalismo financiero; lo más difícil, desmontar el capitalismo industrial. Pero como Dios está de nuestra parte, resulta que en España apenas hay que desmontar capitalismo industrial, porque existe muy poco, y en lo poco que hay, aligerando algunas cargas constituidas por Consejos de Administración lujosos, por la pluralidad de empresas para servicios parecidos y por la abusiva concesión de acciones liberadas, nuestra modesta industria recobraría toda su agilidad y podría aguardar relativamente bien durante esta época de paso. Quedarían, para una realización inmediata, la nacionalización del crédito y la reforma del campo. He aquí por qué España, que es casi toda agraria, rural, se encuentra con que, en este período de liquidación del orden capitalista, está en las mejores condiciones para descapitalizarse sin catástrofe. He ahí por qué no por vana palabrería, contaba con esta razón al decir que la misión de saltar por encima de la invasión de los bárbaros y establecer un orden nuevo era una misión reservada a España.

Dos cosas positivas habrán, pues, de declarar quienes vengan a alistarse en los campamentos de nuestra generación: primera, la decisión de ir, progresiva, pero activamente, a la nacionalización del servicio de bancas; segunda, el propósito resuelto de llevar a cabo, a fondo, una verdadera Ley de Reforma Agraria.

La reforma agraria no es sólo para nosotros un problema técnico, económico, para ser estudiado en frío por las escuelas; la reforma agraria es la reforma total de la vida española. España es casi toda campo. El campo es España; el que en el campo español se impongan unas condiciones de vida intolerables a la humanidad labradora en su contorno español no es sólo un problema económico: es un problema entero, religioso y moral. Por eso es monstruoso acercarse a la reforma agraria con sólo un criterio económico; por eso es monstruoso poner en pugna interés material con interés material, como si sólo de ése se tratara; por eso es monstruoso que quienes se defienden contra la reforma agraria aleguen sólo títulos de derecho patrimonial, como si los de enfrente, los que reclaman desde su hambre de siglos, sólo aspirasen a una posesión patrimonial y no a la íntegra posibilidad de vivir como seres religiosos y humanos.

Esta reforma agraria tendrá también dos capítulos: primero, la reforma económica; segundo, la reforma social.

Una gran parte de España es inhabitable, es incultivable. Sujetar a las gentes que ahora viven adheridas a estos suelos es condenarlas a la miseria para siempre. Hay eriales que nunca debieron dejar de ser eriales; hay pedregales que no se debían haber labrado nunca. Así, pues, lo primero que tiene que hacer una reforma agraria inteligente es delimitar las superficies cultivables de España, delimitar las actuales superficies cultivables y las superficies que pueden ponerse en cultivo con las obras de riego que inmediatamente hay que intensificar. Y después de eso, tener el valor de dejar que las tierras incultivables vuelvan al bosque, a la nostalgia de bosque de nuestras tierras calvas, devolverlas a los pastos, para que renazca nuestra riqueza ganadera, que nos hizo fuertes y robustos; devolver todo eso a lo que no es el cultivo; no volver a meter un arado en su pobreza. Una vez delimitadas las tierras cultivables de España, proceder, dentro aún de la operación económica, a reconstruir las unidades de cultivo. Sobre esto ha trabajado admirablemente nuestro Consejo Nacional. En líneas generales, pueden señalarse tres tipos de cultivo, puesto que, desde este punto de vista, los de las regiones del Norte y de Levante, en cierto modo se pueden emparejar; hay tres clases de cultivos: los grandes cultivos de secano, que necesitan una industrialización y un empleo de todos los medios técnicos que sean necesarios para que produzcan económicamente, y que han de someterse a un régimen sindical; los cultivos pequeños, en general los cultivos de regadío o los cultivos de tierras en zona húmeda; éstos han de parcelarse para constituir la unidad familiar; pero como ocurre que en muchas de esas tierras se ha exagerado la parcelación y se ha llegado al minifundio antieconómico, lo que en muchos casos será parcelación, en otros será agrupación para que se formen las unidades familiares de cultivo, los cotos familiares de cultivo, o se regirán por un régimen familiar corporativo, para el suministro de aperos y para la colocación de los productos; y hay otras grandes áreas, como son, por ejemplo, las olivareras, de un interés excepcional para España, donde el cultivo deja períodos de largos meses de total desocupación de los hombres. Las tierras de esta clase necesitan complemento, bien por los pequeños regadíos, donde se trasladen los trabajadores durante las épocas de paro involuntario, bien por el montaje de pequeñas industrias, accesorias de la agricultura, para que puedan vivir los campesinos durante estas largas temporadas.

Una vez hecha esta clasificación de las tierras; una vez constituidas estas unidades económicas de cultivo, entonces llega el instante de llevar a cabo la reforma social de la agricultura; y fijaos en esto: ¿en qué consiste, desde un punto de vista social, la reforma de la agricultura? Consiste en esto: hay que tomar al pueblo español, hambriento de siglos, y redimirle de las tierras estériles donde perpetúa su miseria; hay que trasladarle a las nuevas tierras cultivables; hay que instalarle, sin demora, sin espera de siglos, como quiere la ley de contrarreforma agraria, sobre las tierras buenas. Me diréis: pero ¿pagando a los propietarios o no? Y yo os contesto: Esto no lo sabemos; dependerá de las condiciones financieras de cada instante. Pero lo que yo os digo es esto: mientras se esclarezca si estamos o no en condiciones financieras de pagar la tierra, lo que no se puede exigir es que los hambrientos de siglos soporten la incertidumbre de si habrá o no habrá reforma agraria; a los hambrientos de siglos hay que instalarlos como primera medida; luego se verá si se pagan las tierras; pero es más justo y más humano, y salva a más número de seres, el que se haga la reforma agraria a riesgo de los capitalistas que no a riesgo de los campesinos.

Ahora, todo esto no es más que una parte: esto es volver a levantar sobre una base material humana la existencia de nuestro pueblo: pero también hay que unirle por arriba: hay que darle una fe colectiva, hay que volver a la supremacía de lo espiritual. La Patria es para nosotros, ya lo habéis oído aquí, una unidad de destino: la Patria no es el soporte físico de nuestra cuna; por haber sostenido a nuestra cuna no sería la Patria lo bastante para que nosotros la enalteciéramos, porque por mucha que sea nuestra variedad, hay que reconocer que ha habido patrias que han conocido cunas mejores que la vuestra y la mía. No es esto; la Patria no es nuestro centro espiritual por ser la nuestra, por ser físicamente la nuestra, sino porque hemos tenido la suerte incomparable de nacer en una Patria que se llama precisamente España, que ha cumplido un gran destino en lo universal y puede seguir cumpliéndolo. Por eso nosotros nos sentimos unidos indestructiblemente a España, porque queremos participar en su destino; y no somos nacionalistas, porque el ser nacionalista es una pura sandez; es implantar los resortes espirituales más hondos sobre un motivo físico, sobre una mera circunstancia física; nosotros no somos nacionalistas, porque el nacionalismo es el individualismo de los pueblos; somos, ya lo dije en Salamanca otra vez, somos españoles, que es una de las pocas cosas serias que se pueden ser en el mundo.

Este sentido de España se nos había ido arrancando implacablemente; de una parte, por la ironía corrosiva; de otra, por la tosca falsificación. Algunos, en busca de la elegancia, se volvían de espaldas a nuestras cosas; los otros caían en la gruesa vaciedad de convertir en caricatura patriotera esta cosa delicada y exacta de España. Y así se vio que entre las dos corrientes de la ironía y de la ordinariez pudo llegar un momento en que casi todos los que aspiraban a sentirse fuera de la ordinariez o libres de la ironía se fuesen alejando de España, fuesen expulsando de su alma, como si fuera una claudicación, este apego a España. Con ello se fue borrando de las almas todo lo que confería a la existencia dignidades de servicio colectivo; llegamos los españoles a ver espectáculos como este: a sacerdotes y a militares que, sitiados por la ironía, creyeron en serio que tanto la Religión como el Ejército eran cosas llamadas a desaparecer, reminiscencias de épocas bárbaras, y se afanaban por ser tolerantes, liberales y pacifistas, como para hacerse perdonar la sotana y el uniforme. ¡La sotana y el uniforme! ¡El sentido religioso y militar! ¡Cuando lo religioso y lo militar son los dos únicos modos enteros y serios de entender la vida!

Por eso nosotros queremos para toda la existencia española, para toda la existencia de nuestra Falange, un sentido de servicio y sacrificio. Por eso vienen a nosotros, nos miran cada vez con ojos de mayor inteligencia, estas juventudes a la intemperie que dejaron los sombrajos de la izquierda y de la derecha porque sabían que allí no se les presentaba, con justificación entera, la ocasión de servicio y sacrificio. Estas gentes vienen a nosotros, participan de nuestro espíritu, se alistan, al menos espiritualmente, bajo nuestras banderas. Y no hay quien nos confunda: tenemos las caras bien limpias y los ojos bien claros. Todos los que vienen a pedir sombra a nuestras banderas para encubrir reminiscencias antiguas, nostalgias espesas de cosas caducadas y bien caducadas, se alejan pronto de nosotros y luego nos calumnian o nos deforman. En cambio, los buenos, los que sirven, desde nuestras filas y desde fuera de nuestras filas, van percibiendo nuestra verdad. Y a esos que están fuera de nuestras filas, a esos que nosotros no queremos absorber en nuestras filas porque no nos importa ser los primeros en la cosecha, a esos les decimos: Falange Española de las J.O.N.S. está aquí, en su campamento de primera línea; está aquí, en este contorno delimitado por las exclusiones y por las exigencias que he dicho, si queréis que vayamos por él todos juntos a esta empresa de la defensa de España frente a la barbarie que se le echa encima. Así estamos todos. Sólo pedimos una cosa: no que nos deis vuestras fichas de adhesión, ni que las fundáis con nosotros, ni nos coloquéis en los puestos más visibles; sólo pedimos una cosa, a la que tenemos derecho: a ir a la vanguardia, porque no nos aventaja ninguno en la esplendidez con que dimos la sangre de nuestros mejores. Nosotros, que rechazamos los puestos de vanguardia de los ejércitos confusos que quisieron comprarnos con sus monedas o deslumbrarnos con unas frases falsas, nosotros, ahora, queremos el puesto de vanguardia, el primer puesto para el servicio y el sacrificio. Aquí estamos, en este lugar de cita, esperándoos a todos: si no queréis venir, si os hacéis sordos a nuestro llamamiento, peor para nosotros; pero peor para vosotros también: peor para España. La Falange seguirá hasta el final en su altiva intemperie, y ésta será otra vez —¿os acordáis, camaradas, de la primera hora?—, ésta será otra vez nuestra guardia bajo las estrellas.

Documento 8

Carta a los militares de España

I.—Ante la invasión de los bárbaros

¿Habrá todavía entre vosotros —soldados, oficiales españoles de tierra, mar y aire— quien proclame la indiferencia de los militares por la política? Esto pudo y debió decirse cuando la política se desarrollaba entre partidos. No era la espada militar la llamada a decidir sus pugnas, por otra parte, harto mediocres. Pero hoy nos hallamos en presencia de una pugna interior. Está en litigio la existencia misma de España como entidad y como unidad. El riesgo de ahora es exactamente equiparable al de una invasión extranjera. Y esto no es una figura retórica: la extranjería del movimiento que pone cerco a España se denuncia por sus consignas, por sus gritos, por sus propósitos, por su sentido.

Las «*consignas*» vienen de fuera, de Moscú. Ved cómo rigen exactas en diversos pueblos. Ved cómo en Francia, conforme a las órdenes soviéticas, se ha formado el Frente Popular sobre la misma pauta que en España. Ved cómo aquí —según anunciaron los que conocen estos manejos— ha habido una tregua hasta la fecha precisa en que terminaron las elecciones francesas, y cómo el mismo día en que los disturbios de España ya no iban a influir en la decisión de los electores franceses se han reanudado los incendios y las matanzas.

Los «*gritos*» los habéis escuchado por las calles: no sólo el «¡Viva Rusia!» y el «¡Rusia, sí; España, no!», sino hasta el desgarrado y monstruoso «¡Muera España!» (Por gritar «¡Muera España!» no ha sido castigado nadie hasta ahora; en cambio, por gritar «¡Viva España!» o «¡Arriba España!» hay centenares de encarcelados.) Si esta espeluznante verdad no fuera del dominio de todos, se resistiría uno a escribirla, por temor a pasar por embustero.

Los «*propósitos*» de la revolución son bien claros. La Agrupación Socialista de Madrid, en el programa oficial que ha redactado, reclama para las regiones y las colonias un limitado derecho de autodeterminación, que incluso las lleve a pronunciarse por la independencia.

El «*sentido*» del movimiento que avanza es radicalmente antiespañol. Es enemigo de la Patria. («Claridad», el órgano socialista, se burlaba de Indalecio Prieto porque pronunció un discurso «patriótico».) Menosprecia la honra, al fomentar la prostitución colectiva de las jóvenes obreras en esos festejos campestres donde se cultiva todo impudor; socava la familia, suplantada en Rusia por el amor libre, por los comedores colectivos, por la facilidad para el divorcio y para el aborto (¿no habéis oído gritar a muchachas españolas estos días: «¡Hijos, sí; maridos, no!»?), y reniegan del honor, que informó siempre los hechos españoles, aun en los medios más humildes; hoy se ha enseñoreado de España toda villanía; se mata a la gente cobardemente, cien contra uno; se falsifica la verdad por las autoridades; se injuria desde inmundos libelos y se tapa la boca a los injuriados para que no se puedan defender; se premian la traición y la soplonería...

¿Es esto España? ¿Es esto el pueblo de España? Se dijera que vivimos una pesadilla o que el antiguo pueblo español (sereno, valeroso, generoso) ha sido sustituido por una plebe frenética, degenerada, drogada con folletos de literatura comunista. Sólo en los peores momentos del siglo XIX conoció nuestro pueblo horas parecidas, sin la intensidad de ahora. Los autores de los incendios de iglesias que están produciéndose en estos instantes alegan como justificación la especie de que las monjas han repartido entre los niños de obreros caramelos envenenados. ¿A qué páginas de esperpento, a qué España pintada con chafarrinones de bermellón y de tizne hay que remontarse para hallar otra turba que preste acogida a semejante rumor de zoco?

II.—El Ejército, salvaguardia de lo permanente

Sí; si sólo se disputara el predominio de este o del otro partido, el *Ejército* cumpliría con su deber quedándose en sus cuarteles. Pero hoy estamos en vísperas de la fecha, ¡pensadlo, militares españoles!, en que España puede dejar de existir. Sencillamente: si por una adhesión a lo formulario del deber permanecéis neutrales en el pugilato de estas horas, podréis encontraros, de la noche a la mañana, con lo sustantivo, lo permanente de España que servíais ha desaparecido. Este es el límite de vuestra neutralidad: la subsistencia de lo permanente, de lo esencial, de aquello que pueda sobrevivir a la varia suerte de los partidos. Cuando lo permanente mismo peligra, ya no tenéis derecho a ser neutrales. Entonces ha sonado la hora en que vuestras armas tienen que entrar en juego para poner a salvo los valores fundamentales, sin los que es vano simulacro la disciplina. Y siempre ha sido así: la última partida es siempre la partida de las armas. A última hora —ha dicho Spengler—, siempre ha sido un pelotón de soldados el que ha salvado la civilización.

La mayor tristeza en la historia reciente del Ejército ruso se escribió el día en que sus oficiales se presentaron, cada cual con un lacito rojo, a las autoridades revolucionarias. Poco después cada oficial era mediatizado, al frente de sus tropas, por un «delegado político» comunista, y muchos, algo más tarde, pasados por las armas. Por aquella claudicación de los militares moscovitas Rusia dejó de pertenecer a la civilización europea. ¿Queréis la misma suerte para España?

III.—Una gran tarea nacional

Tendríais derecho a haceros los sordos si se os llamara para que cobijáseis con vuestra fuerza una nueva política reaccionaria. Es de esperar que no queden insensatos todavía que aspiren a desperdiciar una nueva ocasión histórica (la última) en provecho de mezquinos intereses. Y si los hubiera, caería sobre ellos todo vuestro rigor y nuestro rigor. No puede invocarse al supremo honor del *Ejército,* ni señalar la hora trágica y solemne de quebrantar la letra de las *Ordenanzas,* para que todo quedase en el refuerzo de una organización económica en gran número de aspectos. La bandera de lo nacional no se tremola para encubrir la mercancía del hambre. Millones de españoles la padecen y es de primera urgencia remediarla. Para ello habrá que lanzar a toda máquina la gran tarea de la reconstrucción nacional. Habrá que llamar a todos, orgánicamente, ordenadamente, al goce de lo que España produce y puede producir. Ello implicará sacrificios en la parva vida española. Pero vosotros –templados en la religión del servicio y del sacrificio– y nosotros –que hemos impuesto voluntariamente a nuestra vida un sentido ascético y militar– enseñaremos a todos a soportar el sacrificio con cara alegre. Con la cara alegre del que sabe que, a costa de algunas renuncias en lo material, salva el acervo eterno de los principios que llevó a medio mundo, en su misión universal, España.

IV.–Ha sonado la hora

Ojalá supieran estas palabras expresar en toda su gravedad el valor supremo de las horas en que vivimos. Acaso no las haya pasado más graves, en lo moderno, otro pueblo alguno, fuera de Rusia. En las demás naciones el Estado no estaba aún en manos de traidores; en España, sí. Los actuales fiduciarios del *Frente Popular,* obedientes a un plan trazado fuera, descarnan de modo sistemático cuanto en la vida española pudiera ofrecer resistencia a la invasión de los bárbaros. Lo sabéis vosotros, soldados españoles del Ejército, de la Marina, de la Aviación, de la Guardia Civil, de los Cuerpos de Seguridad y Asalto despojados de los mandos que ejercíais por sospecha de que no ibais a prestaros a la última traición. Lo sabemos nosotros, encarcelados a millares sin procesos y vejados en nuestras casas por el abuso de un poder policíaco desmedido que hurgó en nuestros papeles, inquietó nuestros hogares, desorganizó nuestra existencia de ciudadanos libres y clausuró los centros abiertos con arreglo a las leyes, según proclama la sentencia de un *tribunal,* que ha tachado la indigna censura gubernativa. No se nos persigue por incidentes más o menos duros de la diaria lucha en que todos vivimos: se nos persigue –como a vosotros– porque se sabe que estamos dispuestos a cerrar el paso a la horda roja destinada a destruir a España. Mientras los miniseñoritos viciosos de las milicias socialistas remedan desfiles marciales con sus camisas rojas, nuestras camisas azules, bordadas con las flechas y el yugo de los grandes días, son secuestradas por los esbirros de Casares y sus poncios. Se nos persigue porque somos –como vosotros– los aguafiestas del regocijo con que, por orden de Moscú, se pretende disgregar a España en repúblicas soviéticas independientes. Pero esta misma suerte que nos une en la adversidad tiene que unirnos en la gran empresa. Sin vuestra fuerza –soldados–, nos será titánicamente difícil triunfar en la lucha. Con vuestra fuerza claudicante, es seguro que triunfe el enemigo. Medid vuestra terrible responsabilidad. El que España siga siendo depende de vosotros. Ved si esto no os obliga a pasar sobre los ejes vendidos o cobardes, a sobreponeros a vacilaciones y peligros. El enemigo, cauto, especula con vuestra indecisión. Cada día gana unos cuantos pasos. Cuidad de que al llegar el momento inaplazable no estéis ya paralizados por la insidiosa red que alrededor se os teje. Sacudid *desde ahora mismo* sus ligaduras. Formad *desde ahora mismo* una unión firmísima sin esperar a que entren en ella los vacilantes. Jurad por vuestro honor que no dejaréis sin respuesta el toque de guerra que se avecina.

Cuando hereden vuestros hijos los uniformes que ostentasteis, heredarán con ellos:

O la vergüenza de decir: «Cuando vuestro padre vestía este uniforme dejó de existir lo que fue España.»

O el orgullo de recordar: «España no se nos hundió porque mi padre y sus hermanos de armas la salvaron en el momento decisivo.» Si así lo hacéis, como dice la fórmula antigua del juramento, que Dios os lo premie, y si no, que os lo demande.

¡ARRIBA ESPAÑA!

(Hoja clandestina escrita por José Antonio en la cárcel Modelo, de Madrid, el día 4 de mayo de 1936.)

chan con sus camisas —todas nuestras camisas azules bordadas con las flechas y el yugo de los grandes días [illegible] [illegible] [illegible] [illegible] [illegible] [illegible] [illegible] [illegible] [illegible] [illegible] [illegible] [illegible] [illegible] de Moscú, se pretende [illegible] [illegible] [illegible] [illegible] [illegible] [illegible] [illegible] [illegible] en la [illegible] [illegible] [illegible] [illegible] [illegible] [illegible] [illegible] [illegible] [illegible] [illegible] [illegible] [illegible] [illegible] [illegible] [illegible] [illegible] [illegible] [illegible] España [illegible] [illegible] [illegible] de vosotros [illegible] que se [illegible].

[illegible] [illegible] [illegible] [illegible] [illegible] [illegible] [illegible] [illegible] [illegible] [illegible] [illegible].

[illegible] [illegible] [illegible] [illegible] [illegible] [illegible] [illegible] [illegible] [illegible] [illegible] [illegible] [illegible].

[illegible] [illegible].

Documento 9

Sentencia dictada por la Sala 2.ª del Tribunal Supremo que confirma la legalidad de la Falange

CONSIDERANDO: Que el recurso planteado por quebrantamiento de forma carece de todo apoyo de legalidad procesal, por no hallarse comprendidas las faltas que se conceptúan cometidas en ninguno de los números 1.° y 2.° del artículo 912 de la Ley de Enjuiciamiento Criminal, a cuyo amparo se formula, ya que la sentencia combativa determina de un modo claro y preciso cuáles son los hechos que se declaran probados, haciendo relación expresa de los mismos sin que adviertan en la menor contradicción entre ellos, ni tampoco que se viertan conceptos jurídicos que predeterminen el fallo, únicos casos que con arreglo a las citadas disposiciones legales, constituyen infracción del procedimiento, que lleva consigo su completa anulación por afectar a la parte básica de la resolución judicial sobre la que ha de fundamentarse todo el razonamiento jurídico pertinente, en orden a la existencia o no del delito imputado, dc sus circunstancias, de la participación de los acusados y responsabilidades que pudieran derivarse, para en su vista concretarlas en su parte dispositiva con los consiguientes pronunciamientos de condena o absolución...

CONSIDERANDO: Que, esto no obstante, no puede decirse que incurra la sentencia impugnada en las omisiones que se aducen en el recurso, por cuanto al hacerse constar en su Resultando probatorio que se da por integramente reproducida la hoja impresa del folio 6 del sumario, en la que basa su acusación el Ministerio Fiscal, es lo mismo, dada la significación filológica y alcance de esos vocablos, que si se hubiera allí transcrito, por tener que conceptuarse incorporada a las afirmaciones de hecho establecidas por el tribunal sentenciador, en virtud de la soberanía de sus funciones, conforme a las facultades que le confiere el artículo 741 de la referida ley rituaria y porque además, también se consigan en lo esencial las conclusiones definitivas de la acusación pública, lo cual es lo bastante para tener por cumplida la exigencia procesal de la regla tercera del artículo 142 de la propia ordenación adjetiva...

CONSIDERANDO: Que en cuanto al recurso por infracción de ley no existe posibilidad legal de que pueda ser acogido, en primer lugar y por lo que afecta al error de hecho en la apreciación de la prueba, porque en la hipótesis de que la hoja del folio 6 del sumario pudiera dársele el carácter de documento auténtico a los efectos del número 2.° del artículo 849 de la Ley de Enjuiciamiento Criminal, no fuese un medio de prueba sujeto a la apreciación en conciencia del tribunal sentenciador, conforme al artículo 741 de la propia ley rituaria, siempre resultaría que se halla incorporada a la declaración probatoria de la sentencia recurrida según se tiene ya referido, y por ello no aparecen la equivocación del juzgador, invocada por el recurrente, que precisase ser reparada o subsanada...

CONSIDERANDO: Que por lo que hace a las infracciones legales aducidas al amparo del número 1.° del artículo 849 de la repetida ley de procedimiento criminal, y situado el problema jurídico penal planteado en el recurso en el plano de ilicitud que se atribuye a la entidad FALANGE ESPAÑOLA de las JONS, como comprendidas en la figura delictiva del número 2.° del artículo 185 en relación con los números 1.° del 167, 186 y 187, todos del código penal, queda limitada la litis criminosa propuesta a determinar si la Asociación de referencia abriga en sus objetividades fundacionales la perpetración de hechos dolosos que pudieran ser justiciables, como comprendidos en aquéllas o en alguna otra de las normas sancionadoras estatuidas por la convivencia social...

CONSIDERANDO: Que para resolverla es preciso atemperarse a la declaración de hechos probados de la sentencia recurrida en cuanto hacen referencia exclusivamente a los Estatutos por que se rige FALANGE ESPAÑOLA de las JONS, y a su programa político publicado, únicos elementos de juicio de que se dispone, dada la tesis planteada en el recurso, y examinado en su letra y espíritu el contenido de aquéllos y muy especialmente su artículo 1.° es de observar que la finalidad que constituye su objeto no envuelve propósito que contradiga norma alguna de carácter punitivo establecida por las leyes sustantivas-penales, pues la aspiración a instaurar una estructuración político-social de las características que se mencionan, valiéndose de los medios lícitos que de modo expreso se consignan, es perfectamente legal, como basada en los principios constitucionales reconocidos en los artículos 34 y 39 de la Carta fundamental del Estado español, que garantizan la libre emisión y difusión de las ideas y facultad para asociarse o sindicarse con entera libertad para los distintos fines de la vida, siempre, claro está, que tales derechos se ejerciten conforme a las leyes que lo regulan, como sucede en el presente caso con la entidad de referencia al haberse dado cumplimiento a lo que prescribe la ley de asociaciones de 30 de junio de 1887 solicitando y obteniendo su inscripción en el Registro oficial correspondiente en el mes de octubre de 1934, sin que aparezca de los referidos hechos probados, que no se hubiesen observado las demás formalidades que para su constitución y desenvolvimiento exige dicha disposición legislativa...

CONSIDERANDO: Que a idéntica conclusión se llega si se estudia con detenimiento el programa, que integra el ideario político-social de dicha asociación FALANGE ESPAÑOLA de las JONS, dado a la publicidad a fines de 1934 y repartido profusamente por España, e insertado total y parcialmente en distintos periódicos, contenido en la hoja impresa con pie de imprenta que ocupa el folio 6 del sumario (hechos que se dan como probados en la sentencia combativa) ya que los vocablos, frases, pensamientos y conceptos que en el mismo se vierten implican, en lo sustancial, un desarrollo, no modificativo de las objetividades estatuarias de que se deja hecho mérito, en concordancia con lo que éstas disponen en su artículo 58 disposición final, que revelan el dar cumplimiento a la formalidad establecida en el párrafo tercero del artículo cuarto de la Ley de Asociaciones y en ninguno de los 27 puntos que abarca su exposición programática, muy particularmente los acotados en sus conclusiones por el Ministerio Fiscal puedan interpretarse en el sentido de que se trate de reemplazar por la fuerza el Gobierno Republicano establecido, por otro anticonstitucional, puesto que lo mismo la censura o crítica contra la Constitución vigente, que los anhelos que propugnan respecto a la anulación de ésta, a la formación de un Estado nacionalsindicalista, y a los demás extremos relacionados con la Nación, Unidad, Imperio, Estado, trabajo, tierra, etc., etc., con la aspiración a la revolución nacional para la implantación de ese nuevo orden enunciado, prefiriendo como forma para desenvolver esos principios, un estilo directo, ardiente y combativo, no son por sí, sin otros datos que no proporciona la resolución impugnada, reveladores de manifestación alguna que lesionen o pongan en peligro intereses jurídicamente protegidos en la esfera penal, por ser el derecho de crítica en tal forma ejercido, y los predicados de la transformación político-social a que se aspira, de estricta licitud, como expresiones ideológicas que tienen su protección en la órbita de las disposiciones constitucionales ya mencionadas y mucho más si los medios que se formulan para la implantación de ese nuevo régimen estatal, en armonía con los enunciados en el artículo 1.° de sus Estatutos, para nada hacen invocación, dado su sentido gramatical, a la fuerza o violencia, ni al apartamiento de la vía legal, que son las notas que dan viabilidad jurídica, en el campo punitivo, al delito contra la forma de gobierno del artículo 167 del Código Penal, aducido por el recurrente, en relación con el núm. 2.° del 185.

CONSIDERANDO: Que sí consta pues de las afirmaciones del tribunal sentenciador que la Asociación FALANGE ESPAÑOLA de las JONS se halla inscrita en debida forma en el registro oficial correspondiente, sin que aparezcan hubiesen dejado de cumplirse las demás formalidades exigidas para su existencia jurídica; que las finalidades que integran sus Estatutos y programa son de correcta licitud, como amparadas por la Constitución de la República Española; que los medios que éstos propugnan para la implantación de lo que constituye su ideología político-social no estriban en el empleo de la fuerza o violencia, ni en ningún otro que se halle fuera de la vía legal, resulta indudable que tales realidades de hecho desvirtúan la figura delictiva invocada en el recurso en cuanto representa la negación de los elementos esenciales que caracterizan la transgresión prevista en el número segundo del artículo 185, en relación con las demás disposiciones del Código Penal alegadas por el recurrente.

FALLAMOS: Que debemos declarar y declaramos no haber lugar a los recursos de casación por quebrantamiento de forma e infracción de ley interpuestos contra la expresada sentencia por el Ministerio Fiscal, declarando de oficio las costas causadas... Comuníquese esta resolución con devolución de la causa a la Audiencia de esta capital para los efectos procedentes.

(8 de junio de 1936)

(Publicada en «No importa», junio 1936)

Documento 10

Manifiesto y proyecto de gobierno transicional propuesto por José Antonio

(Redactado, presumiblemente, entre el 22 de julio y el 6 de agosto de 1936.)

Situación. No tengo datos de quién lleva la mejor parte. Por lo tanto, pura síntesis moral:

A—Si gana el Gob.: 1.°) fusilamientos; 2.°) predominio de los partidos obreros (de clase, de guerra); 3.°) consolidación de las castas de españoles (funcionarios cesantes, republicanización, etcétera).

Se dirá: el Gob.: no tiene la culpa. Los que se han sublevado son los *otros*.

No: una rebelión (sobre todo tan extensa) no se produce sin un profundo motivo.

¿Reaccionarismo social?
¿Nostalgia monárquica?

No. Este alzamiento es, sobre todo, de clase media. (Hasta geográficamente, las regiones en que ha arraigado más [Castilla, León, Aragón] son regiones de tono pequeño burgués.)

El motivo determinante ha sido la insufrible política de Casares Quiroga.

Persecuciones.
Vejaciones.
Atropellos...

Ejemplos: yo. Mi actuación parlamentaria.

Ref. agraria...
Proposición acusatoria...
Asunto de Guinea...
Mi conducta política:
Persecución por las derechas,
Exclusión de candidaturas...

Con esfuerzo y sacrificio, he logrado disciplinar a una juventud a la deriva, que, probablemente, hubiera derivado hacia la acción estéril.

Llega el 16 de febrero. **Nuestra actitud. Salida del bienio estúpido.**

Clausuras.
Tolerancia para los asesinatos de los nuestros.
Y a poco:
Registros.
Encarcelamientos (millares).
Contra mí: procesos falsos.
¿Resultado?:

Imposibilidad de la vida legal, controlada, como *partido;* reducción a la vida ilegal, incontrolable, en guerrillas.

No se puede aumentar indefinidamente la presión de una caldera. La cosa tenía que estallar. Y estalló. Pero ahora.

B—¿Qué va a ocurrir si ganan los sublevados?

Un grupo de generales de honrada intención, pero de desoladora mediocridad política. Puros tópicos elementales (orden, pacificación de los espíritus...)

Detrás:

1) El viejo carlismo intransigente, cerril, antipático.

2) Las clases conservadoras, interesadas, cortas de vista, perezosas

3) El capitalismo agrario y financiero, es decir: la clausura en unos años de toda posibilidad de edificación de la España moderna. La falta de todo sentido nacional de largo alcance.

Y, a la vuelta de unos años, como reacción, otra vez la solución negativa.

Salida única:

La deposición de las hostilidades y el arranque de una época de reconstrucción política y económica nacional sin persecuciones, sin ánimo de represalia, que haga de España un país *tranquilo, libre* y *atareado.*

Mi ofrecimiento:

1. Amnistía general.

2. Reposición de los funcionarios declarados cesantes a partir del 18 de julio.

3. Disolución y desarme de todas las milicias. La existencia comprobada de grupos organizados militarmente hará recaer la responsabilidad sobre las asociaciones o partidos con los que mantengan relación notoria.

4. Alzamiento del estado de alarma y de prevención. (Si por razones de orden público no se considera esto posible, la modificación de la ley O.p. en el sentido: 1) de que la prisión gubernativa no pueda durar más de quince días, ni ser impuesta más de dos veces cada seis meses; 2) que las clausuras de centros políticos se sujeten a las mismas normas; 3) que las multas gubernativas se hayan de imponer por resolución fundada, y, no siendo impuestas en aplicación de preceptos fiscales, no se hagan efectivas sino después de agotados los recursos legales.)

5. Revisión de las incautaciones realizadas durante el período anormal, en orden a acomodarlas a los preceptos vigentes antes del 18 de julio.

6. Declaración de inamovilidad de todos los funcionarios públicos, salvo lo que dispusieran los reglamentos orgánicos de los distintos cuerpos vigentes el 18 de julio.

7. Supresión de toda intervención política en la Administración de Justicia. Esta dependerá del Tribunal Supremo, constituido tal como está, y se regirá por las leyes vigentes antes del 16 de febrero último.

8. Implantación inmediata de la ley de reforma agraria.

9. Autorización de la enseñanza religiosa, sometida a la inspección técnica del Estado.

10. Formación de un Gobierno presidido por don Diego Martínez Barrio, del que formen parte los señores Alvarez (don Melquíades), Portela, Sánchez Román, Ventosa, Maura (don Miguel), Ortega Gasset y Marañón.

11. Redacción de un programa de política nacional reconstructiva y pacificadora.

12. Clausura de las Cortes durante seis meses y autorización al Gobierno para legislar dentro de las líneas del programa aprobado.

Más tarde formuló la lista de su proyectado Gobierno en la forma siguiente:

Presidencia: Martínez Barrio.
Estado: Sánchez Román.
Justicia: Alvarez (D.M.).
Guerra: El Presidente.
Marina: Maura (M.).
Gobernación: Portela.
Agricultura: Ruiz Funes.
Hacienda: Ventosa.
Instrucción Pública: Ortega Gasset.
Obras Públicas: Prieto.
Industria y Comercio: Viñuales.
Comunicaciones.
Trabajo y Sanidad: Marañón.

(«Convulsiones de España». Indalecio Prieto, tomo I. Oasis, S. A. Méjico, 1967.)

Documento 11

Telegramas entre Völckers y la Cancillería del Reich

«El encargado de negocios en España al Ministerio de Asuntos Exteriores.

»Telegrama.

»N. 441 del 16 de octubre.

»Alicante, 17 octubre, 1936.

»Recibido octubre 17-10: 00 h. Pol. I 2125 g.

»Para el Subsecretario de Asuntos Exteriores personalmente.

»El 13 de octubre... (censurado) reapareció aquí el cónsul accidental von Knoblock en compañía de dos españoles. Dijo que, de acuerdo con Franco, había sido autorizado por el Partido Fascista español para concertar un encuentro con el Gobernador Civil de aquí en un buque de guerra alemán o argentino y, por medio de una suma ilimitada para el soborno, inducirlo a liberar al jefe fascista Primo, aquí detenido.

»Antes de la llegada de Knoblock, la Embajada había iniciado ya un intento de liberación a través del anarquista Alpha, la única verdadera autoridad local, intento que ofrece acaso la sola posibilidad de rescatar al prisionero vivo.

»Después de extensas deliberaciones en el "Deutschland", en las cuales se interrogó a Knoblock sobre detalles de sus planes y revelóse la fantástica naturaleza de los mismos, el almirante Carls, quien obraba bajo instrucciones de la O.K.M. (Oberkommando der Kriegsmarine, Alto Mando de la Armada) para alcanzar una decisión, de acuerdo con el Ministerio de Asuntos Exteriores, decidió, con mi aval, lo siguiente:

1. Un intento de soborno al Gobernador parece condenado al fracaso, en vista de la actitud izquierdista de éste y especialmente porque no puede en modo alguno librar vivos a los prisioneros, sin autorización de los anarquistas que vigilan la celda o en desacuerdo con ellos. El intento sólo resultaría, pues, en la muerte del preso.

2. Liberación por un golpe de mano, que debidamente apercibido y ejecutado presenta buenas posibilidades de éxito. No obstante, ofrece pocas de sacar al prisionero vivo. Guárdanlo anarquistas especialmente escogidos.

3. Por lo tanto, deben proseguirse los esfuerzos iniciados por la Embajada y sólo de fracasar éstos, debe estudiarse de nuevo el golpe de mano, ejecutado única y exclusivamente por españoles.

»Knoblock tiene ahora... (censurado) un nuevo plan de rescate, por intermedio del italiano Serisi, en... (censurado) capaz de poner en peligro la vida del prisionero.

»Knoblock asegura que la liberación de Primo es vital para el Fascismo español, que debe realizar ahora la Revolución Nacional Socialista del pueblo español, de lo contrario, después de la victoria, elementos reaccionarios como el Partido Clerical-Militar y los carlistas impedirán a Franco la ejecución de su... (censurado) programa. Este, alégase, es también el parecer de altos círculos del Partido en Alemania.

»El almirante Carls rehusó acceder a tales planes antes de la victoria, porque la pondrían en peligro y no eran dignos de crédito. Además, tanto él como la Embajada carecían de instrucciones. Yo adopté la misma actitud. Llamo la atención sobre el hecho de que los planes de Knoblock, quien no puede desembarcar y quiere valerse de los servicios de la Embajada, arriesgarían el trabajo de ésta aun de realizarse satisfactoriamente. Un intento de liberación por la fuerza haría dudosa la permanencia aquí de la Embajada.

»Solicito instrucciones sobre los siguientes puntos:

1. Si el supuesto plan para una Revolución Nacional Socialista ha sido aprobado por los departamentos alemanes autorizados.

2. Si la liberación de Primo es tan importante que deba dársele prioridad sobre el trabajo de la Embajada.»

«Völckers»

Dos días después llega la respuesta oficial, para satisfacción del prudente Völckers:

«*Al Director en funciones del Departamento Político de la Embajada en España (Alicante)*

»Telegrama.

»N. 77

»Berlín, octubre 19, 1936-7:50 h.

»Zu Pol. I 2125 g.

»En respuesta a su informe telegráfico N. 441.

»Estoy de acuerdo con la actitud propuesta por usted y el almirante Carls respecto a la liberación. Seguirán más instrucciones acerca de la pregunta número 1 de su informe telegráfico.»

«Weizsäcker»

La semana siguiente otro cable del Barón Ernst Von Weizsäcker, director al entonces del Departamento Político del Ministerio de Asuntos Exteriores nazi, regido por el también Barón Constantin Von Neurath, complace a Völckers.

«*Al Director en funciones del Departamento Político de la Embajada en España.*

»Telegrama.

»N. 84

»Berlín, octubre 26, 1936-7:35 h.

»En respuesta a su informe telegráfico N. 441.

»Para su información confidencial. El Partido no concedió autorización ninguna a Knoblock para trabajar en pro de una revolución Nacional Socialista en España.» «Weizsäcker»

(Carlos Rojas. «Diez figuras ante la guerra civil.)

Documento 12

Informe oral de José Antonio ante el Tribunal Popular

Presidente: La defensa tiene la palabra.

José Antonio: Con la venia del Tribunal.

Cuando hace cuatro o cinco noches se interrumpió el silencio de la incomunicación en que vivía desde que empezaron los sucesos que conmueven a España; cuando se interrumpió en forma de que bajo la luz amarillenta de la prisión, harto menos brillante de la que ahora nos ilumina, allá en nuestra celda, entraron el señor Fiscal y el señor Juez Instructor y nos leyeron de sopetón un Auto de procesamiento y nos anunciaron que íbamos a comparecer seguidamente, en el término de días, ante el Tribunal Popular y que quizá no nos correspondiese por turno de Oficio tan excelente defensor como hubiéramos podido proporcionárnoslo nosotros mismos, y que quizá no me concediesen el medio de probar lo que yo necesitaba; cuando se me dijo esto de sopetón, os he de confesar que me corrió por la espalda un escalofrío.

Después ha empezado el Juicio y tengo que daros las gracias al Tribunal porque se me ha permitido instruirme de los Autos, se me ha puesto en condiciones de confortarme sin tener que adquirir nuevos usos ante lo nuevo y el carácter bélico extraordinario que corresponde a este Tribunal, sino como me he comportado en doce años de ejercicio, porque el señor Fiscal, que al principio de su informe, como al final, no me señalaba como prototipo del señoritismo ocioso, no le dijo a tiempo al Tribunal, que yo llevo doce años trabajando todos los días, según el Fiscal ha dicho al reconocer que he informado más veces que él, aun llevando él más años de ejercicio y yo tener menos edad, y que en ese trabajo he adquirido alguna destreza en mi oficio que es mi mayor título de dignidad (profesional), y esa destreza me ha permitido en dos horas y media instruirme de ese montón de papeles, preparar mi defensa y someterla a vuestra conciencia.

Este homenaje de mi artesanía habitual, honrada y tranquila, es la mejor manera, sin alharacas y sin adulaciones, de expresaros mi agradecimiento.

El señor Fiscal empezó diciendo: «Falange Española es una asociación de tipo dictatorial, que aspira a un régimen político de tipo dictatorial.» Mis minutos son pocos, pero sobre esto la benevolencia del Tribunal, administrada con largueza por su Presidente, me permitió hablar ya ante vosotros cuando fui interrogado en calidad de reo. Fui interrogado por el señor Fiscal e inteligentemente por varios miembros del Tribunal, que saben lo que son los partidos y sus sentidos sociales. Dije perfectamente por qué somos sindicalistas y no encuadrados en los partidos que son solamente sindicalistas; por qué añadimos a lo de «sindicalista», lo de «nacional»; y por qué de lo del sindicalismo que es una posición nueva y de lo nacional, que es lo que parte en dos a toda la juventud de España.

Toda la juventud de España, todas las clases enérgicas de España, las juventudes ardientes, están divididas en dos grupos encarnizados. A esto se debe que de cuando en cuando nos matemos como fieras. A que unos aspiran a otro orden social más justo y se olvidan de que forman con el resto de sus conciudadanos una unidad de destino y los otros, ventean y mueven el gallardete de patriotismo y se olvidan de que hay millones de españoles hambrientos y de que no basta pasear la Bandera de la Patria sin remediar a los que padecen hambre. No ahora que comparezco ante este Tribunal, ni por este hecho, sino desde mil novecientos treinta y tres he venido sosteniendo esto sin descanso, hasta enronquecer y lo atestigua mi declaración que figura al folio 69 de la causa instruida en Madrid, de la que podría leer los pasajes que se refieren a economía, trabajo, lucha de clases, tierra. ¿Queréis un punto improvisado ahora? Todos los españoles no impedidos tienen el deber de trabajar. El Estado nacionalsindicalista no tendrá la menor consideración al que no cumpla función alguna y aspire a vivir como convidado a costa del esfuerzo de los demás. Punto dieciséis. Estos son los típicos señoritos, este es el señorito. Pues ya ve claro y bien el señor Fiscal cuál es la opinión de la Falange Española sobre el señoritismo.

Yo he redactado casi todo el ideario de Falange Española, de la que soy Jefe. Que soy el Jefe es evidente, sería pueril negarlo. Que Falange Española se mueve dentro de la legalidad republicana lo he demostrado también ayer. Y no he sido yo solo. Lo ha dicho el Tribunal Supremo de la República hace muy pocos meses, mucho después de triunfar el Frente Popular, y lo ha dicho una de las Salas, que por los antecedentes de quienes la componen os debe ofrecer las mayores garantías. Estoy seguro que al hacer el programa me he movido dentro de la misma Constitución. Ahora, si esto es delito, yo ruego y de manera especial al Tribunal de Derecho que ha de redactar las preguntas para el Veredicto que no involucre este hecho mío innegable: Toda la responsabilidad para mí por haber sido el fundador de esa entidad y por ser el autor de su programa, pero que no la envuelvan hacia otras cosas que han sucedido después y que no tienen nada que ver con mi condición de Fundador de Falange Española.

¡Actos delictivos! Este es otro pasaje de mi vida pasada. Resulta que Falange Española ha cometido varios actos de esta índole.

También me persiguen los minutos. La mayoría de los que formáis el Jurado pertenecéis a partidos enérgicos. Habéis tenido bajas y habéis comprobado que camaradas vuestros han abierto bajas en otras filas. Sólo hay una cosa indecorosa en este género de lucha. La lucha en sí es triste. Es terrible, es dolorosísimo que lo más brioso, lo más enérgico de la juventud de España, en nuestras filas y en las vuestras, se mate a tiros. Hay, repito, solamente una cosa indecorosa en estas luchas y es que se emplee el pistolero profesional. En este trance para mí tan solemne, os digo, que la Falange Española no lo ha hecho nunca. Vosotros que estáis hechos a la lucha sabéis que el pistolero profesional no sirve para nada, no hay quien se juegue la vida por cinco duros. Se la juega por nada el que siente dentro de sí un Ideal. Vuestros militantes y los nuestros han sentido el ardor cada uno de su Ideal y se han matado.

¿Cuántas veces habréis visto en estos hechos a la Prensa gruesa, a la prensa burguesa, achacar la comisión de los mismos a pistoleros profesionales para mancillar el nombre de una organización? Vosotros sabéis que generalmente las organizaciones de lucha no tienen para pagar esos profesionales, ni los usan, porque quieren cobrar y no arriesgar la vida. La Policía localiza siempre los grupos de delincuentes habituales. La Policía no puede, ni mucho menos, cazar a todo el que entra en la lucha de partidos numerosos, pero cuando hay pequeños grupos de pistoleros asalariados, los caza siempre. Pues ¿cómo la Policía, que tantas veces nos echó en cara esta condición nuestra, cómo no ha cogido nunca el cogollo de estos grupos? ¿Por qué estaba a nuestro favor? La Policía nos ha encontrado bombas y las ha encontrado también en vuestros locales, sin que vosotros las hubieseis puesto. La Policía, Muñoz Castellanos, Jefe de Policía de este bienio que llamáis negro y que yo bauticé con el nombre de «bienio estúpido», nos armó éste y diecisiete enredos más y nos clausuró los centros que teníamos, y nos suspendió los periódicos que editábamos. La mano derecha de Valdivia, hombre tan afecto a la República, tan defensor de la República, que cuando dejé de leer periódicos por mi incomunicación, creo que fue uno de los últimos que encarcelasteis como sospechoso cuando comenzó el movimiento.

Esta ha sido la vida de la Falange Española. Muertos de un lado y de otro. Pero no venimos aquí a cancelar las deudas de sangre en papel sellado. ¡Ojalá dejásemos de matar! Venimos a juzgar si yo he participado o no en el actual movimiento, y no vais a aprovechar esta coyuntura para hacer una liquidación de cuentas más o menos falsas.

Enemigo destacado del régimen, según el señor Fiscal. Ayer os expliqué las circunstancias en que vino el régimen y las circunstancias de ánimo en que su venida me cogió a mí, dolorido en lo entrañable del recuerdo de mi familia. No quiero insistir en esto porque parecería hasta indecoroso que en un trance como éste me dedicase a tocar la nota de lo sentimental. Ayer la toqué y la dejo encomendada a vuestro recuerdo.

Ahora bien, este carácter de enemigo del régimen dice el señor Fiscal, se ha manifestado más cuando alcanzaba el Poder alguna situación izquierdista y proletaria, y señalaba una fecha. Este entusiasmo y ardor contra el régimen, nacía en todas las derechas españolas y singularmente en **José Antonio Primo de Rivera** cuando se triunfó en las elecciones del 33 que dieron el triunfo a las derechas. En ellas fue elegido Diputado. Debíamos haber participado en aquella alegría colectiva. Os ruego que en la colección de «Arriba» no dejéis de mirar un número, el número 23, de 12 de diciembre de 1935, en que se reproduce otro más antiguo, el artículo que escribí y publiqué en «Falange Española», «F.E.», el 7 de diciembre de 1933, a raíz de las elecciones. Basta su título. Se acababa de ganar la victoria de las derechas. Escribí un artículo, cuyo texto leeréis vosotros y que se llama nada menos que así: «La victoria sin alas». Esta fue mi manifestación de contento en aquellas elecciones en que fui elegido.

Después, mi participación en el entusiasmo de las derechas. Un recuerdo a un difunto: José Calvo Sotelo. Fue el colaborador de mi padre y esto me basta para que le cite siempre con respeto y afecto. Pero en lo político, con algún remordimiento tengo que contaros que a Calvo Sotelo le hice yo esto: El era fogoso, tenía una oratoria confusa, se le disparaban torrentes de palabras que algunas veces hasta llegaban a perder el sentido. Calvo Sotelo iba diciendo por ahí: «No hay más que dos fuerzas nacionales, Falange Española y los hombres del Bloque Nacional.» Entonces yo le contesté con una coz, con una cosa durísima que se encuentra en uno de esos pasquines en letras grandes que veréis a la cabeza de todos los números de nuestro periódico. Si no doy con él y lo encuentro, vosotros me haréis el favor de buscarlo y leerlo. Me parece que fue en la cabeza del número 22. Le contesté la siguiente amabilidad al pobre José Calvo Sotelo: «Algún orador se dedica a decir por ahí que las únicas fuerzas nacionales son las de la Falange y las suyas. ¿Por qué no deja en paz a la Falange? Su elogio nos hace la misma gracia que ese refrán de: "El hombre y el oso cuanto más feos más hermosos". Que nos llamen feos no nos importa, pero que nos empareje con el oso...»

Llegan las nuevas elecciones. Regocijo de las derechas. «Blanco y Negro» organiza aquella encuesta de que os hablé y me pide mi opinión. Se publicó el 25 de diciembre y está reproducida en la página última, página cuarta del número 33 de «Arriba». Era la pregunta: ¿Quién cree que ganará? ¿Triunfarán las derechas? ¿Cuál será la composición del nuevo Parlamento? Hice conjeturas bastante aproximadas como pude comprobar más tarde, una vez conocido el resultado de las elecciones. ¿Qué sucesos prevé para el año próximo? y le contesté esto: «Las izquierdas burguesas volverán a gobernar sostenidas en equilibrio dificilísimo entre la tolerancia del Centro y el apremio de las masas subversivas. Si los gobernantes —Azaña por ejemplo—, tuvieran el inmenso acierto de encontrar una política nacional que les asegurara la sustitución de tan precarios apoyos por otros más fuertes y duraderos, acaso gozara España horas felices. Si como es más probable, no tiene ese acierto, la suerte de España se decidirá entre la revolución marxista y la revolución nacional.»

Como se ve, mi actitud, la actitud nuestra ante la coyuntura probable de un gobierno Azaña, era bastante benévola. Estaba llena de interés, interés benévolo y discreto. Nuestra actitud no era de hostilidad cerrada ni nada semejante, quizá porque este panorama del retorno de Azaña estaba predicho por mí desde el 28 de marzo de 1935, cuando escribí en «Arriba»: «Antes de la primavera del año próximo tendremos a Azaña en el Poder», y lo hice como resultado de una política estúpida de las derechas. Yo auguré que vendría Azaña, y cuando triunfó el Frente Popular y entró Azaña, escribí en este periódico: «Sucedió lo que debía suceder. Azaña ha tenido dos ocasiones. La de ahora es peligrosa. Si no se vuelve a las chinchorrerías del primer bienio, a coger a un comandante y a echarlo porque su mujer vaya demasiado a misa; si no se vuelve a estas cosas con este ímpetu, puede hacer el Gobierno una gran obra y tiene la obligación de hacer una obra revolucionaria en lo social, mucho más amplia de la que hizo la otra vez.» Esto lo encontraréis en un trabajo que titulé «Azaña», comentando el discurso pronunciado por Azaña en el campo de Comillas.

Adhesión total, entusiasta a cuanto hicieron las derechas, no; a las izquierdas, tampoco.

Yo creo que el Gobierno de Casares Quiroga tuvo en mucho la culpa de que pudiera estallar este movimiento, porque sembró aquel dislocamiento de todas las fuerzas, metió en la cárcel a tal cantidad de personas —entre las que me cuento—, sembró pequeñas incomodidades que predispusieron a todos y creció el espíritu crítico. Sin eso podríais tener la seguridad de que no habría en la lucha tanto joven, ni de que se hubiera podido provocar una locura de éstas a espaldas de personas responsables. De mí, por ejemplo, no os voy a decir hipócritamente que no me hubiera sumado a la rebelión. Creo que en ocasiones la rebelión es lícita y la única salida de un período angustioso.

Ahora, una rebelión que han preparado en España y fuera de España haciendo gestiones en Alemania e Italia, con lo difícil que son las negociaciones en estos países, las dos naciones de diplomacia más intrincada y difícil, en donde hace falta meses para llegar a conocer el vocabulario, para que un día en la cárcel me encuentre con que ya está todo armado, sin saber adónde va y que hay muchos míos, unos matando, otros muriendo, otros haciendo las ferocidades de que el señor Fiscal me da ahora la primera noticia; atrocidades que por otra parte me va a permitir que ponga en cuarentena, porque sé que mis camaradas no son capaces de cometerlas. Son trámites difíciles con finalidades turbias, inexplicables por lo menos, con pactos sobre si se entrega parte del territorio o no, y yo encerrado en la cárcel de Alicante, sin comunicación con nadie y sometido al Tribunal Popular.

Eso no hubiera pasado si yo no hubiera estado encarcelado, y no hubiera pasado si los Jefes de mis organizaciones no hubieran estado perseguidos como alimañas, separados de sus familias, de sus camaradas.

Por haberse puesto a España en este avispero ha sido posible que estalle este movimiento que ahora tendremos todos que lamentar.

No os adulo. No encuentro toda la política de las izquierdas acertada, ni mucho menos.

También veréis que dije en este trabajo: «Azaña ha tenido dos ocasiones en la historia», en la última plana, en cabecera así de ancha (señala con las manos), que decía: «Azaña vive su segunda ocasión. La primera se malogró; si se malogra la nueva ocasión de Azaña se habrá perdido ya sin remedio y probablemente no tendrá ninguna más.»

Presidente: Ruego al Letrado que prescinda de esas consideraciones.

José Antonio: En realidad, señor Presidente, el proceso es puramente político. Pero como no adulo al Tribunal por la política que le pueda inspirar, corto aquí. Basta. Con las derechas mi disidencia ha sido constante. Mi agresión durísima, encarnizada. No insistiré más en esto. Aquí os entrego mis textos y os ruego que hagáis el favor de repasar esta modesta vida que no hubiera traído a cuento si no lo hubiera hecho el señor Fiscal.

¿Que yo he dado muestras de esta aversión al pueblo? No sé cómo aprovechar los minutos para hacer un índice.

Yo en las Cortes me levanté un día para pedir que se ampliara la amnistía concedida por las derechas, gracias a la cual salieron a la calle varios millares de afiliados a la Confederación Nacional del Trabajo; y otro día, cuando se presentó el proyecto de anulación de la reforma agraria, pronuncié dos discursos para impedir que se anulara la primera reforma agraria y expuse de la tierra este concepto que está escrito en el número del 21 de noviembre de 1935 de «Arriba», página 5, quinta columna, también dice: (leyendo). «¿En qué consiste desde un punto de vista social, la reforma de la agricultura? Consiste en esto: Hay que tomar al pueblo español hambriento de siglos y redimirle de las tierras estériles, donde perpetúa su miseria; hay que trasladarle a las nuevas tierras cultivables; hay que instalarle sin demora, sin esperar siglos, como quiere la ley de contrarreforma agraria, sobre las tierras buenas. Me diréis: pero ¿pagando a los propietarios o no? Y yo os contesto: Esto no lo sabemos; dependerá de las condiciones financieras de cada instante. Pero lo que yo os digo es esto: Mientras se esclarezca si estamos o no en condiciones financieras de pagar la tierra, lo que no se puede exigir es que los hambrientos de siglos soporten la incertidumbre de si habrá o no habrá reforma agraria; a los hambrientos de siglos hay que instalarlos, como primera medida, luego se verá si se pagan las tierras, pero es más justo y más humano y salva a más número de seres que se haga la reforma agraria a riesgo de los capitalistas, que no a riesgo de los campesinos». Cuando el señor Fiscal hablaba, con razón, de la tragedia del campo español, quizá no formulaba frases tan enérgicas como ésta.

Y cuando la revolución de Asturias, me levanté en las Cortes y dije, que en una revolución hay que atender siempre a dos cosas. Primero a dominarlas, y después, a ver si tenían razón. Una revolución no estalla sin razón nunca.

Cuando decían frívolamente: «Los mineros de Asturias, ¿qué quieren, si ganan diecisiete pesetas?». Yo les decía: «Pero, ¿es que creéis que lo hacen por ganar dos o tres pesetas más? Han empezado a volarse edificios por los campesinos andaluces que ganan una peseta o seis reales. Esto es lo que hay en la revolución de Asturias si tenéis inteligencia para remediarlo. Y esto, ahora que habéis dominado la revolución, no haréis más que enjuiciar y precipitar la segunda revolución de Asturias.» He querido que vengan los discursos. Algunos están aquí, por ejemplo el que pronuncié cuando me opuse a la proposición acusatoria contra el señor Azaña. Como sabéis la fecha, no os costará encontrarlo.

Vamos al tercer capítulo de mi vida privada. Señor Fiscal. ¡Perdóneme!

El señor Fiscal sabe ya cuáles han sido mis viajes al extranjero. He estado en Berlín una sola vez en mayo de 1934. No asistí al mitin que se decía organizado por Hess y con intervención de Mosley. No conozco ni a uno ni a otro. En cambio, nadie me preguntó si conocía a Hitler, lo que podía ser más comprometido, y sin embargo confieso que sí le he visto. Le vi unos minutos, cuatro o cinco, y ya comprenderéis en ese espacio de tiempo lo que pueden hablar un alemán y un español, un alemán que no sabe español y un español que no sabe alemán. ¿Que estaba preparando entonces esta revolución? Pero ¡si ha tenido que ir Sanjurjo! El Fiscal no ha aportado ninguna prueba respecto a este aspecto. La única sombra de prueba es que Sarrión, que no sé si vive en estos momentos, el abogado y compañero mío de despacho (está justificado que viniera mucho a verme porque, por fortuna, mi despacho era bastante próspero y de actividad), no ha rectificado una información tomada por «El Liberal», de Murcia, y en vista de que Sarrión, el pobre Sarrión, no ha rectificado al murciano y el murciano no ha rectificado al inglés, yo tuve que haber ido a Alemania. ¿Qué culpa tengo yo de todo esto? Mi vida se refleja en nuestro periódico semanalmente. Cada semana he estado en un sitio de España dando un mitin. A ver si es posible que estuviera en Alemania al mismo tiempo.

Tenemos las dos cartas de Sanjurjo. La del 21 de marzo y la del 23 de abril que figuran a los folios 93, 94 y 95 del Sumario. En el folio 98 están estas cartas famosas del General Sanjurjo; me escribe una carta por mi santo, me dice cuatro generalidades. Como por lo visto se pierden las cartas de Sanjurjo y los telegramas, yo aprovecho una visita de no sé quién, que me dice que va a Portugal y le digo que le dé las gracias. Y escribo al margen: «Contestado de palabra por persona segura». Si sería segura aquella persona que en abril me escribe nueva carta y me dice: «No sé si habrás recibido la mía anterior». No sólo no había recibido la suya anterior. Me vuelve a decir en esta otra nueva carta nuevas generalidades, me da el pésame por mi primo Andrés, que acababa de morir, y nada más. El general me habla de tú y yo a él de usted, me escribe dos cartas sin clave, donde no se menciona ningún asunto, donde me dice: «Vuelto de Alemania». Y ello ¿qué demuestra? Esto, que es lo importante: que Sanjurjo y yo no tenemos correspondencia, puesto que la segunda carta se sirve de alguien, lo que revela que no recibió la contestación a la primera, y que esta falta no le preocupó ni poco ni mucho. Esta carta es todo indicio respecto a las comunicaciones con Alemania.

Y bien, yo digo: Toda esta recapitulación de mi vida anterior, la creación de Falange, mis visitas, todo esto, ¿a qué viene? A mí no se me acusa de nada de esto, sino por haber participado en el movimiento revolucionario y no menos que en jerarquía de Jefe, según se ha dicho por el señor Fiscal. Cuando hay que condenar a hombres y mujeres no se puede decir: «Porque pudiera ocurrir que en aquella fecha los presos...» «Porque a lo mejor hicieron...» «Porque quizás aprovecharan...» Esto no. Si a mí no se me han visto las cartas, ¿pude haberlas empleado para promover un movimiento revolucionario? Lo mismo pude haberlas empleado desde aquí en dirigir una fábrica de moneda falsa. Esto es evidente. Cuando no consta lo que se ha hecho, es posible que se haya hecho todo lo humanamente realizable. Pero ni el señor Fiscal puede acusarme de esa manera, ni el señor Fiscal puede acusarme con esa base.

El Tribunal necesita algún principio de prueba positiva. ¿En qué consiste esta prueba? Que yo tenía comunicaciones, visitas... Todos los oficiales, los procesados y los no procesados han dicho cómo eran. Muchedumbres que venían a verme, a las que yo ni siquiera conocía. Gruñía por su abundancia, hasta el extremo de que yo rogaba a mi hermano Miguel que las recibiera él, lo que le molestaba tanto como a mí. Y comunicaciones por el locutorio de Abogados, con Sarrión, por ejemplo, y algún personaje amigo. Pues bien, esto es un indicio, y como no se nos intervenían, es posible que estuviésemos allí maquinando. Pues bien, en estas entrevistas ha habido como testigos, más o menos tolerantes, los oficiales, y como coro, la población y la provincia. Cuando aquellas gentes volvían a sus pueblos después de recibir mis instrucciones, no serían todas ellas tan discretas que callasen en los pueblos los consejos y órdenes que yo les daba. De modo que diez o doce o quince mil personas han tenido que saber que yo daba órdenes para una rebelión militar. Nadie ha quebrantado el secreto. Nadie ha puesto de relieve que yo estaba preparando un alzamiento contra la República.

Esta mañana vino un digno representante de la Comisión de Orden Público y montó en cólera porque yo, con el respeto que estoy manifestando ante el Tribunal, le dije: «¿Usted tiene la convicción moral de que el movimiento lo he hecho yo?» Eso es siempre una segunda operación. «¿Recuerda quién le dio la primera sospecha?» «La conciencia pública» –me respondió–. Le dije: «Pero ésa no es una voz, no es un dato, eso no es una persona.» «No sé a qué he venido aquí –me respondió– a contestar a quién he venido», y se me fue todo furioso. Yo he insistido hasta ser machacón, pero ¿ha oído alguien que se dijese que aquí se estaba maquinando eso? Nadie ha oído, ni visto, ni sabe que yo estuviese barruntando maquinaciones contra el régimen, y algunos de los miembros del Tribunal que con más sagacidad han intervenido en los interrogatorios parecen barruntar una posibilidad de que no era en las visitas donde se había maquinado, sino en las cartas. Esto es evidente. En cartas puedo haber tenido esta comunicación. Pero tampoco hay el más mínimo rastro de prueba de que haya podido tener estas comunicaciones. ¡Si cuando empezó el levantamiento militar habían transcurrido treinta y cinco días de mi prisión aquí y no había recibido menos de cuatrocientas cartas! Cartas entusiastas, de camaradas, manifestaciones de afecto y hasta baladronadas si queréis, propias de la juventud. Pero naturalmente ésos son los que venían a verme y los que me escribían. ¿Quién iba a venir si no? Indicios evidentes de que aquí se maquinase algo, nada.

No hay más que estas tres o cuatro cosas. ¡Se rajó Aldave! Uno de los que han manifestado más inteligente audacia en sus manifestaciones de ayer, ante la previsión ya, de un careo, dijo que él no había querido decir que se hubiese oído esta frase en un grupo en el que figurásemos mi hermano y yo, sino que se había oído en un grupo de falangistas presos. Si se dijo, pues, entre un grupo de falangistas que no éramos ninguno de los dos, nada tengo que decir.

Segundo. Una visita de mi cuñada el día de la muerte de Calvo Sotelo. ¡Sospechosa visita! Pues todo lo contrario. Calvo Sotelo murió una madrugada. Cualquier persona bien informada, los representantes de la prensa local pueden recordarlo, a las siete o a las ocho de la madrugada podían ya saber que habían asesinado a Calvo Sotelo. Mi cuñada, que por lo visto tiene un hilo especial con sus amigos para comunicar, se enteró de este suceso cuando ya había oscurecido. La noticia era, en efecto, algo interesante, porque supone algo de prolongación familiar. ¡Seis años de trabajar junto con mi padre! Mi cuñada, la que tenía hilo especial de información y espionaje, se enteró de que ha muerto Calvo Sotelo cuando hace diez o doce horas que no hay quien lo ignore.

Las pistolas aparecen el dieciséis de agosto. Dos pistolas. Han podido venir de los siguientes modos: o lanzadas por encima de una tapia, cosa hacedera según creencia de algunos oficiales de prisiones que conocen otros casos en que esto ha ocurrido, o han sido facilitadas por el locutorio de abogados; o ese iracundo testigo que dice que le consta, que lo sabe, porque se lo ha dicho un moribundo o alguien que sabía que estaba a punto de morir, que han sido introducidas en una paella; o en una cuarta forma, que el oficial de esta prisión, señor Muñoz, dice que quizá de haber sido introducidas en paellas no hubiera sido en una, sino en dos. De modo que han venido por el aire, por el locutorio de abogados, por una paella o por dos. Esta abundancia de versiones me permite robustecer la versión que he tenido siempre sobre la ignorancia de la venida de las pistolas. Pero como esto no es el tema, vamos a suponer que sí, que por uno de esos cuatro medios o por otro cualquiera nos hemos hecho introducir esas pistolas. No olvide el Tribunal una cosa. Esas pistolas están en nuestra celda el 17 de agosto. El día 2 de agosto ha habido «motín» y han roto los cristales de nuestras celdas. Es justo que unos presos nos consideren, como el señor fiscal, culpables de que España esté así.

Pregunto a todos los oficiales si siguió hasta el 17 de agosto el régimen de tolerancia, y coinciden todos en que don Adolfo Crespo lo cambió de medio a medio. Pues si el 2 de agosto hemos estado en riesgo inminente de perder la vida, hubiera sido muy justo que nos hubiéramos procurado dos pistolas para defendernos de un segundo «motín». Pero si el señor fiscal y el Tribunal han oído que nuestras comunicaciones con los camaradas de Falange no estaban intervenidas, sino que las teníamos a espaldas y nadie vigilaba nuestras visitas, ¿íbamos, siendo veintitantos, a formar como todo arsenal este depósito de dos pistolas? ¿Se creerá que para cooperar con la rebelión nos íbamos a quedar con aquellas dos pistolas que hubieran servido como máximo para una defensa y agresión de dos minutos? Si hubiera sido posible, como dijo el señor Fiscal, que nosotros, comprometidos en el movimiento, hubiéramos hecho lo que se ha hecho en otras poblaciones. Quien ahora resulta nada menos que el autor de la rebelión y su dirigente, hubiera hecho algo más que meter esas pistolas en una paella, dos paellas o tres paellas.

Hay un único principio. Aquí sí que ruego al Tribunal atención. Hay una única cosa. El fiscal dijo: «Se ve la relación de José Antonio Primo de Rivera en este movimiento no sólo por las actuaciones de este sumario, sino por la existencia de ese almanaque.» Perdonen si me he equivocado; de este almanaque que fue encontrado en un centro, que no tiene padre reconocido. Salvo esto, dice el señor Fiscal: «Se han instruido y fallado por el Tribunal Popular juicios sobre la reblión militar en Alicante y en otras muchas provincias de España...» Pues bien, si aparece la inequívoca prueba de que José Antonio Primo de Rivera tenía algo que ver con eso, pudiera ocurrir que alquien nos hubiera acusado porque sí, el señor Fiscal, que lo sabe, traerá esos juicios. En efecto, el Fiscal trae dos o tres juicios de Alicante, y en ellos ni el señor Fiscal ni la sagacidad del Tribunal me van a dejar mentir; el nombre de Primo de Rivera aparece pronunciado por un individuo llamado Nicanor Manzano, que en el pliego once del juicio doce contra Miguel Salinas y otros más, en los últimos momentos del juicio oral, cuando se ve en el riesgo de una condena que le abruma, dice: «que el día 19, a las cuatro de la mañana, llamaron a su casa diciéndole que sacara un coche y que era Antonio Macía, para venir a la mañana del día 19 a Alicante.» Esta fecha fue para Nicanor Manzano la decisiva de su existencia: fue la que le proporcionó la muerte. El intento de alzamiento en el cuartel se hizo el 19. No se equivocó de fecha. El 19 por la mañana vinieron a Alicante. Fueron al reformatorio, donde habló Macía con Primo de Rivera, sacaron una carta y se fueron al cuartel de Benalúa. Luedo le dijo Macía que no se preocupara, expresándose en esta forma: «Somos los amos.» Es la única vez que nos cita Nicanor Manzano. Y Nicanor Manzano se equivocó. Dice que estuvieron en el reformatorio. Nicanor Manzano no tenía el espíritu para esos distingos. Vinieron el 19. La trágica fecha de autos que le costó la vida. Si se coge el registro de mis visitas, llevado esos últimos días con extraordinaria minuciosidad, el director interino, en eso sí que no transigía, se verá que el día 19 no tuve ninguna visita. Antonio Macía no estuvo, pues, en ese día. Ni con su nombre, ni con nombre supuesto. ¿Está claro? Las últimas visitas las tengo el día 18. El día 19 no se atreven a venir a verme. El 20 vienen tres personas: dos mujeres y un hombre. Yo no recibí a nadie más. El pobre Nicanor Manzano, que quiere sacudirse una responsabilidad diciendo que vinieron a verme, coloca esta escena un día 19, en un inconfundible día 19 de julio, en que yo no tuve ninguna visita. ¿Que Antonio Macía estuvo alguna vez en la cárcel? No sé cuántas veces. Yo no sé quién era este pobre Antonio Macía. Yo he recibido mil cuatrocientas visitas de otros tantos y, teniendo en cuenta las que se repetían, figuran setecientas u ochocientas personas en un registro de un sitio donde no había estado nunca. Agradezco estas visitas y les dedico un recuerdo póstumo. Ni se llevó carta al cuartel ni pasó nada de esto, y éste es el único dato positivo acusatorio que hay en toda la actitud y en todo el informe del señor Fiscal.

Y no quisiera molestar más.

Varios jurados. (Los señores Moreno Peláez y Doménech, de Izquierda Republicana y Partido Comunista, respectivamente.) Puede la defensa seguir hablando el tiempo que quiera.

José Antonio: ¡Ah! ¿Sí? Se lo agradezco mucho. ¡Cuánto se lo agradezco!

Si yo no quisiera más que referirme a las bases, a la falta de pruebas. ¿Cómo me vais a condenar sin indicios contra mí? No sólo no los hay, sino que hay indicios muy fuertes a mi favor. Sólo tengo que revelar con la misma sinceridad con que hasta aquí me he pronunciado, cuál es el secreto de mi aislamiento.

La política de las derechas respecto de mi partido ha sido siempre la misma: querer aprovechar el brío combatiente de mis muchachos. Esta es la clave. Por eso de cuando en cuando a mis muchachos les buscaban la gracia. Eso sí, querían impedir a toda costa, pero que a toda costa, que a estos muchachos los dirigiera yo. ¿Por qué? Porque dicen que estas cosas que yo decía de la tierra y demás eran señuelo que yo utilizaba para atraer a las clases obreras, porque las derechas tienen el error de creer que a las clases obreras se las atrae con señuelos.

Yo sé que la clase obrera me va a dar la terrible angustia de no creerme, pero aseguro que responde a una convicción personal honrada. Las derechas suponen que es señuelo; yo sé que no lo es. Las derechas suponen que es falso; yo sé que es verdadero. La Monarquía es una institución que ha tenido su momento histórico. Las derechas tienen esa actitud respecto de mí, pero, en cambio, dicen: «Esos miles de chicos valerosos, arrojados, un poco locos si queréis, ésos son utilísimos. Con éstos tenemos que contar nosotros.» Y entonces me maquinan disensiones dentro de mi movimiento. Me organizan la de Ramiro Ledesma y Sotomayor, me someten a un cerco político, económico y personal espantoso, me vienen a dejar sin cuartos. Estamos cuatro meses sin poder pagar la casa en Madrid, nos cortan el teléfono y nos quitan la casa, y así estamos porque las derechas quieren, a toda costa, que no me interponga. Y surge mi encarcelamiento y la ocasión es «pintiparada»: ahora sí que es fácil levantar el coraje de estos chicos magníficos, valerosos y un poco ingenuos, sin que se nos interponga el majadero ése que nos viene con la cosa de la reforma agraria y del movimiento nacional sindicalistas. ¿Pruebas de esto? Van a ser tan cabales como las del fiscal. Son pruebas fortísimas.

Sabe perfectamente el Tribunal que en esta comarca, en esta región de Levante predomina entre el elemento militar la Unión Militar Española. La U.M.E. tenía un jefe con el que soñaba, que era el pobre Calvo Sotelo, y tenía un órgano en la prensa, que es «La Epoca», que es el pequeño foco intelectual militar ultrarreaccionario, y Calvo Sotelo era el profeta. «La Epoca» me tenía la simpatía que demuestra este tremendo artículo ofensivo publicado en primero de julio, en contestación a mi artículo a que me refería antes. Aquí está la prueba y la pondrá a disposición del Tribunal el señor secretario. Hágame el favor (dirigiéndose al secretario del Tribunal). Estando yo en la cárcel se me injuria. Este es el pago de la U.M.E., que no tiene fuerza en casi ninguna región de España, pero en esta de Alicante sí. Estas son, precisamente, las guarniciones que no se sublevan. Luego ha habido algunos que han sostenido gallardamente su decisión. Pero estas guarniciones no se sublevan y forman un cerco alrededor de Alicante, del sitio dentro del cual yo estoy. En el centro de un semicírculo geográfico perfecto. Estas son las guarniciones que no se sublevan, menos una, la de Albacete. Allí sale un teniente coronel ardoroso. Dirige un mensaje telegráfico. Y en el mensaje telegráfico acaba: «Arriba España». ¿Qué le pasa a ese teniente coronel? Pasan días y días y nadie le socorre. Era en los primeros días, cuando no habíais hecho esfuerzo alguno de organización y teníais frente a vuestra falta de organización casi todo un ejército sublevado. Creo que este teniente coronel se comportó de una manera muy brava. Persiste un día y otro día, y de cuando en cuando comete la nueva temeridad de decir «Arriba España». «Mandadme socorro». Y nadie le socorre. El Teniente Coronel Chapuli, que había roto este semicírculo geográfico, fracasa. Es el fracaso más notable de la rebelión.

El punto tercero. He rogado insistentemente, acaso haya llegado ya, que la prensa local diese un número de un periódico en el que publicara la lista de los futuros gobiernos encontrada a un oficial sublevado de la guarnición de Barcelona.

Este era, naturalmente, de la U.M.E., que domina en toda esta costa de Levante. Se le encontraron dos listas de gobiernos, que han de sucederse en el Poder según los propósitos de los sublevados. La primera es una junta compuesta por unos cuantos generales. En seguida se da paso a un Gobierno Civil más estable de personajes políticos. En ese Gobierno (yo os ruego que mováis los resortes posibles para que llegue un ejemplar en donde vieran esas listas encontradas a un oficial) figuran personajes de primer orden, de segundo, tercero, cuarto y hasta quinto orden: el doctor Albiñana, del que tengo una carta toda llena de ampulosidades, y a la que contesto: «Gracias»; Rosa Urraca Pastor... Personas que, sin pecar de soberbia, considero que tienen una representación política o intelectual algo inferior. Todas estas personas son ministros en la lista oficial de la U.M.E. El que no aparece ni para subsecretario, ni para gobernador civil es José Antonio Primo de Rivera, supuesto jefe de esta rebelión militar.

Punto cuarto. Mis declaraciones al yanqui, al periodista americano. ¿Creerá el Tribunal todavía que yo he podido pedir que viniese esa visita? Había salido ya de la tolerancia. Regía la Comisión de Orden Público que me trajo a aquel señor, a quien había visto ya otra vez en mi vida. Le hago unas declaraciones que reproduce con mediana irregularidad. Inserta un párrafo que no le dije y que podía en estos momentos haberlo dicho o decir que le dijera; el párrafo es este: «Yo no hubiese tolerado que estuviese Falange Española combatiendo con los mercenarios y fuerzas traídas de fuera.» Me convenía haber pronunciado esa frase. Pues bien, yo no la pronuncié. Son fuerzas que han luchado por España en Africa vertiendo su sangre y no puedo menospreciarlas.

Pero, sobre todo, el indicio más fuerte de todos, y el Tribunal estoy seguro que ha de valorarlo: Todos los que temían que la rebelión podía ser más o menos larga, más o menos favorable, ¿qué hicieron con sus familiares? Les mandaron al extranjero; ¿para qué voy a decir nombres? Este y el otro. Y los que no tenían fervor combatiente, Gil-Robles, por ejemplo, que no es, seguramente, por lo visto, un Cid, no queriendo tomar las armas se marchó a Portugal.

Yo me quedé aquí. Dice el señor Fiscal que estaba aquí por mi gusto. Puesto que entonces, Casares Quiroga me dio ese gusto, estaba en combinación conmigo. Que no estaba en la cárcel por mi gusto, es obvio. Mi hermano y otra hermana y una tía septuagenaria que están en el reformatorio, ¿iban a estar aquí por gusto?, ¿iba a tener el gusto, esta voluptuosidad del peligro, de que les cogiesen, les encarcelasen, les metiesen en el reformatorio? ¿Es posible que yo hiciera esto? Que se quedasen aquí todos los elementos femeninos de mi familia.

Pero hay otra cosa. Yo escribí, lo ha declarado el vigilante de prisiones Francisco Sampere, el folio 16 del sumario, y creo que lo declaró otro de los procesados, una carta a Martínez Barrio. La escribí a primeros de agosto, con el pensamiento puesto en la España de todos y con el pensamiento puesto en la tragedia actual, y dije esto: Estoy viendo que España se está haciendo pedazos, y estoy viendo que esto puede ser la vuelta a las pequeñas guerras entre españoles, y por este camino se puede retroceder en el orden social, político y económico y llegar a estados de confusión y oscuridad. Yo no puedo hacer más que una cosa: que ustedes me proporcionen un aeroplano;yo voy a la otra zona dejando empeñada mi palabra de volver, que avala el temor entrañable personal de mi familia: tengo mis hermanos y una tía mía que ha hecho las veces de madre. Aquí dejo esta prenda. Voy a la otra zona y voy a hacer una intervención para que cese esto.

Se me dijo: creo que el Gobierno no podrá aceptar esta proposición.

Yo les dije: Si puedo prestar este servicio, no a la República, sino a la paz de España, no voy a fingir celo repentino, aquí estoy.

No se aceptó el servicio. Lo que yo ofrecí quizá no fuese posible, pero lo ofrecí y no vinieron a darme contestación. Es un círculo de indicios bastante más lleno que los indicios acusatorios del señor Fiscal.

Toda esta rebelión se ha hecho aprovechando mi encarcelamiento, y como yo sabía que esto estaba ocurriendo, yo no descansaba en mi celda, y por eso me pasaba los días y horas escribiendo, y rogando a Miguel que pasase a recibir aquellas visitas abigarradas, donde no se ventilaba nada, y él bajaba a ver aquellos montones de gente, cosa que él hacía molesto. Me pasaba el día escribiendo a mi gente; a Julio Ruiz de Alda, segundo del movimiento, le decía: «No tengo noticias, no tengo casi información; ¿qué va a pasar? Y me contestaba: «Tampoco tengo información, pero tengo la convicción de que las derechas, con la imbecilidad de siempre, están maquinando.» Y escribo en «No Importa», periódico clandestino: «Vista a la derecha. Aviso a los "madrugadores", "la Falange no es una fuerza cipaya". "Desde la izquierda se nos mata y se nos acomete, pero, ¡cuidado, camaradas!, no está en la izquierda todo el peligro. Desde las derechas ya se está especulando, como siempre, y se acercan, un día sí y otro no, a nuestros jefes, visitas misteriosas, de los conspiradores de esas derechas, con una pregunta así entre los labios: ¿podrían ustedes darnos tantos hombres? Al que os haga esta pregunta, escupidle. Pero, ¿qué se supone esa gentuza? ¿Que la Falange es una carnicería donde se adquieren al peso tantos o cuantos hombres? ¿Suponen que cada grupo local de la Falange es una tropa de alquiler a disposición de las empresas? La Falange es una e indivisible, milicia y partido. Su brío combatiente es inseparable de su fe política. Cada militante en la Falange está dispuesto a dar su vida por ella, por la España que ella entiende y quiere, pero no por ninguna otra cosa. El madrugador no tiene escrúpulos. A codazos se abrirá paso en sus propias filas. Traicionará y tratará de eclipsar a sus propios jefes. Contraerá a cada instante la voz y el gesto con los que más pueda medrar. Y cultivará sin recato la adulación. Y será inútil el madrugón. Aunque el 'madrugador' triunfara, le serviría de poco su triunfo. La Falange, con lo que tiene de ímpetu juvenil, de acervo intelectual, de brío militante, se le volvería de espaldas. Veríamos, entonces, quién daba calor a estos 'fascistas' rellenos de viento. Nosotros, para ver pasar sus cadáveres, no tendríamos más que sentarnos a la puerta de nuestra casa bajo las estrellas. La Falange, a disposición de un político 'madrugador', con un general de más o menos buena fe, pero sin formación política: ¡Eso, no!"» Y decía en esos artículos palabras de una virulencia que escapan a la posibilidad de responder a toda otra intención, como decía ayer a otro miembro del Tribunal. Porque lo que se hace a veces es ocultar la trama interna a los ojos de la masa con consignas totalmente opuestas a la consigna interna del movimiento, ya que entonces la masa no puede obedecer y el movimiento se frustra. No. Dije exactamente lo que respondía a la situación de mi espíritu, y lo dije con tal fijeza que entonces fue cuando «La Epoca», el órgano de la U.M.E., de los madrugadores, de los que aspiraban a valerse de mí insistieron, escribiendo ese artículo que también dejo entregado a la consideración del Tribunal.

Y esos fueron mis trabajos desde aquí. Cartas y más cartas, circulares, consignas, para evitar que esto ocurriera. Quizá dentro de un año hubiera habido revolución nacionalsindicalista, y que la hubiera capitaneado yo, pero sin esta incomunicación en mi encierro no hubiera habido lo de ahora.

De pronto, vino la muerte de Calvo Sotelo. El suceso fue verdaderamente tremendo. Se conturbó todo, salieron regimientos a la calle; los muchachos de Falange, llenos de inexperiencia política, de valor y de voluntad, se unieron en unos sitios y en otros no. Yo no sé nada. No sé de verdad y quisiera saberlo. Daría dos o tres años de mi libertad por unos cuantos periódicos de estos meses que he pasado encerrado en la cárcel. Y me entero aquí, encerrado entre rejas, descorazonado de saber que está España matándose y sin poder tomar parte para evitarlo. Esta es mi historia.

Yo creo que el Tribunal, a falta de otras pruebas más fuertes, el Tribunal, repito, note en mis palabras una cierta sinceridad. No he derrochado esa elocuencia de que me hacía elogio el señor Fiscal. Sólo he contado los hechos.

Y unas palabras de mis dos hermanos. Creo que con éstos, dado lo exento que yo estoy de todo, no es necesario que insista mucho en lo exentos que ellos están. De estos dos hermanos lo único probado en serio es que pasaban horas y horas hablando por la reja. Se casaron hace un año. Nos traen aquí el 6 de julio. El 9 viene mi cuñada detrás de su marido y se dedica a hablar con él por la reja cuantas horas le permiten. No interrumpe su comunicación más que unos días que va a Madrid, Serrano, 86, modesta casa que está a disposición del Tribunal. Escribe desde allí una carta bastante improcedente, llena de bromas en inglés, escritas con un humor extraordinario; escribe unas cuantas cosas hijas de la propia fantasía y fanfarronadas. Tiene la nota irónica para una muchacha que no sabe por qué se coloca una corona, como yo me podía poner una tiara pontificia, y pone una corona y una frase escrita en inglés, que no es caldeo ni nada indescifrable. Carta a mi hermano. Si mi cuñada y mi hermano estuvieran complicados no dirían esas cosas improcedentes, hijas de la poca edad, y no lo harían en inglés, y estando en Alicante tendría que ir a hacer esas gestiones, traer y llevar recados, cumplir las consignas que se le daban. Pero que le daba ¿quién? ¿Ella era mi enlace y yo el jefe del movimiento? Resultaba absolutamente probado que a mí casi no me veía. Yo, cuando ella venía, bajaba un momento, y como conocía la índole conyugal de sus visitas, la saludaba y me marchaba a trabajar. Esta es la actuación de mi cuñada, que, además, se queda en Alicante, incorpora en los días más peligrosos a su hermana política y a su tía, y que esto hace que las encierren a todas en el reformatorio.

Creo que con esto ha terminado mi defensa.

Una sola palabra al Tribunal.

Creo que es usual en los políticos de algún relieve que cuando se ven en un trance así, como éste en que vosotros me ponéis, empiezan o acaban soltando una heroica baladronada para la posteridad, diciendo: «En fin, yo soy el responsable de todo. Haced de mí lo que queráis. Cumplo con mi deber. Disponed de mi vida.»

Esta decisión ha sido interrumpida algunas veces por algunos jefes revolucionarios de izquierdas. Yo prefiero imitar a éstos y no a los otros. No os voy a decir nada de esto: «No me importa dar la vida por esto o por lo otro.» El señor Fiscal ha dicho que soy valiente. No soy valiente. Quizá no sea cobarde... Sí me importa dar la vida. Hay que arrostrar los sucesos de la vida con decorosa conformidad. Os digo que prefiero con mucho no morir. Que creo que la vida no se nos ha dado para que la quememos como una bengala al final de una función de fuegos artificiales.

Si yo no he tenido parte en esto, si no he participado en esto, ¿para qué voy a venir aquí y hacer el papel de víctima?

Yo os ruego que estiméis mi causa en conciencia y la causa de estos dos, y que en conciencia dictéis veredicto de inculpabilidad.

Vuestro rigor no va a ser puesto en duda por nadie. Habéis defendido a las instituciones que os han encargado de defender, con severidad. Vuestro entusiasmo por el régimen, tampoco. Os ruego que no veáis en mí si soy Fulano o Mengano, sino que soy un acusado que viene aquí a comparecer ante la Justicia con otros dos. Que peséis mi causa con todos los indicios y todas las pruebas; y porque creo que lo merecemos y no tenéis que acreditar vuestro rigor y os interesa seguir acreditando la absoluta justicia de este Tribunal Popular, os pido dictéis un veredicto de inculpabilidad para los tres.

Yo os aseguro que, en nombre de todos y mío, he de agredecéroslo muy de veras, que me alegraré muy de veras esta noche encontrarme con la vida en el cuerpo, con esta vida que modestamente he dedicado y seguiré dedicando a que contribuya, con mucho o poco, a que el pueblo español tenga uno de los lemas de nuestro Movimiento: «La Patria, el pan y la justicia.»

(José María Mancisidor, «Frente a frente»)

Documento 13

Testamento de José Antonio Primo de Rivera

Testamento que redacta y otorga José Antonio Primo de Rivera y Sáenz de Heredia. de treinta y tres años, soltero, abogado, natural y vecino de Madrid, hijo de Miguel y Casilda (que en paz descansen), en la Prisión Provincial de Alicante, a dieciocho de noviembre de mil novecientos treinta y seis.

* * *

Condenado ayer a muerte, pido a Dios que si todavía no me exime de llegar a ese trance me conserve hasta el fin la decorosa conformidad con que lo preveo y, al juzgar mi alma, no le aplique la medida de mis merecimientos, sino la de su infinita misericordia.

Me acomete el escrúpulo de si será vanidad y exceso de apego a las cosas de la tierra el querer dejar en esta coyuntura cuentas sobre algunos de mis actos; pero como, por otra parte. he arrastrado la fe de muchos camaradas míos en medida muy superior a mi propio valer (demasiado bien conocido de mí, hasta el punto de dictarme esta frase con la más sencilla y contrita sinceridad), y como incluso he movido a innumerables de ellos a arrostrar riesgos y responsabilidades enormes. me parecería desconsiderada ingratitud alejarme de todos sin ningún género de explicación.

No es menester que repita ahora lo que tantas veces he dicho y escrito acerca de lo que los fundadores de Falange Española intentábamos que fuese. Me asombra que, aun después de tres años, la inmensa mayoría de nuestros compatriotas persistan en juzgarnos sin haber empezado ni por asomo a entendernos y hasta sin haber procurado ni aceptado la más mínima información. Si la Falange se consolida en cosa duradera, espero que todos perciban el dolor de que se haya vertido tanta sangre por no habérsenos abierto una brecha de serena atención entre la saña de un lado y la antipatía de otro. Que esa sangre vertida me perdone la parte que he tenido en provocarla. y que los camaradas que me precedieron en el sacrificio me acojan como el último de ellos.

Ayer. por última vez, expliqué al Tribunal que me juzgaba lo que es la Falange. Como en tantas ocasiones, repasé, aduje los viejos textos de nuestra doctrina familiar. Una vez más, observé que muchísimas caras. al principio hostiles, se iluminaban, primero con el asombro y luego con la simpatía. En sus rasgos me parecía leer esta frase: «¡Si hubiésemos sabido que era esto, no estaríamos aquí!» Y, ciertamente, ni hubiéramos estado allí, ni yo ante un Tribunal Popular, ni otros matándose por los campos de España. No era ya, sin embargo, la hora de evitar esto, y yo me limité a retribuir la lealtad y la valentía de mis entrañables camaradas, ganando para ellos la atención respetuosa de sus enemigos.

A esto tendí, y no a granjearme con gallardía de oropel la póstuma reputación de héroe. No me hice *responsable de todo* ni me ajusté a ninguna otra variante del patrón romántico. Me defendí con los mejores recursos de mi oficio de abogado, tan profundamente querido y cultivado con tanta asiduidad. Quizá no falten comentadores póstumos que me afeen no haber preferido la fanfarronada. Allá cada cual. Para mí, aparte de no ser primer actor en cuanto ocurre, hubiera sido monstruoso y falso entregar sin defensa una vida que aún pudiera ser útil y que no me concedió Dios para que la quemara en holocausto a la vanidad como un castillo de fuegos artificiales. Además, que ni hubiera descendido a ningún ardid reprochable ni a nadie comprometía con mi defensa, y sí, en cambio, cooperaba a la de mis hermanos Margot y Miguel, procesados conmigo y amenazados de penas gravísimas. Pero como el deber de defensa me aconsejó, no sólo ciertos silencios, sino ciertas acusaciones fundadas en sospechas de habérseme aislado adrede en medio de una región que a tal fin se mantuvo sumisa, declaro que esa sospecha no está, ni mucho menos, comprobada por mí, y que si pudo sinceramente alimentarla en mi espíritu la avidez de explicaciones exasperada por la soledad, ahora, ante la muerte, no puede ni debe ser mantenida.

Otro extremo me queda por rectificar. El aislamiento absoluto de toda comunicación en que vivo desde poco después de iniciarse los sucesos sólo fue roto por un periodista norteamericano que, con permiso de las autoridades de aquí, me pidió unas declaraciones a primeros de octubre. Hasta que, hace cinco o seis días, conocí el sumario instruido contra mí, no he tenido noticia de las declaraciones que se me achacaban, porque ni los periódicos que las trajeron ni ningún otro me eran asequibles. Al leerlas ahora, declaro que entre los distintos párrafos que se dan como míos, desigualmente fieles en la interpretación de mi pensamiento, hay uno que rechazo del todo: el que afea a mis camaradas de la Falange el cooperar en el movimiento insurreccional con «mercenarios traídos de fuera». Jamás he dicho nada semejante, y ayer lo declaré rotundamente ante el Tribunal, aunque el declararlo no me favoreciese. Yo no puedo injuriar a unas fuerzas militares que han prestado a España en Africa heroicos servicios. Ni puedo desde aquí lanzar reproches a unos camaradas que ignoro si están ahora sabia o erróneamente dirigidos, pero que a buen seguro tratan de interpretar de la mejor fe, pese a la incomunicación que nos separa, mis consignas y doctrinas de siempre. Dios haga que su ardorosa ingenuidad no sea nunca aprovechada en otro servicio que el de la gran España que sueña la Falange.

Ojalá fuera la mía la última sangre española que se vertiera en discordias civiles. Ojalá encontrara ya en paz el pueblo español, tan rico en buenas calidades entrañables, la Patria, el Pan y la Justicia.

Creo que nada más me importa decir respecto a mi vida pública. En cuanto a mi próxima muerte, la espero sin jactancia, porque nunca es alegre morir a mi edad, pero sin protesta. Acéptela Dios Nuestro Señor en lo que tenga de sacrificio para compensar en parte lo que ha habido de egoísta y vano en mucho de mi vida. Perdono con toda el alma a cuantos me hayan podido dañar u ofender, sin ninguna excepción, y ruego que me perdonen todos aquellos a quienes deba la reparación de algún agravio grande o chico. Cumplido lo cual, paso a ordenar mi última voluntad en las siguientes

CLAUSULAS

Primera. Deseo ser enterrado conforme al rito de la religión Católica, Apostólica, Romana, que profeso, en tierra bendita y bajo el amparo de la Santa Cruz.

Segunda. Instituyo herederos míos por partes iguales a mis cuatro hermanos: Miguel, Carmen, Pilar y Fernando Primo de Rivera y Sáenz de Heredia, con derecho a acrecer entre ellos si alguno me premuriese sin dejar descendencia. Si la hubiere dejado, pase a ella en partes iguales, por estirpes, la parte que hubiera correspondido a mi hermano premuerto. Esta disposición vale aunque la muerte de mi hermano haya ocurrido antes de otorgar yo el testamento.

Tercera. No ordeno legado alguno ni impongo a mis herederos carga jurídicamente exigible; pero les ruego:

A) Que atiendan en todo con mis bienes a la comodidad y regalo de nuestra tía María Jesús Primo de Rivera y Orbaneja, cuya maternal abnegación y afectuosa entereza en los veintisiete años que lleva a nuestro cargo no podremos pagar con tesoros de agradecimiento.

B) Que, en recuerdo mío, den algunos de mis bienes y objetos usuales a mis compañeros de despacho, especialmente a Rafael Garcerán, Andrés de la Cuerda y Manuel Sarrión, tan leales durante años y años, tan eficaces y tan pacientes con mi nada cómoda compañía. A ellos y a todos los demás, doy las gracias y les pido que me recuerden sin demasiado enojo.

C) Que repartan también otros objetos personales entre mis mejores amigos, que ellos conocen bien, y muy señaladamente entre aquellos que durante más tiempo y más de cerca han compartido conmigo las alegrías y adversidades de nuestra Falange Española. Ellos y los demás camaradas ocupan en estos momentos en mi corazón un puesto fraternal.

D) Que gratifiquen a los servidores más antiguos de nuestra casa, a los que agradezco su lealtad y pido perdón por las incomodidades que me deben.

Cuarta. Nombro albaceas contadores y partidores de herencia, solidariamente, por término de tres años, y con las máximas atribuciones habituales, a mis entrañables amigos de toda la vida Raimundo Fernández Cuesta y Merelo y Ramón Serrano Suñer, a quienes ruego especialmente:

A) Que revisen mis papeles privados y destruyan todos los de carácter personalísimo, los que contengan trabajos meramente literarios y los que sean simples esbozos y proyectos en período atrasado de elaboración, así como cualesquiera obras prohibidas por la Iglesia o de perniciosa lectura que pudieran hallarse entre los míos.

B) Que coleccionen todos mis discursos, artículos, circulares, prólogos de libros, etc., no para publicarlos —salvo que lo juzguen indispensable—, sino para que sirvan de pieza de justificación cuando se discuta este período de la política española en que mis camaradas y yo hemos intervenido.

C) Que provean a sustituirme urgentemente en la dirección de los asuntos profesionales que me están encomendados, con ayuda de Garcerán, Sarrión y Matilla, y a cobrar algunas minutas que se me deben.

D) Que con la mayor premura y eficacia posible hagan llegar a las personas y entidades agraviadas a que me refiero en la introducción de este testamento las solemnes rectificaciones que contiene.

Por todo lo cual les doy desde ahora las más cordiales gracias. Y en estos términos dejo ordenado mi testamento en Alicante el citado día dieciocho de noviembre de mil novecientos treinta y seis, a las cinco de la tarde, en otras tres hojas además de ésta, todas foliadas, fechadas y firmadas al margen.

Documento 14

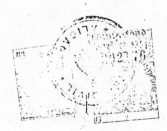

Serie AD № 726105

MINISTERIO DE JUSTICIA
Registros Civiles

CERTIFICACION LITERAL DE INSCRIPCION DE DEFUNCION.- - - (1)

Sección 3ª.
Tomo 19(1).
Pág. ----
Folio (2) 313 vtº

JOSE ANTONIO
PRIMO DE RIVERA
SAENZ DE HEREDIA.

REGISTRO CIVIL DE ALICANTE
Provincia de ALICANTE
El asiento al margen reseñado literalmente dice así:

"En Alicante, provincia de idem, a las do[illegible] horas y....minutos del día cinco de julio de mil novecientos cuarenta ante D. Federico Capdepón Icabalceta, Juez Municipal, y D. Rafael Martínez Bernabeu, Secretario del Distrito Norte se procede a inscribir la defunción del Excmo. Sr. D. José Antonio Primo de Rivera y Saenz de Heredia, Marqués de Estella, de treinta y tres años de edad, natural de Madrid, provincia de idem, hijo del Excmo. Sr. D. Miguel Primo de Rivera y de la Excma. Sra. Dª Casilda Saenz de Heredia, domiciliado en Madrid, de profesión Abogado, y de estado soltero, con residencia en esta ciudad en la Cárcel Provincial, en donde fué vilmente asesinado por las hordas rojas, por sus ideas españolistas y ser el Fundador de la Falange Española, el día veinte de noviembre de 1.936, a las seis horas y cincuenta y dos minutos, siendo muerto gloriosamente por Dios y por España, según resulta de testimonios del Juzgado de Primera Instancia número dos, y su cadáver recibió sepultura en el Cementerio de Alicante.-Esta inscripción se practica en virtud de carta-orden del Juzgado de Primera Instancia número dos de esta capital de fecha de hoy, consignándose además que el título que ostentaba el finado lleva anexo Grandeza de España; habiéndola presenciado como testigos el Excmo. Sr. D. Ambrosio Luciáñez Riesco, Alcalde de esta ciudad, y D. Sebastián Cid Granero, Secretario Local de F.E.T. y de las J.O.N.S. mayores de edad y vecinos de Alicante.-Leída esta acta se sella con el de este Juzgado y la firma el Juez con los testigos de que certifico: Firmas.-Federico Capdepón.=A. Luciáñez Riesco.=Sebastián

Cid.=Rafael Martínez.=Rubricados".- - - - - - - - -

=== Lo borrado y enmendado "cinco" en el anverso

=== vale.

==

==

==

==

===

==

==

==

==

==

===

==

==

==

==

==

==

==

REGISTRO CIVIL (Sello del Registro Civil) * ALICANTE

CERTIFICA: *Según consta de la página registral reseñada al margen, el* encargado *D.* JESUS CARRION Y RUIZ

ALICANTE, *a* 7 *de* abril *de* 1978.

(En los Juzgados de Paz, firmarán el Juez y el Secretario)

Importe de la certificación:

Tarifa Tributaria, n.º 32 (en pólizas)....	5,00	ptas.
Tasas (Decreto de 18-6-59, art. 4, y artículo 37, tarifa 1.ª)................	32,00	»
Busca (art. 40, tarifa 1.ª) (3)..........	----	»
Urgencia (art. 41, tarifa 1.ª) (4)........	----	»
Impreso (5)........................	38,00	»
TOTAL..............	----	»

(1) «Las certificaciones son documentos públicos» (Ley del Registro Civil de 8 de junio de 1957, art. 7).—«En toda certificación que haga fe de la filiación se hará constar que se expide para los asuntos en que las leyes directamente distingan la clase de filiación, sin que sea admisible a otros efectos» (Reglamento de 14 de noviembre de 1958, artículo 20).

(2) Se consignará el folio y no la página si se certifica de libros ajustados al modelo anterior a la Ley vigente del Registro Civil; en otro caso se consignará sólo la página.

(3) CINCO PESETAS por cada período de busca de tres años, quedando exento el primer período de tres años.

(4) CINCO PESETAS cuando se despache dentro de las veinticuatro horas.

(5) Modelo oficial, de acuerdo con la Orden de 24 de diciembre de 1958.

RIVADENEYRA, S. A.—MADRID

BIBLIOGRAFIA

ABAD DE SANTILLAN, Diego. *Memorias 1897-1936.* Editorial Planeta, 1977.
AGUADO, Emiliano. *Don Manuel Azaña Díaz.* Ediciones Nauta, 1972.
ALCOFAR NASSAES, José Luis. *Los asesores soviéticos en la guerra civil española.* Editorial Dopesa, 1971.
ALVAREZ PUGA, Eduardo. *Historia de la Falange.* Editorial Dopesa, 1969.
AREILZA, José María de. *Así los he visto.* Editorial Planeta.
ARRARAS, Joaquín. *Historia de la Cruzada Española.* Datafilms, S. A., 1984. Siete tomos.
ARTOLA, Miguel. *Partidos y programas políticos 1808-1936.* Editorial Aguilar, 1974.
AZAÑA DIAZ, Manuel. *Memorias políticas y de guerra.* Editorial Afrodisio Aguado, 1976.
AZNAR ZUBIGARAY, Manuel. *Franco.* Editorial Prensa Española, 1975. *Historia militar de la guerra de España. El nonato periódico de F.E. titulado «Sí».* Artículo publicado en la revista «Y», noviembre 1938.

BARCO TERUEL, Enrique. *El «golpe» socialista. Octubre 1934.* Ediciones Dyrsa, 1984.
BLASCO IBAÑEZ, Vicente. *Historia de la guerra europea de 1914.* Editorial Prometeo.
BOLIN, Luis. *Los años vitales.* Editorial Espasa Calpe, 1967.
BORRAS, Tomás. *Ramiro Ledesma Ramos.* Editora Nacional, 1971.
BRAVO MARTINEZ, Francisco. *José Antonio: el hombre, el jefe, el camarada.* Ediciones Españolas, 1939. *Historia de Falange Española de las J.O.N.S.* Ediciones F.E., 1940.
BOWERS, Claude G. *Misión en España.* Ediciones Grijalbo, Méjico DF, 1966. Versión española de Juan López.

C.A.U.R. *Boletín informativo núm. 37.* 22 de septiembre de 1935.
CABANELLAS, Guillermo. *Cuatro generales.* Editorial Planeta, 1977. Dos tomos.
CARAVACA Y ORTS Ramos. *España de 1870 a 1935.* Barcelona, 1931.
CARR, Raymond. *España 1808-1939.* Ediciones Ariel, 1969.
CASTRO DELGADO, Enrique. *Hombres made in Moscú.* Publicaciones Mañana, Méjico, 1960.
CIERVA, Ricardo de la. *Crónica de la guerra española.* Editorial Codex, Buenos Aires, 1966. Tres tomos. *Historia ilustrada de la guerra civil española.* Ediciones Danae, 1970. Dos tomos. *Historia de la guerra civil española.* Editorial San Martín, 1969.
CROZIER, Brian. *Franco, historia y biografía.* Editorial Magisterio Español, 1969.

CHAPAPRIETA TORREGROSA, Joaquín. *La paz fue posible. Memorias de un político.* Ediciones Ariel, 1971.

DIAZ PLAJA, Fernando. *La historia de España en sus documentos.* Ediciones Faro, 1963.
DUVERGER, Maurice. *Los partidos políticos.* Fondo de Cultura Económica, Méjico-Buenos Aires, 1965.

ELLWOOD, Sheelagh. *Prietas las filas.* Editorial Crítica, 1984. Traducción de Antonio Desmonts.

FERNANDEZ, Carlos. *El general Franco.* Argos-Vergara, 1983.
FIGUEROA Y TORRES, Alvaro de (Conde de Romanones). *Historia de cuatro días.*
FRAGOSO DEL TORO, Víctor. *La España de ayer.* Editorial Doncel, 1973.
FRANCO SALGADO-ARAUJO, Francisco. *Mi vida junto a Franco.* Editorial Planeta, 1977. *Mis conversaciones privadas con Franco.* Editorial Planeta, 1976.

GALINDO HERRERO, Santiago. *Historia de los partidos monárquicos bajo la Segunda República.* Estades, 1954.
GARCIA OLIVER, Juan. *El eco de los pasos.* Editorial Ruedo Ibérico, 1978.
GARCIA SERRANO, Rafael. *La gran esperanza.* Editorial Planeta. Premio Espejo de España 1983.
GARRIGA, Ramón. *El cardenal Segura y el nacional-catolicismo.* Editorial Planeta, 1977. *Juan March y su tiempo.* Editorial Planeta.
GARRIGUES Y DIAZ CAÑABATE, Antonio. *Diálogos conmigo mismo.* Editorial Planeta, 1978.
GIBSON, Ian. *En busca de José Antonio.* Editorial Planeta, 1980.
GIL ROBLES, José María. *No fue posible la paz.* Editorial Ariel, 1968.
GIMENEZ CABALLERO, Ernesto. *Memorias de un dictador.* Editorial Planeta, 1979.
GUZMAN, Eduardo de. *La Segunda República fue así.* Editorial Planeta, 1977.

IBARRURI, Dolores (y otros). *Guerra y Revolución en España. 1936-1939.* Editorial Progreso. Moscú, 1966. Dos tomos.
IMATZ, Arnaud. *José Antonio et la Phalange Spagnole.* Ediciones Albatros. París, 1981.
IRIBARREN, José María. *El general Mola.* Editorial Bullón, 1963.

JACKSON, Gabriel. *La República Española y la guerra civil.* Princeton University Press. Méjico DF, 1967. Versión española de Enrique de Obregón.
JATO, David. *La monarquía borbónica y Gibraltar.* Artículo publicado en «SP», 1970-1971. *La rebelión de los estudiantes.* Editorial Cies, 1953.
JONS (Revista). *Antología y prólogo de Juan Aparicio.* Editora Nacional, 1939.
JUAN PABLO II. Encíclica. *Laborem exercens.* 14 de septiembre de 1981.

KAHN, Herman y WIENER, Anthony. *El año 2000.* Emecé Editores, 1969. Buenos Aires.
KOLTSOV, Mikhail. *Diario de la guerra de España.* Editorial Ruedo Ibérico, 1963.

LAZITCH, Branko. *Los partidos comunistas de Europa. 1919-1955.* Instituto de Estudios Políticos, 1961.
LEDESMA RAMOS, Ramiro («Roberto Lanzas»). *¿Fascismo en España?* y *Discurso a las juventudes de España.* Ediciones Ariel, 1968.
LIZARZA IRIBARREN, Antonio de. *Memorias de la conspiración 1931-1936.* Editorial Gómez. Pamplona, 1969.
LUCA DE TENA, Juan Ignacio. *Mis amigos muertos.* Editorial Planeta, 1971.

MAIZ, Félix. *Mola, aquel hombre. Diario de la conspiración, 1936.* Editorial Planeta, 1976.
MANCISIDOR, José María. *Frente a frente.* Editorial Senén Martín, 1963.
MARRERO, Vicente. *La guerra española y el trust de los cerebros.* Ediciones Punta Europa, 1961.
MASSOT, Vicente Gonzalo. *José Antonio, un estilo español de pensamiento.* Editorial Revista Moenia. Buenos Aires, 1982.
MAURA, Miguel. *Así cayó Alfonso XIII.* Imprenta Mañez. Méjico, 1962.
MUÑOZ ALONSO, Adolfo. *Un pensador para un pueblo.* Ediciones Almena, 1969.

NOLTE, Ernst. *Les Mouvements fascistes.* Editorial Calman-Levy, 1969. París.

PASCUAL MARTINEZ, Pedro. *Proceso a una guerra.* Editora Nacional, 1974.
PAYNE, Robert. *The civil war in Spain. 1936-1939.* Secker and Warburg. Londres, 1963.
PAYNE, Stanley G. *Falange. Historia del fascismo español.* Ediciones Ruedo Ibérico, 1965.
PEMARTIN, Julián y DAVILA, Sancho. *Hacia la historia de la Falange.*

PLONCARD D'ASSAC, Jacques. *Doctrinas del nacionalismo.* Ediciones Acervo, 1971. Versión española de Carlos González Castresana.
PRIETO TUERO, Indalecio. *Convulsiones de España.* Ediciones Oasis. Méjico, 1967. Tres tomos. *Cartas a un escultor.* Editorial Losada. Buenos Aires, 1961.
PRIMO DE RIVERA Y SAENZ DE HEREDIA, José Antonio. *Obras Completas.* Recopilación de Agustín del Río Cisneros y Enrique Pavón Pereyra. Instituto de Estudios Políticos, 1976.
PRIMO DE RIVERA Y SAENZ DE HEREDIA. Miguel. *La verdad entera.* Artículo publicado en «Arriba». 18 de julio de 1961.
PRIMO DE RIVERA Y SAENZ DE HEREDIA. Pilar. *Recuerdos de una vida.* Ediciones Dyrsa. 1983.

RAMOS, Vicente. *La guerra civil 1936-1939 en la provincia de Alicante.* Editorial Biblioteca Alicantina, 1972.
RIDRUEJO, Dionisio. *Escrito en España.* Editorial Losada. Buenos Aires, 1962. *Casi unas memorias.* Editorial Planeta.
RIO CISNEROS, Agustín del y PAVON PEREYRA, Enrique. *José Antonio, abogado.* Ediciones del Movimiento. 1963. *Los procesos de José Antonio.* Ediciones del Movimiento, 1963.
ROJAS, Carlos. *Memorias inéditas de José Antonio* (novela). Editorial Planeta. Premio Ateneo de Sevilla 1977. *Diez figuras ante la guerra civil.* Ediciones Nauta, 1973.
ROMERO, Luis. *Tres días de julio.* Ediciones Ariel, 1967.
ROUAIX, Marcel. *Recuerdos de dos guerras* (inédito).
RUBIO, Javier. *Asilos y canjes durante la guerra civil española.* Editorial Planeta, 1979.

SANCHEZ ALBORNOZ, Claudio. *Anecdotario político.* Editorial Planeta, 1972.
SECO SERRANO, Carlos. *Alfonso XIII y la crisis de la Restauración.* Ediciones Ariel, 1969.
SERRANO SUÑER, Ramón. *Memorias.* Editorial Planeta, 1977.

TAGÜEÑA LACORTE, Manuel. *Testimonio de dos guerras.* Editorial Planeta, 1978.
THOMAS, Hugh. *La guerra civil española.* Editorial Ruedo Ibérico, 1967.

VARIOS AUTORES. *Dolor y memoria de España.* Ediciones Jerarquía, 1939.
VEGAS LATAPIE, Eugenio. *Memorias políticas.* Editorial Planeta, 1983.
VELARDE FUERTES, Juan. *El nacional-sindicalismo, cuarenta años después.* Editora Nacional. 1972.
VIÑAS, Angel. *La Alemania nazi y el 18 de julio.* Alianza Editorial, 1974.

XIMENEZ DE SANDOVAL, Felipe. *José Antonio, biografía apasionada.* Editorial Bullón, 1963.
Revista «Fuerza Nueva», número 498. 24-7-1976.

TERMINE DE CORREGIR
EL TEXTO Y LO AUMENTE
CON NOTAS, COMENTARIOS
Y DOCUMENTOS
EL 13 DE FEBRERO DE 1985

LAUS DEO

CATALOGO DE OBRAS

1. Juan Pablo II, Testigo de esperanza

Autores: Ismael Medina, Javier Carrasco y Juan Antonio Cervera

Documento excepcional del papado de Juan Pablo II, con el más vivo análisis biográfico del Vicario de Cristo, la historia de sus viajes apostólicos por todo el mundo y un reportaje completo de su viaje a España, que incluye, sin omisión alguna, todos los discursos, homilías y mensajes. El volumen se completa con el texto íntegro de las tres encíclicas de Juan Pablo II: «Redemptor hominis», «Dives in misericordia» y «Laborem exercens», así como un análisis crítico del tratamiento que dio la prensa española al viaje papal.

P.V.P.: 975 pesetas. *Colección:* Documento. Núm. 1

2. Los pasos sin huellas

Autor: Antonio Izquierdo

Novela-símbolo en la que, a través de los sucesos que en ella se relatan —imaginarios en ocasiones; absolutamente históricos en otras— aparece el perfil de esa promoción de hombres y mujeres a la que se ha llamado con cierta arbitrariedad política o intelectual «la generación perdida». No ha sido una generación heroica, pero sí fue una generación ejemplar... Por aquí desfilan con naturalidad, con rutinaria sencillez, como fue su vida.

P.V.P.: 800 pesetas. *Coleccion:* Novela. Núm. 1

3. Perseguid a Boecio

Autor: Vintila Horia (Premio Goncourt)

En la vastedad del Gulag un hombre lucha solo por conservar su identidad y su vida. Contra los rigores del régimen, de la Policía y del invierno. Descubrirá, en medio de aquel desierto, «que no hay desiertos» y, también, el secreto pavoroso y alentador de la posibilidad y de la continuidad de vivir. El último capítulo de esta novela es sorprendente porque el autor tira la clave del asunto por encima del tiempo, a los confines de otra época.

P.V.P.: 800 pesetas. *Colección:* Novela. Núm. 2

4. Sin embargo vivimos

Autor: Pablo Ortega

Es ésta una obra comprometida y contra corriente. Se trata, en efecto, de un grito de protesta contra la triple tergiversación falsaria que está teniendo lugar: la de la Historia o los hechos como fueron; la de las correspondientes razones y, por último, la de una generación que vivió y pensó como tuvo que vivir y pensar.

P.V.P.: 800 pesetas. *Colección:* Novela. Núm. 3

---

5. Sin miedo al futuro

Autor: Joaquín Aguirre Bellver

Agudo y perspicaz análisis de la crisis espiritual y política de nuestro tiempo. Para el autor, el cristianismo está viviendo una hora de prueba. Acosado desde fuera por el racionalismo y el materialismo, en su interior se ha desatado el clima de la confusión. Esta es una indagación sobre las esencias del mensaje de Cristo, en la que se recuerda su promesa: «Yo os procuraré un lenguaje y una sabiduría que no podrán resistir ni contradecir vuestros adversarios.»

P.V.P.: 750 pesetas. *Colección:* Ensayo. Núm. 1

---

6. El día que ardió La Moneda

Autor: Emilio de la Cruz Hermosilla

La verdad sobre los acontecimientos chilenos que provocaron la caída del régimen socialista de Salvador Allende. En el décimo aniversario del ataque al palacio de La Moneda, este testimonio adquiere un singular valor documental.

P.V.P.: 600 pesetas. *Colección:* Novela. Núm. 4

---

7. Recuerdos de una vida

Autor: Pilar Primo de Rivera

Recuerdos y vivencias directas de Pilar Primo de Rivera, hija del general don Miguel Primo de Rivera y hermana de José Antonio, el fundador de la Falange. Evocaciones familiares y políticas en las que se entremezclan anécdotas y acontecimientos decisivos en la reciente historia de España. Desde la dictadura hasta el «cambio». La caída de la Monarquía, la proclamación y crisis de la República, la fundación de Falange y de la Sección Femenina. La guerra y la paz y reconstrucción de España, con la transformación de la mujer a través de la labor cultural, asistencial, social y jurídica de la Sección Femenina. El descontento de la Falange y el ocaso del régimen, hasta la muerte de Franco, y la liquidación de una etapa histórica que abre la gran incógnita del futuro.

P.V.P.: 900 pesetas. *Colección:* Memorias y biografía. Núm. 1

---

8. 1973-1983: La década del terror (Datos para una Causa General)

Autor: Equipo «D»

La crónica diaria de la actuación terrorista en España, desde el asesinato del almirante Carrero hasta el ocaso de 1983. Todas y cada una de las acciones subversivas, caso por caso, durante una década dramática marcada por el crimen, el secuestro y el ultraje a los símbolos nacionales.

P.V.P.: 4.500 pesetas. *Colección:* Documento. Núm. 2

---

9. Informe a la superioridad

Autor: Angel Palomino

Un relato pleno de humanidad, en el que resaltan el humor crítico del autor y la amenaza del materialismo tecnológico, vencido, finalmente, por el reencuentro del hombre con Dios gracias a la fe sencilla y la perseverancia de un humilde cura rural, peregrino en Roma, portador de la tosca talla del Cristo de la Expiración de Cuariquito.

P.V.P.: 450 pesetas. *Colección:* Narraciones cortas

---

10. Ifni-Sahara: La guerra ignorada

Autor: Ramiro Santamaría

Por primera vez se ofrece en este libro una visión amplia y rigurosa de lo ocurrido en aquella guerra, tan desconocida para los españoles. El autor cuenta las jornadas que vivió como testigo directo de los combates, la actuación de todas y cada una de las unidades de los tres Ejércitos que participaron en la lucha, así como el comportamiento ejemplar de la población civil. La obra se completa con abundante documentación inédita.

P.V.P.: 750 pesetas. *Colección:* Ensayo. Núm. 2

---

11. La red del poder

Autor: Juan Antonio Cervera

Excepcional documento sobre la red oculta que detenta el poder mundial y pretende someter a la Humanidad a su dominio exclusivo. El análisis del autor, pleno de datos veraces y contrastados, arranca del siglo XIV y llega hasta nuestros días con amplia bibliografía.

P.V.P.: 875 pesetas. *Colección:* Ensayo. Núm. 3

---

12. Clave de mí

Autor: José Luis Sáenz de Heredia

Una divertida crónica en la que el popular director cinematográfico nos cuenta, en clave de humor crítico, su personal visión de Inglaterra, más una serie de meditaciones, irónicas y sarcásticas, profundas todas, sobre la España de la transición.

P.V.P.: 750 pesetas. ***Colección:*** **Ensayo. Núm. 4**

---

13. Una luz tras el ocaso

Autor: Antonio Izquierdo

Un relato de ciencia-ficción política en el que el autor, a través de una fluida narrativa en la que la ficción es en ocasiones realidad, y la realidad, ficción, analiza el mundo actual, con sus angustias, sus esperanzas, sus alucinaciones, en busca de un desenlace que reside firmemente en la esperanza de una doctrina política inmarchitable. En un admirable juego literario, Antonio Izquierdo convierte en personajes de ficción los que son personajes reales, vivos, influyentes, y eleva a lo puramente real y cotidiano aquellos que son sólo producto de la imaginación del autor.

P.V.P.: 650 pesetas. ***Colección:*** **Ensayo. Núm. 5**

---

14. Memorias de un actor

Autor: Adriano Domínguez

Uno de los actores más populares durante las últimas décadas hace la reposición escrita de sus experiencias en el teatro y en el cine y, por reflejo, proyecta también escenas de la vida de España desde el final de la guerra hasta nuestros días.

El «flash back» de Adriano Domínguez arranca del atentado perpetrado en 1979 por el GRAPO contra la cafetería «California 47», en el que el autor de este libro resultó milagrosamente ileso, y desvela, con abundancia de anécdotas, muchas claves de la época y de los personajes que fueron y aún son, imagen de portada en las revistas nacionales y extranjeras.

P.V.P.: 500 pesetas. ***Colección:*** **Memorias y biografía. Núm. 2**

---

15. Balada final de la División Azul
1. Los legionarios

Autor: Fernando Vadillo

El mejor historiador de la División Azul inicia con este libro una trilogía que cierra su larga serie sobre la actuación de la División Española de Voluntarios, o División 250, en los frentes de Rusia. Narra exhaustivamente la actuación de la llamada «Legión Azul», últimos combatientes españoles contra el comunismo soviético en Europa.

P.V.P.: 700 pesetas. ***Colección:*** **Ensayo. Núm. 6**

---

16. El «golpe» socialista (Octubre, 1934)

Autor: Enrique Barco Teruel

La más detallada historia escrita hasta ahora sobre la revolución separatista y socialista de octubre de 1934. La verdad y los testimonios del «golpe de Estado» anticonstitucional, perpetrado simultáneamente por la Generalidad de Cataluña, con la proclamación del Estado Catalán, y por el Partido Socialista Obrero Español, levantado en armas contra el Gobierno legítimo de la II República, con la intención de implantar una república soviética de obreros y campesinos.

P.V.P.: 800 pesetas. *Colección:* Ensayo. Num. 7

17. Tomar café en el Peñalba

Autor: Ricardo Vázquez-Prada

Novela testimonial, cruda y realista, en la que el autor relata, a través de una sólida trama narrativa, la angustia, el drama y la epopeya de las mil y una historias humanísimas del cerco y defensa de Oviedo.

P.V.P.: 750 pesetas. *Coleccion:* Novela. Num. 5.

18. Salvador Dalí. Nacimiento, vida, pasión, muerte, resurrección y gloria

Autor: Antonio D. Olano

Apasionante biografía del más grande y universal de los genios de la pintura española contemporánea, contada por uno de los más fieles e íntimos amigos del pintor de Cadaqués, con la espontaneidad, la ironía y la amenidad que caracterizan al gran reportero y escritor que es Antonio D. Olano.

P.V.P.: 1.650 pesetas *Colección:* Memorias y biografía. Núm. 3

19. El gallero

Autor: Emilio de la Cruz Hermosilla

Una novela testimonio, basada en la vida de un «indiano» español, figura central de la narración, quien, a través de su negocio como vendedor de gallos de pelea en Cuba, describe la vida alegre y feliz de la Perla de las Antillas antes de su caída bajo el régimen comunista de Fidel Castro. La trama continúa en la Cuba de Fidel, el hijo de aquel esbirro de la «United Fruit» especializado en la caza de negros fugitivos de los ingenios y plantaciones.

P.V.P.: 800 pesetas. *Colección:* Novela. Núm. 6

20. Inconsciencia

Autor: José Jordá

Sorprendente revelación de un autor octogenario que en esta obra póstuma y única sorprende con el hallazgo de unas reflexiones, profundas y amenas, que son una sonora llamada de atención y, además, un emocionante y amoroso homenaje de fidelidad y recuerdo a quien fue su esposa y guía.

P.V.P.: 850 pesetas. *Colección:* Ensayo. Núm. 8

---

21. España: un pueblo, una idea

Autor: Joaquín Aguirre Bellver

A la angustiosa y dramática pregunta ¿Qué es España?, responde el autor de este magnífico y esclarecedor ensayo con una definición que es síntesis y resumen del pensamiento de los españoles más lúcidos de nuestro siglo. Joaquín Aguirre profundiza en las raíces culturales e históricas de nuestra Patria y aporta, luminosamente, un haz de ideas esenciales de nuestra identidad nacional, como firme sustento de futuro.

P.V.P.: 700 pesetas. *Colección:* Ensayo. Núm. 9

---

22. Las ánimas del Curuto

Autor: Angel Oliver

Toda la fascinación del alma y el paisaje gallegos en una singular y fantástica novela, de desbordante imaginación satírica, que rompe los esquemas tradicionales del género literario para que el lector goce con las aventuras y las historias de los que fueron, son y serán, en la Santa Compaña, habitantes de Montecoruto. De todo lo cual da fe Permín dos Carballás.

P.V.P.: 800 pesetas. *Colección:* Novela. Núm. 7

---

23. La comendadora

Autor: Rafael Canalejo

En la plenitud de nuestro tiempo, sobre el paisaje de Fuenteovejuna y la estructura social actual, las emociones humanas, la ambición, el amor, el crimen, el honor y la venganza, forman la trama tensa y apasionante de esta novela, trasunto vigente del drama clásico inmortalizado por Lope de Vega.

P.V.P.: 950 pesetas. *Colección:* Novela. Núm. 8

---

24. Mosaico andaluz

Autor: Eloy Herrera

Un bello abanico de poemas dedicados a todas y cada una de las provincias andaluzas y al arte taurino, como homenaje del gran poeta, novelista, comediógrafo y actor a la tierra que le vio nacer.

P.V.P.: 600 pesetas. *Colección:* Poesía. Núm. 1

---

25. José Antonio, ese desconocido

Autor: Antonio Gibello
Prólogo: Antonio Izquierdo

La visión más completa y rigurosa publicada sobre la personalidad y el ideario de José Antonio Primo de Rivera, escrita, con objetividad polémica, desde la perspectiva política, social y económica de la España de 1985. Una réplica razonada y enérgica a las insidias e inexactitudes de Ian Gibson y otros autores de la escuela deformadora, con aportación de documentos inéditos y testimonios esenciales para la comprensión de la vida y obra del fundador de la Falange.

P.V.P.: 1.300 pesetas. *Colección:* Memorias y Biografía. Núm. 4

---

26. La herencia

Autor: Waldo de Mier

Amenísima crónica de cuarenta años de historia en los que el español pasó de la alpargata al automóvil; del «tren de la fresa» al Talgo; del botijo al refrigerador; del carro de mulas al «Pegaso»; de las «fábricas» de churros y patatas fritas a la industria pesada y aeronáutica; de la tartana al súper-reactor; de las coplas de ciego al televisor; de la Corrala al turismo mundial; del «contigo pan y cebolla» al trabajo fijo, la protección familiar, la Seguridad Social y la jubilación pensionada.

Dedicada a los españoles que, desde el 18 de julio de 1936 al 20 de noviembre de 1975, contribuyeron al restablecimiento de la unidad de la Patria, a su transformación, engrandecimiento y progreso y que están limpios de perjurio, traición y cobardía.

P.V.P.: 850 pesetas. *Colección:* Ensayo. Núm. 10

---

27. Europa, Gibraltar y la OTAN

Autor: General Francisco Casalduero

Una respuesta nacional frente al falso dilema ¡OTAN, SI!; ¡OTAN, NO! Un razonado análisis histórico y estratégico con las ideas clave para que España adopte una actitud digna e independiente, capaz de rescatar la plena soberanía sobre el Peñón y, mediante el reforzamiento del eje Baleares, Melilla, Ceuta, Gibraltar y Canarias, contribuir a la seguridad y defensa de Europa contra la amenaza de invasión soviética.

P.V.P.: 500 pesetas. *Colección:* Ensayo. Núm. 11

DUCIT AMOR PATRIAE
EX LIBRIS